HET SPOOR VAN DE AMAZONES

Van Anne Fortier zijn verschenen:

Julia◆
Het spoor van de Amazones◆

◆ Ook verkrijgbaar als e-book

ANNE FORTIER

HET SPOOR VAN DE AMAZONES

Vertaald door Marga Blankestijn

UITGEVERIJ LUITINGH-SIJTHOFF

Uitgeverij Luitingh Sijthoff en Drukkerij Koninklijke Wöhrmann BV vinden het belangrijk om op milieuvriendelijke en duurzame wijze met natuurlijke bronnen om te gaan.

Oorspronkelijke titel: *The Lost Sisterhood*
Vertaling: Marga Blankestijn
Omslagontwerp: Marry van Baar
Omslagbeeld: Arcangel Images/Hayden Verry (tempel); Getty Images/Rick Donovan (schaduw)
Typografie: Wim ten Brinke

De vertaalster heeft dankbaar gebruikgemaakt van bestaande vertalingen van klassieke teksten van de hand van, onder anderen, Patrick Lateur, Vincent Hunnik, H.J. de Roy van Zuydewijn, Gerard Koolschijn, Johan van Schagen en Paul Claes.

ISBN 978 90 218 1059 1
NUR 302

www.lsamsterdam.nl
www.boekenwereld.com
www.watleesjij.nu

Voor mijn dierbare schoonmoeder,
Shirley Fortier
1945 – 2013
die zich onder vijandig vuur
in moed met iedere Amazone meten kon

AMAZONES,
mythisch volk van krijgshaftige vrouwen. De naam wordt vertaald als 'borstloos' (maza, *borst) en het verhaal ging dat ze de rechterborst 'afknepen' of 'cauteriseerden' om het speerwerpen te vergemakkelijken... Amazones worden wel aangewend als bewijs voor een feitelijk matriarchaat in de prehistorie. Dit lijkt een aantrekkelijk tegenwicht voor moderne mannelijke vooroordelen, maar dan gaat men voorbij aan de aard van mythen.*

– THE OXFORD CLASSICAL DICTIONARY

Wie het heden beheerst, beheerst het verleden.

– GEORGE ORWELL

KAART VAN HET MIDDELLANDSE ZEEGEBIED CIRCA 1250 V.CHR.

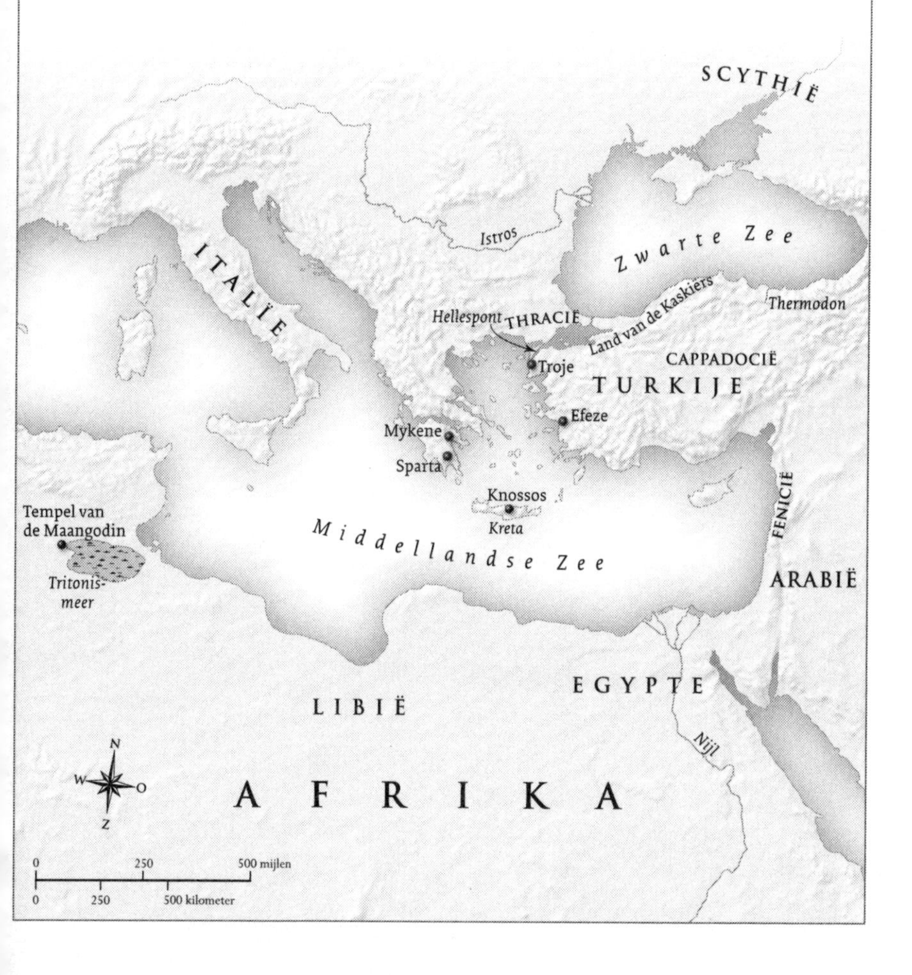

PROLOOG

De jongemannen roeiden hun trainingsronde in recordtijd. Het was een van die zeldzame, heldere ochtenden in Oxford, wanneer de nevel op de rivier vlak voor de boeg optrekt alsof de natuur op dit moment, op deze ploeg heeft gewacht om zich eindelijk te ontsluieren.

Haz waande zich onoverwinnelijk toen hij met zijn kameraden terugliep naar het universiteitsgebouw, over Christ Church Meadow in de opkomende zon. Zijn uitgelaten stemming kreeg echter een domper van de portier, die hem met een bruusk handgebaar in zijn loge ontbood zodra de jongelui de binnenplaats opliepen. 'Dit is voor u bezorgd, sir.' De portier wees met een duim vol inktvlekken naar het voorwerp op de balie. 'Nog geen tien minuten geleden. Ik wilde net de decaan bellen...'

'Wat is het?' vroeg Haz reikhalzend. 'En waar...?' Maar zijn stem verstierf zodra hij de inhoud van de linnen wasmand ontdekte, want op een kussen, onder een dekentje, lag een slapende baby.

Haz kon geen passende Engelse woorden verzinnen om de plotselinge chaos in zijn hoofd te uiten. Natuurlijk had hij wel eens een zuigeling gezien, maar hij had nooit verwacht zo'n klein exemplaar aan te treffen in de bedompte portiersloge, omringd door postzakken en vergeten paraplu's.

'Inderdaad, meneer.' De portier trok in onbeholpen medeleven zijn borstelige wenkbrauwen op. 'Maar misschien biedt deze brief' – hij wees de jongeman op een envelop die met een touwtje aan de mand gebonden zat – 'een verklaring.'

DEEL I

SCHEMERING

1

Zo dreef ik in vreselijk noodweer een negental dagen
Over de visrijke zee en bereikte ten slotte de tiende
't land van de Lotuseters, die bloemen als voedsel gebruiken.
– HOMERUS, *De Odyssee*

OXFORD, ENGELAND – *Heden*

OP HAAR EIGEN ONDOORGRONDELIJKE MANIER deed mijn grootmoeder wat ze kon om me te wapenen tegen het bloedbad van het leven. Stampende hoeven, voortjagende strijdkarren, roofzuchtige mannen... dankzij oma had ik die rond mijn tiende min of meer in de smiezen.

Helaas, de wereld bleek heel anders dan het nobele slagveld dat zij me had voorgespiegeld. De inzet was miezerig, de mensen waren grijs en gezapig – mijn Amazonelisten waren hier van geen enkel nut. En niets van wat oma me tijdens onze lange namiddagen vol muntthee en imaginaire monsters had geleerd, bood houvast in de stromingen en zijwinden van de academische wereld.

Op deze specifieke oktobermiddag – de dag waarop alles begon – kreeg ik halverwege een conferentielezing een onverwachte storm van gramschap te verduren. Aangespoord door de almachtige professor Vandenbosch op de voorste rij sprong de discussieleider overeind en haalde een laffe vinger langs haar keel, om mij te laten weten dat ik precies nul seconden had om mijn verhaal af te ronden. Volgens mijn eigen horloge was ik precies op schema, maar mijn academische toekomst hing af van de welwillendheid van deze eminente wetenschappers.

'Om af te sluiten,' zei ik, met een tersluikse blik op professor Vandenbosch, die me met een oorlogszuchtig gezicht en over elkaar geslagen armen en benen aanstaarde, 'ondanks alle grafische beschrijvingen van hun paargewoonten, is het duidelijk dat deze Griekse auteurs de koene Amazones nooit anders hebben gezien dan als fictieve, quasi-erotische playmates.'

Er klonk een gegons van enthousiasme in de gehoorzaal. Eerder die middag was iedereen doorweekt en nogal bedrukt binnengekomen vanaf de regenachtige binnenplaats, maar kennelijk had mijn presentatie geholpen om de zaal op te warmen.

'Maar,' vervolgde ik met een knikje naar de discussieleider om haar te verzekeren dat ik echt bijna klaar was, 'de wetenschap dat deze bloeddorstige vrouwelijke krijgers pure fictie waren, weerhield onze auteurs er niet van om hen in te zetten in belerende verhalen over het gevaar van onbeteugelde vrijheid voor vrouwen. Waarom?' Ik liet mijn ogen over het publiek dwalen om mijn medestanders te tellen. 'Waarom werden Griekse mannen aangespoord om hun vrouwen thuis op te sluiten? Dat weten we niet. De alarmistische verhalen over de Amazones zouden bedoeld kunnen zijn om hun misogynie te rechtvaardigen.'

Zodra het applaus verstomd was, overstemde professor Vandenbosch de discussieleider door op te staan en streng om zich heen te kijken, met de macht van zijn blik alleen de vele geestdriftig opgestoken handen neermaaiend. Daarop richtte hij zich tot mij met het vermoeden van een sneer op zijn eerbiedwaardige gezicht. 'Hartelijk dank, dr. Morgan. Het doet me deugd dat ik niet langer de meest achterhaalde wetenschapper in Oxford ben. Voor u hoop ik dat de academische wereld op een dag weer behoefte krijgt aan feminisme; tot mijn opluchting kan ik zeggen dat *wíj* die oude strijdbijl allang begraven hebben en ons onderzoekswerk hebben voortgezet.'

Hoewel zijn aanval vermomd was als een grap, was die zo grof dat niemand lachte. Zelfs ik, gevangen achter de lessenaar, was te geschokt om een weerwoord te verzinnen. Het merendeel van het publiek stond aan mijn kant, daar was ik van overtuigd – en toch durfde niemand op te staan om me te verdedigen. De stilte in de zaal was zo volledig dat het gedempte druppen van de regen op het koperen dak te horen was.

Tien vernederende minuten later kon ik de gehoorzaal eindelijk ontvluchten en verdwijnen in de natte oktobermist. Ik trok mijn shawl strak om me heen en probeerde me de theepot die thuis op me wachtte voor de geest te halen... maar ik was nog te woedend.

Professor Vandenbosch had me nooit gemogen. Volgens een wel heel boosaardig verhaal had hij zijn collega's ooit vermaakt met een scenario waarin ik uit Oxford werd weggekaapt om de ster in een girlpower-tv-serie te spelen. Mijn eigen theorie was dat hij zich van mij bediende om zijn rivaal en mijn mentor Katherine Kent op de kast te jagen, met het idee dat hij haar positie kon verzwakken door haar favorieten onderuit te halen.

Katherine had me vanzelfsprekend afgeraden om opnieuw een lezing over de Amazones te geven. 'Als je daarmee doorgaat,' had ze gezegd, even bot als altijd, 'word je een academisch verkeersslachtoffer.'

Ik weigerde haar te geloven. Op een dag zou het onderwerp aanslaan, en dan zou professor Vandenbosch de vlammen onmogelijk kunnen doven. Als ik de tijd maar kon vinden om mijn boek af te maken, of, nog beter, de *Historia Amazonum* in handen kon krijgen. Nog één brief naar Istanboel, met de hand geschreven dit keer, misschien zou de magische grot van Grigor Reznik dan eindelijk opengaan.

Dravend door de zompige straat, mijn kraag hoog opgezet tegen de elementen, was ik te diep in gedachten verzonken om te merken dat ik gevolgd werd, tot iemand me inhaalde bij het zebrapad op High Street en de vrijheid nam om zijn paraplu boven mijn hoofd te houden. Hij zag eruit als een kwieke zestiger en was zeker geen academicus: onder zijn smetteloze trenchcoat bespeurde ik een duur pak, en ik vermoedde dat zijn sokken bij zijn das pasten.

'Dr. Morgan,' begon hij, met een accent dat zijn Zuid-Afrikaanse afkomst verried. 'Ik heb genoten van uw lezing. Hebt u een momentje?' Hij knikte naar het grand café aan de overkant. 'Mag ik u iets te drinken aanbieden? U ziet eruit alsof u wel iets kunt gebruiken.'

'Dat is heel vriendelijk van u,' antwoordde ik met een blik op mijn horloge, 'maar helaas ben ik al laat voor een andere afspraak.' En dat was ik ook. Omdat het inloopweek was bij de schermvereniging van de universiteit, had ik beloofd na mijn werk te komen helpen bij het demonstreren van het materiaal. Dat bleek nu goed uit te komen, want ik was precies in de juiste stemming om een paar imaginaire vijanden aan mijn degen te rijgen.

'O...' De man bleef met me meelopen; de vooruitstekende punten van zijn paraplu prikten naar mijn haar. 'En later op de avond? Hebt u dan tijd?'

Ik aarzelde. De ogen van de man hadden iets verontrustends; ze waren ongewoon intens en hadden een gelige tint, enigszins vergelijkbaar met die van de uilen op de boekenkasten in mijn vaders werkkamer.

In plaats van de donkere en vrijwel verlaten Magpie Lane in te slaan, stond ik op de hoek stil en deed een poging tot een vriendelijke glimlach. 'Ik vrees dat ik uw naam niet heb verstaan?'

'John Ludwig. Hier...' De man rommelde even in zijn zakken en trok toen een gezicht. 'Geen kaartje. Geeft niet. Ik heb een uitnodiging voor u.' Hij keek me even onderzoekend aan, alsof hij zich wilde verzekeren van mijn verdienste. 'De stichting waar ik voor werk heeft een sensationele ontdekking gedaan.' Hij zweeg even en fronste zijn voorhoofd, duidelijk niet op zijn gemak in de openbaarheid van onze omgeving.

'Weet u zeker dat ik u niets te drinken kan aanbieden?'

Ondanks mijn eerdere verontrusting kon ik een opwelling van nieuwsgierigheid niet onderdrukken. 'Misschien kunnen we morgen afspreken?' bood ik aan. 'Voor een kop koffie?'

Meneer Ludwig keek even naar een paar ineengedoken voorbijgangers en boog zich even naar me toe. 'Morgen,' zei hij, zijn stem dempend tot een zacht gefluister, 'zijn wij samen onderweg naar Amsterdam.' Toen hij de schrik op mijn gezicht las, had hij het lef om te glimlachen. 'Eerste klas.'

'Juist!' Ik dook onder zijn paraplu vandaan en liep Magpie Lane in. 'Ik wens u een prettige avond, meneer Ludwig...'

'Wacht!' Hij kwam achter me aan de steeg in, waar hij me op het ongelijke plaveisel moeiteloos bijhield. 'Ik heb het over een ontdekking die de geschiedenis gaat herschrijven. Het is een gloednieuwe opgraving, topgeheim, en raad eens: we willen graag dat u ernaar kijkt.'

Ik vertraagde mijn tred. 'Waarom? Ik ben geen archeoloog. Ik ben filoloog. Zoals u ongetwijfeld weet, houdt de filologie zich niet bezig met opgraven, maar met lezen en ontcijferen...'

'Precies!' Opnieuw doorzocht Ludwig alle zakken waaruit zijn visitekaartje niet was opgedoken en haalde toen een kromgebogen foto tevoorschijn. 'Wij hebben juist iemand nodig die hier iets van kan maken.'

Zelfs in het schemerduister van Magpie Lane kon ik zien dat de foto een inscriptie toonde op iets wat leek op een oude gepleisterde muur. 'Waar is die genomen?'

'Dat kan ik u niet vertellen. Niet voordat u instemt met mijn verzoek.' Ludwig kwam dichterbij, zijn stem gedempt en vol geheimzinnigheid. 'Wij hebben namelijk bewijs gevonden dat de Amazones werkelijk hebben bestaan.'

Ik was zo verrast dat ik bijna begon te lachen. 'Dat kunt u niet menen...'

Ludwig rechtte zijn rug. 'Pardon, dat meen ik heel serieus.' Hij spreidde zijn armen, met paraplu en al, alsof hij het reusachtige belang van de zaak wilde aangeven. 'Dat is uw terrein. Uw passie. Nietwaar?'

'Jawel, maar...' Ik keek naar de foto, niet ongevoelig voor de verleiding. Zo ongeveer om het halfjaar kwam ik een artikel tegen over een archeoloog die beweerde een echt Amazonegraf te hebben gevonden, of zelfs de legendarische vrouwenstad Themiskyra. Meestal droegen de artikelen koppen als NIEUWE VONDST BEWIJST BESTAAN AMAZONES, en ik las ze altijd gretig, om telkens weer teleurgesteld te raken. Ja, weer had een verweerde volhouder zijn of haar leven besteed aan het uitkammen van de streek rond de Zwarte Zee, op zoek naar vrouwen die met wapens en paarden begraven waren. En ja, soms vonden ze overblijfselen van een prehistorische volksstam die vrouwen niet belette om paarden te berijden en wapens te dragen. Maar om dan te beweren dat die vrouwen in een manloze Amazonegemeenschap leefden en soms spectaculaire veldslagen leverden tegen de oude Grieken... dat was net zoiets als uit de vondst van dinosaurusresten afleiden dat er ooit vuurspuwende sprookjesdraken leefden.

Met zijn uilenogen keek Ludwig me aan. 'Wilt u me echt wijsmaken dat er na, wat zal het zijn, negen jaar onderzoek naar de Amazones, geen verborgen hoekje van Diana Morgan is dat wil bewijzen dat ze werkelijk hebben bestaan?' Hij knikte naar de foto die hij me had gegeven. 'U ziet daar een tot op heden niet ontcijferd Amazone-alfabet, en wij bieden u de kans om als eerste wetenschapper een poging te wagen. Bovendien zullen wij u ruimschoots compenseren voor uw tijd. Vijfduizend dollar voor een week werken...'

'Wacht eens even,' zei ik, klappertandend van de kou en de schok van dit alles. 'Waarom bent u er zo zeker van dat deze inscriptie iets met de Amazones te maken heeft?' Ik wapperde met de foto voor zijn gezicht. 'U vertelt me net dat het nog niet ontcijferd is...'

'Aha!' Ludwig wees naar mijn neus, raakte hem bijna. 'Dat is nou precies de slimme gedachtegang waar wij naar op zoek zijn. Hier...' Hij deed een greep in zijn binnenzak en overhandigde me een envelop. 'Dit is uw vliegticket. We vertrekken morgenmiddag van Gatwick. Tot ziens bij de gate.'

En dat was het. Zonder mijn reactie zelfs maar af te wachten, draaide John Ludwig zich om en liep weg, en zonder ook maar één keer achterom te kijken, verdween hij High Street in.

2

De sterren die staan
rond de zilveren maan
verbergen verlegen hun aangezicht
als zij in haar volle luister
de aarde verlicht.
– SAPPHO

HET GROOTSTE DEEL VAN DE FACULTEIT zat al aan de borrel in de Senior Common Room tegen de tijd dat ik aankwam. Vanwege mijn spurt naar de schermclub had ik te weinig tijd gehad om me op te frissen, en toen ik binnenkwam, hoorde ik her en der wat gemurmel over het feit dat Miss America weer eens te laat was voor het eten. Ik glimlachte slechts vriendelijk en deed alsof ik het niet hoorde. Voor zover zij konden weten, had ik in een stoffig hoekje van de bibliotheek gezeten, half ingeslapen boven een eeuwenoud manuscript – een uitstekend verdedigbare reden om, zoals zijzelf vaak genoeg deden, op de verkeerde tijd en de verkeerde plaats te verschijnen en eruit te zien alsof ze rechtstreeks uit de renaissance gestruikeld kwamen.

Helaas wist ik vrij zeker dat de benaming 'Miss America' niet vleiend bedoeld was. Al was ik inderdaad een halve kop groter dan de meeste mensen en – zoals mijn vader altijd zei wanneer ik mijn blonde krullen de vrijheid gaf – een bedrieglijk engelachtige verschijning, de bijnaam was vrijwel zeker een verwijzing naar mijn afstamming, of het vermeende gebrek daaraan. Kennelijk zou ik nooit ontsnappen aan het feit dat ik een Amerikaanse moeder had, wier vocabulaire mijn kindertijd had geregeerd. Hoewel mijn vader zuiver Brits was en ik in mijn jeugd omringd was geweest door mensen die Brits-Engels spraken, waren er momenten waarop Amerikaans-Engelse zegswijzen vanzelfsprekender uit mijn mond kwamen. Klaarblijkelijk hadden sommige faculteitsleden opgevangen dat ik de *dustbins* met *trashcans* aansprak – of me langs de universiteit zien joggen met geen ander doel dan de nogal vulgaire wens om fit te blijven – en onmiddellijk besloten dat verder doorgronden van mijn persoonlijkheid overbodig was.

'Diana!' Met een ongeduldig gebaar wenkte mijn mentor Katherine Kent me bij zich. 'Hoe ging de conferentie?'

Zoals altijd werd ik overrompeld door haar kortaangebondenheid en ik voelde de moed me in de schoenen zakken. 'Helemaal niet gek. Redelijk veel publiek, eigenlijk.'

'Wat was je onderwerp ook alweer?'

'Nou...' Ik probeerde te glimlachen. Er was geen veilige manier om onder woorden te brengen dat ik haar advies had genegeerd. 'Ik had een beetje haast...'

De ogen van Katherine Kent vernauwden zich tot spleetjes. In een gezicht gekenmerkt door geestelijke discipline en omlijst door haar zo kort dat het voor een *fashion statement* had kunnen doorgaan, waren haar ogen altijd opvallend fel, van een zeldzaam, fonkelend turkoois, als in tin gezet kristal. Meestal fonkelden ze van ergernis, maar geleidelijk was ik gaan begrijpen dat dat haar natuurlijke houding was tegenover mensen die haar respect juist wel hadden verdiend.

Op dat moment trok er een vlaag enthousiasme door de zaal. Opgelucht dat Katherine Kent even werd afgeleid keek ik achterom om te zien wie het voor elkaar kreeg om nog later te komen dan ik en toch de ster van de avond te zijn.

Maar natuurlijk. James Moselane.

'Deze kant op!' Katherines arm schoot weer omhoog met dat ongeduldige gebaar dat geen weigering kon velen.

'Kate.' James begroette de grande dame met de handdruk die ze verwachtte. 'Hartelijk dank voor de recensie in de *Quarterly*. Ik weet zeker dat ik die lof niet verdien.' Toen pas zag hij mij. 'O, hallo, Morg. Ik zag je zo gauw niet.'

Wat mij prima uitkwam, want als James Moselane ergens binnenkwam, kostte het me altijd een paar minuten om mijn voorhoofdskwab te beteugelen. Op de rijpe en verantwoordelijke leeftijd van achtentwintig was het afschuwelijk om te moeten grabbelen naar een klein beetje raffinement en – erger nog – zeker te weten dat iedereen om me heen mijn rode wangen opmerkte en exact de juiste conclusie trok.

Onder academici gold James als een ongewoon aantrekkelijk exemplaar. Op de een of andere manier was hij ontsnapt aan de stelregel dat een voorsprong bij het uitdelen van de hersenen onvermijdelijk een achterstand betekende bij de verdeling van het uiterlijk schoon. Ondanks het feit dat zijn hoofd volgepropt zat met een meer dan gemiddelde hoeveelheid grijze cellen, werd het bekroond door een weelderige hoeveelheid kastanjebruin haar, en zelfs op zijn drieëndertigste bleef zijn gezicht een smetteloze kruik vol jongensachtige charme. Alsof dat nog niet genoeg was, bezat zijn vader, Lord Moselane, een van de fraaiste collecties klassieke beeldhouwwerken van het land. Met andere woorden, van alle mannen die ik had ontmoet, was James als enige meer prins dan kikker.

'Diana heeft vandaag een presentatie gegeven op de conferentie,' berichtte professor Kent. 'Ik probeer haar nog steeds de titel te ontfutselen.'

James schonk me een zijwaartse blik van verstandhouding. 'Ik hoorde dat het goed ging.'

Dankbaar voor de redding lachte ik en veegde een druppeltje vocht van mijn slaap. Het was zweet van het schermmasker, gevangen in mijn haar, maar ik hoopte dat James het als bewijs van een recente douche zou opvatten. 'Dat is heel vriendelijk. En jij, hoe is het met jou? Nog suïcidale liefdesbrieven van je studenten gekregen?'

Op dat moment ging de bel voor het diner en iedereen dromde door de deur van de Common Room. De gesprekken vielen even stil terwijl onze kleine processie naar beneden liep, door de druilerige regen de binnenplaats overstak en in plechtige paren de grootse collegehal betrad.

De studenten stonden allemaal op van hun banken toen wij over het gangpad naar de High Table liepen die op een podium achter in de hal stond, en toen ik op mijn stoel ging zitten was ik me maar al te bewust van alle ogen die op mij gericht waren. Of, waarschijnlijker, op James, die vlak naast me kwam zitten, uitzonderlijk knap en opmerkelijk op zijn gemak in zijn zwarte toga; hij leek wel een prins aan het hof van de Tudors.

Terwijl de steward wijn in onze glazen schonk, fluisterde hij: 'Kop op, meid. Ik heb uit zeer betrouwbare bron vernomen dat er niets mis was met je lezing.'

Ik keek hem hoopvol aan. Het was algemeen bekend dat James een academische hoogvlieger was, en bij zijn publicatielijst alleen al verbleekten de meeste van zijn collega's tot kleine maantjes, gevangen in stervende dampkringen. 'Waarom zei er dan niemand iets?'

'Wat dan?' James begon gretig aan zijn voorgerecht. 'Je overvalt ze met zweterige krijgsvrouwen in bontlaarzen en gepantserde bikini's. Alsjeblieft zeg, het zijn academici. Wees blij dat je geen hartaanval hebt veroorzaakt.'

Ik lachte in mijn servet. 'Ik had er een diapresentatie van moeten maken. Misschien waren we nu dan eindelijk van professor Vandenbosch verlost...'

'Morg...' James keek me aan met die ogen. Ogen waarvan ik wist dat ze me slechts het topje van zijn gedachtegang toonden. 'Je weet toch dat professor Vandenbosch vierhonderd jaar oud is. Hij was hier lang voordat wij kwamen, en lang nadat jij en ik naar de eeuwige roeiwateren zijn vertrokken, zal hij hier nog zijn. Laat de man met rust.'

'Ach kom nou!'

'Ik meen het.' Weer vlijmde zijn hazelnootblik door ons gebabbel. 'Je hebt extreem veel talent, Morg. Echt waar. Maar het vergt meer dan talent om hier succes te hebben.' Hij glimlachte, misschien om zijn kritiek te verzachten. 'Neem dit aan van een doorgewinterde kok: je kunt geen soep blijven koken van die oude Amazonebotten.' Bij die woorden tilde hij zijn wijnglas proostend op in een gebaar van verstandhouding, maar hij had de inhoud evengoed in mijn gezicht kunnen smijten.

'Juist.' Ik sloeg mijn ogen neer om mijn teleurstelling te verbergen. De woorden waren niet nieuw, maar nu ze van hem kwamen, sneden ze recht door mijn hart. 'Ik begrijp het.'

'Goed zo.' James liet de wijn een paar keer walsen in zijn glas voordat hij een slok nam. 'Te jong,' was zijn oordeel uiteindelijk toen hij het glas neerzette. 'Niet complex genoeg. Zonde.'

James en ik waren op een steenworp afstand van elkaar geboren, maar in twee volkomen aparte werelden. Het enige wat wij als gewone stervelingen ooit van de familie Moselane zagen, waren dure auto's met getinte ramen die te hard door ons stille dorpje reden en even stilstonden voor de automatische hekken van hun eindeloze oprijlaan tot ze openzwaaiden. Alleen dat, en heel soms, vanachter de doornhaag die dit privéparadijs omringde, een glimp van mensen in de verte die croquet of tennis speelden in het park rond het landhuis, hun gelach als lege toffeewikkels meegevoerd op de bries.

Hoewel iedereen in het dorp de namen en leeftijden van de kinderen van Lord en Lady Moselane kende, waren ze even ver van ons verwijderd als kinderen in een boek. Omdat ze allemaal op kostschool zaten – de beste van het land, uiteraard – waren de jonge Master James en zijn zussen nooit thuis tijdens het schooljaar, en het scheen dat ze bijna al hun vakanties doorbrachten bij vrienden van school in het bezit van afgelegen Schotse kastelen.

De zoon en erfgenaam van Lord Moselane was dan ook weinig meer dan een stralenkrans van kastanjebruin haar in de voorste kerkbank bij de jaarlijkse kerstdienst, maar in mijn dagdromen had hij een volledig ontwikkeld leven. Als ik op zondag ging wandelen met mijn ouders – en een tijdlang ook met mijn grootmoeder – huppelde ik vooruit door het bos in de hoop hem tegen te komen op zijn paard, zijn imaginaire mantel nobel fladderend in de wind... al wist ik heel goed dat hij op Eton College zat, en later in Oxford, en dat er niemand anders in de buurt was dan ik en mijn frivole fantasie.

Toch was ik niet helemaal alleen in dat imaginaire wereldje van mij. Al zolang als ik me herinnerde, snakte mijn moeder naar een intiemere band met de Moselanes, die toch onze buren waren. Volgens haar berekeningen zou het feit dat mijn vader schoolhoofd van de plaatselijke basisschool was ons de achting van de hogere standen moeten opleveren en zouden wij deswege zelfs vanuit het landhuis op de heuvel zichtbaar moeten zijn. Maar nadat ze het grootste deel van haar huwelijksleven tevergeefs had gewacht op de gebosseleerde uitnodiging, moest ze zich er uiteindelijk wel bij neerleggen dat onze Lord en Lady er heel andere sociale rekenmethoden op na hielden dan zij.

Het is altijd een raadsel voor me geweest waarom mijn moeder – die immers volbloed Amerikaans was – nooit haar hunkering naar dat mooie landhuis verloor, zelfs na alle bittere teleurstellingen. Jarenlang vrijwilligerswerk voor de liefdadigheidsprojecten van Milady in de hoop op erkenning; jarenlang zorgvuldig snoeien van de zeven meter lange ligusterhaag die de meest afgelegen delen van het park scheidde van de moestuin achter ons huis... allemaal voor niets.

Tegen de tijd dat ik voor mijn doctoraat naar Oxford verhuisde, was ik er zo van overtuigd dat zij en ik allang genezen waren van onze vruchteloze nonsens, dat het een jaar duurde voordat ik doorhad dat ik haar verborgen beweegreden was om elke drie weken bij me op bezoek te komen en erop te staan dat we samen de wonderen van Oxford zouden verkennen.

Eerst hadden we elke universiteit van de stad bezocht, en eigenlijk vermaakten we ons uitstekend. Mijn moeder kreeg nooit genoeg van al die gotische binnenplaatsen en kloostergangen, zo anders dan alles waar zij mee was opgegroeid. Als ze dacht dat ik niet keek, zag ik haar soms even bukken om kleine aandenkens in haar tas te laten glijden – een kiezelsteen, een verloren potlood op een stenen trede, een takje tijm uit een kruidentuin – en ik schaamde me bijna toen ik besefte hoe weinig ik na al die jaren wist van wat er omging in haar innerlijke wereld.

Na onze ronde langs de universiteiten bezochten we concerten en evenementen, waaronder af en toe een sportgebeuren. Ineens ontwikkelde mijn moeder een onnatuurlijke belangstelling voor cricket, daarna voor rugby, en daarna voor tennis. Achteraf gezien had ik natuurlijk kunnen weten dat die zogenaamd spontane opwellingen onlosmakelijk verbonden waren met een campagne die altijd maar één doel had gehad.

James.

Om de een of andere reden had ik nooit opgemerkt hoe systematisch onze verkenningstochtjes waren, en hoe vastbesloten mijn moeder onze route van tevoren plande en eraan vasthield, ongeacht de weersomstandigheden... tot de dag waarop ze me eindelijk bij mijn elleboog greep om met de stem van een kruisridder die eindelijk de heilige graal ziet uit te roepen: 'Daar ís hij!'

En inderdaad, daar was hij. Hij kwam uit Blackwell's op Broad Street en hield een kop koffie in evenwicht op een stapel boeken. Ik zou hem nooit hebben herkend als mijn moeder er niet was geweest, maar ik had dan ook niet de afgelopen tien jaar besteed aan het via verrekijkers en roddelbladen bijhouden van de volgroeiing van ons doelwit. Voor mij was James Moselane nog steeds een puberale prins in een betoverd bos, en de man die uit de boekwinkel kwam was een volmaakt geproportioneerde volwassene – lang en atletisch, zij het volledig onvoorbereid op de hinderlaag die hem wachtte.

'Wat een toeval!' Mijn moeder beende Broad Street over en sneed hem de pas af voordat hij haar zag aankomen. 'Ik wist niet eens dat jij in Oxford zat. Diana ken je vast niet meer...'

Toen pas realiseerde mijn moeder zich dat ik niet vlak naast haar stond, en ze keek achterom met een vertrokken gezicht dat alles verklaarde. Ik was nooit een lafaard geweest, maar bij het afgrijselijke besef dat het dit was, precies dit, waar we al die tijd achteraan hadden gejaagd, was ik bijna omgekeerd en weggelopen.

Hoewel James haar woedende gezicht niet kon zien, konden haar dolzinnige gewuif en mijn onthutste gezicht hem onmogelijk ontgaan. Alleen iemand die ongewoon traag van begrip was, had de situatie niet met één blik kunnen inschatten, maar het sierde James dat hij ons desondanks met onberispelijke hartelijkheid begroette. 'En, hoe vind je Oxford?' vroeg hij aan mij, nog steeds zijn koffie balancerend op zijn boeken. 'Sorry, hoe heet je ook alweer?'

'Diana Morgan,' zei mijn moeder. 'Net als Lady Diana. Hier, ik schrijf het even op.' Ze dook in haar handtas en haalde er een stukje papier uit, zonder acht te slaan op mijn duwtjes en geprevelde smeekbeden. 'En haar universiteit, natuurlijk...'

'Mam!' Het vergde al mijn wilskracht om haar te verhinderen meteen ook mijn telefoonnummer op te schrijven, en ze was erg boos omdat ik haar meetrok voordat we al haar opdringerige babbels hadden uitgeput.

Het verbaasde me niet dat we daarna geen spoor meer van James zagen. Naar alle waarschijnlijkheid zou ik hem nooit meer hebben ontmoet als Katherine Kent er niet was geweest. Het jaar daarop nam ze me net voor kerst mee naar een receptie in het Ashmolean Museum – een receptie, zo bleek, ter ere van een recente donatie van kunstvoorwerpen uit de oudheid van de Moselane Manor Collectie.

Met een 'kom mee' trok ze me weg bij een prachtig beeld van de Egyptische godin Isis en drong voor me uit door de menigte exclusieve genodigden. 'Ik wil je even voorstellen. De Moselanes zijn bijzonder nuttig.' Als ongeduldige vrouw had Katherine zich de kunst aangeleerd om zich met een brede zwaai in een gesprek te mengen en haar prooi te stelen. 'James! Dit is Diana. Bijzonder talentvol. Ze wil graag weten wie je Isis heeft gebleekt.'

James stikte bijna in zijn champagne voordat hij zich naar ons omdraaide, zo verleidelijk in pak en das dat mijn fantasieën van weleer binnen een mum van tijd weer op hun post waren.

'Ik bewonderde haar alleen maar,' haastte ik me te zeggen. 'De vinder die haar naar Engeland heeft gehaald moet zich wel een enorme faraonische vloek op de hals hebben gehaald...'

'Mijn voorvader. De eerste Lord Moselane.' Verbazend genoeg keek James alsof hij onze eerdere ontmoeting helemaal vergeten was. Zijn glimlach suggereerde zelfs dat ik precies het soort vrouw was dat hij vanavond had gehoopt te ontmoeten. 'In de leeftijd van tweeënnegentig jaar vredig in zijn slaap gestorven. Dat hopen wij tenminste.' Hij schudde mijn hand en had geen haast om die los te laten. 'Aangenaam.'

'Eerlijk gezegd,' zei ik terwijl ik met tegenzin mijn hand terugtrok, 'hebben wij elkaar vorig jaar al ontmoet, voor Blackwell's.' Al voordat de woorden mijn mond uit waren, had ik spijt van mijn verraderlijke eerlijkheid. Het duurde maar een paar seconden voordat de radertjes in het hoofd van James in elkaar klikten, en dat was geen fraai gezicht.

'Juist,' zei hij traag. 'Juist, juist...'

Maar het woord dat ik in zijn bruine ogen las, klonk heel anders.

In de maanden daarop, als we plichtmatig samen koffiedronken – altijd op aandringen van Katherine Kent – zette de eerste vraag van James, 'Hoe is het met je moeder?', de toon voor ons gesprek en wist ik weer waarom onze koffieafspraak nooit een lunch werd. Hij was voorkomend, dat zeker, en schonk me soms een blik die een zekere hoop door mijn lichaam deed fladderen. Maar in het algemeen behandelde hij me met ridderlijke hoffelijkheid, alsof ik een ongenaakbare jonkvrouw was die hij had gezworen te beschermen.

Misschien was het vanwege mijn moeder. Of misschien was het deels te wijten aan het feit dat James – zoals mijn vader het ooit zo beeldend uitdrukte – geboren was met een zilveren lepel in zijn reet. De zuiverheid van het blauwe bloed die bewaard moest blijven en zulks. In dat geval kon ik mijn veren poetsen wat ik wilde; het zou nooit bij de zoon van Lord Moselane opkomen dat wij tot dezelfde soort behoorden.

Ik werd uit mijn gepeins aan de High Table gewekt door een hand die het bord met mijn onaangeraakte voorgerecht verwijderde. Naast me zat James in de beschutting van zijn gesteven servet op zijn telefoon te kijken, zijn hoofd gebogen alsof hij in gebed verzonken was. Discreet tastte ik in mijn handtas naar de foto van meneer Ludwig en stak hem die toe. 'Wat denk jij hiervan?'

James boog zich voorover en keek. 'Gedateerd circa?'

'Ik vermoed een dag of tien,' grapte ik, 'te oordelen naar dat gebogen hoekje en de rafelranden. Wat de inscriptie betreft – daar kun jij evengoed naar raden als ik.'

Zichtbaar geïntrigeerd tuurde hij met half toegeknepen ogen naar de foto. 'Wie heeft je dit gegeven?'

'Een mysterieuze man,' zei ik, opzettelijk theatraal, 'die me vertelde dat deze foto het bewijs vormt dat de Amazones echt bestaan hebben...'

'Wat is dat?' Katherine Kent stak haar hand uit om de foto uit mijn vingers te plukken en bij het licht van een kaars te bestuderen. 'Waar is die gemaakt?'

'Geen idee.' Blij verrast door hun belangstelling schetste ik de hoogtepunten van mijn vreemde ontmoeting die middag. Toen ik terug cirkelde naar de bewering van Ludwig over het nog niet ontcijferde Amazone-alfabet, liet James zich met een kreun achteroverzakken op zijn stoel.

'Irritant, zeg!' Met een bevreemde frons gaf Katherine Kent me de foto terug. 'Dit kan overal wel zijn. Als we de naam van zijn stichting kenden...'

Ik kromp ineen onder haar blik. Kennelijk verweet ze mij dat ik Ludwig niet meer informatie had ontfutseld, en daar had ze wel een beetje gelijk in. 'Ik geloof dat ze een kantoor hebben in Amsterdam,' zei ik. 'Want daar wilde hij me mee naartoe nemen.'

'Maakt het iets uit?' viel James me in de rede. 'Want natuurlijk ga je niet...'

'Nou,' sprak ik hem tegen, omdat ik de verleiding niet kon weerstaan hem een beetje uit zijn tent te lokken. 'Eerlijk gezegd had ik bijna ja gezegd. Het gebeurt niet elke dag dat een vreemde man me op straat vijfduizend dollar aanbiedt...'

'Precies.' James keek me bestraffend aan. 'Een vreemde man op straat. En wat ben jij dan?'

Ik glimlachte, gevleid dat hij het allemaal zo serieus nam. 'Nieuwsgierig.'

James schudde zijn hoofd en zou waarschijnlijk nog iets afkeurends hebben gezegd, als Katherine – die het privilege van een genie genoot – ons niet met opgestoken hand tot zwijgen had gemaand. 'En hij zei dat hij je op het vliegveld zou zien?'

Verrast door haar ernst schraapte ik mijn keel. 'Ik geloof van wel.'

James kon zich niet langer inhouden. 'Zeg,' kwam hij tussenbeide, zijn servet tot een bal knijpend, 'je wilt Morg toch zeker niet echt aanmoedigen om met die... Ludwig mee te gaan? God weet wat hij van plan is...'

Katherine schoof met een ruk achteruit op haar stoel. 'Natuurlijk niet. Doe niet zo raar. Ik probeer alleen te ontdekken wat er aan de hand is... wie die mensen zijn.'

Om de vriendschappelijke toon terug te vinden, lachte ik en zei: 'Het zou me helemaal niet verbazen als het een streek van mijn luie studenten was...'

Weer keek James me streng aan. 'Ik zie de humor er niet van in. Je bent een doelwit, en dan heb ik het niet over een studentikoze grap. Zorg dat je vannacht je deur op slot doet.'

3

In het gezicht van een echte vriend
ziet een man als het ware een tweede ik
– CICERO, *De Amicitia*

HET REGENDE NOG STEEDS tegen de tijd dat James over de binnenplaats met me meewandelde naar mijn appartement, waarbij hij ons zorgvuldig om de inktzwarte plassen op de keistenen heen leidde. Hij had me nog nooit thuisgebracht; die aangename ontwikkeling had ik dan tenminste al aan Ludwig te danken.

'Nou, Morg,' zei James, met een arm in de lucht om me tegen de regen te beschermen terwijl ik mijn sleutels zocht, 'ik denk niet dat je de komende dagen de universiteit moet verlaten. In ieder geval niet alleen. Je weet maar nooit...'

Ik staarde hem aan, amper gelovend dat hij het meende. 'Doe gewoon, zeg.'

'Als je weg wilt,' vervolgde hij, terwijl de regen vanuit zijn haar langs zijn nobele gezicht droop, 'bel je mij maar, dan ga ik met je mee.'

Niet alleen de woorden, maar ook de diepe tonen van zijn stem kropen recht in mijn innerlijke oor des oren en schalden door de grotten waar mijn hoop in winterslaap lag. Gretig keek ik in zijn ogen... maar regen en schemer benevelden het moment. Na een ongemakkelijke stilte wist ik eindelijk stijfjes uit te brengen: 'Dat is erg aardig van je,' waarop James slechts met een even opgewekte stem als anders antwoordde: 'Onzin. We moeten toch goed op je passen?'

En toen liep hij weg, zijn handen achteloos in zijn zakken, een vrolijk wijsje fluitend, terwijl ik me in mijn vertrekken verschanste. Of eigenlijk was het chique, smaakvol ingerichte appartement technisch gesproken niet van mij; het behoorde toe aan de hooggeleerde professor Larkin, die uitgenodigd was om een jaar in Yale door te brengen. Ik was niet de enige kandidaat geweest in de strijd om de aanstelling als zijn vervanger, maar ik was een vrouw, en aan die specifieke mensensoort had de faculteit al heel lang gebrek. Tenminste, dat was Katherine Kents argument geweest om mij voor te dragen.

Ik kreeg geen volledig salaris, maar het overnemen van het appartement van professor Larkin bood me de gelegenheid om mijn bedompte flatje te verlaten en in het universiteitsgebouw te wonen. Het enige probleem van het lectoraat was de werkdruk. Mijn dagen zaten zo vol colleges en werkgroepen, dat ik bijna geen tijd meer had voor mijn eigen onderzoek. En zonder een keur van frisse, opmerkenswaardige publicaties waar mijn naam onder stond, zou me aan het eind van het jaar zeker geen vaste aanstelling wachten; dan kon ik weer terug naar mijn kelder op die enge Cowley Road, om ongeïnspireerde sollicitatiebrieven te schrijven en de muizen van mijn krentenbollen te verjagen.

Terwijl ik de ketel vulde voor een kop thee om mee naar bed te nemen, dwaalden mijn gedachten over de gebeurtenissen van de dag en eindigden – vanzelfsprekend – bij John Ludwig. Binnen een paar minuten had die vreemde man me een duizelingwekkende hoorn des overvloeds aan verleidingen voorgelegd: academische roem, avontuur, en genoeg geld om een halfjaar vrijheid te kopen voor mijn eigen onderzoek. Misschien zou ik zelfs een reisje naar Istanboel in mijn schema kunnen persen, voor een persoonlijk bezoek aan Grigor Reznik om hem over te halen mij zijn *Historia Amazonum* te laten bekijken – het enige originele document over de Amazones dat ik nog niet had gelezen. Mijn gedachten bruisten van de mogelijkheden.

In ruil had Ludwig me echter gevraagd om een week van mijn kostbare tijd, en zelfs als ik roekeloos genoeg was om zijn voorstel te overwegen, was er geen enkele manier waarop ik een dergelijke afwezigheid kon rechtvaardigen, nauwelijks een maand na het begin van mijn lectoraat. Als hij me nu nog een of ander officieel document had laten zien, deugdelijk gestempeld en ondertekend, waarin precies uiteengezet werd wat zijn stichting van mij verwachtte en hoe geweldig dat zou staan op mijn cv... Maar zoals het er nu voor stond, was het hele geval gewoon te vaag, te riskant. En inderdaad, zoals zowel Katherine Kent als James me tijdens het eten uitputtend duidelijk had gemaakt: je zou volkomen krankzinnig moeten zijn om zomaar weg te vliegen, het onbekende tegemoet.

Als Ludwig het toverwoord maar niet had uitgesproken.

Amazones.

Kennelijk was hij op de hoogte van mijn wetenschappelijke obsessie met dat onderwerp, anders zou hij me sowieso niet hebben benaderd. Maar wat moest ik denken van zijn veronderstelling dat ik snakte naar het bewijs dat de Amazones werkelijk hadden bestaan? Er was geen enkele manier waarop hij kon weten hoezeer hij gelijk had.

Hoe zou hij dat kunnen weten?

Volgens de meeste academici hadden de Amazones nooit ergens anders geleefd dan in de Griekse mythologie, en wie iets anders beweerde, was op zijn best een maanzieke romanticus. Jazeker, het was heel goed mogelijk dat de prehistorische wereld deels werd bevolkt door vrouwelijke krijgers, maar de mythen over Amazones die Athene belegerden of deelnamen aan de Trojaanse Oorlog, waren duidelijk het product van verhalenvertellers die hun luisteraars wilden boeien met steeds fantastischer verhalen.

De Amazones in de klassieke literatuur, zo legde ik mijn studenten altijd uit, moesten worden beschouwd als de voorlopers van de vampiers en zombies waar onze boekenplanken tegenwoordig vol mee staan: imaginaire wezens, angstaanjagend en onnatuurlijk in hun gebruik om hun dochters te oefenen in de kunst van het oorlogvoeren, en eens per jaar te paren met willekeurige mannen. Toch bezaten deze wilde vrouwen – in ieder geval in de ogen van de vazenschilders en beeldhouwers uit de oudheid – voldoende menselijke eigenschappen om onze geheime hartstochten tot leven te wekken.

Ik waakte er altijd voor om mijn eigen gevoelens over de materie te laten blijken; geïnteresseerd zijn in de verhalen over de Amazones was al erg genoeg, uit de kast komen als een 'Amazonegelover' zou wetenschappelijke zelfvernietiging zijn.

Zodra mijn thee klaar was, ging ik zitten om de foto van John Ludwig te bestuderen met behulp van een vergrootglas. Ik verwachtte het schrift op de muur meteen te kunnen identificeren als een van de bekende oude alfabetten; toen dat niet het geval bleek, stond ik mezelf een kriebeltje van opwinding toe. En na nog een paar minuten turen, in toenemende verwarring, stoven de mogelijkheden op en neer langs mijn voorovergebogen ruggengraat, als gejaagde koeriers op een slagveld.

Wat mij het meest intrigeerde, was de universele kwaliteit van de symbolen, waardoor het bijna onmogelijk werd om ze te koppelen aan een bepaalde plaats of tijd. Ze konden vlak voor het maken van de foto op het gebarsten pleisterwerk zijn aangebracht, als onderdeel van een uitgebreide zwendel, of ze konden duizenden jaren oud zijn. En toch... Hoe langer ik ernaar keek, hoe meer ik besefte dat ze me vreemd vertrouwd voorkwamen. Het was net alsof zich ergens, in een verre uithoek van mijn onderbewustzijn, een ingeslapen dier verroerde. Had ik deze symbolen al eerder gezien? Als dat zo was, ontging de context me volledig, frustrerend genoeg.

Nu wilde het geval dat mijn jeugdvriendin Rebecca al drie jaar op een archeologische vindplaats op Kreta werkte, en ik wist dat zij precies zou weten welke organisaties waar aan het graven waren, en waarnaar. Als iemand deze inscriptie ergens in het Middellandse Zeegebied was tegengekomen en op de een of andere manier aan de Amazones had gekoppeld, zou dr. Rebecca M. Wharton de eerste zijn geweest om het te horen.

'Sorry dat ik je middernachtelijke orgie onderbreek,' zei ik toen ze eindelijk haar mobiel opnam. We hadden elkaar al een maand niet gesproken en ik merkte hoe ik haar had gemist toen ik haar vrolijk hoorde snuiven aan de andere kant. Ze had een lach die ik uit duizenden zou herkennen; hij klonk als een whiskykater, maar in Rebecca's geval was dat het nogal prozaïsche gevolg van het feit dat ze hele dagen met haar nieuwsgierige snuit in stoffige gaten begraven zat.

'Ik dacht net aan je!' riep ze uit. 'Ik zit hier met een koor van knappe

Griekse jongelingen, die me druiven voeren en inwrijven met olijf-olie.'

Ik moest lachen om het beeld. De kans dat de lieflijke Rebecca intiem werd met iets anders dan eeuwenoude potscherven was, jammer genoeg, tien tegen nul. Daar zat ze dan op Kreta en hing de rebel uit met haar zonneklep en haar afgeknipte spijkerbroek, op handen en knieën rondkruipend in een hele mierenhoop van boeiende mannelijke archeologen... maar ze had enkel oog voor het verleden. Hoewel ze een grote mond had, wist ik dat er onder die sproeten nog altijd een domineesdochter schuilde. 'Heb je daarom geen tijd gehad om me te bellen en me het grote nieuws te vertellen?'

Er klonk geritsel, alsof Rebecca de telefoon tussen haar oor en haar schouder probeerde te klemmen. 'Welk grote nieuws?'

'Zeg jij het maar. Wie is er in jouw achtertuintje Amazones aan het opgraven?'

Ze slaakte een van haar doordringende oerwoudvogelkreten. 'Wát zeg je?'

'Kijk maar.' Ik leunde voorover om de afbeelding op mijn computerscherm te bekijken. 'Ik heb je net een foto gemaild.'

Terwijl we wachtten tot Rebecca's laptop wakker werd, gaf ik haar een korte samenvatting van de situatie, compleet met het wantrouwige vermoeden van James Moselane dat ik het slachtoffer was van een grap en misschien zelfs in gevaar verkeerde. 'Natuurlijk ga ik niet,' zei ik, 'maar ik wil zo graag weten waar die foto gemaakt is. Zoals je ziet, lijkt het alsof de inscriptie een fragment is van een grotere muur, met de tekst in verticale kolommen. En het schrift zelf' – ik boog me nog dichterbij en probeerde de bureaulamp beter neer te zetten – 'daar heb ik een vreemd gevoel bij... maar ik zou echt niet weten...'

Een krakend geluid suggereerde dat Rebecca op een handvol noten kauwde – een onmiskenbaar teken dat haar belangstelling gewekt was. 'Wat wil je dat ík doe?' vroeg ze. 'Ik kan je garanderen dat deze foto niet op mijn eiland is gemaakt. Als iemand zo'n muur was tegengekomen op Kreta, zou ik ervan weten, geloof me maar.'

'Wat ik wil dat jij doet,' zei ik, 'is heel goed naar die inscriptie kijken en mij vertellen waar ik die symbolen eerder heb gezien.'

Ik wist dat het een onwaarschijnlijke gok was, maar ik moest het proberen. Rebecca was er altijd goed in geweest om dwars door het voor de hand liggende heen te kijken. Toen we klein waren, was zij het die mijn vaders geheime voorraad chocoladerepen ontdekte in een oude viskoffer in de garage. En zelfs toen had ze, ondanks haar aangeboren snoeplust, niet voorgesteld om er eentje te delen; de triomf van de ontdekking – en het feit dat ze mij iets over mijn vader kon vertellen wat ik niet wist – was al opwindend genoeg.

'Ik geef je nog één minuut...' zei ik.

'Wat denk je ervan,' was Rebecca's tegenvoorstel, 'om me een paar dagen te geven om rond te vragen? Ik kan de foto doorsturen naar Telemachos en...'

'Ho!' zei ik. 'Je mag die foto aan *niemand* laten zien.'

'Waarom niet?'

Ik aarzelde, omdat ik wist dat ik irrationeel reageerde. 'Omdat dit schrift iets heeft wat me heel bekend voorkomt... op een vreemde manier. Het lijkt net of ik het in blauwe inkt zie...'

De waarheid trof ons allebei tegelijk: 'Het schrift van je oma!' riep Rebecca uit, hevig ritselend aan de andere kant van de lijn. 'Dat je haar toen met kerst hebt gegeven...'

Ik voelde een huivering van schrik. 'Nee, onmogelijk. Dat is krankzinnig.'

'Waarom?' Rebecca was te opgetogen om mijn emotionele achilleshiel omzichtig aan te pakken. 'Ze zei toch altijd dat ze je instructies zou nalaten? En dat je die zou krijgen wanneer je ze het minst verwachtte. Nou, misschien is dit het. Oma's grote oproep. Wie weet...' Rebecca's stem rees tot uitdagende hoogte, waarschijnlijk omdat ze zich het ongehoorde van haar suggestie realiseerde. 'Misschien staat ze wel op je te wachten in Amsterdam.'

4

NOORD-AFRIKA – *Late bronstijd*

AAN DE SCHIMMIGE HORIZON verschenen twee gedaanten!

Het was die heldere, gloeiend hete tijd van de dag, wanneer hemel en aarde elkaar ontmoetten in een zilverige nevel en het onmogelijk was om de een van de ander te onderscheiden. Maar naarmate ze over de zoutvlakte dichterbij kwamen, kregen de twee trillende gedaanten langzaam de vorm van vrouwen – de een volwassen, de ander niet helemaal.

Myrine en Lilli waren vele dagen weg geweest, alleen zij tweeën.

Het doel van hun tocht was onmiskenbaar, want aan leren banden om hun schouders bungelden allerlei soorten prooi en wapens, en toen ze het dorp naderden, versnelden ze hun pas. 'Wat zal mama trots zijn!' riep Lilli uit. 'Ik hoop dat je haar zult vertellen hoe ik dat konijn gestrikt heb.'

'Ik zal geen enkel detail onvermeld laten,' beloofde Myrine, terwijl ze door het samengeklitte haar van haar zusje woelde. 'Behalve dan misschien het stuk waar je bijna je nek brak.'

'Ja...' Lilli trok haar schouders op en deed het grappige schildpadloopje dat ze altijd deed als ze in verlegenheid gebracht werd. 'Beter van niet, anders mag ik nooit meer met je mee. En dat' – ze keek met een hoopvolle glimlach naar Myrine op – 'zou zonde zijn, vind je ook niet?'

Myrine knikte vastberaden. 'Dat zou zeker zonde zijn. Jij hebt de aanleg om een uitstekende jager te worden. En bovendien' – ze kon er niets aan doen, ze moest giechelen – 'ben je een oneindige bron van vermaak.'

Lilli keek even stuurs, maar Myrine wist dat ze heimelijk genoot. Haar zusje, dat klein was voor een meisje van twaalf, had zich zo graag willen bewijzen op deze tocht, en Myrine was blij verrast geweest over haar uithoudingsvermogen. Of ze nu hongerig was of moe, Lilli weigerde geen enkele opdracht, stortte geen enkele traan. In ieder geval niet als Myrine het kon zien.

Myrine was zes hele jaren ouder dan Lilli en zeker zo capabel als een man van haar leeftijd, en ze had het als haar plicht beschouwd om haar zusje de kunst van het jagen bij te brengen. Het idee was echter op heftig verzet gestuit van haar moeder, die Lilli nog steeds als haar baby beschouwde en haar 's avonds nog altijd in slaap zong.

Nu ze met Lilli naar huis liep en de nieuwe trots zag in haar houding, kon Myrine niet wachten om het allemaal aan haar moeders voeten te leggen: de glorieuze vangst, de vele verhalen, en de jongste dochter die veilig en glimlachend uit de wildernis terugkwam, met het bloedige keurmerk van de jager op haar voorhoofd.

'Denk je dat ze ze allemaal tegelijk zullen braden?' vroeg Lilli, Myrines gedachten onderbrekend. 'Dat zou een feestmaal zijn. Hoewel...' Ze keek neer op de bundel kleine visjes die aan een wollen draad aan haar riem hing: 'Sommige zijn nogal klein en misschien het vermelden niet waard.'

'In mijn ervaring,' zei Myrine, 'zijn de kleintjes juist het smakelijkst...'

Ze hield halt. Ze waren door de bocht bij de weide gekomen en vlak voor hen lag het dorp, Tamash. Hier kwamen de honden haar altijd tegemoet om haar te begroeten, in de wetenschap dat haar verschijning vleesresten en mergpijpen aankondigde.

Vandaag kwamen er echter geen honden. En toen Myrine haar oren spitste om te luisteren, hoorde ze geen van de gebruikelijke geluiden uit het dorp, alleen het schorre krijsen van vogels en een vreemd, volhardend gegons, als van duizenden honingbijen op een veld bloemen. De enige tekenen van leven waren een paar dikke rookzuilen die ergens tussen de hutten opstegen en in het eindeloze blauw verwaaiden.

'Wat is er?' vroeg Lilli, met grote ogen. 'Wat hoor je?'

'Dat weet ik niet precies,' zei Myrine, die elk haartje op haar lichaam rechtovereind voelde staan van spanning. 'Blijf jij maar even hier.' Ze nam Lilli bij de schouders en hield haar tegen.

'Waarom? Wat is er dan aan de hand?' Lilli's stem klonk schril, en toen Myrine begon te lopen, kwam het meisje haar achterna. 'Vertel!'

Nu zag Myrine eindelijk een van de honden. Het was de gevlekte pup die altijd aan haar voeten kwam liggen als het stormde – de pup die ze ooit had verpleegd en van de dood had gered, en die haar soms aankeek met bijna menselijke ogen.

Eén blik op de hond – zijn kruiperige, onderdanige houding, zijn nerveuze gegaap – vertelde Myrine alles wat ze weten moest. 'Raak hem niet aan!' schreeuwde ze toen Lilli met uitgestrekte armen dichterbij kwam.

Maar het was al te laat. Haar zusje had het dier al bij zijn nekvel gegrepen en begon hem vriendelijk te aaien. 'Lilli!' Myrine trok het meisje ruw overeind. 'Heb je me niet gehoord? Nergens aankomen!'

Toen pas zag ze de eerste trilling van begrip op Lilli's gezicht.

'Alsjeblieft,' zei Myrine, haar toon zo verzachtend dat haar stem begon te beven, 'wees lief en blijf even hier, terwijl ik' – ze wierp weer een verontruste blik op de stille huizen in de verte – 'ga kijken of alles in orde is.'

Terwijl ze het dorp in liep met beide handen strak rond haar speer, zocht Myrine overal naar tekenen van geweld. Ze was ervan overtuigd dat het dorp was aangevallen door een rivaliserende stam of door wilde dieren en zette zich schrap voor huiveringwekkende beelden, maar ze was allesbehalve voorbereid op wat ze vond.

'Jij!' Vanuit een hut bereikte haar een schorre stem vol haat en even later kwam er een kromgebogen vrouw naar buiten, zweet parelend over haar hele lichaam. 'Jouw moeder heeft ons dit aangedaan...' De vrouw spuwde op de grond, haar speeksel rood van het bloed. 'Jouw heks van een moeder!'

'Nena, lieve vriendin...' Myrine zette een paar stappen achteruit. 'Wat is hier gebeurd?'

De vrouw spuwde weer. 'Heb je me niet gehoord? Je moeder heeft ons allemaal vervloekt. Ze heeft een plaag over ons afgeroepen en ze zei dat ze iedereen zou vermoorden die haar hoerige manieren niet goedkeurde.'

Verder lopend zag Myrine ziekte en rouw, waar ze ook keek. Mannen, vrouwen en kinderen groepten samen in de schaduw, rillend van angst en koorts, anderen knielden bij smeulende vuurtjes en wreven zich zwijgend in met de as. En op de plaats waar haar moeders hut had gestaan, was niets meer te zien dan een bed zwarte kolen waarop vertrouwde voorwerpen zonder plichtplegingen neergeworpen waren.

Zonder werkelijk te bevatten waar ze naar keek, hurkte Myrine neer om een kleine, zwart beroete cirkel uit de as op te rapen. Het was de bronzen armband die haar moeder om haar pols had gedragen, en waarvan ze altijd had gezegd dat hij daar zou blijven tot ze stierf.

'Het spijt me zo, lieverd,' zei een zwakke stem, en toen Myrine zich omdraaide, zag ze haar moeders oude buurman staan, op een stok geleund, een kring van open zweren rond zijn mond. 'Je kunt maar beter gaan. Ze zoeken een zondebok. Ik heb ze geprobeerd rede aan te praten, maar rede wil nu niemand horen.'

Met een hand tegen haar mond gedrukt begon Myrine weg te lopen, de opmerkingen negerend die haar door het hele dorp volgden. 'Hoer!' schreeuwden de mannen, niet omdat zij ooit met hen had geslapen, maar omdat ze dat niet had gedaan. 'Heks!' krijsten de vrouwen, vergetend dat het Myrines moeder was geweest die 's nachts kwam om hun hand vast te houden en hun baby's te verlossen... en vergetend dat het Myrine was die van dierlijke beenderen speelgoed voor die baby's maakte.

Toen ze eindelijk bij Lilli terugkwam, zat het meisje op een rots naast het pad, stijf van angst en woede. 'Waarom mocht ik niet mee?' vroeg ze, heen en weer wiegend met haar armen over elkaar. 'Je bleef heel lang weg.'

Myrine stak de speer in de grond en ging naast haar zitten. 'Weet je nog wat mama zei toen we weggingen? Dat je mij altijd moet vertrouwen, wat er ook gebeurt?'

Lilli keek op, haar gezicht vertrokken van voorgevoelens. 'Ze zijn allemaal dood, hè?' fluisterde ze. 'Net als de mensen in mijn droom.'

Toen Myrine geen antwoord gaf, begon Lilli te snikken. 'Ik wil mama zien! Alsjeblieft!'

Myrine trok haar zusje dicht tegen zich aan. 'Er is niets meer te zien.'

5

Het is pijnlijk, vreemdeling,
Om een oud verdriet in herinnering te wekken.
– SOPHOCLES, *Oedipus te Kolonos*

DE COTSWOLDS, ENGELAND

MIJN VADER HAALDE ME OP van het station in Moreton-in Marsh. Ondanks het tijdstip zag hij er verrassend fit uit. Ik had een rasperige brompot verwacht en was ontroerd dat hij gekleed bleek in een redelijk fatsoenlijke corduroy broek, in plaats van de pyjamabroek die hij tegenwoordig in het weekend thuis droeg. Het was slechts een kwestie van tijd, was ik gaan vrezen, voordat die pyjama de tuin in zou lopen om de krant uit de bus te halen, en misschien zelfs in de auto zou belanden voor een ritje in de omgeving.

'Een mens wil niet nieuwsgierig zijn...' Mijn vader vond het niet nodig om de zin af te maken. Het was zijn manier om te zeggen: 'Waarom moest jij in vredesnaam om zeven uur 's ochtends uit Oxford vertrekken?'

'O...' Ik keek uit het raam naar niets in het bijzonder en worstelde met een kinderlijke aandrang om de werkelijke reden voor mijn bezoek eruit te flappen. 'Ik vond dat het weer eens tijd werd voor een beetje overlast. Het privilege van een enig kind.'

Mijn ouders bewoonden een krakkemikkige cottage van goudgele steen, gebouwd door een verre voorouder die niet veel langer moest zijn geweest dan anderhalve meter, gezien de deurknoppen die zich op kniehoogte bevonden. Voor hem moet het gebouw een imposant landhuis zijn geweest, maar ik – altijd al groot voor mijn leeftijd – had het altijd krap gevonden, en als kind had ik vaak met de gedachte gespeeld dat ik een reuzin was die door twee trollen gevangen werd gehouden in een grafheuvel.

Toen ik eenmaal het huis uit was, hadden zelfs de kwellingen van mijn kindertijd een betoverde glans gekregen. Want telkens wanneer ik thuiskwam in de cottage, merkte ik dat ik iets blinder was geworden voor alle tekortkomingen... zodat ik nu zelfs genoot van de behaaglijke knusheid.

Zoals altijd gingen we door de garage naar binnen en hielden even halt in de bijkeuken om onze schoenen uit te trekken. Overvol met jassen en drogende bloemen en honderden hazelnoten die in nylonkousen aan het plafond bungelden, was dit ongetwijfeld het rommeligste vertrek in huis. En toch vond ik het fijn om er even te blijven – er hing zo'n geruststellende, vertrouwde geur, de geur van klamme regenjassen en kamille, en nog steeds, nu al jaren later, van de mand met appels die we ooit per ongeluk op het fornuis hadden laten staan.

Zodra hij zijn pantoffels aan had, liep mijn vader door naar de keuken en van daaruit naar de eetkamer. Een beetje verward door zijn route ging ik hem achterna en zag hem in een soort sluipgang naar het erkerraam lopen.

Buiten in de tuin stond een nieuw vogelhuis, duidelijk bedoeld voor mijn vaders gevederde vriendjes. Op de voederplaat zat echter een zwarte eekhoorn, die de voor de vogels neergelegde zaden opschrokte.

'Daar heb je hem weer!' Met nauwelijks een verontschuldigend knikje stormde hij door de tuindeur naar buiten, met pantoffels en al, om een einde te maken aan de kwaadaardige plannen van de Natuur. Als je hem zo door de tuin zag banjeren met zijn gebreide trui achterstevoren, leek het bijna onmogelijk dat deze man, Vincent Morgan, tot voor kort het hoofd was geweest van de plaatselijke basisschool, waar hij jarenlang kleine jongens en meisjes de stuipen op het lijf had gejaagd. In de hele streek was mijn vader bekend geweest als Morgan de Gorgo, en wanneer ik als kind in mijn eentje het huis verliet, liep ik het gevaar in het dorp achtervolgd te worden door een bende jongens die 'Morgan de Mini-Gorgo' jengelden, tot de slager naar buiten kwam in zijn met bloed besmeurde schort en ze wegjoeg.

Pas na zijn pensioen had mijn vader zijn kanonnen op de tuin gericht. Hij was iemand die niet van veranderingen hield en de rode draad in zijn verhalen over dit kleine, voorouderlijke stukje grond was een nostalgische klaagzang. De appels waren nooit zo fris als hij zich herinnerde uit zijn jeugd en de frambozenstruiken gaven nooit zoveel vruchten als toen hij een kleine jongen was, en achter elkaar mandenvol plukte om naar mevrouw Winterbottom in de keuken te brengen.

Deze romantische schetsen werden altijd zorgvuldig bijgeknipt om lastige details te verwijderen. Verdwenen waren de werkverslaafde vader en de moeder in het ziekenhuis. Verdwenen was het feit dat mevrouw Winterbottom – huishoudster van beroep – een strenge aanwezigheid was met plastic handschoenen, in wie doelmatigheid en properheid geen ruimte lieten voor tederheid. Alleen de kleine jongen en zijn tuin bleven overeind, omlijst door de bladeren van het seizoen en bestrooid met een heel klein beetje glanzende feeënglitter.

Toen ik mijn hoofd door de kelderdeur stak, zag ik, zoals verwacht, een handjevol vrouwen op hometrainers, gericht naar een televisie waarop een sportvideo speelde. 'Hoi mam!' riep ik. 'En hallo, dames!'

'Hallo, schatje!' Mijn moeder droeg de gele trui die ik haar met Kerstmis had gegeven, haar grijze haar in een bandana. Ze was de enige vrouw die ik kende die niet bang was om te zweten, en na een bron van enorme schaamte te zijn geweest, was dat in de loop der jaren juist een van de eigenschappen geworden die ik het meest in haar bewonderde. 'Nog tien minuutjes!'

Toen ik weer naar boven ging en zag dat mijn vader nog steeds bij het vogelhuisje stond te mopperen, kwam er ineens een zwerm zenuwen tot wasdom in mijn maag. Tien minuten. Precies wat ik nodig had.

De werkkamer van mijn vader was een stoffig kamertje met alle attributen van een victoriaanse heer. Overal aan de muren hingen doorzakkende boekenplanken, en her en der tussen de boeken stonden zijn speciale kostbaarheden: insecten opgespeld in houten kistjes, wurmen en slangen op sterk water en uitgestorven vogels met felle glazen ogen die vanaf de bovenste planken omlaag tuurden, als roofdieren op een steile rots. Al zolang ik me kon herinneren vond ik de geur in deze kamer gevaarlijk onweerstaanbaar; het was de geur van geschiedenis, van kennis en van heimelijke verkenningen in mijn kindertijd.

Ouder nu, maar toch nerveus, gooide ik per ongeluk een wankele beker om op het bureau, en een paar benauwde tellen lang vlogen pennen, linialen en paperclips alle kanten op. Schrikachtig van het schuldgevoel frommelde ik alles terug in de beker en zette hem boven op de maandelijkse rekeningen, waar hij hoorde.

Mijn vader verscheen in de deuropening.

'Hé, hallo daar!' riep hij uit, zijn borstelige wenkbrauwen samengetrokken. 'Moet ik gevleid zijn dat je mijn correspondentie zo boeiend vindt?'

'Het spijt me erg,' murmelde ik. 'Ik zocht mijn geboortebewijs.'

Zijn frons verzachtte zich. 'Aha. Laat mij eens kijken...' Hij liet zich met een plof op zijn bureaustoel vallen en trok een paar laden open voordat hij vond wat hij zocht. 'Voilà!' Mijn vader haalde een splinternieuwe map tevoorschijn waar mijn naam op geschreven stond. 'Dit zijn al jouw papieren. Ik heb maar eens opgeruimd.' Eindelijk glimlachte hij. 'Ik vond dat ik jou de rommel moest besparen.'

Ik keek hem doordringend aan om te zien of er iets achter de glimlach zat. 'Je hebt toch niet... je hebt toch geen dingen weggegooid, hè?'

Hij knipperde een paar keer, verbaasd over mijn plotselinge belangstelling voor zijn projecten. 'Niets belangrijks, denk ik. Het meeste heb ik in een doos gestopt. Familiepapieren en zo. Misschien wil jij ze later verbranden, maar... Die beslissing laat ik aan jou over.'

De deur naar de zolder piepte, en het was altijd bijna onmogelijk geweest om bezoekjes aan die kamer geheim te houden.

Toen we klein waren, bewaarden Rebecca en ik een kistje met kostelijke schatten in een hoek van de schemerige kamer, onder het dak, en alleen als we durfden, kropen we naar boven om ze te bekijken. Er zat een zeepje in uit een hotel in Parijs, een gedroogde roos van een bruidsboeket, een golfbal uit Moselane Manor Park... en een paar andere kostbaarheden die niet in verkeerde handen mochten vallen.

'Wat doen jullie toch samen op die zolder?' vroeg mijn moeder op een dag tijdens het middageten, waarop Rebecca van schrik haar limonade over tafel gooide.

'Niets,' zei ik, geforceerd onschuldig.

'Ga dan maar liever buiten spelen.' Mijn moeder had bijna een hele rol keukenpapier besteed aan het opruimen van Rebecca's ongelukje, maar ze zei er niets over. Rebecca was immers de dochter van de dominee. 'Ik vind het niet prettig dat jullie op dat stoffige kamertje zitten.'

En zo leren kinderen in het geheim de donkere kunsten – net zoals ze leren om hun ouders een plezier te doen door te fietsen en op kerstavond in slaap te vallen – waar vaak hachelijk verborgen koekblikken bij komen kijken, en, in mijn geval, het vermogen om de piepende zolderdeur volkomen geruisloos open en dicht te doen.

Hoewel ik het kunstje al jaren niet meer nodig had gehad, merkte ik verheugd dat ik het nog steeds beheerste. Op de drempel luisterde ik nog even naar de geluiden van beneden, maar het enige wat ik hoorde, was getinkel van porselein. Overdag hadden mijn ouders eigenlijk slechts één voorspelbare gewoonte, en dat was het delen van de krant na de lunch. Dan hoefde je niet te proberen om een gesprek te beginnen; als de afwas eenmaal weggewerkt was en de koffie op tafel stond, verloren ze zich vergenoegd in een wereld vol cricket en corrupte politici.

Toch wist ik maar al te goed dat ze beneden waren toen ik het eenzame peertje aanklikte dat met dikke draden spinrag aan het zolderplafond leek te hangen. Ik probeerde me onderweg te herinneren welke planken van de vloer kraakten en welke niet... maar ik merkte al snel dat er zich vele jaren hadden gevoegd tussen mij en de weg die ik ooit zo goed had gekend.

In de benarde hoek van onze steile daklijst was de zolder in feite een driehoekige kluis, met als enige bron van natuurlijk licht een halvemaanvormig raam in de noordelijke gevel. Hoewel het vertrek stoffig en verlaten was, had het mij op een vreemde manier altijd gefascineerd; wanneer ik als kind in een oud leren valies of een houten hutkoffer keek, verwachtte ik altijd iets magisch. Een vergeten sieradenkistje, een rafelige piratenvlag of een bundeltje broze liefdesbrieven... altijd had in die schemerige ruimte met zijn ouderwetse geur van ceder en mottenballen de belofte gehangen van familiegeheimen en poorten naar andere werelden.

En op een dag, toen ik negen jaar oud was, ging de magische deur eindelijk open.

Oma.

Ik zag haar nog staan, met haar rug naar me toe, urenlang naar buiten starend door het halfronde raam... niet met de weemoedige berusting die je zou verwachten van iemand die achter slot en grendel werd gehouden, maar met actieve vastberadenheid, alsof ze op de uitkijk stond voor een of andere onvermijdelijke aanval.

Het enige wat ik ooit over de moeder van mijn vader had geweten, was dat ze in een ver land in een ziekenhuis lag. Dat verre land was mijn eigen verzinsel, waarschijnlijk om te verklaren waarom we haar nooit bezochten, zoals we bij opa op bezoek gingen tijdens zijn lange, naamloze ziekbed. Zonder er te veel over na te denken stelde ik me haar voor zoals hij erbij lag, met plastic buisjes die in en uit haar kleren staken, maar dan in een exotische omgeving met witgekalkte muren en een kruisbeeld boven haar bed.

Toen kwam ik op een druilerige namiddag thuis uit school en trof onverhoeds een vreemde, lange vrouw aan midden in onze woonkamer, met een koffertje op de vloer naast zich en een ongewoon serene blik in haar ogen. 'Diana!' zei mijn moeder met een ongeduldige wenk.

'Kom je oma eens gedag zeggen.'

'Hallo,' prevelde ik, al vond ik die begroeting, ook toen al, volkomen ontoereikend. Deze langbenige vreemdeling had iets volkomen ongerijmds, dat zag ik wel, maar ik herinner me nog dat ik niet wist wat het was.

Misschien was het te wijten aan het feit dat ze haar regenjas nog aan had, waardoor ze eruitzag als een willekeurige voorbijganger die op de bus wachtte en elk moment weer kon vertrekken. Of misschien was ik in de war omdat ze er, in mijn beleving – die uiteraard nogal beperkt was – helemaal niet uitzag als een grootmoeder. In plaats van het bloemkoolpermanent waar de dames in het dorp de voorkeur aan gaven, droeg zij haar grijze haar in een lange vlecht op haar rug, en haar gezicht vertoonde bijna geen rimpels. En eigenlijk ook vrijwel geen uitdrukking. Mijn nieuwe oma keek me alleen maar aan met een open, directe blik, en in die blik lag geen bijzondere nieuwsgierigheid en geen zweem van emotie.

Ik herinner me dat ik teleurgesteld was over haar onpersoonlijke houding, maar ik wist ook, met de onwrikbare overtuiging van een kind, dat ze onvermijdelijk van me zou gaan houden – ze was immers mijn oma. Dus glimlachte ik, in de wetenschap dat wij voorbestemd waren om vrienden te worden, en ontwaarde een flits van verbijstering in haar grijsblauwe ogen. Maar nog steeds geen glimlach.

'Goedemiddag,' antwoordde ze alleen, met dat curieuze accent van haar waardoor het klonk alsof ze de woorden had geoefend zonder hun betekenis werkelijk te begrijpen.

'Oma is ziek geweest,' verklaarde mijn moeder terwijl ze mijn schooltas van mijn rug haalde en me naar oma toe duwde. 'Maar ze voelt zich al beter. En nu komt ze bij ons wonen. Is dat niet heerlijk?'

Bij die gelegenheid werd er verder niets gezegd; oma ging op de zolderkamer wonen, die, zo ontdekte ik nu, opgeruimd en gemeubileerd was, en hoewel ze ongewoon lang was met – in mijn negenjarige ogen – uitzonderlijk grote voeten, was ze zo stil dat je niet zou hebben geweten dat ze er was, als de zolderdeur niet zo had gepiept wanneer ik bij haar op bezoek ging.

Jaren later zou ik op deze periode terugkijken en om mezelf lachen omdat ik me in de luren liet leggen door die serene houding, en omdat ik dacht dat oma's stilzwijgen op de een of andere manier een gevolg was van haar lange, raadselachtige ziekbed. Ik vond het verwarrend dat ze urenlang in een stoel in onze voorkamer kon zitten zonder iets te doen, terwijl mijn moeder heen en weer rende, schoonmakend en redderend alsof haar schoonmoeder niets meer was dan een hinderlijk meubelstuk.

'Voeten van de vloer!' beval ze, en dan verwijderde oma gehoorzaam haar voeten uit het pad van de stofzuiger. Bij een paar gelegenheden volgde er geen onmiddellijke reactie en kwam de stofzuiger onverwacht tot stilstand, tot het uiteindelijk bij mijn moeder opkwam om 'alsjeblieft' aan haar vraag toe te voegen.

Op haar betere momenten berispte mijn moeder zichzelf om haar ongeduld met oma, en herinnerde ons beiden eraan dat het 'door de medicijnen komt. Ze kan er niets aan doen,' en soms hield ze even halt onderweg door de kamer om de pezige oude hand op de armleuning een klopje te geven, al kwam daar zelden een reactie op.

Na haar komst gingen er verscheidene maanden voorbij voordat ik echt met oma in gesprek raakte. Toen dat uiteindelijk gebeurde, hadden we het grootste deel van een zondagmiddag op haar kamer gezeten, aan elkaars minder-dan-spannende gezelschap overgelaten terwijl mijn ouders naar het dorp waren voor een begrafenis. Ik had zitten zwoegen op een uitzonderlijk saai opstel voor school, en een tijdlang had ik – ietwat tot mijn toenemende ergernis – oma's ogen op mijn pen gevoeld terwijl ik schreef. Op een gegeven moment, toen ik even op inspiratie wachtte, leunde ze gretig voorover, alsof ze het juiste moment had afgewacht, en siste: 'Regel nummer één: Onderschat ze niet. Schrijf dat maar op.'

Geschrokken van haar onverwachte intensiteit schreef ik de woorden gehoorzaam midden in mijn opstel, en toen ze het resultaat zag, knikte ze goedkeurend. 'Dat is goed, wat je daar doet. Schrijven.'

Ik wist nauwelijks wat ik moest zeggen. 'Kunt u dan niet schrijven?'

Even keek ze bedroefd en ik vroeg me af of ik haar gekwetst had. Toen keek ze omlaag, ineens angstig. 'Jawel. Ik kan wel schrijven.'

Met kerst dat jaar gaf ik haar een schrift – een van mijn ongebruikte rode oefenschriften van school – met drie blauwe pennen die ik in de winkel had gekocht. Ze zei niet meteen iets, maar zodra mijn ouders druk waren met hun eigen kerstsokken, pakte ze mijn hand en kneep er zo hard in dat het pijn deed.

Ik zag het rode schrift pas jaren later terug, lang nadat zij vertrokken was, toen ik een gesprek afluisterde tussen mijn ouders en de oude schoolvriend van mijn vader, dr. Trelawny, die indertijd psychiater was in Edinburgh en bij ons was komen eten. Vanaf de hoogste traptrede kon ik de meeste gesprekken in de zitkamer afluisteren, en indien nodig kon ik me ook snel terugtrekken in mijn kamer.

Bij deze gelegenheid was oma het onderwerp van gesprek, en aangezien mijn eigen vragen over haar meestal met verwijtend stilzwijgen werden begroet, was ik vanzelfsprekend vastbesloten om de snerpend koude tocht in het trappenhuis te negeren en zo veel mogelijk informatie op te vangen.

Kennelijk liet mijn vader dr. Trelawny een verzameling medische dossiers zien, want ze gebruikten termen als 'paranoïde schizofrenie', 'elektroshockbehandelingen' en 'lobotomie', waarvan de meeste koeterwaals voor mij waren. Op zeker moment klonk er langdurig geritsel van papieren, onderbroken door uitroepen van dr. Trelawny, 'Wat uitzonderlijk!' en 'Dit is opmerkelijk!' – wat mij zo nieuwsgierig maakte dat ik onvermijdelijk nog een paar treden naar beneden moest om reikhalzend te kijken wat er aan de hand was.

Door de halfopen deur zag ik mijn moeder op onze gele bank nerveus aan de franjes van haar shawl draaien, en mijn vader en dr. Trelawny bij de haard staan, waar hun whiskyglazen op de schoorsteenmantel stonden.

Het duurde even voordat ik begreep dat het voorwerp dat zoveel opwinding ontlokte aan de anderszins uitermate saaie dr. Trelawny het rode schrift was dat ik oma zes jaar eerder voor Kerstmis cadeau had gegeven. Kennelijk waren de drie pennen goed van pas gekomen, want aan de fascinatie van de arts voor elke pagina te zien, was het schrift van kaft tot kaft volgeschreven.

'Wat denk je ervan?' vroeg mijn vader ten slotte, reikend naar zijn whiskyglas. 'Ik heb het aan een paar specialisten in Londen laten zien, maar zij zeggen dat die taal niet bestaat. Een imaginair woordenboek, noemden ze het.'

Dr. Trelawny floot hardop, zonder acht te slaan op mijn moeders waarschuwende gezichtsuitdrukking. 'De verzonnen taal van een geest vol wanen. Ik dacht dat ik alles nu wel gezien had, maar dit is wel heel bijzonder.'

Helaas dreef zijn gefluit mijn moeder ertoe de deur naar de gang te sluiten, waarmee ze mij buitensloot van de rest van het gesprek.

Sinds die avond verlangde ik er hevig naar om te zien wat oma precies in dat schrift had geschreven. Maar telkens wanneer ik de moed had om het onderwerp aan te kaarten, sprong mijn moeder ineens op van wat ze aan het doen was en riep: 'O, nu je het zegt, Diana! Ik wil je nog iets laten zien...' En dan trokken we naar boven, om tussen haar kleren of haar schoenen of haar tassen op zoek te gaan naar iets wat ik een poosje kon lenen, nu ik daar oud en wijs genoeg voor was. Dat was, vermoed ik, haar manier om zich te verontschuldigen voor alle onbeantwoorde vragen.

Eén keer verraste ik mijn vader ongewild toen hij aan zijn bureau over het schrift gebogen zat, maar uit de onhandige haast waarmee hij het in een la propte, bleek eens te meer dat dit zeker niet iets was waar hij over wilde praten. En dus wachtte ik en wachtte ik en was ik me voortdurend bewust van de aanwezigheid van het schrift tussen de familiepapieren, tot ik het op een dag niet langer uithield.

Rebecca en ik waren de hele dag alleen thuis geweest en hadden al het gebruikelijke kattenkwaad uitgehaald, tot we uiteindelijk op de drempel van mijn vaders werkkamer belandden. 'Je hebt recht op de waarheid,' verklaarde Rebecca stellig toen ze me zag aarzelen. 'Ze mogen het niet voor je verbergen. Dat is echt verkeerd. Ik weet zeker dat het tegen de wet moet zijn. Je bent wel al zestien, ja.'

Bemoedigd door haar verontwaardiging had ik eindelijk de la met familiepapieren opengetrokken, en vervolgens hadden we een uur lang door de dossiermappen van mijn vader gebladerd op zoek naar het rode schrift.

In dat uur diepten we zoveel schokkende documenten op, dat de uiteindelijke vondst van het schrift ernaast verbleekte. Ja, het bevatte inderdaad een lange lijst Engelse woorden en wat kennelijk hun vertaling was in een verzameling bizarre tekens, maar oma's kleine woordenboek bleek lang niet zo interessant als de doktersbrieven die onheilspellend klinkende behandelingen voor haar beschreven, waaronder een misselijkmakende beschrijving van de chirurgische procedure voor een lobotomie.

Een beetje beteuterd door deze onvoorziene jackpot aan informatie hadden Rebecca en ik alle papieren weer teruggestopt in de mappen, inclusief het rode schrift, en we hadden mijn vaders werkkamer verlaten met een ontluikend besef dat ouders niet voor niets dingen voor hun kinderen verbergen.

Sinds die dag, twaalf jaar geleden, had ik oma's minutieus geschreven woordenboek niet meer onder ogen gehad; ik had me zelfs nauwelijks toegestaan om eraan te denken. Kennelijk had het toch liggen sudderen in een cerebraal hoekje, want nu ik op deze regenachtige oktobermiddag op zolder stond, wist ik dat ik niet zou rusten voor ik het in handen had.

Het kostte weinig tijd om de doos met familiepapieren te vinden. Zoals verwacht had mijn vader een halfslachtige poging gedaan om hem te verstoppen onder een opgevouwen tuinparasol, en het was de enige doos in het vertrek waarvan de inhoud niet nauwgezet op de zijkant beschreven stond. Terwijl ik het plakband centimeter voor nerveuze centimeter loswrikte, luisterde ik of er geen voetstappen klonken op de trap; toen ik er eenmaal zeker van was dat er niemand aan kwam, knielde ik neer en begon door de mappen te bladeren.

Toen ik het rode schrift eindelijk vond, had ik zo'n haast om het wilde idee waarvan ik sinds de vorige avond bezeten was uit te testen, dat ik bijna over de twee woorden heen keek die oma op de kaft had geschreven: 'Voor Diana'.

De ontdekking dat het schrift altijd voor mij bestemd was geweest, vervulde me van een plotselinge koortsachtige overtuiging. Met trillende vingers sloeg ik het open en na een snelle blik op de eerste bladzijden zag ik meteen dat oma mij in haar zorgvuldige blauwe handschrift de sleutel had nagelaten tot een symbooltaal die ik nooit ergens anders zou tegenkomen... tot op de dag dat een vreemdeling me aansprak in Magpie Lane en me een foto en een ticket naar Amsterdam in de hand drukte.

6

NOORD-AFRIKA

'We hebben het gehaald, Lilli!'

Myrine struikelde de verschuivende stenen van de rivierbedding op. Van de waterloop was weinig over; wat ooit een brullende rivier moest zijn geweest, was nu niet veel meer dan een lange, smalle barst in het uitgedroogde landschap. Maar ze was te uitgeput om teleurstelling te voelen, te uitgeput om wat dan ook te voelen, behalve een vage kloppende pijn toen de ongelijke stenen de laatste stukken vel van haar vermoeide voeten afschraapten.

'De rivier!' Aan de rand van het water liet ze zich op haar knieën vallen en kon eindelijk Lilli's magere armpjes losmaken, die al sinds zonsopgang om haar nek geklemd zaten. 'Hoor je me? Hier is de rivier!' Myrine liet het slappe lichaam van haar zusje voorzichtig op de grond zakken en goot water tussen haar lippen, die de hele dag al veel te stil waren geweest. 'Toe, drink nu maar.'

De woestijn was veel groter geweest dan ze had gedacht. Hun geitenblazen vol water hadden al drooggestaan voordat ze zelfs maar halverwege waren. Ze had Lilli steeds verzekerd dat ze bomen zag aan de horizon, voorbij de gloeiende vlakte, in de hoop dat haar woorden bewaarheid zouden worden. Maar naarmate de uren verstreken zonder schaduw of water, werden de gesprekken tussen de zusjes steeds korter, tot er geen woorden meer over waren.

Op hun reis van de afgelopen paar dagen hoorde Myrine voortdurend de geduldige, vaste stem van hun moeder die haar aanspoorde: voort, steeds maar verder voort. 'Je moet naar de rivier,' zei de stem, zachtjes dwingend. 'Je kunt niet stoppen. Je moet verder.' De woorden haperden nooit, verstomden nooit; zoals haar moeder tijdens al haar kinderziekten en angsten niet van haar zijde geweken was, zo bleef ze trouw aan Myrines zijde tijdens die laatste strompelende uren, toen er niets anders meer was om haar overeind te houden dan die paar dwingende woorden, die bonsden in haar hoofd: 'Naar de rivier. Aan de monding van de rivier ligt de zee. Aan de zee ligt de stad. In de stad woont de Maangodin. Zij alleen heeft de macht om mijn zusje te genezen.'

Toen Lilli eindelijk bijkwam, tuurde ze alle kanten op met haar arme, niets ziende ogen, en begon toen te snikken, haar smalle schouders bevend van wanhoop. 'Dit is de rivier niet,' snikte ze. 'Dat zeg je alleen om mij gerust te stellen.'

'Het is hem wel! Voel maar.' Myrine nam de handen van haar zusje in de hare en doopte ze in de ondiepe stroom. 'Heus, ik zweer het je, dit is hem echt.' Ze keek om zich heen naar de stoffige steenslag. In zijn hoogtijdagen moest deze waterloop omzoomd zijn geweest door een overvloed van bomen, maar nu waren het niet meer dan verkruimelende skeletten, verschillende kanten op gebogen op zoek naar steun – treurige resten van een welig tierende wereld die allang verdwenen was. 'Hij moet het wel zijn.'

'Maar ik hoor het water helemaal niet,' zei Lilli terwijl ze dapper haar tranen wegveegde en haar hoofd schuin hield om beter te kunnen luisteren. 'Het moet wel een hele stille rivier zijn.'

'Dat is het ook,' gaf Myrine toe. 'Een oude, vermoeide rivier. Maar hij leeft nog, en hij zal ons naar de zee brengen. Kom, drink nu maar.'

Een tijdlang goten ze zich zwijgend vol met water. Eerst leek het alsof Myrines keel was vergeten hoe ze moest slikken, maar toen ze de eerste paar slokken eenmaal omlaag had gedwongen, voelde ze het koele vocht naar binnen druppelen en haar lichaam overal waar het kwam opnieuw tot leven wekken.

Toen haar buik vol was, liet Myrine zich op de rotsen zakken en sloot haar ogen. Zoveel dagen zonder rust, en het laatste, martelende stuk zonder water. Hoelang had ze Lilli gedragen? Twee hele dagen? Nee, dat kon haast niet.

Een kreet van schrik en plotseling geklepper van vleugels trok haar weer overeind. Toen ze haar zusje angstig met haar armen zag zwaaien om een onzichtbare vijand van zich af te slaan, trok Myrine onmiddellijk het mes uit haar riem.

'Het was een vogel!' riep Lilli, heftig over haar been wrijvend. 'Hij heeft me gebeten! Waar is hij? Hij mag me niet nog eens bijten!'

Myrine hield haar hand boven haar ogen tegen de zon en tuurde naar de twee magere gieren die boven hun hoofd cirkelden. 'Gemene krengen!' prevelde ze terwijl ze haar mes wegstopte en naar haar boog greep. 'Die denken dat ze zich vandaag op ons kunnen vergasten...'

'Waarom hebben de goden zo'n hekel aan ons?' Lilli schommelde heen en weer, haar armen om haar knieën geklemd. 'Waarom willen ze ons dood hebben?'

'Ik zou mijn tijd maar niet verspillen aan het gissen naar de wil van de goden.' Myrine schudde haar beste vogelpijl uit haar pijlkoker. 'Als ze ons echt hadden willen doden, hadden ze dat al veertig keer kunnen doen.' Ze legde de pijl op haar boogpees, kwam langzaam overeind en spande haar boog. 'Kennelijk wil een of andere macht ons in leven houden.'

Later, toen ze onder de sterrenhemel bij het vuurtje van drijfhout hun onsmakelijke maal lagen te verteren, kroop Lilli tegen Myrine aan en zei: 'Mama kwam me halen, weet je. Ik zag haar zo duidelijk...'

Zonder iets te zeggen trok Myrine haar zusje dichter tegen zich aan.

'Ze zag er gelukkig uit,' ging Lilli verder. 'Ze wilde me omhelzen, maar toen zag ze jou, en ik denk dat ze bang was dat jij boos op haar zou worden als ze mij meenam... daarom deed ze het niet.'

Ze bleven een poos zwijgend liggen.

Het leek nu zo ver weg, hun leven thuis. En toch waren de herinneringen aan hun verloren vrienden en dierbaren nog sterk genoeg om hen bij de keel te grijpen en tot zwijgen te brengen, en Myrine wist dat ze de afschuwelijke, kwaadaardige stank van ziekte en dood voor altijd in haar neus zou houden.

Na hun vertrek uit het dorp waren ze allebei ellendig ziek geweest, met stuiptrekkingen en rillingen. Myrine was ervan overtuigd geweest dat ze zouden sterven – de gedachte had haar bijna opgelucht. Maar toen begon ze langzaam te herstellen, net als Lilli, hoewel de koorts bij haar zusje lang genoeg aanhield om haar ogen te beschadigen. Een paar afschuwelijke ochtenden achter elkaar had het meisje als ze uit haar onrustige slaap ontwaakte steeds minder gezien, tot ze uiteindelijk niets meer zag. 'Is het al bijna ochtend?' had ze op die laatste dag gevraagd, hulpeloos in het heldere zonlicht turend.

'Dat duurt niet lang meer,' had Myrine gefluisterd, en snikkend had ze Lilli in haar armen gesloten en haar gekust, telkens opnieuw, terwijl de afschuwelijke waarheid van binnenuit aan haar keel klauwde.

Maar ze leefden nog. Ze hadden de pest overleefd, en nu hadden ze ook de woestijn overleefd. Van nu af aan kon alles alleen maar beter worden. Myrine weigerde iets anders te geloven.

'Weet je zeker...' begon Lilli, zoals ze elke avond deed. Deze keer maakte ze de zin echter niet af, maar beet op haar lippen en keek weg. Ze wisten allebei dat er geen antwoord kon komen op Lilli's grote vraag tot ze hun bestemming bereikten: kon de Maangodin in de grote stad de schade van de koorts herstellen en haar haar gezichtsvermogen teruggeven? Alleen de Godin kende het antwoord.

'Eén ding weet ik heel zeker,' zei Myrine, terwijl ze haar moeders armband oppoetste met de rok van haar tuniek. Onder de koppige roetresten zat de slang met het hoofd van een jakhals die ze zo goed kende, en staarde haar aan met zijn zwartgeblakerde ogen. 'Mama zou ontzettend trots op je zijn als ze je nu zag.'

Lilli keek vragend op, niet in staat om haar blik op Myrines gezicht te richten. 'Denk je niet dat ze juist boos op me zou zijn omdat ik zo nutteloos ben?'

Myrine trok het meisje naar zich toe. 'Nutteloos zijn boeren die niet boeren, veehoeders die geen vee hoeden. Onthoud dat jij een zusje bent. Een zusje heeft geen ogen nodig om nuttig te zijn, alleen een glimlach en een moedig hart.'

Lilli zuchtte diep en liet haar schouders zakken terwijl ze tegen hun reiszak leunde. 'Ik ben alleen maar je halfzus. Misschien heb ik daarom niet jouw moed; als ik jouw vader had gehad, had ik misschien ook jouw jagershart gedeeld.'

'Stil! Vaders komen en vaders gaan, maar de Aarde blijft hetzelfde. Net zomin als er zoiets bestaat als een half hart, kan er zoiets zijn als een half zusje.'

'Dat zal wel,' murmelde Lilli. 'Maar ik ben er nog steeds niet van overtuigd dat ik ooit weer zal kunnen lachen.'

'Nou, ik wel,' zei Myrine, haar kin op Lilli's hoofd rustend. 'Vergeet niet dat iemand die de leeuw trotseert, de leeuw wordt. Wij zullen de leeuw trotseren, en we zullen weer lachen.'

'Maar leeuwen lachen niet,' mopperde Lilli, nog steeds met de reiszak in haar armen.

Myrine maakte een grommend geluid en begon in haar zusjes nek te bijten tot ze allebei giechelden. 'Dat leren we ze dan wel!'

Tien dagen lang volgden Myrine en Lilli de rivier.

Ze hadden nu genoeg water te drinken, maar overal om hen heen was het land verdord. Wanneer Myrine een levende plant tegenkwam die min of meer eetbaar smaakte, kauwde ze op een paar van de bladeren of wortelknollen en wachtte een poosje om de gevolgen voor haar maag vast te stellen, voordat ze Lilli iets aanbood. En wanneer de trage stroom in een bekken een poel vormde met wat koeler water, kroop Myrine er behoedzaam omheen om een eenzame vis aan haar speer te rijgen.

Op erg hete dagen kwamen er soms dieren naar de rivier om uitgebreid hun dorst te lessen, en dankzij haar boog en een paar heel gebleven pijlen lukte het Myrine meestal om een maaltje onbekend vlees te schieten. Dat waren de goede dagen. Laat op de avond, wanneer ze zoveel hadden gegeten als ze konden, keerden de gedachten van de twee zusjes onvermijdelijk terug naar het leven zoals het vroeger was.

Wat leken de alledaagse zorgen in hun dorp nu onbeduidend, en hoe veelbetekenend alle kleine genoegens. De troost van familie, de zorgen en de roddels... het vermengde zich allemaal tot een stralend gelukkige droom, een onmogelijk onschuldige wereld die alleen in woorden voortleefde.

Omdat ze allebei in het dorp Tamash waren geboren, hadden Myrine en Lilli dat altijd als hun thuis beschouwd. En als de andere kinderen hen soms uitjouwden omdat ze vreemdelingen waren met vreemde gewoonten, wuifde hun moeder dat weg als onwetendheid. Dan sloeg ze geïrriteerd haar ogen ten hemel en zei: 'Ze denken dat het slecht is als een vrouw kinderen heeft van verschillende mannen. Ze weten niet eens dat hun eigen vader misschien wel niet degene is voor wie zij hem aanzien.'

Naast de beschuldiging van hoererij was er nog de kwestie van hun moeders mysterieuze kennis van kruiden en wortels. Hoewel de vrouwen van het dorp dagenlang over haar zondige levenswijze konden roddelen, stonden ze als eerste op haar stoep wanneer ze door een kwaal getroffen werden, om een remedie smekend.

Meer dan eens waren de dorpsoudsten in hun fraaie gewaden en met hun bewerkte staf naar de hut gekomen om Talla te vragen haar vreemdelingenkunsten niet langer uit te oefenen. Zij had echter alleen haar hoofd geschud, in de wetenschap dat hun vrouwen haar nooit uit het dorp zouden laten wegjagen. Myrine herinnerde zich nog goed dat haar moeder het dorpshoofd bij een dergelijke gelegenheid had getart met de woorden: 'Jij denkt dat ik jouw eenogige vogeltje heb vervloekt, Nholo? Als je er niet de hele dag op zat en onzin verkondigde, zou het misschien wel nieuwe hoogten bereiken.'

Maar zelfs die ooit zo ongelukkige momenten werden verzaligd door het gouden licht van de herinnering. Wrok werd vergeten en schuld vergeven; Myrine was verbaasd over de manier waarop de dood alle kleingeestige details van het leven deed verdwijnen en een heel dorp vol bekrompen mensen schoon en zachtmoedig achterliet.

Naarmate er dagen van eentonig reizen voorbijgingen, keerden de zusters vaker terug naar dezelfde herinneringen, alsof het genoegen toenam met de herhaling. 'Ik zie het nog voor me,' zei Lilli dan, half giechelend. 'Toen mama die oude haan probeerde te vangen... O, wat was ze boos! En al die jongemannen die zo wanhopig verliefd op je waren, maar te bang om zelfs maar naar je te lachen...'

Myrine corrigeerde Lilli nooit als ze zo praatte. Ze lachte met haar zusje mee en liet haar zo lang mogelijk in dat imaginaire verleden ronddwalen. Het heden, zo wist ze, zou gauw genoeg terugkeren.

Op de elfde dag verbreedde de rivier zich tot een delta en nu begon Myrine eindelijk sporen van menselijke bewoning te ontdekken. Smalle uitgegraven irrigatiegreppels vormden een spinnenwebpatroon in het landschap, en toch bereikte geen spoortje water de velden. De grond was hier even uitgedroogd als thuis, en er was geen boer te zien. 'Wat is er?' vroeg Lilli, verward door het lange zwijgen van haar zusje.

'Niets.' Myrine probeerde opgewekt te klinken, maar in werkelijkheid was ze ziek van ongerustheid. Waar ze ook keek zag ze verlaten landbouwgereedschap en desolate stukken weidegrond. De enige dieren waren rafelige kraaien, die aan de hemel rondcirkelden. Waar waren de mensen?

'Sst!' Lilli stond ineens stil en stak haar hand op. 'Hoor je dat?'

'Wat?' Het enige wat Myrine hoorde, was het gekras van de zwarte vogels.

'Stemmen.' Lilli bewoog haar hoofd naar links en naar rechts. 'Mannenstemmen.'

Hoopvol klom Myrine op een groot rotsblok om beter om zich heen te kunnen kijken. Voor hen lag een kustlijn en een grote waterplas – een aanblik die haar met opluchting vervulde. 'Het is de zee!' riep ze uit, wijzend zonder erbij na te denken. 'Hij is enorm... Net als mama zei dat hij zou zijn.'

Niemand in het dorp, behalve hun moeder, had ooit de zee gezien. Maar de dorpsoudsten hadden er vaak over gepraat, onder algemeen instemmend geknik, in de schaduw van de vijgenboom. De zee was groot en blauw en gevaarlijk, hadden ze gezegd, terwijl ze afwezig de vliegen van zich afsloegen, en op de verre kusten lagen steden vol gevaar en smart, steden vol boosaardige vreemdelingen.

Hun moeder had altijd gelachen om dergelijke praatjes, en haar dochters eraan herinnerd dat mannen een afkeer hebben van dingen die hun begrip te boven gaan. 'De stad is niet boosaardiger dan een dorp,' had ze ooit gezegd, de verhalen wegwuivend met een hand vol brooddeeg. 'De mensen zijn daar zelfs een stuk minder afgunstig dan hier.'

'Waarom ben je dan weggegaan?' wilde Myrine weten, terwijl ze meer meel op haar moeders handen strooide. 'En waarom gaan we dan niet terug?'

'Misschien doen we dat wel. Maar voorlopig is dit de plek waar de Godin ons hebben wil.'

Myrine had zich geen rad voor ogen laten draaien. Ze wist dat haar moeder iets voor haar verborg wat met de Maangodin te maken had. Maar hoe ze haar vragen ook formuleerde, de antwoorden waar ze op hoopte, kreeg ze nooit. Het enige wat haar moeder zei, was: 'Wij zijn Haar trouwe dienaren, Myrine. De Godin zal er altijd voor ons zijn. Twijfel daar nooit aan.'

Toen de zusjes hun weg zochten door het kleverige onkruid van de riviermonding, merkte Myrine dat de zee verrassend ondiep en moerassig was. Uit het water stak hoog riet en er waren geen noemenswaardige golven, zelfs nauwelijks rimpelingen. 'Ik vind dit niet leuk,' zei Lilli op een gegeven moment, toen ze tot hun knieën in modder en slijmerig zeegras stonden. 'Stel dat er slangen zijn?'

'Dat betwijfel ik,' loog Myrine terwijl ze haar speer in het water voor hun voeten stak. 'Slangen houden niet van open water.'

Op dat moment bracht een salvo van stemmen hen tot stilstand.

'Dat hoorde ik daarstraks ook!' siste Lilli, die zich angstig tegen haar zusjes rug drukte. 'Kun jij ze zien?'

Met de schacht van haar speer duwde Myrine het riet opzij. Door de wirwar van groene stengels heen zag ze een bootje met drie vissers erin. Ze hadden het te druk met hun netten om haar en Lilli op te merken, en ze kwam al snel tot de conclusie dat het hardwerkende, en dus betrouwbare mannen waren.

'Kom mee!' Haastig trok ze Lilli achter zich aan door het water om de boot te bereiken voordat hij verdween. Het was een ondraaglijk idee om nog een nacht in de stoffige rivierbedding door te brengen, of in dit moeras vol zwermende insecten. Waar die drie vissers ook heen gingen, Lilli en zij gingen mee.

Zodra ze dichtbij genoeg waren om gezien te worden, zwaaide Myrine met haar speer door de lucht en riep de mannen toe. Ze stond nu tot haar middel in het water, met Lilli op haar rug. Natuurlijk keken de mannen verbouwereerd.

'Ze hebben ons gezien!' hijgde Myrine, met onzekere stappen door het modderige water wadend. 'Ze lachen en gebaren dat we aan boord moeten komen...' Maar toen ze de boot naderde, zag ze dat de mannen niet lachten. Ze gebaarden heftig, met van angst vertrokken gezichten.

Binnen een paar tellen trokken haastige handen eerst Lilli en toen Myrine aan boord, waarna de mannen zuchtten van opluchting en naar het water wezen met lange woordenstromen vol uitleg in een vreemde taal. 'Wat zeggen ze?'

'Ik wou dat ik ze verstond,' prevelde Myrine. Aan hun uiterlijk te zien waren de vissers een vader en zijn twee volwassen zonen, en het leken geen mannen die snel van hun stuk raakten. 'Ik denk...'

Ineens schommelde de rivierboot heftig en beide jongere mannen staken meteen hun hand uit naar hun vader. Myrine zag hen allemaal nerveus naar het water kijken, en eindelijk begreep ze waarom ze zo geschrokken waren.

Om de boot heen zwom een lange, gespikkelde vorm, een enorm lichaam dat door de modder gleed. Was het een grote vis? Maar ze zag kop noch staart, alleen een eindeloos lichaam, zo dik als een mens. Het was een gigantische slang.

'Wat is het?' jammerde Lilli, die de plotselinge spanning aanvoelde. 'Vertel nou!'

Myrine kon nauwelijks praten. Ze had wel eerder grote slangen gezien, maar nog nooit zoiets als dit. 'O, het is niets,' wist ze eindelijk uit te brengen. 'Alleen wat zeewier dat aan de romp vastzit.'

Na een paar angstige tellen leek de slang zijn belangstelling voor de boot te verliezen, en de mannen ontspanden zich en begonnen weer te praten. Ze controleerden nog een paar fuiken, maar hun vangst was mager. Slechts een stuk of twaalf vissen en een paar palingen, maar toch leken de mannen opgewekt toen ze hun vaarbomen oppakten en de boot moeizaam voortstuwden met korte, ritmische rukjes.

'Waar gaan we heen?' fluisterde Lilli, bevend van vermoeidheid.

Myrine trok haar zusje tegen zich aan en streelde haar vuile wang. 'We gaan naar de grote stad, leeuwtje. Daar wacht de Maangodin op ons, weet je nog?'

DEEL II

DAGERAAD

7

De Amazones zullen u graag geleide doen.
– AESCHYLUS, *Prometheus Geboeid*

LUCHTHAVEN GATWICK

ALS LUDWIG AL VERBAASD WAS mij bij de gate aan te treffen, onverschillig bladerend in een achtergelaten watersporttijdschrift, liet hij dat niet merken. Hij knikte alleen, alsof mijn aanwezigheid aan de verwachtingen beantwoordde, en vroeg: 'Koffie?'

Zodra hij verdwenen was, slaakte ik een opgeluchte, uitgeputte zucht. Ondanks mijn geveinsde kalmte waren de afgelopen uren ongetwijfeld de meest hectische van mijn leven geweest, en ik had een ademloze galop aangehouden sinds de vondst van het schrift van mijn oma op zolder. Gelukkig was mijn vader wel te porren geweest voor een klein avontuur en hij had erop gestaan mij helemaal naar het vliegveld te rijden. 'Al moet ik wel een zekere nieuwsgierigheid opbiechten,' had hij heel redelijk gezegd toen we even voor mijn appartement in Oxford geparkeerd stonden, waar ik moeizaam een haastig gepakte koffer op de achterbank van de Mini probeerde te proppen.

'Het is maar voor een of twee nachtjes,' antwoordde ik, terwijl ik me op de passagiersstoel liet zakken en mijn losgeraakte paardenstaart fatsoeneerde. 'Misschien drie.'

De motor liep nog en mijn vader had het stuur nog steeds in handen, maar de auto bewoog niet. 'En je colleges dan?'

Ongemakkelijk verschoof ik op mijn stoel. 'Ik ben terug voordat je het weet. Het is voor een onderzoek. Iemand gaat me zowaar betalen om naar Amsterdam te reizen...'

'Ik begrijp dat je weldoener niet die jongen van Moselane is?' Mijn vader tuurde in de achteruitkijkspiegel bij die woorden, en toen ik me omdraaide zag ik James uit het gebouw komen met een tennisracket over zijn schouder.

Ineens kreeg ik het overal warm, en het was geen aangenaam gevoel. Daar ging hij, de geboren redelijkheid, even knap als altijd... was het niet verstandiger om hem te vertellen dat ik wegging, in plaats van stiekem weg te glippen?

'O verdorie,' zei ik met een blik op mijn horloge. 'We moeten nu echt gaan.'

Mijn vader keek telkens in zijn achteruitkijkspiegel terwijl we Merton Street uit reden en vroeg zich waarschijnlijk af hoe hij deze onheilspellende wending aan mijn moeder moest uitleggen, en bij elke blik voelde ik het schuldgevoel prikken in mijn keel. Maar hoe had ik hem de waarheid moeten vertellen? Hij had nooit geprobeerd om over oma te praten, hij had me nooit het schrift laten zien dat ze zo duidelijk voor mij had bestemd. Het onderwerp nu aansnijden, onderweg naar het vliegveld met wat voor hem een razende snelheid was, kon onmogelijk een goed idee zijn. 'Het spijt me, pap,' prevelde ik met een klopje op zijn arm. 'Ik leg het wel uit als ik terugkom.'

Een tijdlang reden we in stilte verder. Uit mijn ooghoek kon ik zijn gebruikelijke afkeer van confrontaties zien worstelen met zijn toenemende ongeduld, en ten slotte haalde hij diep adem en zei: 'Beloof me dan in ieder geval dat dit niet een soort' – hij had een aanloopje nodig om het woord uit te spreken – 'weglopen is om te trouwen? Je weet dat we heel goed in staat zijn om een bruiloft te betalen...'

Ik was zo geschokt dat ik begon te lachen. 'Papa, doe niet zo gek!'

'Nou, wat moet ik dan denken?' Hij zag er bijna boos uit zoals hij daar zat, voorovergebogen over zijn stuur. 'Je komt drie uur lang thuis, vraagt om je geboortebewijs... en nu vertrek je ineens naar Amsterdam!' Hij keek me even snel aan met een zweem van oprechte angst in zijn ogen. 'Beloof me dat dit niets te maken heeft met een of andere... man. Je moeder zou het me nooit vergeven.'

'Ach, pap!' Ik boog me naar hem toe om hem een kus op zijn wang te geven. 'Dat zou ik toch nooit doen. Dat weet je toch wel?'

Hij knikte zonder overtuiging, en ik veronderstel dat ik hem dat niet kwalijk kon nemen. Hoewel het onderwerp zelden ter tafel kwam, twijfelde ik er niet aan dat mijn ouders heel wat hadden afgeleid uit de bonte mengeling van vriendjes in het verleden, die door Rebecca gezamenlijk werden aangeduid als de 'ruiters van de Apocalyps', hoewel ze zo'n fraaie titel geen van allen verdienden.

Om de een of andere reden was ik nooit goed geweest met mannen. Misschien kwam dat omdat ik nu eenmaal graag alleen was, of misschien – zoals Rebecca ooit had geopperd, waarbij ze voor het gemak mijn kinderlijke verliefdheid op James Moselane vergat – was ik behept met een genetisch onvermogen tot romantiek, geërfd van mijn oma. Als een relatie verkeerd afliep, met tranen en kwetsende woorden, vermoedde ik soms zelfs dat ik mannen gewoon niet zo leuk vond, en dat er wellicht daarom een steeds dikker wordend bundeltje afscheidsbrieven in mijn bureau lag, die mij ervan beschuldigden – in welsprekender termen, weliswaar – een frigide kreng te zijn.

Daartoe vanuit het verre Kreta aangespoord door Rebecca ter gelegenheid van mijn zevenentwintigste verjaardag, besloot ik vast te stellen of mijn probleem misschien simpelweg kon worden opgelost door mijn aandacht van mannen naar vrouwen te verleggen. Maar nadat ik de kwestie een week of wat had bestudeerd, moest ik concluderen dat vrouwen me nog minder interesseerden dan mannen. De droevige conclusie, besloot ik, moest daarom zijn dat Diana Morgan voorbestemd was om een *loner* te zijn... een van die ijzeren dames wier erfgoed niet bestond uit kleinkinderen, maar uit monografieën van drie kilo zwaar, opgedragen aan een of andere dode professor.

Drie dagen later verscheen Federico Rivera op het toneel.

Omdat ik al zo lang lid was van de Oxford University Fencing Club, raakte ik niet zo snel onder de indruk van ijdele mannen, maar ik wist meteen dat de nieuwe Spaanse maestro een geval apart was. Hij was niet heel knap om te zien, maar even lang als ik en uitermate fit, en, wat nog belangrijker was, hij straalde een explosieve, bedwelmende energie uit. Federico was een perfectionist, niet alleen wat schermen betrof, maar ook in de kunst van het verleiden, en hoewel we beiden volgens mij al heel snel wisten wat de onvermijdelijke consequentie zou zijn van mijn privéavondlessen, concentreerde hij zich toch maandenlang op mijn aanval en mijn riposte en niets meer dan dat... voordat hij me uiteindelijk achterna kwam in de douche om me woordeloos de *coup d'arrêt* bij te brengen.

Onze affaire duurde de hele winter en hoewel Federico op geheimhouding aandrong, geloofde ik hem op zijn woord toen hij me zijn grote liefde noemde. Binnenkort zouden we het bekendmaken... gaan trouwen... kinderen krijgen... Het werd nooit expliciet uitgesproken, maar altijd gesuggereerd. En toen hij van de ene dag op de andere terug vluchtte naar Spanje, zonder zelfs maar afscheid te nemen, was ik zo geschokt en mijn hart zo gebroken, dat ik dacht nooit meer gelukkig te kunnen zijn.

Daarna volgden allerlei akelige onthullingen: Federico's vele affaires in Oxford, de boze verloofde in Barcelona, zijn smadelijke ontslag bij de schermvereniging... en toch schreef ik hem de ene na de andere bedroefde brief, waarin ik hem mijn liefde en begrip bezwoer en om een antwoord smeekte.

Dat kreeg ik. Maanden later, een dikke envelop van een schermschool in Madrid, met daarin al mijn brieven aan hem – de meeste ongeopend – plus vijfhonderd euro. Aangezien hij me geen geld schuldig was, moest ik wel aannemen dat dit zijn manier was om mij voor mijn diensten te belonen.

Ik was zo razend dat het me weken kostte om tot de conclusie te komen dat Maestro Federico Rivera mij in zijn losbandige wijsheid opzettelijk had beledigd om mijn wond dicht te schroeien en op die manier – als een ware perfectionist – mijn schermlessen af te ronden met de meest eervolle slag van allemaal: de coup de grâce.

Hoewel ik mijn ouders nooit iets over hem had verteld, wisten ze wel dat ik mijn portie hartzeer had gekend. Er waren zelfs momenten waarop ik vermoedde dat mijn moeders voortdurende obsessie met James Moselane alleen maar haar manier was om ons allebei te troosten. En wat kon er troostrijker zijn dan het visioen van een ideale toekomst waarin ik nog lang en gelukkig op het landgoed vlak om de hoek woonde?

Toen meneer Ludwig terugkwam met onze koffie legde ik het tijdschrift opzij en haalde mijn jas weg, zodat hij naast me kon zitten. 'Bedankt,' zei ik terwijl ik een van de bekers aannam en genoot van de warmte in mijn nerveuze handen. 'Overigens, u hebt me de naam nog niet verteld van de stichting die al deze weelde sponsort?'

Behoedzaam haalde Ludwig het deksel van zijn koffie. 'Ik ben een voorzichtig man.' Hij nam een slokje en trok een vies gezicht. 'Wat hebben jullie Britten toch tegen koffie? Hoe dan ook, een naam: de Skolsky Foundation. Suiker?'

Een paar tellen later, terwijl ik driftig aan het googelen was naar de Skolsky Foundation, hoorde ik Ludwig grinniken en keek op, om te ontdekken dat hij schaamteloos op mijn telefoon zat te gluren. 'Je vindt heus niets online,' liet hij me weten. 'Meneer Skolsky vliegt graag onder de radar. Daar hebben miljardairs wel vaker last van.'

Misschien was het grappig bedoeld, maar ik kon er niet om lachen. Om ons heen liep de ruimte bij de gate vol met grondstewardessen en reizigers die hoopten eerder te kunnen instappen, maar ik verkeerde nog steeds in onzekerheid over onze reis. 'Tot mijn schande moet ik bekennen dat ik nog nooit van de Skolsky Foundation heb gehoord,' zei ik. 'Maar ik neem aan dat hun hoofdkantoor in Amsterdam staat?'

Meneer Ludwig boog voorover om zijn beker op de grond te zetten. 'Zoals ik al zei is meneer Skolsky erg op zijn privacy gesteld. Hij is een industrieel met archeologische interesse. Sponsort opgravingen over de hele wereld.'

Ik keek hem aan, in afwachting van de rest van de uitleg. Toen er niets kwam, leunde ik iets naar voren om duidelijk te maken dat ik meer verwachtte. 'Zoals...?'

Meneer Ludwig glimlachte, maar aan een vonk in zijn roofzuchtige ogen zag ik dat hij geïrriteerd raakte. 'Dat kan ik niet vertellen tot we er zijn. Skolsky-protocol.'

Ik ergerde me zo aan zijn neerbuigende houding dat niet alleen de smerige koffie weer omhoogkwam, maar ook de goedbedoelde waarschuwingen van James de dag tevoren. Die zogenaamde Amazone-inscriptie kon een list zijn... of erger. Zo had hij het tenminste verwoord, en weer vroeg ik me af wat mijn rol daarin kon zijn. Het werd zo langzamerhand pijnlijk duidelijk dat Ludwig geen noodzaak meer zag om bij mij in het gevlij te komen, en ik vermoedde dat de snelle aftakeling van zijn manieren een voorbode was van de komende week. Ieder normaal mens zou de knipperende waarschuwingslichten in acht hebben genomen en zich uit de voeten maken nu het nog kon... maar dat kon ik niet. Oma's rode schrift, verborgen in mijn handtas, had de strijd met mijn gezonde verstand allang gewonnen.

'Klaar?' Ludwig haalde zijn instapkaart tevoorschijn. 'Laten we gaan.'

Een paar tellen later liepen we door de vliegtuigslurf. Ik wist nog steeds niet precies waarom we naar Amsterdam vlogen, maar intussen wist ik wel dat het zinloos was om ernaar te vragen. Mijn verwarring nam niet af toen Ludwig niet in het vliegtuig stapte, maar in de slurf halt hield om een paar woorden te wisselen met een man in een overall met een grote oranje koptelefoon op zijn hoofd.

De man wierp me een argwanende blik toe voordat hij een deur in de zijwand van de slurf opende en ons voorging langs een paar rammelende metalen treden tot we op het asfalt naast het vliegtuig stonden. Buiten was de lucht verzadigd van kabaal en uitlaatgassen, en toen ik mijn mond opendeed om te vragen wat de bedoeling was, begon ik te hoesten van de vliegtuigdampen en kon me niet verstaanbaar maken.

Na een korte rit in een busje tussen allerlei cateringwagens en brandstoftankers door, stopten we naast een ander vliegtuig. Pas daar, toen ik zag dat mijn koffer doorgegeven werd en in het bagagecompartiment verdween, begon het me te dagen dat de beloofde vlucht naar Amsterdam slechts een zorgvuldig opgezet lokaas was geweest.

Er was echter geen tijd om Ludwig naar onze gewijzigde bestemming te vragen, want na een uiterst plichtmatige veiligheidscontrole werden we haastig de achtertrap op gedreven.

'Flink bedeltje,' zei Ludwig toen de scanner piepte naast de bronzen armband aan mijn arm. 'Gebruik je dat als wapen?'

'Nog niet, maar wat niet is, kan nog komen,' antwoordde ik, terwijl ik mijn mouw weer omlaag schoof. Hij hoefde niet te weten dat de armband van mijn oma was geweest en dat ik hem pas een paar uur eerder uit mijn ondergoedlade had opgediept, als een manier om dit onverwachte avontuur in te zegenen. Voor zover Ludwig wist, was ik hier voor het geld en de kans op academische glorie; ik wilde helemaal niet dat hij wist hoe persoonlijk deze reis voor mij was. Als meneer Skolsky onder de radar kon blijven, kon ik dat net zo goed.

Toen we eenmaal veilig vastgesnoerd zaten in de eerste klas en het vliegtuig naar de startbaan reed, zei ik tegen Ludwig: 'Misschien is dit een geschikt moment om me te vertellen waar we heen gaan?'

Meneer Ludwig tikte met zijn champagneglas tegen het mijne. 'Djerba. Proost, op een productieve reis. Sorry voor alle hocuspocus, maar er staat te veel op het spel.'

Ik wilde niets liever dan mijn telefoon tevoorschijn halen om mijn bestemming op te zoeken, maar we waren maar een paar minuten van take-off verwijderd. Voor zover ik wist, was Djerba een eilandje in de Middellandse Zee voor de kust van Tunesië, en voornamelijk bekend bij vakantiegangers vanwege de appartementenhotels en het aangename klimaat. Ik had niet het idee dat er archeologisch veel te beleven viel, maar ik vermoedde dat Djerba niet de feitelijke locatie van de opgraving zou zijn. Die lag waarschijnlijk op het vasteland van Tunesië.

Wat volkomen logisch was.

Het huidige Tunesië is een relatief klein land tussen Algerije en Libië, maar tweeduizend jaar geleden was het de aartsrivaal van het Romeinse keizerrijk. Vandaar dat de oude hoofdstad Carthago uiteindelijk verwoest werd door de Romeinen, die de bewoners als slaven verkochten en alle historische stukken vernietigden. Aan deze totale cultuurvernietiging ontsnapten bijna geen geschreven bronnen; het land van Hannibal kon evengoed een mythe zijn geweest.

Maar dat waren allemaal vrij recente gebeurtenissen, vergeleken met de tijd waarin – volgens sommigen – de helden van de Griekse mythologie de aarde bewandelden. Beroemde personages zoals Herakles, Iason en Theseus behoorden tot een prehistorische wereld van monsters, magie... en Amazones.

Het was waar dat de meeste klassieke auteurs – ongeacht of ze in de legenden geloofden of niet – het thuisland van de Amazones in het oosten plaatsten, meestal aan de kust van de Zwarte Zee in het noorden van Turkije, maar er waren er ook die beweerden dat dit volk van krijgshaftige vrouwen zijn oorsprong vond in Noord-Afrika. Een deel van het probleem was dat de overlevering van de Amazones min of meer in drie perioden uiteenviel, en dat die drie onderling enorme verschillen vertoonden, zowel in tijd als in plaats.

In de laatste van de drie perioden zien we de Amazones verschanst in en rond hun legendarische hoofdstad aan de Zwarte Zee, Themiskyra, waar ze geleidelijk aan alle kanten in het gedrang kwamen tot ze ofwel uitstierven, ofwel opgingen in omwonende stammen. Je zou kunnen zeggen dat deze periode een lange, trage herfst was, met als hoogtepunt een laatste bloeiperiode rond het jaar 330 v.Chr., toen een Amazonekoningin naar verluidt een bezoek bracht aan Alexander de Grote, met het verzoek om haar en haar vrouwelijke entourage twee weken bij hem te laten wonen, in de hoop kinderen te krijgen van deze levende legende van een man. Tegen de tijd dat de Romeinen opdoken – slechts een eeuw of wat later – was het volk van de Amazones nergens meer te bekennen.

Zonder twijfel was de middelste periode hun hoogtij – de tijd van de Trojaanse Oorlog, die volgens de meeste wetenschappers ongeveer drieduizend jaar geleden plaatsvond, ergens tussen 1300 en 1100 voor onze jaartelling. Dit was de tijd waarin Achilles de Amazones aan zijn zwaard reeg onder de hoge vestingmuren van Troje en waarin Herakles door het binnenland van Troje zwierf om de gordel van de Amazonekoningin in handen te krijgen, als onderdeel van zijn Twaalf Werken. Het was ook de tijd waarin de Amazones naar verluidt Athene belegerden en eindelijk hun plaats verwierven op de Parthenonfries – ook wel bekend als de Elgin Marbles.

Maar vóór die tijd kenden de Amazones hun lente, met sporadische loten, waarvan de belangrijkste ontloken aan het legendarische Tritonismeer, in Noord-Afrika. Sommigen beweerden dat zich daar het thuisland bevond van de eerste Amazones, over wie het verhaal ging dat ze een groot leger hadden gevormd en naburige landen binnenvielen.

Vergeleken met de latere Zwarte Zee-Amazones bestonden er over deze vroege loten echter veel minder historische gegevens en ik had Amazonefanatici vaak met hun ogen zien rollen bij de mythen over het Tritonismeer, waarbij ze zich wellicht niet realiseerden dat die reactie in de ogen van Amazonesceptici zoiets was als geloven in de tandenfee, maar spotten met de paashaas.

Vanzelfsprekend werd de kwestie nog gecompliceerder door het feit dat het klimaat van Noord-Afrika enorme veranderingen heeft ondergaan sinds de Bronstijd en dat het Tritonismeer – als het al heeft bestaan – allang verdwenen is. Ik kende heel wat archeologen die wanhopig graag wilden graven in het gebied... maar waar moesten ze beginnen? De Sahara ligt als een gigantisch donzen dekbed boven op de mooiste dromen over onontdekte beschavingen, maar de kans dat er ook maar een fossiele beddenluis opgegraven zou worden als ze er met hun emmertjes en hun schepjes heen trokken, is vrijwel nihil.

Dat we nu onderweg waren naar Tunesië, waar het Tritonismeer volgens sommigen ooit had gelegen, was dan ook heel spannend. Was het mogelijk dat de Skolsky Foundation bewijs had gevonden voor een matriarchale samenleving van krijgshaftige vrouwen? Het potentiële rendement van een dergelijke ontdekking was verbijsterend.

'Djerba is het eiland waar de Lotuseters van Homerus leefden,' zei Ludwig, mijn gedachten onderbrekend. 'Enge zombietypes, beneveld door de plaatselijke vegetatie.' Hij schoof zijn slaapmasker voor zijn ogen, maar daarmee verborg hij zijn zelfgenoegzaamheid slechts ten dele. 'Het klinkt als de plek bij uitstek voor een wetenschapper.'

De opmerking was zo duidelijk bedoeld om te provoceren dat ik haar gemakkelijk kon weglachen. 'Wat dat betreft zal ik op uw deskundigheid moeten vertrouwen. Maar u hebt me toch niet meegenomen voor de vegetatie?' Ik tuurde naar zijn gezicht, met veel zin om onder het masker te kijken om te zien of hij wel oplette. 'Dit gaat over Amazones, toch?'

Ludwig verschikte zijn opblaasbare hoofdkussen en wist nog een paar lagen toe te voegen aan zijn toch al omvangrijke onderkin. 'Dat moet je mij niet vragen. Ik bemoei me nooit met de opgravingen. Ik weet niet eens waarom ik in Europa ben, als de Amazonejungle in Zuid-Amerika ligt. Maar...' – hij schokschouderde en vouwde zijn handen op zijn buik – 'als meneer Skolsky me een opdracht geeft, voer ik die uit. Ik laat me niet van de wijs brengen door gezond verstand.'

Het was waarschijnlijk maar goed dat hij na dat gesprekje indommelde, want we begonnen elkaar op de zenuwen te werken. Ondanks zijn schijnbare gulheid – of althans, zijn bereidheid om het geld van Skolsky uit te geven – had meneer Ludwig een zelfvoldaan, kleingeestig trekje dat oprecht stuitend was.

Het feit dat ik ernaar hunkerde om oma's schrift tevoorschijn te halen, werkte ook niet mee aan mijn humeur. Al sinds ik het een paar uur geleden op zolder had gevonden onderdrukte ik mijn verlangen om te zien of de tekens van de inscriptie op de foto overeenkwamen met woorden in het schrift. Maar tussen toen en nu had ik geen moment kunnen gaan zitten om er met mijn vergrootglas naar te kijken.

Misschien was het raar om het schrift verborgen te houden voor Ludwig, maar terwijl ik op onze vlucht door de hobbelige lagen onrustig Engels weer het blaadje van de vliegmaatschappij op- en afrolde en zijn gewoel en gesnurk moest aanhoren, was ik er oprecht van overtuigd dat hij een onbetrouwbaar sujet was. Nog afgezien van zijn verontrustende flair voor geheimzinnigheid, om het geen oneerlijkheid te noemen: had ik het me verbeeld, of had hij echt met meer dan gewone belangstelling naar mijn armband gekeken?

De bronzen armband in de vorm van een slang, maar met een vreemd, hondachtig hoofd met gespitste oren aan het ene uiteinde, was zo gesmeed dat hij twee keer om een vrouwenpols paste, en ik kon mijn reisgezel zijn belangstelling niet echt kwalijk nemen. Maar de omstandigheden waarin ik dit specifieke sieraad had geërfd waren van dien aard dat zijn vragen mij echt stoorden, hoe onschuldig ze ook mochten zijn.

Oma had het sieraad gedragen zoals je een trouwring draagt: altijd, en voor zover mijn ouders wisten, had ze het meegenomen in haar graf. Ik had ze nooit durven vertellen dat ik op een dag, ongeveer een jaar nadat ik in Oxford aan mijn postdoctoraal was begonnen, in mijn postvak in de portiersloge een kleine luchtkussenenvelop had aangetroffen die er zonder plichtplegingen in was gepropt. Er zat geen briefje in, alleen deze jakhalsarmband van oma, die naar haar zeggen 'alleen een ware Amazone mag dragen'.

De onverwachte ontvangst van zo'n kostbaar voorwerp, anoniem afkomstig uit Berlijn, had me vervuld van een giftige mengeling van vrees en verwarring. Betekende dit dat oma dood was? Of was de armband een sommatie? In dat geval zou er vast een verklaring volgen.

Maar die kwam niet, en uiteindelijk verstopte ik de armband in mijn ondergoedlade zonder er een woord over te zeggen. Een of twee keer had ik met het idee gespeeld om hem aan Rebecca te laten zien, in de hoop dat zij hem aan een of andere wetenschappelijke analyse zou kunnen onderwerpen... maar dat zou het oprakelen van een problematisch onderwerp betekenen. En ondanks alle jeugdgeheimen die we deelden, was de waarheid over oma's verdwijning iets wat ik nooit met iemand zou kunnen delen, zelfs niet met haar.

Het was al donker tegen de tijd dat we in Djerba landden. Zodra we het vliegtuig uit stapten en de smalle trap afliepen, wikkelde zich ondanks het late uur een warme, geurige bries om ons heen waar ik bijna duizelig van werd. Het was al jaren geleden dat ik in een zuidelijk klimaat was geweest, en ik realiseerde me nu pas hoe erg ik dat had gemist.

Rebecca beweerde altijd verwijtend dat Oxford een saaie huismus van me had gemaakt, en ik sprak haar nooit tegen. In werkelijkheid wilde ik niets liever dan heen en weer vliegen zoals iedereen dat deed, om eeuwenoude perkamentrollen te lezen in Jordanië of omstreden folio's te bestuderen in een imposante oude bibliotheek in Rome... maar ik kon het me niet veroorloven. Overtuigende subsidieaanvragen schrijven was kennelijk niet mijn sterkste punt. En dus bleef ik zitten waar ik zat, beperkte me tot onderwerpen die op fietsafstand lagen en beleefde avonturen uit de tweede hand middels ansichtkaarten op de gemeenschappelijke koelkast.

'Gaat het nog?' vroeg meneer Ludwig toen we samen door de slaperige luchthaven liepen. 'Maak je geen zorgen, je bent zo van me af.'

Een korte taxirit later kwamen we tot stilstand voor een wit gebouw dat er minder majestueus uitzag dan de woekerende residentiehotels waar we onderweg langs waren gekomen. Maar schijn bedriegt – de bescheiden voordeur van het Hotel Dar el Bhar leidde naar een aanlokkelijk imperium van elegantie en rust, en hoewel de witgekalkte muren en de zuilengang in niets leken op de gargouille-gotiek van Oxford, voelde ik me er meteen thuis.

Achter de lobby lag een binnenplaats waar hoge bomen stonden in grote bloembedden, met flakkerende lantaarns op de betegelde vloer. Meer nog dan elders was de lucht hier vervuld van kruidige geuren, en ergens in het donker van die bekoorlijke tuin klonk het zachte geklater van een fontein.

Ik weet niet hoelang ik daar stond te staren naar een potplant met grote gele vruchten, me afvragend of ik naar mijn eerste citroenboom keek, maar na een poosje overhandigde Ludwig me een sleutel en zei: 'Je staat ingeschreven onder de naam dr. Mayo. Gewoon een voorzorgsmaatregel. Als ik je morgen niet zie,' zei hij met uitgestoken hand, 'veel geluk. Mijn collega neemt het nu van me over.'

Ik keek om me heen in de waan dat hij me zou voorstellen, maar ik zag niemand.

Meneer Ludwig glimlachte. 'Wij zien elkaar nooit.'

'Laat me raden, Skolsky-protocol?'

Zijn glimlach werd ironisch. 'Meer een kwestie van schema's. Ahmed leeft in zijn eigen tijdzone.'

Mijn kamer lag boven, aan de zuilengang die rond de hele binnenplaats liep en een uniek uitzicht bood op de boomtoppen van deze privéjungle. Het was een mooie junior-suite, compleet met kwastjes aan rode kussens en een gastvrije schotel dadels, maar intussen was ik zo moe dat mijn ogen vanzelf dichtvielen. Het was pas middernacht, maar de nacht tevoren had ik van opwinding weinig kunnen slapen, en de nacht daarvoor was ik tot in de kleine uurtjes bezig geweest met mijn lezing.

Maar al sinds mijn vertrek uit mijn ouderlijk huis die middag keek ik uit naar het moment waarop ik oma's schrift zou kunnen openslaan. Na een lichte roomservice-maaltijd van brood en hummus plensde ik dan ook wat water in mijn gezicht en ging zitten om de foto van Ludwig nogmaals te bestuderen, dit keer op zoek naar specifieke reeksen symbolen die individuele woorden zouden kunnen zijn, om die vervolgens op te zoeken in oma's lange, dicht opeen geschreven lijst.

Dat bleek echter een grotere uitdaging dan ik had verwacht, en mijn eerste opwinding bij de conclusie dat de twee schriftsystemen inderdaad hetzelfde waren, legde het algauw af tegen de enormiteit van de opdracht.

Zelfs met behulp van het vergrootglas kon ik geen punten of streepjes identificeren die woordonderbrekingen zouden kunnen aangeven. Het enige wat ik had, was een lange rij letters of lettergrepen in een taal die ik niet kende. Bovendien was oma's 'woordenboek' niet alfabetisch, noch in het Engels, noch, naar het scheen, in de andere taal. Het hele ding was, met andere woorden, frustrerend willekeurig, en ik had de grootste moeite om het kleine stemmetje te negeren dat me eraan herinnerde dat ik – wellicht tevergeefs – rede probeerde te vinden in de obsessieve krabbels van een geesteszieke.

Na twee uur geconcentreerd werken was ik verslagen. Als ik oma's schrift moest geloven, was het eerste woord van de inscriptie 'maan', 'water' of 'vrouw'. Ik besloot me daarmee tevreden te stellen en stond op om mijn tanden te gaan poetsen.

De geheimzinnige inscriptie daargelaten, was het grootste raadsel hoe oma die taal uit de oudheid had gekend. Misschien waren haar waanideeën alleen maar akelige bijverschijnselen die op kwamen zetten als iemand ooit archeologie had gestudeerd of zelfs filologie, zoals ik. Het was niet ondenkbaar dat dit schrift al eerder was ontdekt en misschien zelfs was ontcijferd aan een onbekende universiteit, door mensen die er nooit aan toegekomen waren om een verslag te publiceren. Of misschien hadden ze dat wel gedaan, en had niemand ooit de moeite genomen om het te lezen.

Volkomen uitgeput, maar zonder me te kunnen ontspannen, lag ik in het donker te genieten van de zachte bries door het open raam. Een verbazende variëteit van insecten en vogels bereidde zich al met heftig geritsel en gefluit en gekrijs in allerlei toonaarden voor op de dageraad, en achter die kakofonie van wildernisgeluiden klonk, ergens in de verte, het gestage, pulserende geluid van de zee.

Op een zomernamiddag toen ik negen was, hadden mijn ouders een tuinfeest georganiseerd voor al hun buren. Een paar avonden voor het evenement had ik op de trap gezeten en de discussie of oma mocht komen afgeluisterd. 'Je weet dat het een ramp wordt,' bleef mijn moeder volhouden. 'Ze gaat ongetwijfeld iemand beledigen of iets volkomen ongepasts beweren. En... stel je de gezichten voor als de mensen beseffen dat we een geesteszieke vrouw op zolder hebben wonen!'

Maar voor één keer had de praktische koppigheid van mijn vader het pleit gewonnen. 'Het is toch juist de beste manier om te zorgen dat ze in hun verbeelding géén onzichtbaar monster wordt, als we haar op een beschaafde manier aan de buurt voorstellen,' zei hij ten slotte. 'Zodra ze haar met Diana zien, begrijpen de buren dat ze volkomen ongevaarlijk is.'

Zo gebeurde het dat ik de taak toebedeeld kreeg om mijn nieuwe oma gedurende het feest te begeleiden, mensen aan haar voor te stellen en haar te helpen bij het buffet. Over het geheel genomen was het plan een succes. Onze gasten spraken haar aan als een normaal mens, met beleefde onbenulligheden over de tuin, en oma glimlachte en knikte alsof het haar iets kon schelen.

Op zeker moment stonden we echter bij een levendig groepje dames die de nieuwe, ongehuwde koster in het nauw hadden gedreven onder een perenboom. 'En u, mevrouw,' vroeg de arme man aan oma, in de hoop een bres in de gelederen te slaan. 'Bent u hier ook opgegroeid?'

'Nee,' antwoordde ze, rustig nog een slok nemend van de wijn die ik had moeten verwisselen voor limonade. 'Ik kom uit het Hodna-gebergte. Mijn naam is Kara. Ik ben onderbevelhebber.'

De koster stak een vinger achter zijn boordje, misschien om wat frisse lucht binnen te krijgen. 'Waarvan, precies? Als ik zo vrij mag zijn...'

Oma wierp hem een frons vol afkeer toe. 'Van de Amazones, natuurlijk. Wie heeft u de wereld leren kennen? U weet niets. Waarom spreekt u mij aan? Mannen zoals u...' Ze knipte laatdunkend met haar vingers en schreed weg.

Later, toen we weer veilig op zolder zaten, vroeg ik haar of ze vroeger echt een Amazone was geweest die Kara heette. Het beeld van oma als krijgshaftige jonge vrouw te paard, jagend op kosters en roddelende dames, compleet met pijlen en strijdkreten, beviel me wel.

Volgens de moeder van Rebecca, die zich als domineesvrouw deskundig achtte op elk paranormaal gebied, waren de kleurrijke Amazones niets anders dan het gebroed van heidense onwetendheid. 'Het idee alleen al,' had ze gezegd, op een gedenkwaardige zondagsschoolochtend, 'dat een groep vrouwen zonder mannen zou kunnen leven, is zowel slecht als lachwekkend. Zoiets abnormaals heb ik nog nooit gehoord...'

'En nonnen dan?' had ik gevraagd uit oprecht verlangen om het te begrijpen, maar mevrouw Wharton deed alsof ze me niet hoorde.

'Maar is het echt waar?' vroeg ik oma weer, vol verwachting op en neer huppend op mijn stoel. 'Was u echt een Amazone?'

Tot mijn ongenoegen wuifde ze het echter allemaal met een kreun weg en begon door de kamer te lopen, waarbij ze elk meubelstuk en elke snuisterij van zijn plaats schoof en weer terugzette, obsessief nauwkeurig. 'Luister maar niet naar mij. Ik ben een gekke oude vrouw. Ik vergat regel nummer twee. Regel nummer twee mag je nooit vergeten.'

Teleurgesteld plofte ik neer. 'Wat is regel nummer twee?'

Met haar handen op de rugleuning van een stoel stond oma stil en keek me aan. 'Altijd zorgen,' zei ze langzaam, opdat ik het goed zou onthouden, 'dat zíj jóú onderschatten. Dat is de sleutel.'

'Maar waarom dan?' hield ik aan. 'En wie zijn zíj?'

Bij die vraag schrok oma even en kwam op haar tenen naar mijn stoel om naast me neer te hurken. 'De mannen in de groene pakken,' fluisterde ze dringend, ineens met grote ogen van angst. 'Ze kijken in je hoofd en snijden dingen weg die je niet hoort te denken. Daarom moet je leren om nergens aan te denken. Laat ze nooit weten wie je bent. Kun je dat wel?'

Ik werd zo bang van haar heftigheid dat ik bijna moest huilen. 'Maar ik ben toch geen Amazone...'

'Sst!' Oma kneep zo hard in mijn schouders dat het pijn deed. 'Zeg dat woord nooit hardop. Je mag het niet eens denken. Begrijp je?' Pas toen ze zag dat ik alleen nog maar betraand kon knikken, nam ze mijn gezicht in haar handen en zei, veel zachtmoediger: 'Je bent een dapper meisje. Ik heb hoge verwachtingen van je. Stel me niet teleur.'

8

HET TRITONISMEER

MYRINE EN LILLI bleven de hele middag op de vissersboot, punterend langs de moerassige oever en fuiken controlerend die merendeels leeg waren. Pas in de kalme avonduren, net toen Myrine begon te vrezen dat ze de nacht op de boot zouden doorbrengen, omsingeld door monsterlijke slangen, legden de mannen eindelijk aan in een kreek omzoomd door hutten.

Na hun lange, eenzame zwerftocht vervulde de aanblik van bedrijvige mannen en vrouwen Myrine met vreugde en vrees tegelijk. Hun moeder had altijd beweerd dat de mensen die aan zee woonden het vriendelijkst waren van allemaal, maar ze had ook verteld van helder blauw water en zandstranden – die nu niet waar bleken. In werkelijkheid had de zee een moddergroene tint, en het water in de kreek was een stilstaande brij van vogelveren en rottend zeewier.

Toen hun boot eenmaal aan land was getrokken en de magere vangst aan een vrouw met een grote mand was overhandigd, wenkte een van de vissers Myrine en Lilli mee, voortdurend lachend en knikkend om hen van zijn goede bedoelingen te verzekeren. Hij bracht ze naar een bejaarde man in een lange rode mantel die met rechte rug vol waardigheid op een strooien mat voor een van de hutten zat, en noten at uit een geglazuurde kom. Myrine vermoedde dat hij de dorpsoudste was en knielde met Lilli neer tussen de notendoppen die verspreid aan zijn voeten lagen.

'Gegroet,' zei ze in haar eigen taal. Toen hij niet antwoordde, herhaalde ze de begroeting in de drie andere talen die ze kende – de Oude Taal, de taal van het Bergvolk en die van de nomaden. Bij de vissers op de boot had geen van haar pogingen succes gehad, maar toen ze hier de taal van de woestijnnomaden gebruikte, klapte de man geestdriftig in zijn verweerde handen.

'Je spreekt de taal van het kamelenvolk!'

'Een beetje,' zei Myrine. 'Hoe kent u het kamelenvolk?'

'Ze kwamen hier om handel te drijven.' De man wuifde met een magere arm om zich heen, wellicht om aan te geven dat de dingen veranderd waren, en niet ten goede. 'Er was hier veel handel toen de rivier nog goed stroomde. Maar nu niet meer.'

Hoewel Lilli de nomadentaal nooit had geleerd, leek ze instinctief te begrijpen wat de oude man vertelde en even bleven ze gezamenlijk zwijgen, uit medeleven met zijn verdriet. Toen bood de man de meisjes een kalebas met water aan en zei op zakelijker toon: 'Nu is het jullie beurt om te praten. Waar kan ik zulke jonge vrouwen mee van dienst zijn?'

'We zijn op weg naar de Maangodin,' begon Myrine. 'In de grote stad. Mijn zusje is verblind door een koorts, maar we hopen dat ze genezen kan worden.'

'Dat spijt me voor je zusje.' Bedroefd schudde hij zijn hoofd. 'Er reizen heel veel mensen naar de Maangodin. Ze heeft het erg druk.'

'Toch willen we haar graag zien,' zei Myrine.

De man keek een beetje geërgerd, maar schokschouderde toen en stak zijn handen in de lucht, alsof hij wilde zeggen dat hij gedaan had wat hij kon. 'Het is niet ver meer. Ik zal je de weg wijzen, maar eerst moeten jullie eten en slapen.'

In de uren voor zonsopgang, zwevend op de drempel van de wakende wereld, was Myrine zich bewust van de slapende lichamen om zich heen; ze hoorde het zachte gefluister van moeders en even dacht ze dat ze weer thuis was.

Daar in de hoek, stelde ze zich voor, lag haar oudere zusje, Lana, met de nieuwe baby knus in haar armen. En hier, hier tegen haar borst, lag Lilli, warm en lief en zoet...

De stank bracht Myrine terug in het heden. Lilli's haar was in geen weken gewassen; het was aaneengekoekt met vuil en bloederige korsten, hopeloos verward in de klittende krullenbol, en vormde een wrede herinnering aan alles wat ze hadden verloren.

Myrine wendde haar hoofd af en klemde haar tanden op elkaar, verdrong het allemaal uit haar bewustzijn – de geluiden, de geuren, al die dierbare, vertrouwde vormen. 'Hou op met denken,' beval ze zichzelf, telkens opnieuw, tot er niets meer restte dan die vier woorden en hun nagalmende echo.

Toen de zon opkwam en het tijd was om te gaan, maakte Myrine haar halsketting los en gaf hem aan de vissers in ruil voor hun gastvrijheid. Ze schudden allemaal hun hoofd en weigerden het geschenk, maar Myrine was vastbesloten; Lilli en zij mochten dan arm zijn, ze hadden hun trots nog wel.

De ketting was een draad met een dozijn tere knoppen eraan – niet van planten, maar van de zoutvlakten, die soms prachtige stenen bloemen voortbrachten. Het was een geboortegeschenk geweest van Myrines vader aan haar moeder, een klein bewijs van betrokkenheid van een nomade die zichzelf echtgenoot noemde, maar nooit lang genoeg bleef om dat ook werkelijk te zijn.

'Neem jij dit maar,' had Myrines moeder op een dag gezegd, toen ze haar opschik bekeek. 'Hier.' Met een vastberaden frons op haar gezicht had ze Myrines vingers eromheen gevouwen. 'Misschien herinnert het feit dat jij ze draagt hem er in de verte aan dat hij een dochter heeft, waar hij dan ook mag wezen.'

Sinds die dag had Myrine de ketting niet af durven doen, uit angst dat ze dan voor altijd van haar vader afgesneden zou zijn. Maar nu hun huis in de as lag, wist ze dat hij haar nooit meer zou kunnen vinden, met of zonder ketting...

En dus verlieten Lilli en zij het vissersdorp goed uitgerust en met een volle buik, maar armer dan ooit. Er zat geen enkele goede pijl meer in Myrines koker, en nu haar halsketting ook verdwenen was, konden ze zich waarschijnlijk geen behoorlijke maaltijd meer veroorloven tot ze hun bestemming bereikten. 'Misschien kunnen we mama's armband wel verkopen,' prevelde Lilli, toen ze samen de weg naar de stad afliepen.

'Nee!' Myrine nam de reistas over van haar zusje. 'Ze zou niet willen dat we die wegdeden. En we zijn al zo dichtbij...'

Maar toen ze de stad in de verte aan de horizon zag oprijzen, met zijn door mensenhanden aangelegde, ruwgekartelde bergen van boven op elkaar gebouwde huizen, glanzend in de ochtendzon, begon zelfs Myrine zich af te vragen of ze werkelijk zo dicht bij het doel van hun reis waren. Voor mensen die nog nooit iets groters dan hun eigen dorp hadden gezien, met zijn dertig huizen rond de gemeenschappelijke weidegrond, ging zo'n kolossale nederzetting elk begrip te boven.

Al snel werd de weg drukker en drongen mensen en wagens ongeduldig langs hen heen, zonder ooit te stoppen om hen te begroeten of te vragen waar ze vandaan kwamen. Hoewel ze dat niet hardop zei, vond Myrine het allemaal erg ontmoedigend. Ondanks hun moeders belofte was ze bang dat Lilli en zij in zo'n grote, drukke stad, waar de mensen niet aandachtiger, niet gastvrijer leken dan kevers, misschien zouden merken dat ze van verwaarloosbaar belang waren, voor de Maangodin of voor wie dan ook.

'Vertel eens wat je ziet!' smeekte Lilli. 'Zie je de tempel al?'

Maar Myrine zag niets wat leek op het wonderbaarlijke gebouw uit de beschrijving van hun moeder. De tempel van de Maangodin was, in haar woorden, even hoog als breed, en gebouwd van buitenaards mooie, glanzende stenen. Vanuit de pracht van haar eerbiedwaardige woonstee beheerste de Godin de getijden, genas vrouwenkwalen en verzette zich dapper tegen de heerschappij van de Zon, door achter diens rug de nachtelijke hemel te verlichten. Gedurende hun lange reis was Myrine er steeds van overtuigd geweest dat de tempel van die machtige godheid alle omliggende gebouwen in de schaduw zou stellen, als Lilli en zij de stad eenmaal bereikten. Daar had ze zich lelijk in vergist. Met Lilli aan de hand zag ze in de krioelende straten waar ze doorheen liepen heel veel wonderbaarlijke gebouwen, sommige onmogelijk hoog, maar geen ervan zag eruit alsof het van iets anders was gebouwd dan zongedroogde baksteen.

Het grootste probleem was nu echter om zich een weg te banen tussen de onbekende en onvoorspelbare bewegingen van alle andere mensen; meer dan eens greep Myrine onwillekeurig naar het mes aan haar riem. Gelukkig gingen de meeste stadsbewoners helemaal op in hun eigen besognes; sommige droegen gereedschap en ladders, alsof ze een huis gingen bouwen of herstellen, andere dreven loeiend, blatend of kakelend vee door de straten, vermoedelijk naar de markt.

Er hingen echter ook types rond met het oogmerk om handel te drijven met de voorbijgangers. Degenen die kleding en opsmuk te koop hadden, waren zelfs zo brutaal om hun waren om Lilli's hals te wikkelen voordat Myrine ze opzij kon duwen. Anderen boden hun diensten aan met schorre, gedempte stemmen en trokken zich dan weer terug in donkere steegjes. Het duurde niet lang voordat Myrines belangstellende nieuwsgierigheid veranderde in argwanende minachting. Ze leerde al snel om geen oogcontact te maken met iemand die schijnbaar werkloos was, en om weg te duiken of een stap opzij te zetten wanneer er iemand met een brede glimlach op haar afkwam.

Ze hoefde niet uit te leggen wat ze deed, Lilli begreep het instinctief. Ze liet zich door Myrine meevoeren door de drukte, en toen de straat eindelijk wat breder werd en ze even konden stilstaan om op adem te komen, beefde het meisje van top tot teen. 'O, Myrine!' riep ze uit. 'En dan te bedenken dat dit hier al die tijd al was... al die mensen! Ik vind het geweldig!'

'Ik zie niet wat er zo geweldig aan is...' begon Myrine, maar ze had meteen spijt van haar woorden. Ze had zo lang gewacht tot Lilli haar levenslust hervond, dat ze haar nu niet wilde ontmoedigen.

'Wat is die vreselijke lucht?' Vol afkeer kneep Lilli haar neus dicht. 'Het stinkt echt!'

Ze stonden aan de rand van een groot, open gebied, volgepakt met mensen en dieren. Te oordelen naar de aanwezigheid van oude, kapotte schelpen op het aangestampte zand, had deze hellende grond niet al te lang geleden aan zee gelegen – misschien was het zelfs een plek waar kooplui hun schip aan wal trokken. Overal waar Myrine keek, zag ze stapels meloenen en hopen kleurige kruiden uitgespreid op matten, en een kakofonie van wild gekrijs vertelde haar dat slagers hier hun dieren slachtten, midden tussen de menigte. 'Het is een markt,' vertelde ze Lilli. 'Veel groter dan je je kunt voorstellen. Maar er staat ook' – ze ging op haar tenen staan om over de menigte heen te kijken – 'een huis. Een enorm huis. Met brede treden ervoor, en heel hoge zuilen van steen.'

Terwijl ze zich een weg baanden door de drukte, op weg naar het formidabele bouwwerk, voelde Myrine het gefladder van opwinding in haar buik. Want boven de hoge zuilen was een lange, kleurrijke afbeelding van de schijngestalten van de maan te zien, met de vollemaan in het midden, recht boven de kolossale toegangsdeur. Ze stond even stil en zei: 'Ik weet het niet zeker, maar ik denk dat dit het moet zijn.'

'Eindelijk!' Lilli wiebelde heen en weer van verlangen om door te lopen. 'Waarom staan we stil?'

'Onze taak is nog niet zo eenvoudig.' Myrine keek uit over de deinende mensenmassa die zich voor de tempel verzameld had, duidelijk op zoek naar hulp. Ze had nog nooit zoveel mensen op één plek bijeen gezien. 'Kom mee.' Ze trok Lilli aan haar hand mee en liep voorzichtig verder, oppassend om de zieken die op matten lagen te rusten of de magere moeders die hun huilende kinderen probeerden te troosten niet te storen. Maar ze kwam niet ver voordat er een oude vrouw opstond om haar de weg te versperren, snauwend in een taal die ze niet kon verstaan.

'Ik denk dat we op onze beurt moeten wachten.' Myrine keek om zich heen naar de stilstaande plassen. De stank was bijna ondraaglijk. 'Deze mensen zijn hier al dagen, misschien wel weken. Maar maak je geen zorgen.' Ze nam Lilli stevig bij de schouders, vastbesloten dat ze hier nog geen nacht zouden blijven, omringd door schel geweeklaag en etterende zweren. 'We vinden wel een andere manier.'

Met haar zusje aan de hand verwijderde Myrine zich kordaat van de menigte om te zien wat er aan de andere kant van de tempel lag. Geïntrigeerd ontdekte ze dat er zich vanaf de achterzijde van het reusachtige stenen gebouw een hoge muur uitstrekte, die waarschijnlijk een bij het heilige complex behorende groep huizen omringde. En nog bemoedigender was dat er aan die achterkant, geflankeerd door doornstruiken, twee hoge palmbomen ongestoord hadden kunnen groeien, waarvan er eentje in de richting van de tempelmuur leunde. Een onweerstaanbare verleiding voor iemand met een jagershart.

'En jij dacht dat de goden tegen ons waren.' Myrine duwde even met haar schouder tegen de palmboom om zijn kracht te peilen. 'Geloof me, ze staan echt wel aan onze kant. Als ik me niet vergis, heeft de Maangodin haar achterdeur voor ons opengezet. Blijf jij hier even wachten' – ze overhandigde haar speer en haar boog aan Lilli en slingerde in ruil hun plunjezak over haar schouder – 'terwijl ik op zoek ga naar een luisterend oor.'

De middagzon wierp goudkleurig licht op de binnenplaats van de tempel. Zijn weerspiegeling in het fraai betegelde waterbassin verlichtte de omringende muren met een veelheid van glinsterende sterren, en de paar vrouwen die zich ophielden in deze beschutte haven lagen merendeels te slapen in de schaduw van potplanten, met de mouwen van hun lange, witte gewaden elegant over hun ogen gedrapeerd. Daarom duurde het even voordat iemand de gestalte opmerkte die op de hoge tuinmuur stond, haar hand geheven in een groet.

'Ik breng u vriendschap!' waren de woorden die Myrine voor de gelegenheid had gekozen, en hoewel ze niet verwachtte dat iemand haar zou verstaan, vertrouwde ze erop dat haar glimlach zou volstaan om hen van haar vreedzame bedoelingen te overtuigen.

Maar kennelijk zagen de vrouwen alleen een vuile, diefachtige indringer die op het punt stond hen vanaf de tuinmuur te bespringen, want binnen de kortste keren ontstond er schreeuwende paniek op de vredige binnenplaats.

'Nee! Alsjeblieft...' Myrine week opzij toen een van de vrouwen een steen naar haar gooide. De tengere arm in de dunne witte mouw was echter duidelijk ongeoefend en de steen kwam met een onschadelijke *plop* in de vijver terecht.

Desondanks besloot Myrine haar gevaarlijke positie te verlaten. Ze rende een paar meter over de muur, sprong op een lagere muur en van daaraf op een stapel strooien matten die op de grond lag. Zodra ze haar evenwicht had hervonden, stak ze haar handen weer in de lucht en glimlachte de vrouwen toe met de woorden: 'Ik kom in vrede. Ik draag geen wapens. Dit dingetje' – ze wees op het mes aan haar riem – 'is alleen voor de jacht. Begrijpen jullie wel?'

Om de een of andere reden begonnen de vrouwen weer te krijsen; Myrine keek nerveus om zich heen en vroeg zich af waar ze heen kon vluchten. Er waren verschillende donkere deuropeningen om uit te kiezen... Maar zover kwam ze niet eens.

Ergens achter haar klonk hijgend geschuifel van zware lichamen en toen Myrine zich vliegensvlug omdraaide, zag ze drie enorme mannen op zich afkomen. Onvoorbereid probeerde ze weg te duiken, maar twee van de mannen hadden al een touw om haar heen gegooid alsof ze een wild beest was, en terwijl Myrine worstelde om zich te bevrijden, dwong de derde een zak over haar hoofd.

Terwijl ze haar wegdroegen, deed ze haar best om te protesteren in elke taal die ze kende, legde uit dat ze vanwege haar zusje was gekomen – haar arme jongere zus, die buiten in de hitte stond te verkommeren. Maar onder de stoffige zak vulde haar keel zich met gruis en haar pleidooien werden al snel gesmoord in heftige hoestbuien.

In haar wanhoop kon Myrine onmogelijk raden waar de mannen haar naartoe brachten. Geblinddoekt en gebonden als een varken kon ze het niet zeker weten, maar het klonk alsof ze haar door lange gangen vol murmelende stemmen droegen, trappen af, en nog een keer omlaag... voordat ze haar eindelijk lieten vallen op een harde, koude vloer en de zak van haar hoofd rukten.

Knipperend probeerde Myrine te begrijpen in wat voor ruimte ze terechtgekomen was, maar voordat haar ogen hadden kunnen wennen aan het gedempte, flakkerende licht van een eenzame fakkel, hoorde ze het geluid van metaal dat zwaar over steen schuurde. De mannen hadden een zwart gat in de grond blootgelegd, vlak voor haar voeten.

Myrine probeerde weg te kruipen, maar dat stonden ze niet toe.

Zonder een woord te zeggen duwden ze haar over de rand, en met een schreeuw viel ze de duisternis in.

9

Dit hoekje van de wereld glimlacht mij toe als geen ander.

– HORATIO, ODEN

DJERBA, TUNESIË

IK WERD UIT MIJN SLAAP GERUKT door aanhoudend gerinkel van een ouderwetse telefoon. Hij stond op het nachtkastje, binnen handbereik, een halve wereld van mij vandaan. 'Hallo?' mompelde ik, nog altijd niet helemaal zeker waar ik was.

'Mijn verontschuldigingen dat ik zo vroeg bel,' zei de kwieke stem van de hotelconciërge, 'maar meneer Ahmed is hier.'

'Wie?' Toen pas wist ik mezelf helemaal uit de diepe put van mijn slaap te hijsen. Volgens mijn horloge was ik maar twee uur van de wereld geweest, en het filigrein van licht op de roodbruine tegels bevestigde dat het donker, buiten de luiken, in de dageraad was opgegaan.

'Meneer Ahmed staat te wachten,' drong de stem aan. 'Hij zegt dat u nu moet komen.'

Om me heen leek het hotel nog te slapen toen ik de zuilengang op wandelde, nog wat duizelig omdat mijn broodnodige rust zo ruw was bekort. Ondanks het bevel om op te schieten stond ik even stil om over de balustrade te leunen en de kalmte van de binnentuin beneden in te ademen. Een eenzame kat wandelde stilletjes rond tussen de potplanten en liet met zijn staart zijn eigendomsrechten gelden; het enige geluid dat de ochtendvrede verstoorde, was het zachte fluisteren van een strobezem op een stenen vloer.

Toen pas zag ik de gestalte die half verborgen tussen de zuilen bij de receptie stond, aan de andere kant van de binnentuin, recht tegenover mijn kamer. In zijn lange witte gewaad en met een shawl die met een koord op zijn hoofd werd gehouden, zag de man er zeer Arabisch uit, en ik voelde een huivering toen ik begreep dat hij Ahmed moest zijn.

Zodra ik beneden kwam, liep hij ongeduldig op me af, alsof ik hem al uren had laten wachten. Onzeker stond ik midden in de lobby stil. Als dit inderdaad Ahmed was, was zijn verschijning moeilijk te verzoenen met de goedgeklede Ludwig en de klaarblijkelijke welvarendheid van de Skolsky Foundation. Van dichtbij bleek het wit van Ahmeds gewaad bezoedeld door een groot aantal vlekken en scheurtjes, en wat de man zelf betrof, zijn sombere gelaatstrekken werden overheerst door een onverzorgde zwarte baard en een goedkope plastic zonnebril.

'Dr. Mayo?' Hij stak een groezelige hand uit.

'Wie? O...' Ik was zo in de war dat ik langer aarzelde dan ik had moeten doen. Het was maar een seconde of twee, dat weet ik zeker, maar lang genoeg om Ahmed zijn hand met een grom van misnoegen terug te laten trekken.

'Deze kant op,' zei hij, terwijl hij zich omdraaide om te vertrekken.

Te zeer van mijn stuk gebracht om ook maar een enkele vraag te stellen, liep ik werktuiglijk door de lobby achter hem aan naar buiten, knipperend tegen de felle ochtendzon toen we de voordeur uit kwamen.

Buiten het hotel, precies waar de taxi Ludwig en mij de avond tevoren had afgezet, stond nu een gedeukte monstruositeit geparkeerd die alleen maar Ahmeds 'jeep' kon zijn – als 'jeep' de juiste benaming was voor het vehikel.

'Ga je gang!' Hij hield het portier aan de passagierskant voor me open, waarschijnlijk meer uit ongeduld dan uit galanterie. 'Je reist licht. Dat is goed.'

Ik staarde hem aan, mijn hand boven mijn ogen tegen het zonlicht. 'Bedoelt u dat... we niet meer terugkomen in het hotel?'

Hoewel ik zijn ogen achter het vettige zwarte plastic niet kon zien, voelde ik dat ze zich in de mijne boorden. 'Heeft John niets gezegd?'

'John?' Ik trok de rits van mijn trui nog een eindje omhoog.

'Ja.' Ahmed aarzelde, alsof hij ook ineens twijfelde aan onze kennismaking. 'John Ludwig. De man die je hier heeft gebracht?'

'Natuurlijk!' Ik wist een glimlach tevoorschijn te toveren. Meneer Ludwig. De man die mij academische sterrenstatus en vijfduizend dollar had beloofd.

'Op een goede dag is het een rit van twaalf uur' – met zijn mouw veegde Ahmed de passagiersstoel schoon – 'en we zijn al laat. Kom, we gaan!'

In zijn voordeel moet ik zeggen dat mijn nieuwe begeleider een stuk vriendelijker was tegen de tijd dat ik eindelijk met mijn bagage het hotel uit kwam. 'Ik moet me verontschuldigen,' zei hij terwijl hij een mobiele telefoon in de plooien van zijn sjofele tuniek stopte, 'maar ze hebben me nooit verteld dat je zo laat zou aankomen. Hier...' Hij pakte mijn koffer aan en wierp hem met verrassende behendigheid in de achterbak van de jeep, over de rolstang heen. 'Ben je klaar om te gaan?'

Wegrijdend bij het hotel realiseerde ik me wat een waanzin dit was. Als ik, op een eerder moment in mijn leven, een enquête voorgelegd had gekregen met de vraag hoe waarschijnlijk het was dat ik in de auto zou stappen met een in vodden gehulde man van onduidelijke etnische afkomst om me door hem naar een onbekende locatie in een ver buitenland te laten vervoeren, zou ik beslist het vakje 'hoogst onwaarschijnlijk' hebben aangekruist.

En toch zat ik hier.

Ook al was het oktober, de wind die in mijn gezicht blies en door mijn haar woelde, was warm en droog – zo anders dan de koele vochtigheid van Oxford, dat ik me even misplaatst voelde als wanneer ik met een tijdmachine in Tunesië was beland. Mijn haastig ingepakte koffer bevatte voornamelijk kleren bedoeld voor Amsterdam, met een paar uit optimisme toegevoegde zomerspulletjes. Maar vanmorgen had ik in mijn haast niet het benul gehad om iets anders aan te trekken dan de spijkerbroek en de trui die ik de vorige dag had gedragen.

'Koffie?' Achter zijn stoel reikend haalde Ahmed twee granenrepen en een aftandse thermoskan tevoorschijn.

'Ik ben niet zo'n koffieleut,' vertelde ik hem.

'Hier.' Hij wierp me als vervanging een fles water toe. 'Verzegeld in de fabriek.'

Terwijl ik de granenreep verorberde, staken we de brug over die het eiland Djerba verbond met het vasteland van Tunesië. Op weg naar het binnenland, van de kust vandaan, veranderde het landschap dramatisch. Zonder het verzachtende effect van de oceaan en de heroïsche inspanningen van de hoteltuinmannen verdronk de vegetatie langzaam in de gladde golven zand die vanuit het zuiden kwamen aanrollen. Akkers, struikgewas, boomgaarden – hoewel het te subtiel was om door het oog te worden onderscheiden, was het roomkleurige getij van de woestijn onontkoombaar, en de stalletjes met producten aan de kant van de weg werden beheerst door vreemd aantrekkelijke stukken zandsteen in verschillende vormen en maten. 'Zandrozen,' legde Ahmed uit toen hij zag dat ik me in mijn stoel omdraaide om te kijken. 'Mineralen. Die worden hier van nature gevormd. Toeristen kopen ze.'

Zwijgend bekeek ik de uitgestrektheid van de woestijn om ons heen, en ik hield mezelf voor dat wat ik zag maar een oneindig klein druppeltje was in de oceaan van zand die de Sahara vormde. Duizenden jaren geleden waren deze streken vruchtbaar geweest, met welvarende stedelijke nederzettingen, maar de natuur had een betovering uitgesproken en alles in slaap gebracht onder een deken van fijnkorrelige vergetelheid, die alle wetenschap van de wereld niet zou kunnen verwijderen.

'Vind je het goed als ik even iemand bel?' vroeg ik na een poosje.

'Zolang je niemand vertelt waar je bent,' antwoordde Ahmed. 'En je mag je eigen telefoon niet gebruiken. Onder geen voorwaarde. Hier.' Hij zette zijn koffiebeker op het dashboard en stak zijn hand in zijn zak. 'Gebruik deze maar. Het is een satelliettoestel, dus er zal wat vertraging op de lijn zitten.'

Ondanks de laag zweet en vuil waar het toestel mee bedekt was, bood Ahmeds telefoon me een uitstekende verbinding met Engeland en de persoon die ik beslist moest bellen: James Moselane. Niet alleen omdat James onovertroffen was als het erop aankwam om dingen te regelen op de universiteit zonder de verkeerde mensen te alarmeren, maar door de woorden die hij twee avonden geleden op mijn stoep had gesproken, durfde ik bijna te denken dat mijn veiligheid belangrijker voor hem was dan ik tot nog toe had aangenomen.

Ik wist natuurlijk wel dat James niet bepaald te spreken zou zijn over mijn geheimzinnige vertrek, en ik was eerlijk gezegd opgelucht dat ik meteen werd doorgeschakeld naar zijn voicemail. In zo luchtig mogelijke termen liet ik een kort bericht achter met de vraag of hij alsjeblieft, als het niet al te veel moeite was, mijn colleges en mentoruren voor die week wilde annuleren. Het liefst zonder dat professor Vandenbosch het ontdekte.

Toen ik Ahmed zijn telefoon teruggaf, zag ik ergens in het eekhoorntjesnest dat bij hem voor een baard moest doorgaan een glimlach zwemen, en besloot dat als een opening op te vatten. 'Zo,' zei ik, 'en wat voor man is die meneer Skolsky?'

'Skolsky?' Ahmed schroefde de beker weer op de thermos en gooide hem over zijn schouder achter in de jeep, waar hij met een klap op een hoop propaangasbussen belandde. 'Geen idee, ik heb hem nog nooit ontmoet.'

Ik keek uit over het desolate landschap en zag een jongen een kudde geiten over een zoutvlakte drijven. 'Maar je werkt toch voor hem?'

'Laten we zeggen dat ze mij aannemen voor... aparte klusjes.'

Ondanks zijn laatdunkende houding intrigeerde Ahmed me. Hij was klaarblijkelijk een paradoxaal type, met zijn bedoeïenenuitdossing en zijn nogal westerse manieren. Als je het accent negeerde, was zijn Engels verdacht vloeiend en familiair. Net begon ik te vermoeden dat hij gewoon een maffe Amerikaan was met een voorkeur voor verkleedpartijtjes, toen zijn telefoon ging en hij hem in ratelend Arabisch beantwoordde.

'Is er iets niet in orde?' waagde ik het te vragen toen hij ophing.

'Hoe kan er ooit iets in orde zijn als je met de overheid te maken hebt?' foeterde hij, met zijn vingers op het stuur trommelend. 'Maar nee, het is oké. We proberen alleen te bepalen waar we het beste de grens over kunnen steken.'

Zonder bepaalde reden sloeg mijn hart op hol. 'Welke grens?'

'Dr. Mayo, we zijn in Tunesië, en we rijden naar het westen. Geven ze geen aardrijkskunde op die chique school van jullie?'

Voor haar tiende verjaardag kreeg Rebecca een gigantische puzzel van de wereldkaart van een of andere gescheiden tante die altijd nogal perverse cadeaus gaf. Ze had hem thuis niet in elkaar mogen zetten; kennelijk zouden die aanstellerige duizend stukjes buitensporig veel plaats hebben ingenomen in de nederige pastorie.

Zoals we met zoveel andere dingen die onze ouders niet konden waarderen hadden gedaan in de voorbije maanden, brachten we de puzzel uiteindelijk naar oma's appartement op zolder. We legden hem op de vloer onder de dakkapel en begonnen de kantjes van de andere stukjes te scheiden. Tegen etenstijd hadden we alleen de vier hoeken en een paar stukjes ertussenin weten te leggen.

Toen we de volgende dag na school terugkwamen, lag de puzzel, helemaal compleet, op de hobbytafel midden in de kamer.

'Grote goedheid!' riep Rebecca uit, haar hand elegant geaffecteerd voor haar mond en heel erg klinkend als haar moeder. 'Hebt u dat helemaal alleen gedaan, mevrouw Morgan?'

Allebei keken we met grote ogen naar mijn oma, die zoals zo vaak in haar leunstoel met een lege blik uit het raam zat te staren, waarbij een van haar over elkaar geslagen benen ritmisch tegen niets in het bijzonder aan schopte. Een beetje boos op haar omdat ze Rebecca het plezier van het in elkaar zetten van haar eigen verjaardagscadeau had ontnomen, zei ik: 'Hoe kon je!'

Oma haalde haar schouders op. 'Het was makkelijk. Maar de kaart klopt niet...'

'Nee.' Rebecca klom op een stoel om de puzzel van bovenaf te bewonderen. 'Hij is perfect. Kijk, Diana... Ze heeft zelfs de zee af!'

'Hier staat...' Oma stond eindelijk op en zwaaide met het deksel van de doos, 'dat het een wereldkaart is. Maar dat is het niet.' Ze gebaarde naar de puzzel. 'Die wereld is verkeerd.'

'Echt waar?' Rebecca was geïntrigeerd. 'Hoe dat zo?'

Zelfs voordat oma haar observaties onder woorden bracht, wist ik dat ons een of andere verwrongen absurditeit te wachten stond die ik tenenkrommend gênant zou vinden. Als ik met haar alleen was, vond ik het niet zo erg, maar het deed me telkens pijn wanneer ik die blik op Rebecca's gezicht zag: die uiterst beleefde blik die mensen vertonen in het aangezicht van gekte.

'Ten eerste,' begon oma, met een frons op haar gezicht over de puzzel gebogen, 'wat moet deze onzin hier?'

'U bedoelt... Amerika?' vroeg Rebecca, met grote ogen van verwondering.

'Ik bedoel dat allemaal...' Oma maakte een breed gebaar naar de Nieuwe Wereld in het algemeen. 'En dit' – ze wees naar het Vrijheidsbeeld – 'hoort hier.'

Weer volgden Rebecca en ik het pad van haar vinger en zagen haar het beroemde monument in Algerije neerzetten.

'Dat denk ik niet, mevrouw Morgan,' zei Rebecca met die zelfverzekerde stem van haar, die ik haar zo benijdde. 'Ziet u, dat is de Sahara. Daar gebeurt niet heel veel. Als ik me niet vergis...'

'Je vergist je wel!' Abrupt boog oma voorover, alsof ze de puzzel midden in de transformatie wilde vangen. 'Dit is allemaal een dekmantel. Drie kamelen en verder niets? Belachelijk! Zie je het niet?' Ze tikte met een knokkel op de grens tussen Tunesië en Algerije. 'Wij zijn hier geboren. Hier is het allemaal begonnen.'

'Wat?' vroeg Rebecca, zonder op mijn rukjes aan haar mouw te letten. 'Wilt u zeggen dat u in Algerije geboren bent? U ziet er helemaal niet Algerijns uit. Niet dat ik ooit een Algerijn heb gezien...'

Er trok een gekwelde trek over oma's gezicht. Rebecca wist natuurlijk niet dat de kwestie van mijn oma's afkomst taboe was in mijn familie, omdat mijn opa – als de verbitterde oude man die hij was – alles met zich mee in het graf had genomen. Wat oma zelf betrof, die was zo verward en veranderlijk dat niemand behalve ik ooit de moeite nam om haar rechtstreeks ergens naar te vragen. Ongeacht het onderwerp wuifden mijn ouders haar uitspraken altijd weg met 'dat komt door de medicijnen' of 'wat verwacht je ook van iemand die zoiets heeft doorgemaakt.' In mijn aanwezigheid verwezen ze nooit expliciet naar de lobotomie; als ik het woord niet gedrukt had gezien op de documenten in mijn vaders bureau, jaren later op mijn speurtocht met Rebecca, had ik er misschien nooit van geweten.

Tot mijn verdriet begreep ik de redenen voor mijn oma's gedeeltelijke geheugenverlies niet toen ze nog bij ons woonde, haar plotselinge angsten, haar soms vernederende kinderlijkheid. Volgens mij was het vooral een kwestie van willen: als ze echt wilde, kon ze zich haar jeugd heus wel herinneren. En ik was tot tranen toe gefrustreerd dat er zoveel was dat zij – in mijn ogen – mij weigerde te vertellen.

Waar kwam het allemaal vandaan, die ongewoon brede mond en de veranderlijke Noordzee-ogen die ik zo duidelijk van haar had geërfd? Ik wilde het verhaal over wie ik was zo wanhopig graag verankeren in een heel volk van mensen zoals wij – lang, dromerig, met haar in de kleur van rijpe rogge – in plaats van het gevoel te hebben dat ik zo vaak had, dat zij en ik twee verdwaalde buitenaardse wezens waren, die zich probeerden te mengen onder bekrompen aardbewoners.

'Ik geloof,' zei oma, terwijl ze zich opnieuw over Rebecca's puzzel boog, 'dat ik me herinner dat ik daar ben geweest.' Ze hield een hand boven Kreta en toen boven het Griekse vasteland, haar vingers bewegend alsof ze een onzichtbare stroom probeerde te voelen. 'Of misschien was het hier.' Haar hand dwaalde naar het westen van Turkije en toen naar het noorden, naar Bulgarije en Roemenië. 'Ik droeg bontkleding. Ooit waren we elf kinderen die één ei deelden. Ik weet ook nog...'

'Wat voor ei?' moest Rebecca weten.

De vraag ontrukte oma aan haar trance en ze keek ons allebei aan met een ontgoochelde uitdrukking op haar gezicht. 'Dat weet ik niet. Een kippenei, vermoed ik.'

Toen ik er later die avond op terugkwam, terwijl ik toekeek hoe ze haar haar borstelde voor het slapengaan, leek oma het hele gesprek volkomen vergeten te zijn. 'Dat is een aardig vriendinnetje dat je daar hebt,' was het enige wat ze zei, me via de spiegel aankijkend. 'Maar ze praat te veel. Zij is geen jager.'

Ik maakte nooit enige vordering bij het zoeken naar oma's afkomst. Hoeveel verschillende landkaarten en atlassen ik ook onder mijn trui naar de zolder smokkelde, het enige wat zij en ik ooit wisten vast te stellen was dat Noord-Afrika, in het algemeen, ernstig ondergewaardeerd werd.

Ik werd uit mijn dutje gewekt door een tikje op mijn arm en zag Ahmeds telefoon vlak boven me zweven. 'Voor jou. James Moselane.'

Met prikkende zenuwen drukte ik de telefoon tegen mijn oor. 'Het spijt me dat ik zo vreselijk lastig ben...'

'Morg!' Het klonk alsof James buiten in een regenbui liep. 'Begrijp ik nou goed dat je echt naar Amsterdam bent gegaan?'

Bij die directe vraag kromp ik ineen. Ik wilde nee zeggen, maar ik wist dat er dan een vraag zou volgen die ik niet mocht beantwoorden.

In plaats daarvan zei ik: 'Zou je het heel erg vinden als ik je nog een gunst vroeg?'

Er klonk kort geschuifel, een metalen deur die dichtsloeg en het onmiskenbare zoeven en kletteren van fitnessapparaten. 'Uw wens is mijn bevel, mevrouw,' zei James, op een toon die me liet weten dat ik te ver ging, maar dat hij zich als een heer zou gedragen.

'Er staat een aquarium in mijn appartement,' begon ik. 'Dat ben ik vergeten te vertellen in mijn bericht. Het zorgt voor zichzelf, min of meer...'

'Ga door.'

Ik schraapte mijn keel, me ervan bewust dat ik veeleisend was. 'Er staat een busje vissenvoer in de koelkast.' Snel legde ik mijn routine uit voor het voeren van de guppy's van professor Larkin, in de hoop dat mijn jolige toon het verzoek minder storend zou maken.

Toen James eindelijk iets zei, hoorde ik tot mijn opluchting een lach in zijn stem. 'Ik moet zeggen dat ik eigenlijk meer hoopte op een opdracht in de stijl van koning Arthur. Waarom vraag je niet aan je studenten om voor de vissen te zorgen? Dat zou ze bezig moeten houden tot je terug bent.'

Ons onderhoud eindigde met een vrolijke nooit, maar achteraf voelde ik me toch schuldig. James had iets, een soort ouderwetse integriteit, die me altijd dwong om volkomen eerlijk tegen hem te zijn. En toch zat ik hier tegen hem te liegen en misbruik te maken van zijn vriendelijkheid.

Ik had hem zelfs ooit verteld over mijn oma's ziekte, bij een kop koffie, al wist ik dat hij daardoor misschien zou denken – zoals ik zelf soms deed – dat mijn genen besmet waren met krankzinnigheid. Met het bedrog van Federico nog steeds als een vervormde schaduw in mijn kielzog, had ik mijn toevlucht gezocht tot een houding van roekeloze opstandigheid en ik had geen zin om mijn stand op te houden, zelfs niet tegenover James. 'Op een schaal van één tot tien,' had ik gezegd, terwijl ik het kannetje koffieroom en de suikerpot elk aan een kant van onze kleine cafétafel zette, 'waarbij tien de totale dwangbuis-seriemoordenaar-krankzinnigheid is en één jij en ik, zou ik zeggen dat mijn oma een vier scoorde.' Ik zette mijn koffiekopje op de betreffende plek. 'Ik bedoel, in het grote geheel bezien, was haar enige probleem die absurde overtuiging dat ze een Amazonestrijdster was die Kara heette. Het is niet zo dat ze plannen smeedde om Buckingham Palace op te blazen...'

'Nou, ten eerste...' James rekte zich uit om de koffieroom nog verder weg te zetten, waarbij hij een erg aangenaam vleugje sandelhout verspreidde, '...heb ik er bezwaar tegen om één te zijn. Heb ik jouw toestemming om een nul te wezen?'

Onze ogen ontmoetten elkaar en ergens in zijn glimlach, onder de platonische laklaag, zag ik dat hij heel goed wist dat hij voor mij zeker geen nul was. 'Ten tweede,' vervolgde hij, terwijl hij zijn eigen koffiekopje vooruitschoof, 'ben ik bang dat oma tot een drie gedegradeerd moet worden, om plaats te maken voor mijn oom Teddy, die zo stapelgek was dat hij met zijn paard wilde trouwen en negenentwintig brieven pende aan de bisschop waarin hij de logica van die verbintenis beargumenteerde.' Het koffiekopje van James kwam dichter bij het mijne te staan. 'En dát, beste Morg, is pas een vier.' Hij leunde achterover in zijn stoel, zijn lange benen bij de enkels gekruist. 'Waarom geen vijf? Nou, zie je, oom Teddy was oorspronkelijk getrouwd met een meisje dat Charlotte heette...'

Tegen de tijd dat James eindelijk uitgepraat was, had de familie Moselane elk beschikbaar stukje porselein geannexeerd en was oma gedelegeerd naar een asbak op het tafeltje naast ons.

Die middag, toen ik in een zeldzame bui zonlicht terugfietste naar de universiteit, bekende ik mezelf voor het eerst dat ik écht hopeloos verliefd was op James, en dat er voor mij nooit een andere man kon zijn, al zou ik honderd jaar leven zonder zelfs maar een afscheidszoen van hem te krijgen.

Tegen het middaguur bereikten we de Algerijnse grens. Te oordelen naar de maagdelijke zandbanken op de weg was hier al uren of zelfs dagenlang niemand langsgekomen, en ik begon te begrijpen waarom Ahmed meer nodig had dan alleen vierwielaandrijving.

Bij het naderen van de kleine grenspost delfde ik in mijn handtas naar mijn paspoort. Terwijl ik me vooroverboog over mijn knieën om mijn spullen te doorzoeken, maakte de auto ineens een bocht naar links en toen weer naar rechts, zodat mijn hoofd tegen het handschoenenkastje botste. 'Au!' riep ik terwijl ik rechtop ging zitten. 'Wat...'

Ineens lag de grenspost achter ons.

'Gaat het?' vroeg Ahmed, zonder al te bezorgd te klinken.

'Nee!' Ik keerde me om in mijn stoel. 'Je bent net om die slagboom heen gereden!'

Hij schokschouderde. 'Er was niemand. Die grenspost is dicht.'

'Maar we kunnen toch niet...' Ik kon mijn woede nauwelijks onder woorden brengen. Visioenen van grenswachten met machinegeweren flitsten door mijn hoofd.

'Wat?' Hij keek me niet eens aan. 'Wil je echt terugrijden, een andere grenspost zoeken, een visum aanvragen, twee dagen wachten?' Hij knikte naar mijn paspoort. 'Geloof me, zo'n stempel wil jij daar niet in hebben.'

'Ik wil ook geen twintig jaar in een Algerijnse gevangenis doorbrengen.'

Ahmed schonk me een brede glimlach, waarbij hij een indrukwekkend stel tanden onthulde. 'Dan zouden we in elk geval samen zijn.'

Ik had geen idee wat ik terug moest zeggen; de hele situatie was absurd, en zijn sarcasme was misschien wel begrijpelijk. Achter ons stond een verlaten gebouw zo groot als mijn vaders tuinschuurtje. Het enige wat de grens aangaf was een slagboom van anderhalve meter waar niemand zich genoeg van aantrok om hem te bedienen. Er was geen muur, geen hek, geen prikkeldraad...

In een oogwenk zag ik mezelf, zeven jaar oud, voor het eerst helemaal alleen van school naar huis lopen. Onvermijdelijk werd ik in een hoek gedreven door een stel sproetige pestkoppen van school die onlangs door mijn vader bestraft waren. Ze kwamen grijnzend vlak bij me staan en trokken aan mijn haar, en een van hen gebruikte een stok om een kring om me heen te tekenen in de modder. 'Daar blijven staan, Gorgo!' beval hij me. 'Tot wij zeggen dat je weg mag.'

Zelfs nadat de jongens verdwenen waren, lachend en stoeiend om de stok, was ik te bang geweest om me te verroeren. Na een tijdje was het gaan regenen en werd de kring weggespoeld, maar ik wist niet zeker of dat wel betekende dat ik vrij was om te gaan.

Dat was de dag dat ik bevriend raakte met Rebecca, die een klas hoger zat dan ik. Huppelend kwam ze de straat door, luid voor zich uit zingend, en ze botste bijna tegen me aan waar ik in de plas stond, met mijn schooltas dicht tegen me aan geklemd. 'Lieve miss Morgan!' had ze uitgeroepen, op die vrolijke, hoge toon die haar moeder altijd bezigde tegen de bejaarde parochieleden van de dominee. 'Wat doet u buiten in dit vreselijke weer? Kom mee.' Ze nam me bij de hand en trok me uit de inmiddels onzichtbare cirkel. 'Kijk nou eens – je ziet er niet uit!'

Bij de herinnering trok ik een gezicht. Kennelijk had ik zelfs op mijn achtentwintigste nog anderen nodig om me over strepen te trekken die ver verwijderde pestkoppen in het zand hadden getrokken.

Ahmed wierp me een blik toe; misschien vroeg hij zich af of het zijn ongepaste opmerking was die mijn weerzin had gewekt. 'Voor het geval het je nog niet was opgevallen: we proberen je sporen te wissen.'

'Dat heb ik inmiddels begrepen,' zei ik, met spijt over mijn uitbarsting. 'Ik begrijp alleen niet waarom. Misschien wil jij zo vriendelijk zijn om dat te verhelderen... Mag ik Ahmed zeggen?'

Hij verschoof abruptop zijn stoel, alsof het onderwerp hem ongemakkelijk maakte. 'Heb je enig idee hoe groot de zwarte handel in antiek is? Weet je hoeveel mensen er betrokken zijn bij illegale opgravingen, grafroverij, plunderingen?' Hij haalde zijn telefoon tevoorschijn en liet hem in mijn schoot vallen. 'Waarom bel je je vriendje niet even terug? Hij kan je wel een paar dingen vertellen over het redden van andermans verleden.'

Ik was zo verbijsterd dat ik betwijfelde of ik hem goed had verstaan. 'Ken jij James?'

'Ik ken de familie. Wie niet? En trouwens, ik heet geen Ahmed. Ik ben Nick Barrán. Je mag me Nick noemen.'

Ik keek hem aan, nog steeds met mijn mond vol tanden. 'Van Nicolaas?'

'Zo, ze hebben jou niet voor niks tot doctor benoemd.'

Die kleine dijenkletser zette de toon voor de rest van de rit. In de loop van de vele volgende uren besloop ik het onderwerp Skolsky Foundation vanuit elke denkbare hoek, maar tevergeefs: als het aankwam op ontwijkende tactieken en bijdehante opmerkingen, was Ludwig naast deze Nick een complete dilettant.

Uiteindelijk besloot ik dat het er niet toe deed. Voordat deze dag verstreken was, zou deze ergerlijke man zijn opdracht om mij te vervoeren immers hebben vervuld, en dan zou ik eindelijk de mensen ontmoeten die mij geselecteerd en uitgenodigd hadden.

Ongeveer een uur na het vallen van de nacht bereikten we onze bestemming. Ik was allang in slaap gevallen op de passagiersstoel, met mijn handtas als hoofdkussen, en ik werd wakker van flarden van gesprekken en het geluid van een stalen hek dat openschoof. De woestijnnacht was zo zwart als een bezemkast, en het duurde even voordat ik begreep wat de ruwe stemmen en de felle witte lichten betekenden die over mijn gezicht flakkerden.

Mijn eerste indruk was dat we op een scheepswerf terechtgekomen waren, omdat we omringd werden door containers en kranen, en mannen in overalls met helmen op die heen en weer renden, hun bedrijvigheid bijgelicht door verblindende schijnwerpers op hoge metalen palen. Maar voordat ik Nick kon vragen waar we waren, kwam een man met borstelige bakkebaarden en een koplamp op zijn helm ons begroeten. 'Precies op tijd voor het eten!' blafte hij. 'Ik had Eddie opgedragen om een paar gehaktballen achter te houden.' Toen wendde hij zich tot mij en vervolgde, beleefder: 'Dr. Mayo? Ik ben Craig, de voorman.' Voorzichtig schudde hij mijn hand, alsof hij bang was dat hij hem in zijn gigantische Schotse knuist zou verpletteren. 'Welkom op de locatie van de Tritonis-opgraving.'

Nog schor van de slaap zei ik: 'Eigenlijk heet ik Diana Morgan.'

Verbluft keek Craig even naar Nick.

'Maak je geen zorgen.' Ik glimlachte naar beide mannen en klemde de handtas met oma's schrift tegen me aan. 'Ik ben wél precies wie jullie nodig hebben.'

10

DE TEMPEL VAN DE MAANGODIN

TOEN MYRINE BIJKWAM, was haar eerste gedachte: *Lilli*. Maar Lilli was er niet. In het donker was er echter wel iets anders. Instinctief wist ze dat ze in gevaar was. Ze hoorde ruisen... glibberen... sissen. Er gleed iets kouds over haar enkel. Ze vermoedde dat het een kleine adder was, waarschijnlijk giftig. En toen nog een, niet zo klein, die vlak langs haar oor gleed. Op haar lip bijtend dwong Myrine zich niet te bewegen, geen adem te halen. Ze lag op iets zompigs. Een stapel takken en rotte bladeren? Wat het ook was, de geur van bederf deed haar kokhalzen. En toen schoot de herinnering haar te binnen – de tempelwachters hadden haar in een kuil gegooid.

Heel langzaam en heel stilletjes bevrijdde Myrine haar armen uit de touwen. Gelukkig hadden de mannen te veel haast gehad om behoorlijke knopen te maken. Misschien hadden ze verwacht dat ze door de val zou sterven, en ze had ook best al haar botten kunnen breken, want in het vage lichtpatroon vanuit het metalen rooster bovenin leek de kuil zo diep als een put – waarschijnlijk was het dat ook: een oude, drooggevallen put.

Myrine onderdrukte een huivering van pijn en woede. Woede op de mannen die haar als een beest hadden behandeld, en pijn bij de gedachte aan Lilli, die op haar wachtte, ineengedoken in de verzengende zon. Daarnaast verbleekte zelfs de door de val veroorzaakte kloppende pijn in haar rug.

Op dat moment stopte het sissen, en een paar ademloze minuten lang was het stil. De kleine adders waren gevlucht; Myrines adem stokte in haar keel van angst. Er kwam iets anders aan. Ze spitste haar oren en ten slotte hoorde ze het: een zwaar lichaam, glibberend over steen.

Ze trok het mes uit haar riem en zette zich schrap. Als haar vermoeden klopte, was het beest dat momenteel zoekend naar een ingang langs de wand van de put gleed, een van die grote slangen die zich rond het lichaam van zijn slachtoffers wikkelen en het leven eruit persen, en ze vervolgens in hun geheel opslokken. Thuis in hun dorp werd er om de twee jaar wel iemand op die akelige manier gedood. Myrine herinnerde zich nog de afschuwelijke ongerustheid over de vermiste zoon van hun buren en, dagen later, de aanblik van een opengesneden reuzenslang waaruit het bleke lijk van de jongen tevoorschijn kwam.

'Modderduivels' noemden de dorpelingen ze. Elk voorjaar liepen de dorpsoudsten in een lange optocht naar de waterpoel, met trommels en liederen en takken van bloeiende bomen, om de vrede af te smeken van dit oeroude kwaad.

Van jongs af aan had Myrine vermoed dat die ceremonie vergeefse moeite was. Niet omdat de slangen niet luisterden, maar omdat het niet in hun aard lag om ergens om te geven. Dat had haar vader haar verteld, zoals hij haar vele andere dingen had verteld wanneer ze samen in de wildernis waren. Slangen hadden niet het respect van jagers voor hun prooi, had hij uitgelegd, toen Myrine een keer huilde om een dood hertje: reptielen waren niet in staat tot genade. Ze voelden liefde noch haat; ze waren volkomen gevoelloos.

En om ze te bestrijden, moest je dus zelf ook gevoelloos zijn.

Myrine ging staan en hield haar armen boven haar hoofd, wachtend tot de slang haar zou vinden. Als er meer licht in de kuil was geweest, had ze misschien een verstandiger positie ingenomen. Zoals het er nu voor stond, waren haar ogen nutteloos; ze had alleen haar oren en het mes in haar hand.

Maar ondanks al haar moed bezweek Myrine bijna van angst toen de slang eindelijk de besloten ruimte binnendrong. Ze had zich schrap gezet tegen het voelen van zijn koude, gladde schubben tegen haar huid, maar ze was niet voorbereid op zijn kolossale omvang. Toen de slang zich om haar benen en dijen wikkelde, zakte ze door het gewicht alleen al met een kreun door haar knieën.

Myrine dreef haar mes in het rigide lichaam dat zich nu rond haar middel wikkelde. Eerst drong het lemmet niet eens door in de strakke, schubbige huid, maar met haar wanhoop nam ook haar kracht toe, en al snel voelde ze de slang reageren. Hij aarzelde, alsof hij in verwarring raakte, en toen zag Myrine in het vage licht van boven een flits van de afschuwelijke open muil, net voordat die zich met een klap rond haar linkerarm sloot.

Krijsend haalde ze hakkend uit naar de kop van de slang, op de ogen mikkend. De pijn in haar arm was zo overweldigend dat ze nauwelijks wist of ze het beest überhaupt schade toebracht. Ten slotte roerde de slang zich met een gewelddadige ruk en Myrine verloor haar laatste beetje evenwicht. Toen ze omviel, in het enorme lichaam gewikkeld, werd alle lucht uit haar borst geperst en ze voelde het mes uit haar handen glippen.

Ze ging dood.

En toch haalde ze nog adem. Het gewicht was weliswaar verpletterend, maar de reuzenslang klemde zich niet strakker om haar heen.

Bewegen vereiste een enorme krachtsinspanning, maar in de dood waren de gewrichten in de griezelige kaken van het monster losgeraakt, en behoedzaam wist ze haar arm uit de vlijmscherpe tanden te halen. Vervolgens wrikte ze zich centimeter voor centimeter los uit zijn windingen en bevrijdde haar benen en haar voeten.

Ze had geluk gehad, haar arm klopte wel en was kleverig van het bloed, maar het stroomde niet hard en het bot was niet gebroken.

Myrine had het te druk met het inspecteren van haar verwondingen om op te merken dat er boven haar hoofd iets gebeurde, tot ze ineens het metalen rooster hoorde verschuiven. Toen ze opkeek, zag ze een flakkerende toorts en twee van afkeer vertrokken gezichten. Daarop volgde een stroom van beschuldigingen in een taal die ze niet verstond en een glimp van wat eruitzag als haar plunjezak, die in een vlezige vuist geklemd zat en heftig heen en weer werd geschud. Myrine onderdrukte haar aandrang om terug te schreeuwen tegen haar bewakers; ze kwam met haar bloedende arm overeind om een voet op het machtige lichaam te zetten dat ze zojuist verslagen had, en stak in vredelievend gebaar haar handpalmen op.

'Laat me hieruit,' zei ze in de Oude Taal, haar stem bevend van de noodzaak om door haar overweldigers te worden begrepen, 'en ik zal jullie alles vertellen.'

Een kort, afschuwelijk moment verdwenen de mannen uit het zicht, en Myrine vreesde dat ze weer vertrokken waren. Toen zwiepte er iets omlaag waarvan het geknoopte uiteinde recht voor haar tot stilstand kwam.

Een touw.

Toen de mannen voor de tweede keer de groezelige zak van haar hoofd trokken, ontdekte Myrine tot haar opluchting dat ze zich in een grote tempelzaal bevond onder een hoog plafond dat door massieve pilaren werd ondersteund. Er waren geen ramen en er straalde nergens daglicht; de zaal werd verlicht door ontelbare flakkerende vuurtjes in hoge driepotige vuurpannen, en het duurde even voordat Myrine de mensen onderscheidde die er verzameld waren en in de dansende schaduwen naar haar stonden te kijken.

Aangezien het allemaal vrouwen waren en ze allemaal dezelfde witte gewaden en geschokte gezichtsuitdrukking droegen, veronderstelde Myrine dat het priesteressen waren die de Maangodin dienden en niet gewend waren aan de aanblik van bloed en kneuzingen. Wat haar van haar stuk bracht, waren de bogen en pijlkokers op hun rug, want in haar ogen zagen ze er geen van allen uit als boogschutters.

Haar onsamenhangende gedachten werden onderbroken door een bevelende stem van boven, en na een moment van verwarring en verscheidene ongeduldige porren van de mannen die vlak achter haar stonden, keerde Myrine zich om en zag de angstaanjagende gestalte op een rijkversierde stoel, boven op een stenen podium. Omdat ze vermoedde dat ze naar de hogepriesteres keek, boog Myrine respectvol haar hoofd. Ze zou zijn neergeknield, maar daarvoor hadden de mannen haar te strak vastgebonden.

'Je wordt ervan beschuldigd,' begon de vrouw op het podium, vloeiend in de Oude Taal, 'een indringer te zijn. En wellicht een moordenaar. Weet je wat de straf is voor die misdaden?'

Myrine schudde haar hoofd, te bevreesd om iets te zeggen.

'Als je geen antwoord geeft,' vervolgde de vrouw, 'moet ik aannemen dat je schuldig bent. En dan moet ik je overdragen aan de ambtenaren van de stad... iets wat ik liever zou vermijden.' Ze hield een klein voorwerp omhoog, en pas toen dat fonkelde in het licht van de vuurpannen herkende Myrine de armband van haar moeder. Toen begon het haar te dagen, en ze begreep ineens waarom de mannen boven de kuil zo opgewonden met haar reistas zwaaiden, en haar er toen uit haalden om ondervraagd te worden.

Myrine was niet de enige die de armband herkende; bij de aanblik ervan stokte de collectieve adem van de priesteressen.

'Vertel me dus,' ging de hogepriesteres verder, haar stem donkerder dan eerst, 'hoe kom je hieraan?'

Myrine rechtte haar rug onder de blik van de vrouw. 'Hij was van mijn moeder. Ze droeg hem elke dag van haar leven om haar arm.'

Zodra de woorden door de holle ruimte galmden, werden ze gevolgd door een uitbarsting van mompelend onbegrip. Pas toen ze de priesteressen onrustig naar elkaar zag kijken op zoek naar een verklaring, merkte Myrine op dat ze allemaal vergelijkbare armbanden om hun pols droegen.

'Stilte!' beval de hogepriesteres; ze keek streng om zich heen voordat ze zich weer tot Myrine richtte. 'Wat was de naam van je moeder?'

'Talla.'

'Talla?' De hogepriesteres greep de armleuningen van haar stoel vast en boog zich naar voren. 'Talla was jouw moeder, en toch waag jij het om hier terug te komen?'

Toen ze de mannen achter haar voelde schuifelen – alsof ze zich voorbereidden om haar weer mee te sleuren – voelde Myrine angst opwellen. 'Alstublieft!' riep ze uit. 'Ik ben hier omdat mijn moeder altijd zei dat wij toebehoorden aan de Maangodin. Ze heeft haar trouw gediend, haar leven lang...'

De hogepriesteres stond abrupt op. 'Talla schond de regels van de tempel. Ze verkeerde met een man en liet haar eer bezoedelen. Als ze niet was weggelopen, zou ze in de kuil zijn gegooid, net als jij.'

Myrine was dankbaar voor de touwen die haar zo strak overeind hielden. 'Ik begrijp het,' zei ze, de woorden uit haar keel dwingend. 'Gooi mij terug in de kuil als het moet, maar' – ze keek op naar de hogepriesteres – 'heb alstublieft genade met mijn kleine zusje. Zij heeft al die tijd buiten zitten wachten. Ze is blind en heeft niets te eten.' Myrine probeerde opnieuw haar knieën te buigen, maar het ging niet. 'Maak deze touwen los,' zei ze, 'zodat ik neer kan knielen om u te smeken.'

De hogepriesteres daalde met waardige, afgemeten stappen de stenen treden af. 'Vertel eens,' zei ze toen ze voor Myrine stilstond. 'Wat beweegt een jonge vrouw om een indringer te worden?' Ze stak haar hand uit om de bloedige bijtwond op Myrines arm aan te raken. 'Om zoveel pijn te lijden?'

'Ik ben een zuster,' zei Myrine, haar tanden op elkaar geklemd om een rilling van pijn te onderdrukken. 'Dat is wat mij beweegt. Ik kwam hier in de hoop dat de Godin Lilli's ogen zou genezen... Nu zie ik dat ik naïef ben geweest, en dat mijn fout mijn zuster nog meer zal beschadigen. Dat is nu mijn ergste pijn.'

Een tijdlang bestudeerde de hogepriesteres haar gezicht. 'Je moed intrigeert me. De eunuchen vertellen me dat je een monster hebt gedood?'

'Ik ben een jager,' zei Myrine. 'Dat is wat ik doe.'

Een flauwe glimlach van bewondering trok aan de mondhoeken van de hogepriesteres. 'De meeste mannen zouden zeggen dat vrouwen geen jagers kunnen zijn.'

'Dat mogen dorpsmannen zeggen.' Myrine stak haar kin naar voren. 'Maar anderen weten dat vrouwen de beste jagers zijn. Want ze zijn behendig, stil en geduldig.' Ze hernam zich, en voegde er toen op nederiger toon aan toe: 'Mijn vader is een nomade. Hij heeft me leren jagen.'

De hogepriesteres fronste haar voorhoofd. 'Waar is je vader nu?'

Myrine wendde haar blik af. 'Vroeger kwam hij af en toe, zoals nomaden doen. Hij zei altijd dat we de wereld zouden bereizen als ik eenmaal volwassen was. Maar... de nomaden verlegden hun routes, denk ik, en hij kwam niet meer.'

De hogepriesteres knikte langzaam. 'Hoeveel mannen heb je bemind?'

Myrine werd zo verrast door de vraag dat ze haar angst bijna vergat. 'Niet één. Ik heb nog nooit iemand bemind. Behalve mijn familie.'

'Dat is niet wat ik bedoelde...'

'Ik weet wat u bedoelde,' zei Myrine. 'En het antwoord is niet één. Ik vind mannen niet aardig, en zij zijn zo vriendelijk om dat met gelijke munt te beantwoorden. Geen enkele man ziet graag een vrouw die harder kan lopen of haar pijlen nauwkeuriger kan afschieten dan hij.'

De hogepriesteres bleef even zwijgend staan. Toen keerde ze zich om en liep sierlijk terug naar haar zetel op het podium.

De tempelzaal werd doodstil. Iedereen stond reikhalzend te wachten op het vonnis; zelfs de drie eunuchen stonden onhandig stil, met hun reusachtige armen bungelend langs hun zij.

Achterovergeleund in haar stenen zetel overpeinsde de hogepriesteres de situatie zo lang, dat Myrine zich afvroeg of ze ooit nog iets zou zeggen. Toen viel eindelijk het oordeel.

'In al mijn jaren,' zei de hogepriesteres, 'heb ik nog nooit zo'n duidelijk geval van goddelijke tussenkomst gezien. Door de oneindige rechtvaardigheid van de Godin heb jij de straf van je moeder ondergaan en overleefd, waarmee jullie beiden van schuld gezuiverd zijn. En nu ik je de zaak van je zusje heb horen bepleiten' – ze keek naar de zwijgende priesteressen – 'zeg ik dat je elke proeve van verdienste hebt doorstaan. Wat vinden jullie, dochters van de Godin? Zijn jullie het met me eens?'

Er klonk een gegons van terughoudende instemming.

De hogepriesteres knipte met haar vingers naar de eunuchen om eindelijk Myrines touwen los te maken. 'Je moed heeft je gered,' zei ze, glimlachend om haar eigen welwillendheid. 'Jou én je zusje. Vanavond, als de maan opgaat, zullen wij je als een van onze zusters verwelkomen.'

Myrine struikelde naar voren, bevrijd van de touwen. 'Bedoelt u...'

De hogepriesteres knikte. 'Je wordt een van ons. Eigenlijk geloof ik dat je dat al bent.' Haar glimlach maakte plaats voor ernst. 'Het is geen gemakkelijke roeping om een priesteres te zijn. Je hebt de ongezeglijke menigte buiten gezien. Hun land droogt uit en zij verhongeren. Er gaat geen maand voorbij zonder nieuwe berichten dat piraten de kust hebben geplunderd. Dit zijn wanhopige tijden, en' – ze maakte een klaaglijk gebaar naar de kring van priesteressen – 'wij zijn met veel te weinig voor de taken die wij te verrichten hebben.'

'Omwille van mijn zusje zal ik het proberen,' zei Myrine. 'Maar ik heb nog nooit iemand een plezier gedaan met mijn gezang.'

Hoofdschuddend zei de hogepriesteres: 'Daar ben je hier niet voor. De Godin heeft jou naar onze tempel gebracht om ons te beschamen. Jouw moed, je kracht, je wapenkunst...' Weer gebaarde ze naar de priesteressen, maar dit keer met een beschuldigende vinger. 'Kijk naar ons! Wij zijn nog slechts afnemende schaduwen van de edele gestalten die wij ooit waren. Wij noemen onszelf generaals in het leger van de Maangodin, maar in werkelijkheid' – vol afkeer liet de hogepriesteres zich achteroverzakken in haar troon – 'ben ik omringd door dwaze, snoepende slakken, die nog geen boog zouden kunnen spannen om deze tempel te redden!'

Myrine kon de rancuneuze blikken aan alle kanten voelen prikken. Ze wilde wanhopig graag haar stem laten horen om de berisping te verzachten, maar ze durfde het niet te riskeren. Lilli was nog steeds buiten, en hoe sneller de zaak tot een besluit kwam, hoe beter.

'Laten wij nu samen de Godin danken,' vervolgde de hogepriesteres, haar armen gestrekt zodat de mouwen van haar gewaad zich spreidden als de vleugels van een feniks. 'Dank u, dierbare meesteres, dat u deze jonge vrouw hebt gestuurd om ons strijdvaardig te maken. Help haar alstublieft om onze dwaasheid en onze zwakte weg te nemen, zodat wij weer met gespannen bogen op wacht kunnen staan rond uw stralende majesteit.'

11

Ooit leefde in het westelijke deel van Libië, aan de rand van de bewoonde wereld, een volk dat door vrouwen geregeerd werd en een andere levenswijze volgde dan de onze.
– DIODORUS VAN SICILIË, *Bibliotheca Historica*

ALGERIJE

MIJN EERSTE NACHT op de boorlocatie van het Tritonismeer was een teleurstelling. Het duurde niet lang voordat ik me realiseerde dat er geen ontvangstcomité stond met bubbels en rozen; Nick was blijkbaar de enige vertegenwoordiger van Skolsky ter plaatse.

Na een lauwwarme maaltijd in de lege kantine bracht voorman Craig me naar het kleine trailercompartiment dat mijn huis zou zijn die week. Het was een opluchting om eindelijk alleen te zijn, en hij had de deur nauwelijks achter zich gesloten of ik haalde oma's schrift tevoorschijn. Ondanks mijn uitputting was ik vastbesloten om er verder aan te werken en ik wist dat ik nu allereerst de vreemde symbolen in een of andere alfabetische volgorde moest zien te organiseren. Het blauwige licht van de zoemende plafondlamp deed mijn inspanningen echter geen goed. De lamp stond op een timer, zodat ik elke twee minuten moest opstaan om aan een plastic parelsnoer te trekken, en nadat ik dat minstens vijftig keer had gedaan zonder veel vorderingen te maken met het schrift, gaf ik het maar op en ging naar bed.

De volgende ochtend, vlak na het ontbijt, stonden Craig en Nick met drie kamelen op me te wachten toen ik de kantine uit kwam. De hemel was nog donker, maar vlagen paars en oranje aan de oostelijke horizon wezen erop dat de zon onderweg was. De ochtendlucht was aangenaam koel; ik vermoedde dat het snel genoeg heet zou worden. 'Ik hoop dat je je zweepje hebt meegebracht,' verbrak Craig de stilte. 'We hebben de vindplaats afgesloten voor motorvoertuigen.'

Ik keek op naar de kamelen, die er koninklijk verveeld uitzagen. 'Ik vermoed dat een zweepje niet de beste manier is om je populair te maken bij deze figuren?'

Craig grijnsde naar Nick. 'Zie je wel? Ze is niet zo simpel als jij denkt.'

Een paar tellen later waren we op weg, en tot mijn vreugde ontdekte ik dat de trotse viervoeters een gestaag, flegmatiek tempo aanhielden, zodat ik rustig kon rondkijken om het landschap te bewonderen. Om ons heen veranderde de woestijn langzaam van kleur. Naarmate de zon hoger rees, kwam het zand tot leven alsof het een eindeloze asla was, die oplichtte bij de eerste aanraking van de dageraad. Zachtjes schommelend op mijn kameel had ik voor mijn gevoel een logeplaats bij een reusachtig schaduwspel in de duinen – elke brede baan van licht had aan de andere kant van de bergen een vervormde zwarte weerspiegeling, maar met elke minuut die voorbijging, krompen die inktzwarte poelen tot rivieren, toen tot strepen, en daarna tot niets, toen de zon de wereld volkomen in bezit nam.

Het spektakel van onze zonsopgang in de Sahara werd echter al snel ontsierd door het wrakgoed van menselijke activiteit. Toen we over een duintop kwamen en neerkeken op een diep zandbekken, werden we onthaald op de onaantrekkelijke aanblik van verspreide boormaterialen en een liggende metalen toren. In het midden stond een bruine bedoeïenentent met twee paarden eraan vastgebonden.

'We ontdekten het bouwwerk toen we de beste locatie voor de toren probeerden te bepalen,' verklaarde Craig onderweg naar de eenzame tent. 'Het ligt recht onder ons, een paar meter naar beneden, maar om de een of andere reden heeft onze *imaging* het nooit opgepikt... het moet aangezien zijn voor sediment langs het vroegere meer.'

'Lag hier een meer?' Ik keek om me heen en probeerde me een watervlakte voor te stellen in dit uitgedroogde landschap.

'O ja,' knikte Craig. 'Waarschijnlijk een binnenzee die delen van Algerije en Tunesië bedekte en via een soort kanaal verbonden was met de Middellandse Zee. Je kunt de vorm ervan zien op een paleo-hydrologische kaart. Maar dat was duizenden jaren geleden. Na verloop van tijd werd de zee een meer, het meer werd een moeras, en het moeras werd woestijn.' Hij glimlachte... 'Klimaten veranderen, dat is altijd zo geweest, en daar kunnen we niets aan doen. Hij is het, daarboven' – met een duim wees hij naar de zon – 'die de dienst uitmaakt.'

Toen we de tent naderden, kwamen er twee mannen naar buiten. Ze droegen paramilitaire uniformen en hun omvangrijke revolvers ontgingen me niet. Hoewel ze Nick en Craig allebei met een glimlach begroetten en hun hoofden beleefd in mijn richting bogen, had ik sterk het gevoel dat dit mannen waren die, als zij het nodig vonden, niet zouden aarzelen om dodelijk geweld te gebruiken, en zich misschien zelfs verkneukelden bij het vooruitzicht.

De bedoeïenentent bleek geen beschutting te zijn voor de bewakers, maar een omheining om de ingang tot het ondergrondse te verhullen.

Op het eerste gezicht leek er een groot stalen vat midden in de vloer van de tent te zitten; pas toen ik me eroverheen boog om erin te kijken, realiseerde ik me dat het geen bodem had. Het was een volmaakt rond gat in de grond met een diameter van ongeveer zestig centimeter, en het duurde even voordat ik begreep dat wij daarheen gingen: omlaag, via een geïmproviseerde glijbaan, midden in een oceaan van zand.

Ik keek op, klaar om mijn irritatie te uiten over het feit dat ik zo ver had gereid zonder gewaarschuwd te zijn voor het mogelijke gevaar in het laatste stadium. Maar Nick hield me al een klimtuig en een koplamp voor, en zelfs Craig keek alsof het de normaalste zaak van de wereld was om via een reusachtig rietje de onderwereld in en uit te wippen. 'Maak je geen zorgen,' zei hij terwijl hij met zelfverzekerde vingers mijn tuig vastmaakte. 'Ik ga eerst en ik vang je op. Hier' – hij bevestigde een elastiek om mijn hoofd en schoof een stofmasker over mijn mond en mijn neus – 'onthoud gewoon dat je rustig moet ademhalen. Je went er snel genoeg aan.'

'Waaraan?' wilde ik nog vragen, maar Craig zat al schrijlings op de rand van de stalen buis, en zonder nog een woord te zeggen zoefde hij weg, het donker in.

Met een vreemd afstandelijk gevoel, alsof ik slechts een toeschouwer was bij mijn eigen circusact, liet ik Nick en de bewakers me in de buis helpen en een veiligheidshelm op mijn hoofd zetten, alsof dat echt iets zou uitmaken. Voor ik het wist, lieten ze me in het gat zakken en een paar tellen lang hoorde ik alleen het verontrustende kraken van het touw dat aan mijn tuig vastzat en mijn eigen paniekerige ademhaling, nog versterkt door het stofmasker en het metaal dat me omhulde.

En ineens was ik de buis door en losten alle vertrouwde geluiden op in een weidse, koude leegte. Ik bungelde als een sprinkhaan aan een haakje, en vroeg me af wat voor monsters er verscholen zaten in deze donkere, vergeten wereld.

Ooit, tijdens een zondagse maaltijd, was oma in een trance geraakt bij de kippenpastei. Pas toen mijn moeder haar drie keer had gevraagd om het zout door te geven, kwam ze bij uit haar dagdromerij en keek over de tafel heen naar mij. 'Het ligt allemaal daarbeneden,' had ze gezegd, alsof ze een vraag van mij beantwoordde. 'Onder de oppervlakte. Je hoeft het alleen maar te vinden.'

'Er zijn drie stukken kip per persoon,' onderbrak mijn moeder haar, beledigd het zoutvaatje oppakkend, 'gelijk verdeeld in de schaal.'

'Ze denken dat alles weg is,' vervolgde oma, haar grijsblauwe ogen nog steeds strak in de mijne, 'maar dat is niet zo. Ze denken dat ze het kunnen vernietigen en dat wij zullen vergeten, maar dat doen we niet. Dat is hun grote vergissing.'

Toen pas bedacht ik dat ze vast verwees naar de krantenknipsels die mijn vader onlangs van de muren van haar zolderappartement had weggehaald. Voor mij, voor het kind dat ik was, was oma's groeiende archief van artikelen te geleidelijk opgebouwd om echt schokkend te zijn; telkens wanneer ik haar een van de oude kranten van mijn ouders bracht, werden er een of twee stukjes aan haar verzameling toegevoegd, die uiteindelijk aan de schuine muren kwamen te hangen met behulp van kleine druppeltjes schoollijm. 'Waar gaan ze over?' had ik haar een paar keer gevraagd. 'Al die artikelen?'

Bij wijze van antwoord had oma naar een recent knipsel gewezen dat nog op tafel lag. De kop was SCHRIJFSTER ONTSNAPT AAN HUISARREST. Ik las het twee keer door, maar zag niets wat verband hield met mijn oma of met iemand anders die ik kende.

Toen ze mijn onbegrip zag, glimlachte oma op die kinderlijke manier van haar en fluisterde: 'Amazones!' Waarna ze de kamer rond begon te wandelen en naar de knipsels wees die van de schuine muren bungelden – de een na de ander: 'Amazones,' zei ze, met steeds vastere stem. 'Allemaal Amazones.'

Ik stopte bij een artikel dat wat lager hing dan de andere. De kop was KHANABAD: STENIGING EINDIGT IN CHAOS, en er stond een zwart-witfoto bij van mannen en gesluierde vrouwen achter een soort slagboom, met het hoofd in de handen. 'Zijn die vrouwen Amazones?' vroeg ik, wanhopig verlangend om het te begrijpen.

Oma kwam bij me staan, maar alleen om minachtend haar neus op te halen. 'Nee! Die vrouwen zijn net zo erg als hun mannen. Maar ze hebben hun verdiende loon gekregen. Kijk maar eens naar ze!'

'Maar...' Ik wist niet wat ik ervan moest denken. 'Wat betekent "stenigen"?'

Op dat moment waaide er een plotselinge tochtvlaag door de kamer, en de krantenknipsels knisperden als droge bladeren.

Toen ik me haastig omdraaide, zag ik mijn moeder in de deuropening staan, haar hand vol afgrijzen voor haar mond geslagen. Tien minuten later verscheen mijn vader met een emmer en pelde zonder een woord alle krantenknipsels weg; er bleef niets achter dan een sterrenkaart met constellaties van gedroogde lijmvlekjes. Terwijl hij aan het werk was, keek hij ons niet één keer aan; nooit had ik hem zo bleek en zo overstuur gezien.

Oma keek alleen maar toe terwijl haar zorgvuldig verzamelde archief van vermeende Amazone-activiteiten ontmanteld en verwijderd werd; bij elk nieuwsbericht dat verdween, verhardden haar trekken zich een beetje meer.

Hoewel er verscheidene dagen voorbijgegaan waren sinds het incident, stonden oma's ogen nog steeds vol verwijt, en ze had er slechts met tegenzin mee ingestemd om naar beneden te komen en ons zondagsmaal te delen – waarschijnlijk omdat ze wist dat ze anders helemaal niets te eten zou krijgen.

'Ik neem aan dat de maaltijd gesmaakt heeft,' zei mijn moeder, die nooit een kans kon laten liggen om de aandacht te vestigen op de slechte manieren van haar schoonmoeder.

In een ongewone opwelling van geestelijke helderheid reageerde oma meteen, met een stem zo vol haat dat er een kilte door de kamer trok: 'Regel nummer drie: neem nooit iets klakkeloos aan.'

Begrijpelijkerwijs zei mijn moeder niets meer over de kwestie, maar de blik die ze mijn vader toewierp, volstond om het eten in mijn keel te laten steken. Later die avond zat ik zoals altijd op de trap te luisteren naar mijn ouders, die ruzie maakten in de woonkamer. Het was geen grote ruzie – dat was het nooit – aangezien de bijdrage van mijn vader voornamelijk bestond uit diepe zuchten en rusteloos ijsberen. 'Dit kan zo niet langer!' bleef mijn moeder maar zeggen, met toenemende radeloosheid. 'We moeten rekening houden met Diana. Ik kan dit obsessieve gedrag niet langer verdragen. God weet wat ze allemaal in die kranten heeft gevonden. Wil je alsjeblieft eens een keertje iets zéggen, Vincent!'

Toen ze eindelijk stilvielen, hoorde ik het onmiskenbare kraken van de zolderdeur en wist dat oma ook had staan luisteren. Ik was koud en ellendig en ik wilde zo graag naar boven om haar te troosten, maar ik was bang dat mijn moeder nog meer van slag zou raken als ze merkte dat ik niet in mijn bed lag.

Diezelfde avond, toen ik in het donker wakker lag, kwam mijn moeder mijn kamer binnen. Ze dacht vast dat ik sliep, want mijn ogen waren dicht, en ze boog zich over me heen om me een kus te geven en tegen mijn voorhoofd te fluisteren: 'Ik zal zorgen dat je nooit iets akeligs overkomt.'

Vanaf dat moment leefde ik voortdurend in angst om oma te verliezen. Misschien zou ik binnenkort uit school komen om te ontdekken dat ze weg was, dacht ik, en dan zouden mijn ouders niet willen vertellen waar ze was. Ze zouden aannemen dat ze haar invloed konden doven door haar uit mijn wereld te verwijderen. Voor hen was zwijgen altijd een wondermiddel geweest, en ze pasten het waar nodig gul toe – meestal op mij.

Dat was hun grote vergissing.

Bungelend aan een touw onder de oppervlakte van de Algerijnse woestijn ging ik zo op in mijn eigen oerangst, dat ik het uitschreeuwde toen iemand me bij mijn benen pakte.

'Ik ben het maar!' baste Craig terwijl hij me op de grond liet zakken en mijn tuig losmaakte. 'De boeman heeft zich ziek gemeld vanmorgen.'

Terwijl ik mijn best deed om rustig te ademen in de koele, roerloze lucht, stak Craig een lamp aan en hield die tussen ons in omhoog; het spookachtige licht onthulde dat de ruimte waar we ons bevonden zo reusachtig was, dat ik de muren niet kon zien. Hier en daar lagen zandhopen, die door scheuren in het dak moesten zijn binnengekomen voordat het hele gebouw op zeker moment werd opgeslokt door de omringende woestijn.

'Wat een wonder,' zei ik. Mijn stem klonk net zo angstig als ik me voelde en leek een heel eind door het duister te reizen. 'Ongelooflijk dat het nooit is ingestort onder de druk van het zand.'

'Dat is wel een beetje een wonder,' zei Craig instemmend, 'maar onze mineraloog kan je er een goede verklaring voor geven. Iets met het zoutgehalte van het zand. Afhankelijk van de weersomstandigheden vormt het een korst, en in dit geval bouwde het kennelijk zelfs een hele steunmuur. Pas op!'

We zetten allebei een stap opzij; Nick kwam eraan. Hij klom het touw af alsof hij zijn leven lang nog geen trap nodig had gehad en vergastte ons op een korte proeve van coördinatie en behendigheid die een vreemd contrast vormde met zijn verfomfaaide kleren en ruige baard. 'Nog steeds alles goed?' vroeg hij, me verblindend met zijn koplamp.

De mannen begonnen te lopen, en ik vond alles wat ik zag veel te overweldigend om ze te kunnen bijhouden. Te oordelen aan de manier waarop het geluid van onze voetstappen eerst verdween en dan weer terugkwam als een vage, verre echo, was het een kolossaal gebouw, met een hoog plafond gestut door tientallen zuilen.

'Dit is verbijsterend,' zei ik tegen Craig, mijn stem gedempt achter mijn stofmasker. 'Het moet een soort koninklijk paleis zijn geweest!' Ik liep naar een van de zuilen en bekeek hem zo goed als ik kon in het schemerige licht. 'Als ik maar beter kon zien. Maar ik ben zeker te dom om me zo'n koplamp toe te vertrouwen...' Ik zette een stap achteruit en wees op de vele kleine plankjes en haken die in de steen vastgeklonken waren. 'Kijk daar! Misschien was het een soort overdekte markt.'

'We zijn er vrij zeker van dat het een tempel was,' zei Craig, zijn lamp omhoog om me bij te lichten. 'En die plankjes en haken waren waarschijnlijk bedoeld voor offergaven. Sommige zijn er nog. Kleine urnen, mogelijk met menselijke asresten. Maar' – hij keek me aan met een plagerige glimlach – 'wij hopen nu juist dat jij ons dat kunt vertellen.'

Terwijl we het middenpad af liepen en Nick probeerden in te halen, veranderde mijn oorspronkelijke verontrusting in een volwassen akelig voorgevoel. Als Craig echt meer wilde weten over deze oude voorwerpen, dacht ik, had hij een leger archeologen nodig, niet slechts een enkele filoloog.

Langs het middenpad stonden hoge metalen vuurpannen, sommige vervaarlijk scheef geleund, andere helemaal omgevallen. En aan het einde van het middenschip stond een podium met treden ervoor en een grote stenen stoel erbovenop. Dat eenzame meubelstuk – hoe streng en onpersoonlijk ook – riep allerlei vragen op over de mensen die hier ooit hadden geleefd en wat er met hen was gebeurd.

Craig voelde mijn onbehagen aan. 'God weet hoe groot dit gebouwencomplex is. We hebben geprobeerd om een plattegrond van de kelder te maken' – hij hield halt om me een gat in de vloer te laten zien, waar smalle stenen treden onder de grond verdwenen – 'maar de jongens kregen het niet voor elkaar. Er is een hele wereld van grotten daarbeneden, en we werden allemaal een beetje bang van de... dierlijke bewoners.'

Toen we Nick eindelijk inhaalden, stond hij in een deuropening aan het einde van de hoofdtempel en wees met een zaklamp naar de donkere hoeken van een ander, kleiner vertrek, op zoek naar – vermoedde ik – ongewenste beesten.

'Hier is het!' Craig stond stil op de drempel en hield zijn lantaarn omhoog. 'Het sanctum sanctorum, het heilige der heiligen. Nou, wat zeg je ervan, heb je ooit zoiets gezien?'

Ik was te bezorgd geweest over Nicks speurtocht naar ongedierte om op te kijken en te zien dat ik nu, eindelijk, tegenover de inscriptie op de foto van Ludwig stond, de raadselachtige tekens die me helemaal uit Oxford hadden gelokt. Daar stonden ze: drie volgeschreven muren, her en der onderbroken door schilderingen in rood, zwart en geel. En midden op de vloer stond een grote, rechthoekige steen die wellicht als altaar had gediend.

'Het ziet ernaar uit dat de schilderingen er het eerst waren,' zei ik terwijl ik het vertrek binnenstapte, elke gedachte aan kruipende schaduwen vergeten. 'Het schrift kwam later. Zie je?' Ik pakte Craigs lantaarn en stak hem omhoog om te laten zien wat ik bedoelde. 'Zie je hoe het schrift tot vlak bij de schilderingen doorloopt?'

Ik liet de beide mannen zich aan de muur vergapen en verkende met mijn lantaarn in de lucht snel het vertrek. Van zo dichtbij rees de inscriptie boven me uit in een overvloed van kleuren, en tot mijn blijdschap bleek dat de foto van Ludwig de werkelijkheid geen recht had gedaan. Er zaten interessante variaties in de dichtheid van de verf en in de grootte van het schrift zelf, alsof de schrijver het hele verhaal in grote haast had neergekrabbeld met gebruik van de tinten die toevallig voorhanden waren, en die had verdund door steeds meer bindmiddel toe te voegen – waarschijnlijk ei of olie – tot de symbolen bijna onzichtbaar werden.

Bovendien bleek bij nadere inspectie dat er inderdaad woordonderbrekingen in de tekst stonden. De reden dat de foto ze niet had opgepikt, was dat ze heel vaag van kleur waren. Ze verschenen in de vorm van kleine gele asterisken tussen de individuele symbolen – meestal stond er maar eentje, en ik nam aan dat die een woord afbakende, waar de aanwezigheid van twee van die sterretjes een zin afsloot.

Van opwinding kon ik me niet inhouden: ik strekte mijn arm en raakte met mijn hand de gladde, koude, gepleisterde muur aan; mijn vingertoppen tintelden bij het vooruitzicht terug te komen met oma's schrift.

Nadat ik mijn camera tevoorschijn had gehaald begon ik close-ups te nemen van de woordafbakeningen, maar ik werd onderbroken door Nick, die met zijn vingers knipte. 'Kom, tijd om aan het werk te gaan.'

Ik keek toe terwijl Craig en hij naar het stenen altaar midden in het vertrek liepen en begonnen te duwen. Pas bij de derde poging schoof het bovenste deel eindelijk opzij, alsof het een reusachtig deksel was, en samen draaiden ze het negentig graden verder, waarna bleek dat het grote stenen blok eronder in feite hol was. Craig wenkte me bemoedigend dichterbij: 'Kom eens kennismaken.'

Ik stond op mijn tenen om te kijken. 'Is dat een sarcofaag? Eigenlijk... doe ik geen sarcofagen.'

Nick rechtte zijn rug en wreef het stof van zijn handen. 'Ik heb je niet de halve Sahara door gereden zodat je daar kon staan niksen. Kom dus alsjeblieft hier en vertel ons wat er nu moet gebeuren.'

Ik verschoof mijn stofmasker en liep naar de stenen doodskist, me voorbereidend op een in windselen verpakte mummie. Er zat echter niets vreselijk dramatisch in, alleen de omlijning van een verdroogd skelet op de bodem, rustend op een bed van stof. 'O jee,' zei ik, met spijt dat ik geen respectvoller tekst had kunnen verzinnen. 'Dat is niet veel. Geen persoonlijke kostbaarheden, geen geschenken voor de goden van de onderwereld...'

'Eigenlijk...' begon Craig, maar een blik van Nick bracht hem tot zwijgen.

'Misschien zijn grafrovers ons eeuwen geleden al voor geweest?' zei ik.

'Dat denk ik niet.' Craig wees in de sarcofaag. 'Zie je die armband? Die zouden ze niet hebben achtergelaten. Maar wat meer is... zie je niets ongewoons aan die arme sloeber?' Toen ik geen antwoord gaf, wees hij weer. 'Kijk. Geen hoofd.'

'Niet te geloven,' mompelde ik, maar mijn schok had minder van doen met het ontbrekende hoofd dan met de armband die de dode aan zijn of haar rechterarm had gedragen, net boven de pols, en nog steeds droeg, half bedolven onder het stof. De vorm was onmiskenbaar, maar het leek bijna onmogelijk...

'Dus,' zei Nick terwijl hij zijn koplamp afzette. 'Wat heb je nodig?'

'Nodig?' Ik liep weg van de sarcofaag. 'Niets, eigenlijk. Tijd, vooral.' Ik knikte naar de muren om ons heen. 'Het kost vooral tijd om zulke dingen te ontcijferen.'

'Laat die muren maar zitten,' zei Nick. 'Deze grafkist is vorige week geopend. We moeten het lichaam preserveren.'

'Ik ben bang dat ik je daar niet bij kan helpen,' zei ik, me ervan bewust dat Craig onze uitwisseling met toenemende verwarring aanhoorde. 'Ik ben geen archeoloog.'

'Wat?' Nick keek me boos aan. 'Ik heb John gezegd dat hij me een archeoloog moest sturen...'

'Pardon,' zei ik, vastbesloten om beleefd te blijven, 'maar John Ludwig heeft specifiek gezegd dat jullie een filoloog nodig hadden – iemand die deze inscriptie kon ophelderen.' Met een brede zwaai gebaarde ik naar de tekst die ons van elke muur af aanriep. 'Ik wil niet onbescheiden zijn, echt niet, maar als je wilt weten wat daar geschreven staat...'

Nick stak een hand op, zijn ogen tot spleetjes geknepen alsof ik ineens een helder, doordringend licht uitstraalde. 'Goed. Je bent geen archeoloog. Jij bent hier voor de opschriften. Geweldig. Hoelang gaat het duren om dat te ontcijferen?'

Schouderophalend keek ik om me heen. 'Moeilijk te zeggen. Het kan een paar dagen kosten... of een paar weken. Of jaren. Het hangt er allemaal van af of...' Ik zweeg. Ik kon ze moeilijk vertellen dat het allemaal afhing van de nauwkeurigheid van oma's schrift.

'Jaren?' Nick keek me aan met een vreemde uitdrukking in zijn ogen.

Ik glimlachte geruststellend. 'Nou ja, in een ideale wereld...'

'Nee.' Hij zei het rustig, alsof hij tegen zichzelf praatte. 'Dit gaat 'm niet worden. Ik wist het. We gaan jou terugbrengen naar het boorstation. En wel nu meteen.'

Vol afgrijzen besefte ik dat ik uit mijn avontuur verbannen werd en greep hem bij zijn mouw. 'Maar jullie hebben mij nodig! Ik ben een expert op het gebied van de Amazones...'

Nick keek boos naar mijn hand. 'De wát?'

'De Amazones,' stamelde ik. 'Uit de Griekse mythologie. Ik dacht...'

Er viel een korte maar onaangename stilte. Vervolgens schudde hij alleen zijn hoofd, draaide zich om en liep weg.

12

DE TEMPEL VAN DE MAANGODIN

MYRINE GLIMLACHTE, maar niemand glimlachte terug. Geïnstalleerd aan lange tafels in de eetzaal, in kleine groepjes over hun maaltijd gebogen, ontvingen drie dozijn in het wit geklede priesteressen hun twee nieuwe zusters in stilte.

Myrine was niet verbaasd. In hun ogen zag ze dat zij haar nog steeds beschouwden als de gewelddadige indringster die slechts een paar uur geleden de slangenkuil had overleefd, en Lilli als een minderwaardig wezen wier blindheid haar ook doof en stom had gemaakt. Het hielp niet dat de hogepriesteres de vrouwen in het wit zo grondig had beschaamd; als ze opzettelijk rancune jegens de nieuwkomers had willen wekken, had ze geen betere manier kunnen kiezen.

Myrine onderdrukte haar frustratie en hield zich voor dat deze tempel, deze zusterschap, Lilli's beste kans was om te overleven in een stervende wereld, en dat alleen de Maangodin de macht had om haar gezichtsvermogen te herstellen. Dit is wat onze moeder gewild zou hebben, had ze bij zichzelf gezegd toen de eunuchen haar jachtgerei weg hadden gelegd en haar en Lilli hadden meegenomen naar een groot, ondergronds badhuis. Daar werden ze toevertrouwd aan de handen van een oude vrouw zonder glimlach, die hun geklitte haar afschoor, hun kleren op het vuur wierp en hen beiden van top tot teen schrobde met zeep en olie, tot hun huid tintelde van properheid. Vooral voor Myrine was de beproeving pijnlijk; de vrouw had zonder enig blijk van mededogen aan haar gekneusde ledematen getrokken en geduwd. Ze leek er zelfs van te genieten dat Myrine kreunde en in elkaar kromp toen ze haar grote bijtwond grondig schoonmaakte met zeep en vervolgens zo strak mogelijk verbond. 'Lilli's veiligheid is belangrijker dan mijn vrijheid,' hield Myrine zichzelf telkens voor. 'Voor haar zal ik dit ook verdragen.'

Naakt en bibberend had Lilli geprobeerd zich achter Myrine te verstoppen, maar er was geen ontsnappen aan de prikkende hennepjurken en de kleine puntige mutsjes die hen kenmerkten als dienaressen van de Godin. 'Wat zie je er mooi uit!' had Myrine gezegd terwijl ze haar zusje in haar armen trok. 'Ik weet zeker dat ik je nog nooit zo schoon heb gezien.'

'Ik zou nog liever vol aangekoekte mest zitten,' mopperde Lilli, met boze vuisten in haar ogen wrijvend, 'en met jou in de wildernis rondzwerven.'

Maar ze wisten allebei dat de wildernis geen plaats was voor Lilli. Zelfs vóór de koorts, toen ze het zicht in haar ogen nog had, had het meisje de voorkeur gegeven aan het comfort van het dorp boven de eenzame jachtpaden. Myrine had haar leren jagen, dat wel, maar Lilli vond haar geluk in de taken op de boerderij, die Myrine altijd zo saai had gevonden: zaden zaaien, kiemen verzorgen, de kippen voeren. Eindeloze routines, die precies het soort geduld vergde dat Myrine niet had.

Hun moeder had altijd beweerd dat haar drie dochters de handen van hun drie heel verschillende vaders hadden geërfd. 'Dat daar,' had ze ooit opgemerkt met een knikje naar hun oudere zusje, Lana, toen ze allemaal rond het vuur bonen zaten te doppen, 'zijn handen die grote verhalen vertellen. Handen die een naïef meisje alles kunnen laten doen – elk gebod kunnen doen schenden.' Ze trok een gezicht bij de herinnering aan haar eerste liefde, wiens naam ze nooit had willen noemen, maar die schijnbaar in de grote stad bij de zee had gewoond.

'En die daar...' Ze keek naar Myrine, haar tweede dochter. 'Die vinden vreugde in gevaar, en let op mijn woorden, dat zullen ze volgen tot het einde van de wereld.'

De meisjes bleven zwijgen, delend in hun moeders melancholieke stilte, tot Lilli haar eigen handen uitstak, besmeurd met vuil. 'En ik dan, mama?'

'Jouw handen,' zei hun moeder, en ze kuste de kleine vingertjes een voor een, 'vertellen wonderbaarlijke verhalen over een lieve man.' Ze pauzeerde even om een vlaag verdriet het hoofd te bieden. 'Het zijn handen die gemaakt zijn om te koesteren en te bewaren. Maar ze zijn geen partij voor de wilde dieren die op de kudde azen. Dus jij, mijn liefje,' – ze trok haar jongste dochter dichter naar zich toe – 'kunt maar beter dicht bij het vuur blijven, waar de leeuwen zich niet wagen.'

Een pad van glanzende bloemblaadjes had Myrine en Lilli rechtstreeks van de vernedering in de wasruimte naar hun inwijding in het heilige der heiligen gevoerd. De aanblik van de stenen vloer bezaaid met vrolijke kleuren was vast bedoeld om hen op te vrolijken, maar in Myrines ogen leek het op een spoor van graankorrels dat naar de lus van een valstrik leidde.

Ze beleefde de ceremonie in een staat van verblufte ontkenning; zelfs na hun eed, toen de hogepriesteres het angstaanjagende offermes van het altaar pakte en een snede maakte over haar en Lilli's linkerborst om hun bloed in de vergulde offerschaal te laten vloeien, voelde Myrine de pijn nauwelijks. Of misschien was ze te bezorgd over Lilli's reactie om haar eigen pijn te voelen. Het meisje was echter heel dapper en terwijl ze daar hand in hand stonden, voelde Myrine een grote bewondering voor haar zusje.

'Wees verheugd!' zei de hogepriesteres terwijl ze de heilige armbanden van de Maangodin om hun polsen schoof – armbanden die identiek waren aan die van hun moeder. 'Jullie bloed heeft zich met het onze vermengd, en nu zijn jullie één met ons. Deze armband is een bewijs van onze heilige zusterschap, en van jullie belofte om je zuiverheid nooit door een man te laten bezoedelen. Mocht iemand je aanvallen, dan zul je merken dat dit een uitstekend afschrikmiddel is. Maar vergeet niet: als je de Godin verraadt, of je zusters, zal deze gouden jakhals *jouw* vijand worden, en dan zul *jij* zijn beet voelen. Want de jachthonden van de Godin zijn eeuwig trouw; gehoorzaam haar goddelijke bevelen en ze zullen je met hun leven verdedigen; wees haar ongehoorzaam, en ze zullen je opjagen en je in stukken scheuren.'

Dat was de toespraak waarmee Myrine en Lilli in de tempel verwelkomd werden. Maar nu ze op de drempel van de eetzaal stonden, hun armbanden voor iedereen zichtbaar, waren de boze blikken waarmee ze begroet werden allesbehalve zusterlijk.

Ten slotte zette Myrine een stap naar voren. 'Kan iemand me vertellen,' vroeg ze, 'wie die steen naar me gooide toen ik op de tuinmuur stond?'

Doodse stilte.

'Ik vraag het,' ging Myrine verder, trots rechtop voor de horde argwanende ogen, 'omdat het een mooie worp was. Mijn complimenten.'

Er ging een gemompel door de zaal. Toen riep iemand luid: 'Animone gooide die steen!' en het gemompel werd een hels kabaal.

Er zou waarschijnlijk een tumult van vliegend voedsel zijn uitgebroken in de eetzaal als Myrine niet een scherp gefluit had uitgestoten. 'Dan is Animone mijn eerste vriendin!' concludeerde ze toen ze ieders aandacht weer had. 'En ik wil haar aan Lilli voorstellen' – ze tilde het meisje op zodat iedereen haar kon zien – 'de liefste zuster die jullie ooit zullen hebben. Ze mankeert niets, behalve dat ze jullie zure gezichten niet kan zien. En dat vind ik geen groot gemis.'

Myrine had het genoegen om geschoktheid en zelfs schaamte te zien in de ogen van de priesteressen toen haar woorden in vele verschillende talen door de zaal vlogen. Een paar vrouwen bleven met strakke gezichten vijandig kijken en meden opzettelijk haar blik, maar zij gingen al snel verloren in de algemene opwinding.

Drie jonge priesteressen – Animone, Pitana en Klito – leken nu graag vriendschap te willen sluiten. Animones ogen gingen naar het verband om Myrines arm: 'Hoe heb je de slangenkuil overleefd?' wilde ze weten. 'Vertel ons hoe je het monster hebt gedood.'

'Ik weet iets beters' – samenzweerderig boog Myrine zich naar hen toe – 'ik zal het jullie laten zien.'

De heimelijke middernachtelijke tocht van Myrine en haar drie nieuwe vriendinnen naar de tempelkelder bevestigde eens te meer dat de dochters van de Maangodin inderdaad lichamelijke oefening nodig hadden. Zelfs deze drie, die zelf met haar mee hadden gewild, deinsden vol afgrijzen achteruit toen Myrine een touw in de kuil wierp en hen vroeg haar te volgen. 'Maar er zijn slangen daarbeneden!' riep de driftige Animone, vol afkeer met haar handen wapperend.

'Waarom denk je dat ik eerst fakkels naar beneden heb gegooid?' Myrine knikte naar de verlichte grot waar de reusachtige wurgslang opgerold en dood neerlag. 'Slangen zijn bang voor vuur. Kom...'

'Ik weet niet of ik wel langs dat touw kan klimmen,' zei Pitana, een slungelige jonge vrouw die bijna even lang was als Myrine, maar geen van haar spieren bezat. 'Mijn armen zijn te lang om sterk te zijn. Misschien kan ik wel naar beneden, maar ik zou nooit de kracht hebben om weer omhoog te klimmen.'

'Klito?' Myrine richtte zich tot de laatste van de drie: een mooi, gezond ogend meisje met ogen vol avontuur.

Maar zelfs Klito wilde niet. 'Ik blijf wel van hierboven toekijken,' beloofde ze enthousiast knikkend, 'en bemoedigend commentaar leveren.'

Hoofdschuddend liet Myrine zich langs het touw omlaag glijden, haar pas teruggekregen jachtmes tussen haar tanden geklemd. De drie vrouwen keken geboeid toe hoe zij de huid van de grote slang vilde en de gespikkelde schubben tot een grote bundel oprolde.

'Dat,' merkte de avontuurlijke Klito boven haar op, 'is het walgelijkste ding dat ik ooit heb gezien. Breng het alsjeblieft niet mee naar boven.'

'Ik ga hem schoonmaken en drogen,' zei Myrine, 'en er kleren van maken. Je zult het zien. Trek hem nu voor me omhoog. Ik beloof dat jullie allemaal een stuk te dragen krijgen.'

'Weet je,' zei Animone hoofdschuddend, 'ik weet niet eens of ik wel vriendinnen met jou wíl zijn.'

En dat was nog maar het begin.

Voordat er een week voorbij was, had de hogepriesteres iedereen opgedragen om op de binnenplaats te beginnen met wapentraining. 'Myrine zal toezicht houden op onze oefeningen,' beval ze in de Oude Taal, op een toon die geen tegenspraak duldde, 'en die zullen iedere dag plaatsvinden na het ontbijt. Animone zal tolken voor de zusters die Myrine niet verstaan. Jullie zullen in groepjes van zes worden verdeeld, en er zullen geen uitzonderingen zijn!'

Natuurlijk stuitte de nieuwe regeling op fel verzet, zodra de hogepriesteres hun de rug had toegekeerd. Waarom ineens deze onzinnige wapentraining? Waarom kon alles niet blijven zoals het was? Vooral de oudere priesteressen begrepen de redenering achter de verandering niet en werden algauw meesterlijk in het verzinnen van smoesjes.

Myrines grootste probleem bleek echter een handvol jonge vrouwen te zijn die gewend waren de lakens uit te delen. Ook al hadden ze geen officiële titel die hun meer gezag verleende dan de rest, deze vrouwen waren er op de een of andere manier in geslaagd om zich een superieure rol toe te eigenen. Het was ondenkbaar dat zij zich zouden onderwerpen aan het onderwijs van een nieuwkomer. Een van hen, een oproerkraaister met grote hertenogen die Kara heette, miste demonstratief letterlijk elke bijeenkomst – niet door van de binnenplaats weg te blijven, maar door te doen alsof ze lag te soezen in een hangmat, in het volle zicht van de anderen.

Ondanks deze moeilijkheden was Myrine maar al te blij om haar ochtenden buiten te kunnen doorbrengen en te doen wat ze het liefste deed. Het had niet lang geduurd voordat de ceremonie in het tempelgebouw haar ging vervelen; zelfs de vele gouden en zilveren wijgeschenken die zo betoverend glinsterden in het licht van de vuurpannen, hadden al snel hun allure verloren. Bovendien had de hogepriesteres Lilli opgedragen om volkomen stil te zijn tot het vollemaan werd, als een manier om zich geliefd te maken bij de Maangodin en genezing van haar blindheid te verdienen, en Myrine meende dat ze maar beter weg kon blijven, om haar zusje niet tot praten te verleiden.

Met de meedogenloze kritiek van haar vader in gedachten, waardoor ze vaak zo van slag was geraakt dat ze niet meer had kunnen richten, begon Myrine de lessen met aanmoedigingen. Ze complimenteerde haar heilige zusters met hun danskunsten en hun behendige voeten en begon elke dag met een acrobatische oefening die ze moeiteloos onder de knie konden krijgen.

Vervolgens inspecteerde ze al hun bogen, in plaats van hen meteen al te ontmoedigen met wapenoefeningen, en schudde haar hoofd, met de woorden: 'Hoe kan iemand van je verwachten dat je hier iets mee doet? Het hout is te oud, te droog; we moeten om nieuwe vragen. Intussen' – ze had iedereen om zich heen verzameld en dempte haar stem – 'gaan we spelletjes spelen en doen alsof we oefenen.'

En zo waren ze begonnen met het trekken aan touwen en het tillen van emmers water; pas toen Myrine genoeg vertrouwen had dat iedereen in de groep in staat zou zijn om een boog te spannen, liet ze hen met schijfschieten beginnen.

Maar hoe ze ook haar best deed, Kara's kleine kliek bleef vijandig, en de vrouwen deden wat ze konden om de training te verstoren. Ze maakten hun bogen kwijt en braken hun pijlen... daartoe duidelijk opgestookt door Kara, die hen telkens beloonde met geproest vanuit haar hangmat.

'Maak je over haar maar niet druk,' zei Animone op een avond toen

Myrine en zij zich uitkleedden in de slaapzaal, te midden van de gebruikelijke drukte vol intriges tegen bedtijd. 'Niemand vindt haar aardig. Ze schept altijd op dat ze de dochter van een stamhoofd is, en ik weet zeker dat ze zichzelf als de meesteres van ons allen zag, totdat jij kwam.'

Even keken ze heimelijk naar Kara, die hof hield bij de wastafel en haar entourage op snoepjes trakteerde.

'Waarom zou ze zich door mij bedreigd voelen?' vroeg Myrine, worstelend om zich te bevrijden uit het nog steeds niet vertrouwde priesteressengewaad. 'Ik wil niemands meester zijn.'

'Omdat jij alles bent wat zij niet is. Kijk eens naar jezelf!' Animone streek bewonderend over Myrines strakke huid. 'Jij bent zo vol leven. Bijna een man...'

Myrine begon te lachen, maar ontnuchterde al snel. 'Als ik een man was, zouden ze me niet zo opgesloten houden. Trouwens, als wij mannen waren' – ze keek door de slaapzaal, waar de priesteressen nog altijd ronddartelden, kakelend als kippen – 'zouden we ons niet zo gedragen. Of wel?' Ze zocht in Animones blik naar een antwoord, maar zag slechts bewondering.

Was het thuis ook zo geweest? Dat kon Myrine niet met zekerheid bevestigen. Hoewel er vaak onenigheid heerste in Tamash, waren er nooit vechtpartijen uitgebroken over een gebroken haarborstel. Gestolen landbouwgereedschap, ja, of een onbetrouwbare minnaar... maar zulke ruzies waren zinvol voor Myrine, en dat gold niet voor de onbeduidende zorgen en interesses van haar medepriesteressen.

Ik zou jullie allemaal wel eens bij mij in de bush willen zien, dacht ze bij zichzelf met een laatste afkerige blik op Kara en haar snoepgoed. Jullie zouden het geen dag uithouden. Zelfs als ik jullie alles zou leren wat ik weet, zou het nog niet genoeg zijn. Dat zou mijn vader ook zeggen als hij hier was: al kam je zijn manen nog zo vaak, van een huiskat maak je geen leeuw.

Het duurde niet lang voordat Kara's eenzijdige oorlog tegen de nieuwkomers uitliep op een scène in het bijzijn van de hogepriesteres, uit wier vermoeide gezichtsuitdrukking Myrine opmaakte dat het tempelleven voortdurend geteisterd werd door zulke kleingeestige ruzietjes.

'Zij probeerde die vieze mensen te vertellen dat hun zoon verzekerd was van een stoel in de zalen van de Godin!' riep Kara uit, met een beschuldigende vinger op Myrine gericht. 'Ook al bleef ík zeggen dat hun offergave te miserabel was. Ík volg de regels, maar zíj...' – Kara rilde bij het idee – 'zegt maar waar ze zin in heeft.'

'Ze waren allemaal erg overstuur,' knikte een van Kara's vertrouwelingen, een klein, tenger meisje dat de naam Egee droeg en een schelle stem had die haar kleine statuur ruimschoots compenseerde. 'We moesten de eunuchen erbij roepen. Het was bijna een opstand.'

Met vragend opgetrokken wenkbrauwen keek de hogepriesteres Myrine aan.

'Eerlijk gezegd,' zei Myrine, haar armen gekruist voor haar borst, 'zie ik niet waarom we die arme mensen niet kunnen vertellen wat ze willen horen. Wij weten toch ook niet wie er het eeuwige leven krijgt en wie niet?' Ze zette een stap in de richting van de hogepriesteres, vertrouwend op de goedheid van haar hart. 'Ze huilden. Het was immers hun kínd.'

Op haar lip bijtend wenste Myrine dat de hogepriesteres wat meer op haar moeder leek, voor wie de liefde tussen ouder en kind iets heiligs was. Ze herinnerde zich de dag waarop er een groep dorpelingen in het geheim bijeengekomen was achter een mesthoop om het lot te beschikken van een kind wiens ouders nalatig werden bevonden. 'Het lijkt ons het beste,' had een van hen gezegd, 'om de jongen daar weg te halen en fatsoenlijk groot te laten brengen in een ander huishouden.'

Omdat ze nog zo klein was, had Myrine de discussie niet helemaal kunnen volgen. Maar ze wist heel goed dat haar moeder woedend was toen ze hen onderbrak: 'Hoe komen jullie erbij om een kleine jongen te willen weghalen bij de mensen van wie hij het meeste houdt op de hele wereld? Wat jullie ook denken over zijn lijden, het is niets vergeleken met de pijn van het verscheuren van de familieband. Naar huis met jullie, bemoeizieke buren,' – ze wuifde ze weg alsof hun aanwezigheid haar al tegenstond – 'en ga je schamen voor je verblinde hart.'

De hogepriesteres trommelde echter alleen met haar knokkels op de armleuning van haar zetel en zei: 'Wij kunnen ons niet laten ontroeren door medelijden, Myrine. Stel je voor dat iedereen eeuwig zou blijven leven in de zalen van de Godin... het lawaai! Het zou ondraaglijk zijn.'

'Maar misschien,' opperde Myrine dapper, ondanks het onthutste gezicht van Animone dat haar tot zwijgen maande, 'zal de Godin, goddelijk als zij is, zorgen dat de luidruchtige mensen – door een muur, misschien? – gescheiden worden van de zwijgzame...'

'Zo is het wel genoeg, Myrine!' Bruusk stond de hogepriesteres op. 'Ga weer aan je werk en zorg dat je je van nu af aan de regels houdt.'

Welke regels? Myrine keek om zich heen op zoek naar het antwoord, maar kreeg het niet. Animone had haar hoofd gebogen van schaamte, en Kara stond te glimlachen – een zelfvoldane, veelbetekenende glimlach die ze de hele avond behield en die Myrine scherper trof dan een hele week vol laatdunkende blikken.

Diezelfde avond, onder het eten, wees Animone met haar lepel naar de muur van de eetzaal en zei: 'Daar staan ze allemaal. De tempelregels. Dat had iemand je moeten vertellen. Ik denk dat we het vergeten zijn. Wij zijn er al zo aan gewend.'

'Waar?' Myrine staarde naar de muur, maar zag alleen een decoratief zwart patroon op het roomwitte pleisterwerk. Bovendien gonsde haar hoofd nog van de inspanning om goed te begrijpen wat Animone had gezegd: tijdens het eten sprak iedereen de officiële taal van de Tempel, en hoewel ze snel leerde, had Myrine nog altijd moeite met zelfs de simpelste zinnetjes. Het feit dat Lilli nog steeds gebonden was aan haar gelofte van zwijgzaamheid hielp ook niet; het meisje zat weliswaar vlak naast hen op de bank, onrustig heen en weer schuivend van de inspanning om te blijven zwijgen, maar het was niet duidelijk hoeveel ze begreep.

'Op de muur!' Animone wees nog eens. 'Daar staat alles geschreven. Wat we wel en niet mogen. Zie je het niet?'

Een andere vrouw leunde naar hen toe om mee te praten. Ze was ouder dan zij; haar grijze haar zat keurig in haar kapje. 'Dat heet "schrift",' legde ze Myrine uit, haar ogen vol oprechte hartelijkheid. 'Al die kleine patroontjes zijn woorden.' Toen ze Myrines onbegrip zag, nam de vrouw een handvol zout en sprenkelde het in een dunne laag op tafel. 'Als we praten, maken we geluiden met onze mond. Als we schrijven, maken we patronen met onze hand. Maar het idee is hetzelfde. Kijk...' Met haar vinger tekende ze twee figuren in het zout. 'Ky-me. Ik kan het zeggen, maar ik kan het ook schrijven. Begrijp je?'

'Wat is een "kyme"?' vroeg Myrine.

De vrouw lachte. 'Dat ben ik. Ik heet Kyme. Mijn vader was een schrijver. Zo heb ik leren lezen en schrijven. Dat was niet de bedoeling, natuurlijk, maar' – ze wees glimlachend op zichzelf – 'ik heb grote oren. Kijk.' Kyme veegde haar eigen naam weg en tekende iets anders; haar ogen straalden van opwinding. 'My-ri-ne.'

Gefascineerd bestudeerde Myrine het patroon. Maar net toen ze haar hand uitstak om het aan te raken, ging er een schok door de zaal, en Kyme veegde het zout gejaagd weg.

Er stond een eunuch in de deuropening.

'Eten!' Nerveus over haar bord gebogen stootte Animone Myrine aan met haar elleboog. 'Het is Dais. Niet naar hem kijken.'

Traag maakte de eunuch een ronde door de zaal, waarbij hij even stilstond bij hun tafel, duidelijk op zoek naar een gelegenheid om zijn gezag te laten gelden. Toen hij er geen vond, maakte Dais zijn ronde af en verdween ten slotte weer.

'We horen het alfabet niet te kennen,' durfde Animone nu te fluisteren, met een boze blik op Kyme omdat zij hen bijna in de problemen had gebracht. 'Of op zo'n manier zout te verspillen. Dat staat in de regels.'

Myrine keek van het zwarte schrift op de muur naar de tafel waar nog een paar korreltjes zout op lagen. 'De regels zeggen dat we de regels niet mogen lezen?'

Animone haalde haar schouders op. 'Nou ja, iedereen weet toch al wat er staat.'

'Hier...' Kyme negeerde de gefluisterde smeekbeden om zich heen en sprenkelde nog een handvol zout uit. 'Dit is wat ík ervan vind.' Ze tekende een nieuw patroon, langer deze keer, met een ferme, opstandige vinger.

'Wat staat er?' wilde Myrine weten.

Trots spelde Kyme de woorden uit. 'Dais – heeft – borsten.'

Algauw bruiste de eetzaal van gegiechel. De enige die streng bleef kijken, was Animone. 'Mijn grootvader was een zeeman,' zei ze tegen Myrine, overstappend op de Oude Taal. 'Hij verspilde zijn tijd niet aan frivole spelletjes.' Ze hield haar hoofd schuin om naar de tempelregels op de muur te kijken. 'Ik ken ze helemaal uit mijn hoofd, omdat ik ze al zo vaak heb gehoord. Wat valt er te winnen met lezen?'

Volgens de regels werden er drie maaltijden geserveerd op gezette tijden, en er waren bepaalde taken uit te voeren op bepaalde tijden. De bedevaartgangers begroeten, hun offers aannemen, hun gebeden aanhoren... en, elke dag, op het middaguur, alle bezoekers – voornamelijk stuntelige vreemdelingen – vermaken met een zingende optocht op de plechtige maat van de met ossenhuid bespannen trommel. 'Wat doen ze in vredesnaam?' had Lilli gefluisterd, haar zwijgplicht vergetend, toen Myrine en zij de opvoering voor het eerst bijwoonden.

'Een beetje zingen en dansen,' had Myrine terug gefluisterd, 'in ruil voor alle offergaven, neem ik aan.'

Maar niet alle bedevaartgangers stelden zich tevreden met het onpersoonlijke schouwspel. Sommige werden zelfs ronduit ongezeglijk wanneer ze ontdekten dat hun kostbare geschenken aan de Maangodin geen onmiddellijk resultaat zouden opleveren. Velen waren van heel ver gekomen, belast met de hoop en het leven van hele dorpen, en weigerden de tempel te verlaten voordat ze de Godin met hun eigen ogen hadden gezien. 'De eunuchen erbij halen!' zei Animone, toen Myrine vroeg wat ze op zo'n moment moest doen. 'Wat je ook doet, je mag nooit buitenstaanders in het heiligdom toelaten. Ze zouden het niet begrijpen.'

Myrine knikte alleen maar, zoals er van haar verwacht werd. Zij begreep het ook niet. Na hun inwijding op die eerste dag had ze geprobeerd om de Maangodin aan Lilli te beschrijven, maar merkte dat ze naar woorden moest zoeken. 'Ze ziet eruit als een vrouw, en toch is ze dat niet,' had Myrine uitgelegd. 'Ze is veel groter dan een echt mens, en helemaal zwart, op het wit van haar ogen na. Je zou kunnen zeggen dat ze glimlacht. Een raadselachtig soort glimlach.'

Maar diep in haar buik, verscholen achter haar hoop voor Lilli's ogen, voelde Myrine de waarheid, zo hard als de pit van een vrucht. De Maangodin voor wie ze van zo ver gekomen waren, was helemaal geen levend wezen. Ze was van steen.

En tenzij Myrine zich heel erg vergiste, was die onbeweeglijke stenen godin evenmin geneigd om gebeden te beantwoorden als de heilige steen bij haar thuis, of de slangen in de rivier. Hoe treurig de verhalen van de bedevaartgangers ook waren, en wat voor offergaven ze ook meebrachten, dag na dag, week na week: de droogte nam niet af, en de rivieren keerden niet terug. Noch kreeg Lilli, ondanks al haar zwijgende smeekbeden, het zicht in haar ogen terug.

Maar de Maangodin, hoog op haar voetstuk, bleef glimlachen.

13

Bedenk wel, ook in vrouwen leeft de oorlogsgod.
– SOPHOCLES, *Elektra*

ALGERIJE

IN HAAR JEUGD had Rebecca een bichon frisé die Spencer heette. Samen namen we dat hondje mee op honderden wandelingen en brachten uren door met het verwijderen van klissen uit de vacht op zijn buik. We namen hem zelfs een keer mee op bezoek bij oma, in de hoop dat zijn speelsheid haar zou opvrolijken. Haar reactie was, zoals altijd, onstuimig.

'Dat is geen hond!' riep ze uit, met een boze blik naar haar vierpotige gast. 'Kijk hem toch! Hij is vergeten om een wolf te zijn. Hij denkt dat de wereld poezelig is en vol koekjes. Je moet hem beschermen, anders wordt hij opgegeten.'

Rebecca's gezicht betrok en ik vreesde dat ze in tranen zou uitbarsten – iets waar mijn oma een geweldige hekel aan had.

'Hoe dan?' Snel ging ik tussen hen in staan. 'Met pijl-en-boog?'

Oma begon te ijsberen, zoals ze altijd deed als we strategieën bespraken. 'Bogen,' bracht ze mij in herinnering, 'zijn langeafstandswapens. Prima voor een vaardige boogschutter en een nietsvermoedend doelwit. Maar jij bent niet vaardig, en je vijand zal snel en onvoorspelbaar zijn.'

Ik keek even naar Rebecca en zag tot mijn opluchting dat haar verdriet was omgeslagen in grootogige geboeidheid. 'Met messen, dan?'

'Messen,' vervolgde oma, en haar frons suggereerde dat ze een beetje teleurgesteld was omdat ik niet had onthouden wat ze me al zo vaak had verteld, 'zijn voor dichtbij. En alleen voor iemand met een sterke arm en een sterk hart. Ik zou je aanraden om dat' – ze wierp een blik op Spencer – 'harige ding nooit uit te laten zonder een stok in je handen. Een flinke, stevige stok, ongeveer zo lang als je been en met een gepunt uiteinde.' Met grote ernst keek ze ons allebei aan. 'Gewapend zijn is geen privilege, kleintjes. Het is een plicht.'

Rebecca nam oma's advies nooit serieus. Telkens wanneer ik met haar meeging om de hond uit te laten, sloeg ze haar ogen ten hemel omdat ik een stok meebracht. Maar op een dag, toen we met Spencer door het bos zwierven, hoorden we ineens vlakbij mensen schreeuwen. Er klonk een ongewone radeloosheid in hun stemmen waardoor wij stilstonden en opkeken.

En toen zagen we het: een klein roodbruin dier dat in volle vaart op ons afrende, over rotsen en gevallen takken vloog, nauwelijks met zijn poten de grond rakend. Was het een hond? Het leek eerder een dolle vos.

Eerst gebeurde alles veel te snel. Ik stond er alleen maar bij, onthutst, terwijl Rebecca zich instinctief vooroverboog om Spencer op te pakken en tegen haar borst te klemmen. En omdat ze zo'n haast had, verloor ze haar evenwicht en viel, net toen de aanvaller het witte bundeltje in haar armen besprong.

Toen het grommende, woeste beest neerkwam aan de andere kant van mijn vriendin en zich meteen weer omdraaide om het nog eens te proberen, ontwarde alles eindelijk in mijn hoofd. Ik hoorde Rebecca schreeuwen, niet in staat om overeind te komen omdat ze Spencer zo stevig vasthield, en ik zag het gemene, roodbruine lichaam weer door de lucht vliegen...

Eindelijk herinnerde ik me de stok in mijn hand.

Met een sprong naar voren wist ik de stok op de een of andere manier tussen hen in te krijgen en de aanval te blokkeren, zodat Rebecca alleen gekrabd werd, maar niet gebeten. En toen het razende mormel weer terug stuiterde, deze keer zonder aanloop, had ik de tijd om de stok een zwaai te geven en een perfecte backhand uit te delen, waardoor hij weer op de grond tuimelde, jankend van frustratie.

Later vertelde Rebecca me dat ik zo tegen het dier tekeergegaan was, dat ze bang was dat ik bezeten was door een bosgeest. En toen de eigenaren van de hond eindelijk verschenen, door de dode bladeren benend in hun splinternieuwe vrijetijdskleding – het typische kenmerk van een toerist – gedroegen ze zich alsof *wij* de dreiging waren, niet hun monsterlijke huisdier. 'Hou daarmee op!' brulde de man tegen me. 'Hou op of ik bel de politie!'

'Ja!' spuwde ik, terwijl de moorddadige hond werd opgetild en geknuffeld door zijn overdreven bezorgde 'moeder'. 'Doe dat! Ik weet zeker dat agent Murray maar al te graag een woordje met u zou wisselen!'

Zoals ik had verwacht, blies het echtpaar daarop haastig de aftocht en hield zich waarschijnlijk de rest van het weekend verborgen in hun huurhuisje. Dat hoopte ik tenminste.

'O, mevrouw Morgan, u had Diana moeten zien!' riep Rebecca uit toen we later die dag de trap opgerend waren om oma te vertellen over het incident. 'Ze was woest! Bijna net zo woest als die hond!'

Oma knikte vanuit haar armstoel, haar handen vredig gevouwen in haar schoot. 'Dat is mooi.' Ze bekeek mijn bemodderde broekspijpen, mijn gescheurde rits en mijn verhitte gezicht met donkere voldoening in haar blik. 'Ik ben blij dat je het in je hebt.'

Nick had me opgedragen om mijn koffer te pakken en klaar te staan om de boorlocatie na de lunch te verlaten. Dat had ik niet gedaan. In plaats van netjes het bed af te halen in mijn kleine trailerhokje, was ik boven op het verkreukelde beddengoed gaan zitten met oma's schrift, de foto van meneer Ludwig en mijn camera, vastbesloten om mijn nieuwe kennis van de asterisken als woordonderbrekingen op de inscriptie toe te passen.

Met de close-ups die ik die ochtend had gemaakt kostte het me deze keer weinig tijd om het raadsel van de eerste zin op te lossen. Er stond: 'Maan voorteken woeste mannen schepen,' of, als ik het wat vrijer vertaalde: 'De Maan voorspelde dat woeste mannen zouden komen in schepen.'

De dubbele asterisk achter 'schepen' suggereerde het einde van een zin en het begin van een volgende, die alleen zei: 'Priesteres bidden godin beschermen' – een verklaring die nauwelijks uitleg behoefde. Het ging hier duidelijk om een verslag van feitelijke gebeurtenissen, naarstig in het pleisterwerk gekrast, ergens in het prehistorische verleden. Wat het verhaal dat zich op de muur ontvouwde ook vertelde, het feit alleen al dat ik het kon lezen was niets minder dan een wonder. Vergeet Grigor Reznik en zijn verrekte *Historia Amazonum*... Oma's schriftwoordenboek had mij naar een heel nieuw hoogtepunt van wetenschap gelanceerd.

Gewapend met mijn fantastische doorbraak en een snelle veeg lipstick verspilde ik geen tijd en stommelde de trailer uit om op een holletje op zoek te gaan naar Nick. Na onze onenigheid in de tempel en tijdens de onaangename rit terug naar het boorstation had hij geen enkele belangstelling getoond voor mijn argumenten om hier te blijven. Om de een of andere absurde reden was deze man, die honderden kilometers had gereden om me hier te brengen, nu vastbesloten om zich zo snel mogelijk van me te ontdoen. Als ik hem mijn vorderingen met de inscriptie liet zien, zou hij toch zeker wel bij zinnen komen, dacht ik.

De avond tevoren had Craig me Nicks logement aangewezen. Kennelijk stelde de Skolsky Foundation zich ermee tevreden hun afgezant logies te bieden in het centrale paviljoen van een klein dorp van vaalbruine bedoeïenententen, en de situatie deed me denken aan een beeld dat ik vaak genoeg was tegengekomen in klassieke literatuur: het kamp van een barbaarse krijgsheer aan de rand van de beschaving.

Een paar mannen met hoofddoeken bekeken me met ongeruste nieuwsgierigheid op mijn weg door het golvende zand. Niet helemaal zeker van het protocol voor een bezoek aan stoffen constructies, aarzelde ik onder de canvas deur, die als een baldakijn door twee metalen palen omhooggehouden werd. Na een paar onzekere seconden schraapte ik luidruchtig mijn keel, in de hoop dat dat genoeg zou zijn om Nick te waarschuwen.

Toen er vanuit de tent geen reactie klonk, bukte ik om naar binnen te gluren, maar ik trok mijn hoofd snel terug bij het plotselinge geluid van Nicks stem. Zo te horen was hij aan de telefoon; zijn woorden werden onderbroken door stiltes en hoewel ik geen idee had wat er werd gezegd, klonk het alsof hij op afstand uitgefoeterd werd.

Bepaald niet voor het eerst van mijn leven speet het me dat ik geen Arabisch had geleerd, maar ik had de noodzaak nooit feller gevoeld dan nu – want tenzij ik me vergiste, kwam de naam Moselane minstens drie keer voor in de stroom van Nicks agressieve weerwoord.

Net toen ik eindelijk wegliep van de tentdeur omdat ik me met enige vertraging realiseerde dat ik aan het afluisteren was, kwam Nick naar buiten stormen en liep me bijna omver. Zijn ogen vernauwden zich onmiddellijk.

Gloeiend van verlegenheid met de situatie stak ik de foto van Ludwig omhoog en flapte eruit: 'Het is me gelukt. De eerste twee zinnen. Ik kan dit ontcijferen!'

Zonder ook maar een blik op de foto te werpen greep Nick mijn elleboog en trok me de tent in. 'Ga zitten.'

Ik liet mijn blik door zijn leger dwalen. Meubilair was schaars, en op een Perzisch kleed naast een kantinebord dat halfvol roerei lag, stond een open laptop. De enige andere plek om te zitten was de nogal imponerende divan, die, nam ik aan, dienstdeed als zijn bed.

Ik richtte mijn blik weer op hem en zei: 'Ik kwam alleen het goede nieuws even vertellen.' In de schemering van de tent kon ik weinig meer onderscheiden dan de baard en de frons die ik al te goed kende. De ontbrekende informatie werden echter aangevuld door mijn reukvermogen. Nick had een douche nodig, en zijn sterke lichaamsgeur was bijna bedwelmend. 'Als je niets om de inscriptie geeft, maakt het natuurlijk niet uit, maar als dat wel zo is, stel ik voor dat we opnieuw beginnen.' Ik glimlachte zo charmant mogelijk, gezien de omstandigheden. 'Wat zeg je ervan?'

Het leek alsof Nick in gedachten mijlenver weg was. 'Je hebt de code gekraakt?' vroeg hij ten slotte met een blik op de foto's in mijn hand. 'Dat was snel. Hoe heb je dat voor elkaar gekregen?'

Ik zette een halve stap achteruit. 'Ik ben filoloog, weet je nog? Als je mijn werkgever was, zou ik je mijn techniek kunnen uitleggen.' Ik liet de zin in de lucht bungelen.

'Oké,' zei Nick, met over elkaar geslagen armen. 'Ik moet me verontschuldigen.'

Ik keek hem met afgemeten minachting aan, blij dat ik me eindelijk eens kon laten gelden. 'Ik ben niet geïnteresseerd in verontschuldigingen. Wat ik wil weten, is hoe we nu verdergaan. Heb jij een suggestie?'

In de doodse stilte die op mijn vraag volgde, kreeg ik onmiskenbaar de indruk dat Nick bij voorkeur verder zou gaan met behulp van een rijzweepje. Zonder nog een woord te zeggen dook ik door de canvas deur naar buiten en liep enigszins nerveus weg over het zand.

Het kostte hem weinig tijd om me in te halen en me de weg te versperren. 'Wat denk je van tienduizend dollar?'

'Waarvoor precies?' wierp ik tegen. 'Om jouw boksbal te zijn?'

'Om te blijven zoals gepland, tot het einde van de week?'

Verbaasd en wat argwanend hield ik de foto een eindje boven mijn hoofd tegen de zon en bestudeerde zijn gezicht om het addertje onder het gras te ontdekken. 'Je biedt aan om mijn loon te verdubbelen?'

Zelfs in het verblindende zonlicht waren zijn ogen donker. 'Ja.'

'Oké, dat neem ik aan. Maar... waarom?' Mijn opluchting kwam met een moment vertraging opzetten en maakte me bijna duizelig. 'Ik zou het voor niets hebben gedaan.'

Nick keek weg, zijn profiel ondoorgrondelijk tegen de woestijnhemel. 'Dat weet ik.'

Zodra ik weer in mijn trailer was, werd ik bevangen door een onbedwingbare behoefte om Rebecca te bellen. Natuurlijk had Nick me tijdens onze lange rit vanuit Djerba heel duidelijk gemaakt dat ik mijn eigen telefoon niet mocht gebruiken, maar na zijn recente botte gedrag was ik bepaald niet vervuld van warme, poezelige loyaliteit.

Aangezien mijn telefoon leeg was en mijn stekker niet in het stopcontact op de muur paste, liep ik naar het kantoortje van de boorlocatie om te kijken of Craig kon helpen. 'Maak je geen zorgen,' zei hij terwijl hij mijn lompe driepotige Britse oplader bekeek, 'wij peppen hem wel weer op.' En na wat noodgrepen kwam mijn toestel inderdaad tot leven.

Er waren drie voicemailberichten binnengekomen sinds mijn vertrek uit Oxford. Het eerste was van mijn vader, die me aanspoorde om vooral te genieten van de geneugten van Amsterdam. Op de achtergrond hoorde ik mijn moeder roepen: 'Zeg dat we van haar houden, hoe dan ook!', terwijl ze de magnetron programmeerde, en dat kleine glimpje van thuis bracht het al te vertrouwde brok schuldgevoel terug in mijn keel.

Het tweede bericht kwam van Rebecca, die me op haar gebruikelijke ademloze manier liet weten dat ze iets volkomen verbijsterends te vertellen had, maar naliet om ook maar een enkele hint te geven van wat dat dan wel wezen mocht.

Tot mijn opwinding ontdekte ik dat het derde en laatste bericht afkomstig was van James, en dat hij het pas een paar uur geleden had ingesproken. Bij het afluisteren verdween mijn verrukking echter al snel. 'Ik weet niet waar je bent,' zei hij, met een stem die ongewoon verbitterd klonk, 'maar ik vond dat je moest weten dat de telefoon die je gisteren gebruikte op naam staat van de Aqrab Foundation. Weet je nog wat ik je vertelde over die restitutiefanaten in Dubai? Nou, dat zijn die mensen dus.' James haalde diep adem, alsof het hem moeite kostte om rustig te blijven. 'Ik heb geen idee wat ze met jou willen, Morg, maar ik vind het geen prettig idee dat je bij hen in de buurt bent. Bel me alsjeblieft zodra je kunt.'

Toen ik ophing, trilden mijn handen. Als James gelijk had – en natuurlijk had hij gelijk – had Nick tegen me gelogen. Hij werkte niet voor de Skolsky Foundation, die, vermoedde ik nu, niet eens bestond, maar voor de schurkachtige meneer al-Aqrab – de man wiens naam alleen al de Britse museumwereld deed huiveren.

Een paar maanden geleden had James bij een kop koffie de Aqrab Foundation en diens meedogenloze werkwijze gedetailleerd beschreven. De afgelopen tien jaar, vertelde hij, vielen mensen van al-Aqrab de Britse musea lastig met de eis dat geroofde, klassieke kunstvoorwerpen teruggegeven moesten worden aan hun land van oorsprong. Meneer al-Aqrab zelf zag er niet tegenop om te dreigen met geweld en terrorisme; kennelijk had deze schaamteloze miljardair uit Dubai een hartgrondige hekel aan de Britten – en dan met name aan Oxfordse wetenschappers.

Ik merkte dat ik afwezig naar Craig zat te staren, proberend om het allemaal te begrijpen. De vriendelijke Schot had klaarblijkelijk besloten mijn aanwezigheid aan te grijpen om zijn bureau op te ruimen en stond nu de schimmel te bestuderen die in een van zijn bekers groeide. In hoeverre was hij bij deze zwendel betrokken?

Maar belangrijker nog: waarom was ík hier? Als al-Aqrab Oxford echt als zijn aartsvijand beschouwde, waarom had hij John Ludwig daar dan heen gestuurd om mij in te huren? Hoe deskundig ik ook was, ik was niet de enige filoloog op aarde.

Oma's schrift flitste voor mijn geestesoog. Maar dat was belachelijk. Ik wist zeker dat haar waanideeën over de Amazones een goed bewaard familiegeheim waren.

Ik was vast van plan om James meteen terug te bellen, in de privacy van mijn eigen kamer. Maar zover kwam ik niet eens. Zodra ik Craigs kantoor uit liep, zag ik twee mannen opmerkzaam opkijken aan de andere kant van het zanderige erf, en een paar tellen later werd ik onderschept door Nick, net toen ik de treden van mijn trailer beklom.

Ik wist wat hij wilde zodra hij zijn hand uitstak. Maar de suggestie dat hij met zijn tienduizend dollar het recht had gekocht om mij te koeioneren – laat staan tegen me te liegen over zijn werkgever – stond me tegen, en ik keek met geveinsd onbegrip recht in zijn zonnebril. 'Kan ik iets voor je doen?'

'Je telefoon,' zei hij, zonder enige beleefdheid voor te wenden. 'Ik dacht dat ik duidelijk had gemaakt...'

'Dat klopt,' verzekerde ik hem, met een brutale stap naar de volgende trede. 'En ik heb je gehoord. Moet ik daaruit opmaken dat je me niet vertrouwt?'

Hij knipte slechts met zijn vingers om me te laten weten dat hij nog steeds wachtte. Door dat gebaar werden mijn wangen rood van woede. 'Wat is dit? Een goelag?'

'Met één uitzondering: je mag weg wanneer je maar wilt.'

Uit de manier waarop hij dat zei maakte ik op dat hij heimelijk wenste dat ik dat inderdaad zou doen. Ondanks zijn halfhartige pogingen om vrede te sluiten en gewoon te doen, was het niet Nick zelf die mij tienduizend dollar had geboden om de rest van de week te blijven. Maar wie dan wel? En waarom?

Ik legde mijn telefoon in de palm van zijn hand met evenveel waardigheid als de situatie verdiende. 'Dank je wel,' zei hij terwijl hij hem in zijn zak schoof. 'Je weet wat er daarbeneden ligt. Je weet waarom ik dit moet doen.'

Terwijl ik met boze vingers de kabel van de telefoonoplader oprolde en in mijn zak stak, antwoordde ik: 'Om heel eerlijk te zijn, heb ik wat moeite om te begrijpen waarom jouw meneer Skolsky' – ik weerstond de neiging om een gezicht te trekken bij die valse naam – 'gelooft dat deze tempel aan hem persoonlijk toebehoort.'

'Is dat wat jij denkt dat er aan de hand is?'

'Welke andere conclusie zou ik dan moeten trekken?' Ik keek hem zo ernstig aan als ik kon, maar het kleine venstertje synergie dat hij daarstraks had geopend was, eens te meer, hermetisch gesloten.

Het enige wat hij zei, was: 'En dat is nou precies waarom ik je telefoon in beslag moet nemen.'

Later die avond nam Craig me mee voor een avondwandeling onder de sterrenhemel. Hoewel hij er niets over zei, vermoedde ik dat hij op de hoogte was van het telefoonincident en me wilde opvrolijken.

Onderweg kwam ik sterk in de verleiding om hem te confronteren met vragen over de Aqrab Foundation, maar ik wist dat het een vergissing zou zijn om te laten merken dat ik de waarheid had ontdekt. Zelfs als Craig niet op al-Aqrabs loonlijst stond, hoorde hij bij hun team. Waarom zou hij hen – en hen alleen – anders hebben gewaarschuwd toen zijn boorteam de tempel vond?

'Voor welke maatschappij werk jij eigenlijk?' vroeg ik uiteindelijk, me inspannend om te klinken alsof ik slechts het gesprek gaande hield. 'En Nick? Werken jullie allebei voor dezelfde mensen?'

Craig zoog een paar keer aan zijn pijp. 'Dat kun je beter aan iemand anders vragen. Ik ben maar een eenvoudige monteur.' Toen hij mijn teleurstelling zag, werd zijn glimlach grimmig. 'Hoor eens, ik weet niet wat ze jou verteld hebben. Ik hou me er net zo lief buiten.'

'Hoor maar eens wat ze mij hebben verteld,' zei ik, een beetje geïrriteerd door zijn lafheid. 'Ze hebben mij verteld dat dit over de Amazones ging. Dat dit hier' – ik wuifde in de richting van de bedolven tempel – 'op de een of andere manier bewees dat ze werkelijk bestaan hebben. Maar zoals je vanmorgen hebt gehoord, heeft Nick die memo helaas niet ontvangen.' Ik keek Craig aan met wat me nog aan hoop restte. 'En jij? Heb jij iets over de Amazones horen zeggen? Door wie dan ook? Überhaupt?'

Duidelijk niet op zijn gemak haalde hij zijn schouders op. 'Sorry, meid, dat moet je niet aan mij vragen.'

We liepen zwijgend verder en kwamen terecht bij een simpel metalen hek. Vanwege het donker duurde het even voordat ik besefte dat we bij een omheining waren aanbeland, en dat er nog andere mensen stonden, zwijgend tegen de spijlen geleund.

Craig knikte zonder een woord te zeggen, en ik keek in de paddock, waar ik twee gestalten langzaam zag bewegen – een zwart paard aan een touw en een man die alleen gekleed was in een witte broek. Het kostte me een moment om Nick te herkennen in de man, en ondanks mijn toenemende cynisme jegens zijn persoon had deze langzame, maanverlichte dans iets fascinerends. 'Kijk,' knikte Craig geluidloos.

Binnen de omheining knielde Nick in het zand. Het zwarte paard liep even heen en weer, kwam toen dichterbij en strekte uiteindelijk zijn hals om zijn hoofd op de naakte schouder van de man te laten rusten.

Er ging een collectief gegons door de mannen die langs de omheining stonden en Craig keek me stralend aan, zijn pijp verrukt op en neer dobberend in zijn mondhoek. 'Ik had op tien dagen gegokt. Hij deed het in vijf. Het zit in hun verrekte genen.'

'Wat?' vroeg ik, nauwelijks in staat om mijn blik van Nick los te maken.

Craig gebaarde met zijn pijp; in zijn ogen speelde een binnenpretje. 'Arabische paarden zijn heel slim. Ze hebben je door. Je kunt ze niet temmen, je moet wachten tot ze jou adopteren. Kijk maar!'

'Nou...' Ik wendde me van het schouwspel af, mijn ledematen zwaar en onwillig na alle gebeurtenissen van die dag. 'Ik vrees dat ik langer werk ben dan vijf dagen.'

Craigs glimlach verdween. 'Als ik je een raad mag geven...'

'Graag!'

'Neem het geld aan, doe je werk, en vertrek. Zonder om te kijken. En wat er ook gebeurt' – hij keek diep in mijn ogen, om er zeker van te zijn dat ik luisterde – 'zorg dat je deze lui geen last bezorgt. Daar worden ze vervelend van.'

14

DE TEMPEL VAN DE MAANGODIN

De aanval kwam in de nacht.

Onder dekking van een bewolkte hemel baanden vijf vreemde schepen zich een weg door het grote moeras en landden op de kust bij de tempel van de Maangodin. Drie maanden eerder zouden ze nooit over het ondiepe water hebben kunnen komen; ze dankten hun succes aan een extreem nat regenseizoen, waardoor de oude kustlijn heel even was hersteld.

Zelfs toen de zwartgeteerde kielen het zand doorploegden, blafte er geen hond, verroerde zich geen gans. Alle geluiden werden gesmoord door de zware, nevelige lucht, zo karakteristiek voor die tijd van het jaar, als hemel en aarde eindelijk van vocht verzadigd waren. In deze verraderlijke mist losten de vijf schepen hun dodelijke lading: mannen met geavanceerde wapens en brute lusten, mannen wier behoeften gescherpt waren door lange weken op zee.

Zo stil was de invasie, dat Myrine het gevaar pas voorvoelde toen ze gewekt werd door het porren van een kleine elleboog in haar ribben. 'Hoorde je dat?' siste Lilli, die ineens rechtop was gaan zitten. 'Luister.'

In volkomen tegenspraak met de regels van de tempel – maar met de heimelijke zegen van de hogepriesteres, die het idee dat Myrine op wacht stond wel waardeerde – brachten de twee zusjes de meeste nachten door op het dak, omdat ze de voorkeur gaven aan de buitenlucht boven de gewelfde veiligheid van de slaapzaal. Eerst had Lilli geaarzeld, vanzelfsprekend bang voor de gevaarlijke klim langs de touwladder. Maar toen ze eenmaal had geleerd waar ze haar handen en voeten moest neerzetten, en met Myrine vlak achter haar, was ze de nachtelijke ontsnapping al snel gaan waarderen. Want hierboven, alleen op het dak, konden de zusjes samen de gebeurtenissen van de dag bepraten.

Zelfs in het regenseizoen bleven ze op hun hoge post slapen, dicht tegen elkaar onder een kleine geteerde lap, en gewikkeld in dezelfde deken. Naarmate het zo verlangde water bleef stijgen, kroop de kustlijn zo ver het binnenland in dat het uitgestrekte, groene moeras van de oceaan vanaf het tempeldak zichtbaar was. Soms zat Myrine vroeg in de ochtend de opgaande zon boven het water te bewonderen en probeerde de veranderlijke kleuren te beschrijven voor Lilli, en dan dachten ze aan hun vrienden de vissers, en speculeerden of dit weer hun vangst zou hebben verbeterd.

Maar de stijgende zee inspireerde meer dan alleen herinneringen.

De laatste tijd had Lilli nachtmerries gehad over onbekende schepen en meer dan eens was ze huilend wakker geworden, ervan overtuigd dat de tempel op het punt stond aangevallen te worden. 'Het is geen droom!' bleef ze volhouden als Myrine haar probeerde te kalmeren. 'Het is een visioen, een waarschuwing!'

In ruil voor haar gezichtsvermogen had de Maangodin Lilli de gave van helderziendheid geschonken. Dat beweerde de hogepriesteres althans, sinds het duidelijk was dat het meisje nooit meer zou zien. Lilli, blind voor alle materiële zaken, kon in de toekomst kijken. En in die toekomst zag ze bloed.

Wanneer de nachtmerries kwamen, omarmde Myrine haar zusje in een zwijgende omhelzing en wiegde haar weer in slaap, net als hun moeder vroeger had gedaan. Lilli had altijd al levendig gedroomd, en zolang als Myrine zich kon herinneren was het meisje ten minste om de nacht trillend van angst wakker geworden. Daarom was het geen grote verrassing toen Lilli op deze specifieke nacht ineens op haar knieën zat op het tempeldak en siste: 'Wat was dat? Hoor jij stemmen?'

Plichtsgetrouw ging Myrine eveneens rechtop zitten en keek om zich heen. 'Het is waarschijnlijk...'

Een angstige hand op haar schouder bracht haar tot zwijgen. 'Mannen. Wapens.' Lilli luisterde intensief. 'Ze zijn er. De zwarte schepen. Ik heb het de hele dag gevoeld.'

Nog half in slaap kwam Myrine overeind en tuurde met toegeknepen ogen in het duister in een poging om de kust te zien. Pas toen de wolken uiteen weken en de maan even een waarschuwende blik toestonden, kon Myrine ze zien – de omtrekken van schepen die aan land getrokken waren en de schaduwen die langs de oever naar de ingang van de tempel kropen.

'Hoor je het dan niet?' vroeg Lilli dringend, Myrines geschrokken zwijgen opvattend als ongeloof. 'Ze zijn er!'

'Stil!' Myrine zorgde dat haar zusje ging zitten en uit het zicht bleef. 'Ik moet de anderen waarschuwen. Blijf hier en wees stil! Begrepen?'

Zodra de angstige Lilli instemmend knikte, sprong Myrine weg over de dakpannen. Er was geen tijd voor de touwladder; ze sprong in één keer de binnenplaats op zoals ze die eerste dag had gedaan, zes maanden geleden.

Wat zag de binnenplaats er onheilspellend uit vannacht, gehuld in schaduwen... en deze keer was zij het die de eunuchen kwam halen, niet andersom. 'Opstaan!' riep ze, op hun gesloten luiken hamerend terwijl ze erlangs rende. 'Opstaan en de voordeur bewaken!'

Onderweg langs het betegelde bassin zag Myrine tot haar verbazing een reeks ritmische rimpels op het water. Toen ze stilstond om te luisteren, hoorde ze in de verte hout op hout stoten, en hoewel ze niet wist wat het geluid veroorzaakte, begreep ze dat het oogmerk vernietiging was.

Toen ze eindelijk bij de slaapzaal kwam, was die helemaal leeg en lagen er overal lakens en kledingstukken. Opgelucht dat de priesteressen het gevaar zo snel hadden bemerkt en hun posities hadden ingenomen, rende Myrine de zaal door om de geheime kist te controleren... en kreunde verslagen.

Daar lagen ze, alle wapens, precies waar zij ze na hun laatste bijeenkomst had neergelegd, vier dagen geleden. Waar haar medepriesteressen ook waren, ze waren even ongewapend en weerloos als altijd.

Myrine raapte zoveel speren en bogen op als ze dragen kon en rende verder door de gang naar de tempel zelf, nu en dan stilstaand om alles in haar greep te houden. Pas toen ze het heiligdom bereikte, hoorde ze eindelijk een storm van kreten en snikkende smeekbeden. Uiteindelijk kreeg ze de hogepriesteres in het oog achter het altaar, haar armen opstandig over elkaar voor haar borst, omringd door een dichte groep wenende vrouwen.

'Wat is hier aan de hand?' Myrine liet de wapens in een hoop op de vloer vallen. 'Schiet op en bewapen je!'

Alle gezichten keerden naar het gekletter, maar niemand bewoog om haar order op te volgen.

'Ze zegt dat de Maangodin haar beveelt om te blijven,' riep Pitana, die boven de anderen uitstak en met haar lange armen bezorgd naar de hogepriesteres wees. 'En zij willen haar niet verlaten. O, Myrine, praat met haar, zorg dat ze van gedachten verandert!'

'Hier hebben we geen tijd voor!' Myrine rende om het altaar heen om de hogepriesteres bij haar mouw te pakken. 'Kom! We moeten ons opstellen...'

'Ga weg! Verdwijn!' De hogepriesteres duwde Myrines hand van zich af en reikte naar de offerkroon op het altaar – een massief diadeem versierd met een krans van bronzen slangen. 'Ik zal hier blijven. Het is mijn heilige plicht om de Godin te beschermen...'

Myrine knarste met haar tanden. 'De Godin kan wel op zichzelf passen. Dat hebt u ons geleerd, weet u nog?' Met ongeduldige handen greep ze de kroon en zette hem terug op het altaar. 'Kom mee! U hebt me zelf opgedragen om iedereen te bewapenen en op het ergste voor te bereiden.'

Haar brutale manier van doen riep slechts verzet op. Zonder een woord te zeggen pakte de hogepriesteres de kroon weer terug en zette hem stevig op haar eigen hoofd, even wankelend onder het gewicht.

Myrine bukte zich om de vooruitstekende slangen te ontwijken en greep de handen van de hogepriesteres. 'Waarom bent u zo vastbesloten om ons tegen te houden?' vroeg ze. 'Met elke klap tegen die deur sterft onze hoop. Ziet u dat dan niet?'

Even heerste er een stilte en bijna raakte Myrine ervan overtuigd dat de hogepriesteres zich haar tragische vergissing realiseerde, maar het geluid van splinterend hout maakte elke overpeinzing zinloos.

Binnen een oogwenk werd de tempel ingenomen door horden brullende demonen. Bleke, aapachtige schepselen met rafelige baarden en wilde gezichten holden heen en weer met hun schilden en zwaarden, op zoek naar lichamen om te doorsteken en kostbaarheden om te stelen. Hun aanwezigheid was zo angstaanjagend dat Myrine geen poging meer deed om haar zusters te bewapenen, noch zelf in de stapel op de grond naar haar wapens durfde te zoeken. Gevangen in het binnenste heiligdom, duizelig van angst, kon ze niets anders doen dan wachten en bidden.

Een tijdlang waren de indringers druk met de rijkdommen van de hoofdtempel. Een voor een werden de offergaven van de muur getrokken en op een groeiende stapel op de stenen vloer gegooid. Vervolgens richtte de aanvoerder zijn blik naar de open deur bij het altaar en de angstige vrouwen die zich daar hadden verzameld. Hij blafte iets in een taal met te veel keelklanken om te kunnen verstaan en baande zich een weg door het tumult, schopte Myrines stapel bogen en speren opzij en stapte over de drempel van het heilige vertrek.

En daar stond hij, een ademhaling of twee lang, naar hen te staren.

Toen vestigde hij zijn blik op de hogepriesteres.

'Kom, ik smeek u!' Myrine probeerde de oudere vrouw opnieuw in de anonimiteit van de menigte te trekken, maar weer ontmoette ze fel verzet.

'Nee!' De hogepriesteres zette haar handen tegen Myrines borst en duwde haar uit alle macht van zich af. 'Laat me, Myrine, ik beveel het je!'

Tegengehouden door Animone en Pitana kon Myrine niets anders doen dan ongelukkig toekijken terwijl de man dwars over de vloer liep, op het altaar sprong, en zonder het minste vertoon van respect of berouw met zijn zwaard naar de hogepriesteres houwde.

Zonder acht te slaan op de gillende vrouwen raapte hij het gruwelijk ontzielde hoofd op en stak het hoog in de lucht, alsof het een prijs was en hij een waardige overwinnaar.

Daarop stroomden zijn kameraden als ongedierte de zaal binnen en voordat ze iets kon doen, zorgde een klap tegen haar hoofd dat voor Myrine alles donker werd.

Toen ze bijkwam, merkte ze dat ze over de vloer van de tempelzaal gleed, haar lichaam verkrampend van de schok. Iemand trok haar aan haar haren mee alsof ze niets meer was dan een gedode prooi, en ze schreeuwde het uit van pijn toen hij de stenen trappen afliep en haar achter zich aan sleurde door de overblijfselen van het verlaten bedevaartsdorp.

De man liet haar achter bij een stapel roofgoederen op het strand en een tijdlang lag Myrine te kreunen, ervan overtuigd dat elk bot in haar lichaam gebroken was. Rondom haar in de grijze nevel van de dageraad lagen andere priesteressen, hun kleren gescheurd en scharlakenrood besmeurd, en telkens als een van hen bij zinnen kwam en overeind wilde komen, sloeg een harige arm of een leren laars haar onmiddellijk weer neer. Toen ze dat zag, probeerde Myrine niet eens te bewegen; ze bleef waar ze was, worstelend tegen de gestage stroom bloed en braaksel in haar mond, luisterend naar de kreten vanuit de tempel.

Lilli.

Ze bad dat Lilli nog steeds veilig op het dak zat waar ze haar had achtergelaten. Meer dan ooit wenste Myrine dat ze haar wapens had. Haar jachtmes... haar pijlkoker en haar boog... maar wat had ze kunnen doen? Wat kon een enkele boog doen tegen een heel leger van kwaad?

Toen het duister van de smartelijke nacht plaatsmaakte voor de genadeloze ochtendzon, begonnen de indringers hun vijf schepen vol te laden met de voorwerpen die zij het kostbaarst achtten. Op zeker moment brak er een ruzie uit tussen de aanvoerder en de rest, kennelijk in verband met de Maangodin, die ze van haar voetstuk in het heiligdom hadden weten te verwijderen en met behulp van touwen en hefbomen helemaal naar het strand hadden gesleept.

Te oordelen naar het gegrom en de knarsende tanden van de mannen was de Godin afschrikwekkend zwaar, en ze zou ongetwijfeld de stabiliteit van het schip dat haar droeg in gevaar brengen. De aanvoerder was echter vastbesloten, en op zijn aandringen werd de zware godheid moeizaam aan boord van zijn eigen schip gehesen, samen met andere heilige voorwerpen, waaronder, vreesde Myrine, een bloederige zak met daarin het hoofd van de hogepriesteres.

Daarna begon de verdeling van de rest van de prooi en het laden van de schepen. Toen de vijf bemanningen allemaal tevreden leken met hun buit, begonnen ze de resterende ruimte met vrouwen op te vullen. Sommige priesteressen – onder wie de mooie Klito – werden meteen aan boord gedragen; andere werden uitgekleed en geïnspecteerd, om met een sneer te worden afgewezen.

Myrine was een van de afgewezenen. De zeelui wiepen een enkele blik op haar stevige bouw en kleine borsten en lachten. Een van hen leek te willen pleiten voor haar jeugdige kracht, maar werd al snel overstemd.

Net toen ze durfde weg te kruipen, met het idee dat ze met haar klaar waren, voelde Myrine een brandende pijn in haar rug. Zich verwringend om te kijken wat er gebeurde, ving ze een blik op van een van de rovers die zijn speer uit haar lichaam rukte. In plaats van paniek voelde ze echter alleen een bevreemdende opluchting toen ze in het zand in elkaar zakte.

De goden van de onderwereld verwelkomden haar in hun duistere zalen, sneden haar hart uit haar lichaam en legden het op hun schaal... maar bevonden het te licht. Er ontbrak iets. Pas toen ze haar naar de zaal van waarheid stuurden, waar demonen met hoofden als jakhalzen aan haar vlees rukten, wist ze het weer.

Lilli.

Myrine klauwde zich een weg omhoog uit de grotten des doods, keerde terug naar het licht en lag weer op de oever van het meer, onder de eeuwig hongerige zon. Toen ze eindelijk haar ogen opende, was de wereld versluierd in een gouden nevel, en ze voelde zich gewichtloos. Ze stond op en liep verwonderd rond, zonder pijn te voelen. De hemel draaide een paar keer om haar heen en het strand probeerde haar te verzwelgen alsof zij het smalle eindje in een leeglopende zandloper was... maar ze was niet bang.

Toen ze zag dat ze helemaal alleen was op de oevers van het meer, liep Myrine terug naar de trappen van de tempel en vroeg zich af of de aanval alleen maar een fantastische droom was geweest, veroorzaakt door een zonnesteek. Maar zodra ze het gebouw binnenging en de verwoestingen zag, begreep ze dat het allemaal echt was geweest, en dat de goden, om redenen die zij wellicht nooit zou kennen, haar beschermend de hand boven het hoofd hadden gehouden.

Overal om haar heen lagen gebroken potten en gescheurde gewaden, en nu pas voelde Myrine de gouden mist optrekken en haar zintuigen ontwaken, nu ze zich realiseerde dat sommige van die bloederige kledingstukken nog om lichamen gedrapeerd waren. Ze wilde zien wie er zo afschuwelijk afgeslacht waren, maar was te bang om iemand te herkennen; in een vloedgolf van wanhoop bleef ze doorlopen.

De overlevenden waren verzameld in de slaapzaal van de vrouwen, in kleine, angstige groepjes hurkend op de vloer. Voor zover Myrine kon zien was Lilli niet bij hen. 'Lieve schat!' Kyme kwam op haar afrennen, haar grijzende haar los en haar vriendelijke gezicht verwrongen van verdriet. 'We dachten dat je dood was! O, wat een verschrikkelijke wond!'

Ineens waren er overal handen die haar wilden dwingen te gaan liggen, maar Myrine duwde ze van zich af. 'Waar is Lilli?' vroeg ze; ze voelde dat de smalle trechter van de zandloper haar steeds dieper omlaag zoog.

'Wees kalm,' drong Kyme aan, terwijl ze een ijzige hand op haar voorhoofd legde. 'Rust.'

Toen ze op een bed ging liggen, voelde Myrine zich in de duisternis wegglijden, maar net toen ze dacht dat ze het niet kon volhouden, verscheen Animone. Myrine herkende haar vriendin niet meteen, want het ovaal dat in de mist naast haar opdoemde was zo beschadigd en verkleurd dat het niet op een gezicht leek, maar op een meloen die van een kar gevallen was en aan de kant van de weg was achtergelaten om te rotten. 'Kijk naar ons,' prevelde de vorm, die vooroverleunde om een bevende kus op Myrines wang te plaatsen, 'wij zijn de gelukkigen.'

Myrine probeerde te spreken, maar haar tong was te zwaar.

'Je zult een heilige dood sterven,' vervolgde Animone, 'en ik' – haar stem brak, maar ze dwong zich om door te gaan – 'ik zou liever één keer verkracht worden door een naamloze schurk, dan mijn leven lang elke dag door iemand die zich mijn meester noemt. En de Maangodin...'

Met het beetje kracht dat haar nog restte greep Myrine Animone bij de arm, net boven de jakhalsarmband. 'Waar is ze?'

Haar vriendin snoof vol afkeer. 'De Godin! Die mogen ze hebben! Wat heeft zij gedaan om ons te beschermen? We hebben haar ons leven lang gediend... voor haar zijn we kuis gebleven. En hoe heeft ze ons beloond? Door weg te rennen met een bende verkrachters!'

Myrine rukte aan Animones arm en keek haar met koortsachtig ongeduld aan. 'Ik bedoel Lilli! Waar is ze? Ik heb haar op het dak achtergelaten en...'

'Stil nu maar.' Pitana verscheen, haar lange gestalte ineengedoken van bezorgdheid. 'Je moet rusten.' Met trillende vingers streelde ze over Myrines brandende gezicht. 'Echt, je bent heel ziek...'

'Zeg het!' eiste Myrine, naar haar twee vriendinnen turend. 'Waar is ze?'

Animone sloot haar ogen en boog haar gebroken hoofd. 'Zij is ook weg. En Kara ook. Ondanks al haar streken, heb ik medelijden met haar...'

'Hebben ze haar meegenomen?' Myrine probeerde rechtop te gaan zitten, maar ze kon het niet. 'Waar? Waar brengen ze haar heen? Wie waren die beesten? Animone, jouw grootvader was een zeeman... jij moet wel een idee hebben. Kom, help me overeind. Waar is mijn boog?'

'Bogen zijn voor jagers,' mompelde iemand.

'En wat zijn wij dan?' protesteerde Myrine. 'Prooi?' Eindelijk slaagde ze erin om rechtop te gaan zitten. 'Prooi is bang. Prooi kronkelt. Prooi wordt opgegeten.' Om beurten keek ze alle vrouwen aan, al die beschadigde, verwarde gezichten. 'Waarom die angstige gezichten? Heeft de vollemaan dan niet altijd de jager begunstigd?'

Myrine wilde nog meer zeggen, veel meer, maar haar kracht was allang tot op de kandelaar opgebrand. Met een kreun van uitputting zeeg ze weer in elkaar op het bed, en daar lag ze, zo stil als de dood, twee dagen lang, terwijl haar zusters zich afvroegen welke onaardse kracht haar in leven hield, en waarom.

15

Toen kwam ik in de streek waar de Gorgonen woonden. Overal op mijn weg had ik langs wegen en in velden beelden gezien van mens en dier, die door Medusa's blik vanzelf in steen veranderd waren.
– OVIDIUS, *Metamorfosen*

ALGERIJE

HET KOSTTE ME VIER DAGEN om me door de inscriptie in het heiligdom heen te werken. Zelfs nu ik wist van de onderbrekende asterisken, en ondanks het feit dat ik elke avond verscheidene gapende uren doorbracht met het alfabetiseren van oma's woordenboek, was het nog steeds een enorme uitdaging om de betekenis te ontdekken van het verhaal op de muur.

Mijn taak werd niet vereenvoudigd door het feit dat het pleister ontelbare scheuren en breuken vertoonde, waarschijnlijk veroorzaakt door veranderingen in luchtvochtigheid of verschuivingen in de omringende constructie. Op sommige plaatsen ware hele plakken van de muur gekruimeld, in kartelige, onregelmatige patronen, en als gevolg daarvan ontbrak bijna een derde deel van het opschrift.

Wat overbleef, was een beschadigd verslag van apocalyptische gebeurtenissen en misselijkmakend geweld. Verwoesting, verkrachting en moord hadden het einde ingeluid van deze eeuwenoude, onbekende beschaving, en ook al bevatte oma's lijst niet ieder woord dat de verteller had gebruikt – verre van, zelfs – begreep ik genoeg om het verband te zien.

Toen ik uiteindelijk de onderkant van de laatste muur bereikte, ging ik een poos op mijn stromat liggen en overpeinsde waar dit verhaal paste in de klassieke wereld die ik zo goed dacht te kennen. Voor mij bestond er geen twijfel dat de tempel minstens drieduizend jaar oud was, en dat ik hier voor de nalatenschap stond van een beschaving uit de bronstijd die geen spoor had achtergelaten, behalve in het rijk der mythen. De vraag was: welke mythen?

Ludwig had mij expliciet gezegd dat de Skolsky Foundation overblijfselen had gevonden van de Amazones, en toch maakte de inscriptie geen melding van vrouwelijke krijgers; integendeel. Moest ik, nu de Skolsky Foundation volslagen onzin was gebleken, aannemen dat voor het verband met de Amazones hetzelfde gold? Was het alleen maar een sluwe manier geweest om mij te strikken?

En zo ja, waarom had iemand in de hogere rangen van de Aqrab Foundation dan besloten om míj naar Algerije te sturen, in plaats van de archeoloog waar Nick om had gevraagd? Omdat ik mijn telefoon niet had, had ik al-Aqrab niet op internet kunnen opzoeken. Ik herinnerde me wel dat James me had verteld dat hij een van die typische nouveau riche-eikels was met een golfbaan op zijn dak, die met liefde een heel cruiseschip afhuurde voor het verjaarspartijtje van zijn vrouw. Waarom zou zo'n man iets geven om deze vlekkerige wandschildering, laat staan zo'n gargantueske opgraving ondernemen?

En weer dacht ik aan oma. Had zij wel van deze vergeten beschaving geweten? Dat leek onmogelijk. En toch zat ik hier, met haar schrift in mijn hand...

Mijn giswerk eindigde toen Craig hoofdschuddend maar met een glimlach het heiligdom betrad. 'Ik dacht wel dat ik je hier zou vinden. Kom mee, *doc*! Het is vrijdag en we gaan het gemeste kalf slachten.'

Het gemeste kalf bleek de vorm aan te nemen van alweer een mysterieuze stoofpot uit de kantine, maar het hielp dat Craig me uitnodigde om me bij hem en zijn vrienden te voegen rond een houtvuur in het tentendorp. Boven ons hoofd en om ons heen maakten ontelbaar veel twinkelende sterren het eindeloze zwart van het heelal iets minder intimiderend, en na uren en uren hetzij ondergronds, hetzij in de claustrofobische doos van mijn trailer te hebben doorgebracht, was ik meer dan klaar om te genieten van de woestijnnacht, om niet te spreken van een beetje menselijk gezelschap.

'Nou, doc,' zei Craig, terwijl hij zijn fleece trui met bedrijfslogo over mijn schouders schikte. 'Vertel eens wat je allemaal vindt daarbeneden. Wie is die onthoofde charmeur in de grafkist?'

Aan het verbijsterde geknor om me heen te horen hadden tot nog toe maar een paar van de mannen van het skelet geweten.

'Het is geen man,' vertelde ik. 'Het is een vrouw. Ze werd onthoofd. Er was een inval. Een kleine vloot buitenlandse schepen...' Toen ik om me heen keek, zag ik de mannen openlijk geboeid terugkijken. 'Het is immers altijd hetzelfde verhaal?' vervolgde ik. 'Roven en plunderen. Mannen uit op verwoesting, en vrouwen...' Terwijl ik het zei, realiseerde ik me dat ik hier als vrouw alleen in een kamp vol mannen zat, ongeschonden en hun maaltijd delend. Mijn betovergrootmoeders zouden het onmogelijk hebben geacht. In de lange geschiedenis van vrouwen, tussen de ellendige gebeurtenissen die op de muur beschreven stonden en het hier en nu, was ík in feite de anomalie.

'De meeste priesteressen werden vermoord,' ging ik verder, terwijl ik mijn trui wat strakker om me heen trok. 'Sommige werden als slaven meegevoerd – de mooie, neem ik aan. Ik weet niet helemaal zeker wat er met de andere mensen is gebeurd die hier woonden, maar de inscriptie lijkt te suggereren dat de aanvallers het dorp in brand staken voordat ze weer vertrokken.' Toen ik de gezichten om me heen zag, schudde ik mijn hoofd. 'Het spijt me. Dat was geen erg vrolijk verhaal, hè.'

'En het grietje in de kist?' drong Craig aan. 'Waarom was zij zo bijzonder?'

'Voor zover ik kan zien, was zij de hogepriesteres.' Ik haalde de laptop uit mijn tas en scrolde door mijn foto's van het heiligdom. 'De aardse vertegenwoordigster van de Maangodin. Die ze ook hadden gestolen, trouwens. Het beeld, bedoel ik. Kennelijk had de hogepriesteres een hoofddeksel met giftige slangen.' Ik zweeg even om in te zoomen op een wandschildering van een imponerende vrouwelijke gestalte aan wier haar kronkelende slangen ontsproten. 'Hier.' Ik hield de laptop omhoog zodat iedereen het kon zien. 'Nogal opvallend, vind je niet?'

De mannen strekten hun hals om de gestalte op het scherm te kunnen zien, en ik liet de laptop doorgeven. Toen hij bij Craig aankwam, slaakte hij een kreet. 'Ze lijkt op mijn schoonmoeder!'

Ik wachtte tot het gelach verstomd was en zei toen: 'In de Griekse mythologie reist Perseus naar afgelegen landen om Medusa te doden, het monster met het slangenhaar. Maar hij vermoordt haar niet alleen, hij hakt haar hoofd af en neemt het mee, om het als wapen te gebruiken. Kennelijk was Medusa zo angstaanjagend lelijk, dat alleen de aanblik van haar gezicht een man in steen veranderde.'

'Het ís mijn schoonmoeder!' riep Craig uit.

Ik negeerde het daaropvolgende gegrinnik en vervolgde: 'Medusa zou hier in Noord-Afrika hebben geleefd. Volgens de Griekse literatuur waren deze streken de woonplaats van veel verschillende... nou, monsters meestal.'

'En waar nam Perseus het mee naartoe?' wilde Craig weten. 'Dat hoofd?'

'Hij droeg het een tijdje bij zich,' zei ik. 'Een heel nuttig ding, in feite. Wie zou er niet graag af en toe iemand in steen veranderen? Maar wat echt interessant is, is dat dit slangenharige hoofd eindigde als angstwekkende decoratie op het schild van Athene. Je weet wel, de olympische godin Athene? Ze hielp Odysseus op zijn lange reis terug van Troje.'

Craig en een paar anderen knikten in herkenning.

'Bovendien,' ging ik verder, aangemoedigd door hun kennelijke belangstelling, 'beweerde de Griekse filosoof Plato dat de godin Athene in feite geïmporteerd was vanuit Noord-Afrika. Stel nou' – ik greep naar mijn voorhoofd, in een poging om deze draad van plotselinge, euforische helderheid vast te houden – 'dat dat met de gestolen Maangodin is gebeurd? Stel dat zij naar het oude Griekenland werd meegenomen en herdoopt werd tot Athene? Dat zou verklaren waarom ze het hoofd van Medusa meedraagt op haar schild, en waarom Homerus en Hesiodos haar "Tritogeneia" noemden. Zie je? Ze kwamen rond dezelfde tijd in Griekenland aan: de godin Athene en haar geheime monsterwapen – de enige twee overlevenden van een magnifieke verloren beschaving rond het Tritonismeer. Het klopt helemaal!'

'Waren er geen andere overlevenden?'

Ik schrok op bij het geluid van Nicks stem. Hij was een paar dagen weggeweest en ik had aangenomen dat hij op jacht was naar een archeoloog om mij te vervangen. Maar nu stond hij daar door het vonkende kampvuur heen naar me te kijken.

'Nou,' zei ik, 'vrouwen die als slaven meegevoerd werden, waren zo goed als dood. Zwarte vrouwen die gedwongen naar een blanke wereld werden gehaald...' Ik schudde mijn hoofd.

'Hoe weet je dat ze zwart waren?'

Ik aarzelde, overdonderd door zijn strijdbare toon. 'Zoals je weet, waren de vrouwen die op de tempelmuren getekend zijn zwart, en de inscriptie verwijst naar de indringers als mannen met een bleke huid...'

'En degenen die niet als slaven werden afgevoerd? Er moeten meer overlevenden zijn geweest. Wie heeft het ooggetuigenverslag op de muur gezet?'

'Helaas,' zei ik, geïrriteerd omdat hij me ten overstaan van iedereen voor het blok zette, 'er zit een lacune in de tekst...'

'Wat is een lacune?'

Ik keek hem boos aan. Aan Nicks arrogante manier van doen zag ik dat hij verdomd goed wist wat een lacune was. Een lacune was een gat. Iets wat ontbrak. Zoals toen hij mij niet had verteld dat hij voor de Aqrab Foundation werkte. Of zich niet verontschuldigde voor zijn onbeleefdheid. Of mij mijn telefoon niet teruggaf.

'Het is een gat in de muurschildering' – ik spreidde mijn armen wijd – 'van deze omvang. Maar inderdaad', knikte ik beleefd, 'er waren overlevenden. Een handjevol, meer niet. En volgens de inscriptie zijn ze op zoek gegaan naar hun ontvoerde vriendinnen.'

Nick zette een stap naar voren; zijn ogen weerspiegelden het dansen van de vlammen. 'Waar gingen ze heen?'

Ik weifelde. Ik dacht dat hij me alleen wilde plagen met zijn volhardende vragen; nu begreep ik dat het niets met mij te maken had. 'Dat weet ik niet,' zei ik. 'Dat stuk ontbreekt.'

De teleurstelling op zijn gezicht was tastbaar. Zonder nog een woord te zeggen wendde hij zich af en liep weg, en ik bleef – alweer – achter met mijn vragen over de beweegredenen van de Aqrab Foundation om mij in te huren.

Toen John Ludwig me een week geleden in Oxford had benaderd, konden hij en de stichting onmogelijk weten of ik in staat zou zijn om de inscriptie te ontcijferen. Ze hadden me wel voor niets duizenden euro's kunnen betalen en door verschillende klimaatzones laten reizen. En bovendien hadden ze, door mij te kiezen, theoretisch de aandacht van de hele gemeenschap in Oxford op de opgraving gevestigd.

Mijn verwarring nam alleen maar toe, toen ik later die avond terugkeerde in mijn trailer en mijn mobiel boven op mijn bed aantrof met een briefje erbij waarop stond: 'Bel maar een eind heen.'

Vanzelfsprekend stond mijn voicemail vol berichten. Mijn arme ouders waren steeds perplexer over mijn afwezigheid, Rebecca kon niet begrijpen waarom ik haar niet had teruggebeld, en James was intussen – misschien niet onredelijk – bang dat ik ontvoerd was door een woestijnsjeik, en dat hij de rest van het academische jaar vissenconfetti zou moeten sprenkelen. 'Trouwens, je studenten hebben hun mond voorbijgepraat,' ging hij verder, op ernstigere toon. 'De oude helleveeg weet dat je weggelopen bent. Je moest haar maar even bellen.'

De oude helleveeg was mijn mentor Katherine Kent, met wie James en ik de avond voor mijn vertrek hadden gedineerd. Ik had gehoopt mijn reis voor haar geheim te kunnen houden, aangezien zij me beslist voor gek zou verklaren omdat ik mijn verplichtingen in Oxford in de drukte van het herfsttrimester verzaakte, al was het maar voor een weekje.

Na een snelle blik op de klok belde ik haar meteen. Zoals ik al vermoedde, was ze niet op kantoor, en ik liet een kort bericht achter: 'Het spijt me dat ik ineens vertrokken ben, maar ik ben hier echt iets spectaculairs op het spoor. Absoluut de moeite waard. Een heel nieuw schriftsysteem – ongelooflijk interessant. Ik weet vrij zeker dat ik heb ontdekt hoe ik het moet ontcijferen; ik kan niet wachten om het te laten zien.'

Toen dat achter de rug was, keerden mijn gedachten terug naar de opmerking van James over de woestijnsjeik. Was het mogelijk dat hij wist dat ik in Noord-Afrika was? Of borduurde hij alleen maar door op het feit dat het hoofdkantoor van al-Aqrab zich in Dubai bevond? Voor James, als geschiedkundige, maakte het feit dat ik zo ongeveer ontvoerd was door een bende restitutiefanaten de situatie kennelijk bijzonder precair; als de legers van al-Aqrab inderdaad de Britse musea bestookten, was ik in zekere zin achter de vijandige linies beland.

Zaterdag was mijn laatste dag om in de tempel te werken. Ik was min of meer klaar met de inscriptie, en nadat ik de ochtend had doorgebracht met het polijsten van de Engelse transcriptie, keerde ik 's middags terug naar het heiligdom om een paar gedetailleerde foto's te maken van de muren, en ook om afscheid te nemen van deze plek, denk ik.

Ik had niet aan Craig of Nick verteld dat ik van plan was om na de lunch terug te gaan de tempel. Voor zover zij wisten, was ik ijverig mijn koffers aan het pakken en, zoals Craig zei, mijn Repelsteeltjeshaar aan het invlechten voor de terugkeer naar mijn ivoren toren.

Nu ik zo vaak heen en weer gereden was, wist ik dat de tempel niet zo heel ver van het kamp lag – niet meer dan een halfuurtje flink doorstappen over de zandduinen. En aangezien we volgens het schema al over een paar uur terug zouden gaan naar Djerba, genoot ik van het vooruitzicht op mijn eenzame oefening.

De bewakers bij de tent leken het wel een beetje vreemd te vinden dat ik in mijn eentje te voet terugkeerde naar de opgraving. Ze werden echter niet betaald om vragen te stellen en lieten me bereidwillig in de buis zakken.

Al snel verloor de rest van de wereld elk belang. Ik was weer in de tempel, ver verwijderd van de drukte van het leven en opnieuw alleen met mijn gedachten. Het was er bedompt, stoffig en donker, beslist niet de meest comfortabele plek, lichamelijk noch geestelijk, maar algauw leidde het wonder van de muren in het heiligdom me af van het feit dat ik onder de grond zat, met slechts een bungelend touw tussen mij en de bovenwereld.

Inmiddels had ik de vrouwen op deze muren leren kennen, en hierbeneden, waar ik de lucht inademde die zij ingeademd hadden, konden wij ons buiten de tijd met elkaar verbinden. Wat er in het verleden ook was gebeurd, wat er ook nog te gebeuren stond, deze verstilde plek was ons gedeelde toevluchtsoord, en onwillekeurig voelde ik een steek van verdriet dat ik hier al zo snel weg zou moeten. Nick had gezworen dat ik maandagochtend weer in Oxford zou zijn, en gezien hoe graag hij van me af wilde, wist ik dat hij zich aan zijn belofte zou houden.

Binnenkort, dacht ik toen ik in stilte door het heiligdom dwaalde, zou deze tempel bruisen van de archeologen, en de media zouden luidruchtig toegang eisen tot de sensationele ontdekking. Intussen zou ik terug zijn in Oxford, waar ik mijn best zou doen om een wetenschappelijk artikel te schrijven over de inscriptie zonder te verklappen hoe ik in staat was geweest om die geheimzinnige symbolen te vertalen.

Ik haalde mijn camera tevoorschijn om nog een paar close-ups te maken van de muurschilderingen en de inscriptie. In mijn haast om het schrift te ontcijferen had ik schandalig weinig tijd besteed aan het onderzoeken van de kleurrijke afbeeldingen, die zo duidelijk voorafgegaan waren aan de tekst. Het waren merendeels offertaferelen, en één tafereel in het bijzonder leek te suggereren dat de offergaven niet altijd dierlijk van aard waren geweest. Hier was het beeld dat mij aan de mythe van de Medusa had doen denken: de hogepriesteres, met een hoofddeksel dat bestond uit kronkelende slangen, stak een hand uit naar een vrouw in een wit gewaad en leek haar te steken met een groot mes. Wat het afgebeelde ritueel ook was, dacht ik, en wat het lot van het slachtoffer ook was geweest, misschien was het geen wonder dat deze slangenharige dame als een monster in de mythologie was terechtgekomen.

Bij het licht van mijn opgestoken lamp bekeek ik de gestalte van de hogepriesteres wat nauwkeuriger. Het pleisterwerk was beschadigd, maar naast haar angstaanjagende hoofddeksel was ik er bijna zeker van dat ze dezelfde jakhalsarmband om haar arm droeg als die ik had gezien aan de arm van het skelet in de sarcofaag... om niet te spreken van die om mijn eigen arm, verborgen onder de mouw van mijn trui.

Maar het skelet, de priesteres en ik waren niet de enige vrouwen in de zaal die een bronzen jakhals gemeen hadden. Toen ik het hele heiligdom rondliep met mijn zaklamp op de muren gericht, telde ik ten minste acht andere gestalten die vergelijkbare armbanden droegen. Ze droegen allemaal witte gewaden, en hoewel hun haar onder kleine, puntige mutsjes verborgen zat, suggereerden hun boezem en hun brede heupen dat het vrouwen waren.

Voor de zoveelste keer vroeg ik me af in welke mate deze in het wit geklede vrouwen verband hielden met de legende van de Amazones. Er waren weliswaar geen vurige krijgsdaden afgebeeld, maar misschien stond ik te kijken naar een intiemer, misschien zelfs geheim aspect van hun leven, namelijk de rituelen en overtuigingen die hen in beginsel hadden verbonden, als een heilige zusterschap. Maar als dat werkelijk zo was, waarom hadden ze zich dan niet verdedigd tegen de indringers? Keek ik hier misschien naar de laatste uren van een stervende Amazonebeschaving?

Of juist naar het begin ervan?

Ik herinnerde me nog goed dat oma me haar eigen armband liet zien en me vertelde dat de jakhals onsterfelijk was. Ondanks zijn roerloosheid was de brutale hondachtige kennelijk nog in leven, en uitermate kieskeurig wat zijn menselijke gastheren betrof. 'Je kunt hem niet erven,' had ze uitgelegd. 'Je moet hem verdienen. Alleen dan zal de jakhals jou kiezen.'

Indertijd had ik dat persoonlijk opgevat, met het idee dat ze naar mij in het bijzonder verwees, en ik was een beetje gekwetst door de suggestie dat ik haar sieraden niet waardig was. Nou, prima, had ik gedacht, kind dat ik was. Wie wil er nou gekozen worden door een jakhals?

Maar nu zag het ernaar uit dat het inderdaad precies zo was gebeurd: oma's armband had mij als gastvrouw uitverkoren. En hoe ik ook mijn best deed, ik kon hem niet van mijn arm af worstelen – zeep noch olie kreeg het voor elkaar. Natuurlijk was dat het eerste wat me te binnen schoot toen ik het skelet in de kist had zien liggen; ik wist dat ik moest zorgen dat Nick mijn armband niet zag en vragen stelde over het verband. Zelfs in de drukte van alle andere gebeurtenissen bleef ik proberen hem af te doen... alleen lukte het niet.

Het leek een van die vreemde, onomkeerbare dingen te zijn: als je de armband eenmaal had omgedaan, bleef hij om. Of misschien was mijn huid gezwollen door de hitte van de woestijn. Al had ik het hierbeneden in de tempel altijd koud, maar dat leek geen enkel verschil te maken. Ik had de armband in een opwelling omgedaan, en nu zat ik eraan vast.

Was oma hetzelfde overkomen?

Als zij in haar vergeten jeugd deel had uitgemaakt van een archeologisch team en aan het ontcijferen van deze onbekende taal werkte, was het niet ondenkbaar dat ze sommige rituelen had overgenomen van de eeuwenoude cultuur die zij had helpen ontdekken. Misschien had ze een pas opgegraven armband voor de grap omgedaan, om vervolgens tot de ontdekking te komen dat ze hem nooit meer kon afdoen. Of misschien had ze dat niet gewild.

Ik liep naar de sarcofaag en zette de lamp op de vloer om nog eens te proberen of ik het stenen deksel kon verschuiven. Maar natuurlijk kon ik dat niet. Zelfs Nick had hem niet in zijn eentje kunnen bewegen.

Al die uren alleen in deze zaal de laatste paar dagen... zo dicht bij het skelet, maar lichamelijk niet in staat om te bevestigen dat de band om de arm exact identiek was aan de mijne. En nu ging ik naar huis...

Een vreemd, vaag krabbelend geluid onderbrak mijn speculaties. Ik stond even stil en spitste mijn oren om te proberen de oorsprong van het geluid te ontdekken, maar kon het niet.

Een voor een gingen alle kleine haartjes op mijn arm rechtovereind staan van angst. Al sinds mijn eerste bezoek aan de tempel, zes dagen geleden, was ik bang dat het hele ding boven op me zou storten. Maar het geluid dat ik nu hoorde, was niet het geluid van lemen stenen die het begaven, besloot ik. Het was eerder een organisch geluid, alsof iemand ergens een zware zak over de vloer sleepte.

Terwijl ik daar met gespitste oren stond te luisteren, overtuigde ik mezelf er bijna van dat ik ook stemmen hoorde. Niet de zware, besluitvaardige stemmen van Craig of Nick, maar een vaag, spookachtig gemurmel dat om me heen kronkelde tot ik nauwelijks nog kon ademhalen.

Te bang om te blijven waar ik was, gevangen in het heilige der heiligen, kroop ik naar de hoofdtempel, een paar voorzichtige stappen verderop. Ik had me nooit op mijn gemak gevoeld in die enorme zaal, met al zijn schaduwen en echo's, en had altijd een flinke afstand gehouden van het vierkante zwarte gat in de vloer, waarin – volgens Craig – een smalle stenen trap naar het onbekende leidde.

Ik richtte mijn zaklamp naar alle kanten om te zien of ik werkelijk alleen was. Maar het enige wat ik zag waren eindeloze rijen zuilen en schaduwen, die verstoppertje speelden met mijn lichtstraal.

Nerveus riep ik iets naar het donker in de verte. Geen respons.

Vanaf de eerste keer dat ik er binnenkwam, had de titanische tempel me met angst vervuld. En telkens wanneer ik terugkeerde om aan de inscriptie te werken, was ik haastig naar het relatieve comfort van het heilige der heiligen gelopen. Het leek alsof de mensen die hier ooit hadden geleefd en waren gestorven overal in de lucht wanstaltige, demonische afdrukken hadden achtergelaten – beelden die wachtten om me te bespringen zodra mijn waakzaamheid zou verslappen. Al mijn bezoeken hadden mijn onbehagen in deze koude, Kimmerische leegte vol geheimen niet verminderd. En nu ik langzaam door de brede galerij liep met mijn kraag omhoog, op jacht naar ongrijpbare geluiden, was ik zo verkild van angst dat ik mijn kaken op elkaar moest klemmen om niet te klappertanden.

Van de zenuwen liep ik verder door dan ik ooit had gedaan, ver van het touw naar buiten en door het hele schip van de tempel. Craig had me verteld dat er aan het andere eind een grote dubbele deur zat, waarschijnlijk de oorspronkelijke hoofdingang, maar die had ik nooit echt gezien.

In weerwil van al zijn weidse gebaren had Craig de deur geen recht gedaan. Hij was zo reusachtig dat je er op een kameel onderdoor had kunnen rijden en eromheen leek alles klein en onbeduidend – niet het minst mijn veronderstelde kennis van het verleden. Wat voor wereld had er ooit bestaan achter deze deur? Werd die bewoond door mensen zoals ik, of door een sterker, kundiger ras? Ik had geen idee.

Recht voor de deur, opnieuw verbijsterd over de technische capaciteiten van deze verdwenen beschaving, merkte ik dat er iets vreemds mee was. Niet het feit dat hij zo duidelijk gebroken en weer hersteld was, maar dat hij met een enorme balk op zijn plaats werd gehouden.

Van binnenuit.

Wie dat had gedaan, duizenden jaren geleden, had klaarblijkelijk de keus gemaakt om in de tempel te blijven en zijn geheimen te bewaren. Was het een groots gebaar van zelfopoffering geweest, vroeg ik me af, voor het heil van de armbandzusters? Of had de tempel een andere uitgang waar ik niets van wist?

Craig had me verteld dat er zich onder de grond een doolhof van grotten bevond, en dat hij zijn mannen er niet toe had kunnen bewegen om een van de gangen tot het einde toe te volgen. Zelfs de ruwe bonken van de boorlocatie hadden het er angstaanjagend gevonden, en ik vroeg me nog steeds af wat ze daar precies hadden aangetroffen.

Was dat waar de geluiden vandaan kwamen? Uit de kelders van de tempel?

Opnieuw spitste ik mijn oren.

En hoorde voetstappen. Vlak achter me.

Met een schreeuw draaide ik me om en stak mijn zaklamp in de lucht om hem op het hoofd van de indringer te laten neerkomen.

'Ik ben het!' blafte Nick met zijn hand om mijn pols geklemd. 'Wat doe jij hier?'

'Ik hoorde iets...' begon ik met bevende stem.

'Kom mee!' Hij pakte de zaklamp en sleepte me mee in de richting van het touw. 'We moeten hier weg.'

Mijn angst veranderde in ergernis. 'Ik moet mijn jas hebben.'

Door het donker rennend was het vage licht van de lantaarn die ik in het heiligdom had achtergelaten het enige wat me de weg wees. Achter me hoorde ik Nick schreeuwen dat ik moest stoppen, zijn toon steeds onbeleefder. Maar oma's schrift zat in mijn jaszak, en dat boek had ik harder nodig dan zijn instemming.

Toen ik eindelijk het heiligdom bereikte, was alles nog net zoals ik het had achtergelaten. Behalve...

'Diana!' Nick stond vlak achter me. 'We hebben geen tijd om...'

'Er is iets raars.' Terwijl mijn ogen de zaal verkenden raapte ik mijn jas op en voelde of het schrift er nog in zat. 'Er is iets gebeurd...'

'Kom op!' Nick probeerde de jas van me over te nemen. 'We moeten gaan.'

'Wacht!' Ineens stonden al mijn zenuwen op scherp. 'Kijk!' Ik wees naar de sarcofaag. 'Hij staat open! Iemand heeft hem opengemaakt!'

Nick keek niet eens. Hij greep me simpelweg bij mijn arm en trok me met zich mee, een frons van bezorgdheid op zijn voorhoofd.

Terwijl we het heiligdom uit renden, hoorde ik een angstaanjagend geluid; mijn hersenen hadden een paar tellen nodig om het te benoemen. Het was het geluid van een gedempte explosie op korte afstand, en van instortende lemen bakstenen.

16

Een vrouw alleen is niets. In haar leeft Ares niet.
– AESCHYLUS, *De Smekelingen*

ZODRA WE ONDER AAN de glijbaan stonden, greep Nick het bungelende touw en liet me de karabijnhaak zien die eraan vastzat – de haak die ik al goed kende van mijn vele eerdere tochten op en neer. 'Zo meteen,' zei hij, 'haak jij deze aan je harnas. Dan ben ik daarboven' – hij wees ter illustratie – 'en ik trek je omhoog. Snap je?'

Ik voelde weer een tintelende opkomst van paniek. 'Waarom kunnen de bewakers...'

'Er zijn geen bewakers.' Nick trok zijn lubberende shirt uit en wierp een wat ongeruste blik omhoog. 'Geef me een paar tellen.'

Pas toen hij zijn handpalmen aan zijn broek afveegde, begreep ik dat hij in het touw ging klimmen en mij zou achterlaten. 'Wacht!' riep ik uit, met stijgende angst. 'Wat is er aan de hand? Waarom zijn de bewakers er niet?'

Hij pakte me bij mijn schouders en schudde me even door elkaar. 'Het komt goed. Dat beloof ik je. Gewoon blijven ademhalen.'

Zijn woorden werden gevolgd door een gerommel in de verte, en ik kon in zijn ogen zien dat het geluid hem ook verontrustte. Zonder nog een poging te doen om mij te kalmeren klom Nick het touw in. Er zaten geen knopen in om grip te krijgen; het enige wat hij had, was de kracht van zijn handen en armen en het beetje houvast door het touw tussen zijn voeten te klemmen.

Nog nooit had ik me zo verlaten gevoeld als toen hij even later in die stalen buis verdween. Met trillende vingers bevestigde ik de karabijnhaak aan mijn klimtuig en keek rond in het duister, waarbij ik me er scherp van bewust was dat het gevaar aan alle kanten op me afkwam. Want telkens wanneer ik ademhaalde, zoals me opgedragen was, leek het alsof er weer een plotselinge stroom puin neerkwam ergens onder me, of aan de andere kant van de muur... ik kon onmogelijk bepalen waar het was.

Al even verontrustend was het gedempte, maar aanzwellende gerommel waarmee de vloer onder mijn voeten trilde. In mijn toenemende paniek kon ik me bijna verbeelden dat ergens in de grotten onder dit kolossale gebouw de woede van een prehistorisch monster was gewekt, en dat dit angstaanjagende beest nu onderweg was naar mij, met de ene denderende stap na de andere.

Toen ik eindelijk een ferme ruk voelde aan het touw dat aan mijn tuig vastzat en abrupt een halve meter de lucht in werd gehesen, slaakte ik een kreet van opluchting. Kennelijk had Nick de oppervlakte bereikt en deed nu zijn best om mij in veiligheid te brengen.

Net toen ik in de lucht bungelde, klonk er weer een ontploffing, dichterbij deze keer. Instinctief bedekte ik mijn gezicht, terwijl mijn lichaam gestraald werd met speldenprikken van rondvliegend zand.

Toen ik mijn ogen weer open durfde te doen, zag ik alleen nog stof en duister. Door mijn opgerolde jas heen ademend probeerde ik het vage licht van de lantaarn te zien die we in het heiligdom hadden achtergelaten, maar het was verdwenen. Ook het geruststellende stipje daglicht aan het uiteinde van de buis boven mijn hoofd kon ik niet zien.

In mijn hunkering om sneller te ontsnappen uit de instortende tempel greep ik het touw en probeerde mezelf omhoog te hijsen, maar natuurlijk lukte dat niet. Het enige wat ik bewerkstelligde was dat Nick me de al moeizaam bevochten dertig centimeter liet zakken, en door de buis heen hoorde ik hem tegen me schreeuwen.

Op dat moment had het geluid van zijn stem een kalmerende invloed, en ik deed mijn best om niet meer te kronkelen. Een paar tellen later stond ik veilig boven de grond en Nick haakte mijn tuig los, zijn gezicht strak van ongerustheid.

'Zijn we...' begon ik, maar wat ik ook had willen zeggen werd gesmoord door het geluid van een nieuwe ondergrondse explosie.

'Rennen!' Nick trok me uit de tent de verblindende zonneschijn in. We renden naar een eenzaam paard dat aan een paal gebonden stond. 'Ik klim er eerst op.' Snel knoopte hij de teugels los en klom op het nerveuze dier. 'Zet je voet daar.' Hij wees me de stijgbeugel om achter hem te gaan zitten en zodra mijn armen rond zijn middel geklemd zaten, spoorde hij het paard met zijn hakken fel aan.

Op het moment dat we weggaloppeerden, dreunde er een reeks explosies door de grond vlak achter ons; het klonk alsof we beschoten werden vanuit een onzichtbaar vliegtuig. In zijn paniek steigerde het paard, zodat we in een wirwar van armen en benen ruw in een duinpan belandden.

'Goeie hemel!' kreunde ik, met mijn hoofd vol vonken en mijn mond vol zand. 'Gaat het?'

Maar Nick stond al rechtop en probeerde het paard te kalmeren. En toen zag ik vlak achter hem de bedoeïenentent instorten en verdwijnen, opgeslokt in een donderende trechter van zand. 'Kijk!' riep ik. 'We moeten...'

Zodra Nick zag wat ik bedoelde, strompelden we allebei het duin op, zonder zelfs maar te proberen om weer op het paard te klimmen. Achter ons rees het verwoestende gebrul in een afschuwelijk crescendo, en toen we eindelijk de duintop bereikten en ik nog een laatste keer om durfde kijken, zag ik alleen nog een allesverslindende krater van schuivend zand. Alles was weg – de tent, de buis, de verspreide boorapparatuur; de hele vallei was in een reusachtige muil veranderd en slokte hongerig elk beetje van het hier en nu op, om het vacuüm van verloren millennia te vullen.

Toen Nick zijn ronden had gedaan en zijn telefoontjes had gepleegd, vond hij me precies waar hij me had achtergelaten: op een bankje in de verlaten kantine, starend in een kop thee. 'Opgeknapt?' vroeg hij, toen hij aan de andere kant van de tafel ging zitten met een beker koffie. Hij zag er rustiger uit, bijna vredig. Of misschien deed hij maar alsof, om mij op te vrolijken.

Ik ging rechterop zitten en zei: 'Ik ben je nog vergeten te bedanken voor het redden van mijn leven.'

Nick knikte. 'Graag gedaan.'

'Je had het niet hoeven doen, hoor,' vervolgde ik, mijn thee rondwalsend in het kopje. 'Ik ben niet echt je... favoriete collega geweest. Toch?'

Hij nam een slok koffie. 'Ik wil geen problemen met de Moselanes.'

Ik was onthutst. 'Pardon?' Toen pas besefte ik dat hij een grapje maakte.

Telkens weer werd mijn idee over Nick vervormd door zijn baard, die als een kring van doornstruiken om zijn ware persoonlijkheid heen lag. Plotseling uitgeput schudde ik mijn hoofd. 'Vertel me alsjeblieft wat er aan de hand is.'

Hij schokschouderde. 'Iemand heeft besloten om de tempel op te blazen...'

'Iemand?'

Mijn blik ontwijkend leunde Nick achterover en krabde in zijn nek. 'Craig kreeg een anoniem telefoontje. Een bommelding. Daarom besloot ik de bewakers te evacueren. En dat was maar goed ook, anders had ik niet geweten dat jij daarbeneden was.'

'Maar dat is toch idioot!' riep ik verontwaardigd. 'Wie doet er nou zoiets? Waarom? En hoe, in vredesnaam?' De mogelijkheden buitelden door mijn hoofd en ik moest een paar keer diep ademhalen om mijn misselijkheid te bedwingen. 'Dat is waanzin,' ging ik iets rustiger verder. 'Wie het ook waren, ze zullen nu wel dood zijn, denk je niet?'

Nick haalde zijn schouders op. 'Waarschijnlijk hebben ze hem op afstand laten ontploffen.'

'Maar de geluiden die ik hoorde...'

Weer schokschouderde hij. 'Het heeft geen zin om ernaar te raden. We zullen het nooit weten.'

'Nou ja!' Ik keek hem aan, snakkend naar antwoorden. Maar hij dronk alleen met een flinke teug zijn beker leeg, zette hem opzij en trok een pak geld tevoorschijn. Pas toen hij de biljetten op de tafel tussen ons in begon uit te tellen besefte ik wat zijn bedoeling was, en ik voelde een onredelijke woede opwellen over zijn bedaardheid. Voor Nick was het allemaal nog steeds gewoon business. Bommen, touwen, blauwe plekken... een heel gewone dag bij de Aqrab Foundation.

'Tienduizend dollar,' zei hij uiteindelijk, en hij schoof het geld naar me toe. 'Dat is wat we je schuldig zijn, meen ik.'

'Nou, hartelijk bedankt,' zei ik, nogal fel, gebiologeerd door de absurde stapel bankbiljetten. 'Ik hoef verder zeker niets te verwachten. Geen uitleg?'

Nick ging staan, zonder enige emotie in zijn blik. 'We zouden erover kunnen doorpraten. Maar dan mis jij je vliegtuig.'

In het gouden licht van de namiddag verlieten we de boorlocatie. Ondanks alles wat er was gebeurd, was Nick nog altijd vastbesloten om mij op tijd in Djerba te krijgen voor mijn vlucht naar Gatwick de volgende ochtend – zo vastbesloten zelfs dat hij bereid was om de hele nacht door te rijden.

Terwijl ik naast hem in de auto zat, te uitgeput om veel meer te voelen dan een welkome verdoving, trommelde hij met zijn vingers op het stuur en zei: 'Ik dacht dat je wel zou willen weten dat een milieugroep de verantwoordelijkheid voor de aanslag heeft opgeëist. Ze stuurden een fax net voordat wij vertrokken – de gebruikelijke hersendode antikapitalistische bullshit.'

Ik keek naar hem. Achter ons ging de zon onder en zijn gezicht was – zoals altijd, leek het wel – verborgen in de schaduw. 'Gut, wat handig,' zei ik, verrast over mijn eigen sarcasme. 'Dat verklaart alles.'

Nick keek me even aan. 'Geloof je het niet?'

'Had je dat dan verwacht? Jij gelooft het toch ook niet, of wel soms?'

Hij haalde zijn schouders. 'Ik weet het niet. Ik vind het niet logisch. Ik hoopte dat jij dat wel zou vinden.'

'Laten we eens kijken.' Ik leunde achterover op mijn stoel, blij met de onverwachte uitnodiging om het incident te bespreken waarbij we beiden bijna omgekomen waren. 'Je gaat helemaal naar Algerije om te protesteren tegen een boorlocatie, maar in plaats van jezelf aan de boortoren vast te ketenen, of je slogans met een verfspuit op de trailers te zetten, kruip je door tunnels vol onuitsprekelijk enge schepselen om een werelderfgoed op te blazen? Nee, dat vind ik niet logisch. Wie die fax verstuurd heeft, probeert de waarheid te verhullen.'

Nick weifelde. 'Wat is de waarheid dan wel?'

Ik keek uit op een voorbijgaande oase, of liever gezegd vijf eenzame palmbomen, bij elkaar schuilend tegen het uitgestrekte niets, dat van alle kanten dreigend op ze afkwam. 'Goeie vraag. Ik denk dat het enige wat we met enige zekerheid kunnen zeggen, is dat de daders geen vrienden van ons zijn. Vrienden laten vrienden immers niet ontploffen in ondergrondse tempels. Mee eens?'

'Ik denk van wel,' antwoordde Nick zonder al te veel overtuiging.

'En nu we toch bezig zijn...' Ik trok mijn laarzen uit en zette mijn sokkenvoeten op het dashboard. 'Ik moet nog steeds te horen krijgen waarom het geen andere filoloog was, die het privilege genoot bijna opgeblazen te worden. Waarom kwam Ludwig bij míj? God weet dat jíj me nooit in die tempel wilde hebben. Al zijn gepraat over Amazones... waar kwam dat dan vandaan?'

Nick verschoof ongemakkelijk op zijn stoel. 'John is een beetje een joker.'

'Een hofnar, bedoel je,' corrigeerde ik hem, vastbesloten om me niet met een kluitje in het riet te laten sturen. 'Een hofnar heeft maar één doel: de koning behagen. Dus vertel eens – aangezien jij tot hetzelfde hof behoort – waarom heeft jouw machtige koning zijn hofnar opgedragen mij hierheen te lokken met praatjes over Amazones?'

Toen Nick niet meteen antwoord gaf, stootte ik hem aan met mijn linkervoet. We gingen over een paar uurtjes toch voorgoed uit elkaar en ik wist dat dit mijn kans was, als ik de puzzel van mijn reis wilde afronden. 'Kom op nou,' zei ik, in een poging tot vriendschappelijkheid, 'je kunt me niet aan het lijntje houden.'

Nick glimlachte, maar nogal grimmig. 'Jij veronderstelt dat de koning zijn nederige ridders in vertrouwen neemt. Nou, dat doet hij niet.'

'Waarom pak jij die ridderlijke mobiel van je dan niet om een of andere hertog of erfprins te bellen die het wel weet?'

'Het is zondag. Het kantoor is dicht.' Hij wierp me een zijdelingse blik toe. 'Waarom ben jij trouwens zo geïnteresseerd in de Amazones? Is het niet genoeg dat jij nu de enige filoloog ter wereld bent die een onbekend en onontcijferd alfabet onder handen heeft gehad?'

'Dat inmiddels verdwenen is onder tien miljard kuub zand.'

'Maar toch...' Nick haalde een hand van het stuur om op zijn vingers te tellen. 'Je hebt de foto's. De tekst. Het verhaal. En dan heb ik het niet eens over die tienduizend dollar in je zak. Wat wil je nou nog meer?'

Ik zuchtte hardop, gefrustreerd dat we nog steeds niets opgeschoten waren. 'Ik wil een verklaring!'

Nicks kaak verstrakte. 'Nou, dan ben je aan het verkeerde adres. Ik ben maar een eenvoudige loopjongen. Het enige wat ik je kan vertellen, is dat de fax van die milieugroep uit een internetcafé in Istanboel kwam.' Hij keek even naar me, en ik meende argwaan in zijn blik te zien. 'Wat weet jij van Grigor Reznik?'

Ik was zo verrast door de vraag dat ik begon te lachen. 'De verzamelaar? Niet veel.' Ik zweeg even om te ordenen wat ik wel wist, en zei toen: 'Ik heb hem een keer of twee geschreven om te vragen of ik een eeuwenoud manuscript mocht inkijken dat hij vorig jaar geeft gekocht, de *Historia Amazonum*. Maar hij heeft nooit gereageerd.'

Nick fronste zijn voorhoofd. 'Dat is niet ongebruikelijk, als je een dief met zijn buit confronteert.'

'Wat bedoel je?'

'Wanneer Reznik in antiek handelt,' zei Nick, opnieuw op het stuur trommelend, 'is het meestal onder bedreiging van een vuurwapen. Waar kwam dat manuscript vandaan? Wie heeft het aan hem verkocht?'

Ik werd onrustig van Nicks vragen. Mijn mentor Katherine Kent had ook zoiets gezegd toen ik de fout maakte om haar te vertellen over mijn brieven aan Reznik, maar ik had haar bezwaren weggewuifd als ongegronde geruchten. 'Oké,' zei ik, toegevend aan wat kennelijk een meerderheidsopinie was, 'dus Reznik is een tikje onconventioneel...'

'Zacht uitgedrukt!' Nick wierp me een verwijtende blik toe. 'Hij is een boef! Sluit je ogen daar niet voor, alleen omdat hij toevallig iets in zijn bezit heeft wat jij graag wilt hebben.'

Ik kwam sterk in de verleiding om dat als aanknopingspunt te gebruiken om hem te confronteren met zijn betrekking bij de Aqrab Foundation, maar besloot die pijl voorlopig in mijn koker te houden. 'Nou, er wordt beweerd dat Reznik een morele bewustwording heeft ondergaan,' zei ik daarvoor in de plaats. 'Kennelijk heeft hij vorig jaar zijn zoon verloren bij een auto-ongeluk en daar was hij helemaal kapot van...'

Nick viel me in de rede met: 'Laten we "Reznik" en "moreel" niet in dezelfde zin gebruiken. En wat zijn zoon betreft, Alex, neem maar van mij aan: die kleine satan verdiende niet beter. Zegt "*snuffmovie*" je misschien iets?'

Toen hij zag dat dat inderdaad het geval was, knikte hij grimmig. 'Dat gemene rotjong verdiende zoveel meer dan een auto-ongeluk. Je zou bijna gaan hopen dat er een hel bestaat.'

'Dat klinkt alsof je hem kende?' vroeg ik.

'Van horen zeggen. En dat is meer dan genoeg. In sommige kringen stond hij bekend als "de *Fist Boner*", om je een idee te geven.'

'Bedankt voor die bijzonder beeldende toevoeging.'

'Graag gedaan. Interessanter is de vraag waarom Grigor zich bezighoudt met een oud manuscript. Hij is geen intellectueel. Leg me dat eens uit, als je wilt.'

'Waarom? Omdat je denkt dat hij achter de aanslag zat?'

Nick schokschouderde. 'Ik probeer alleen om alles in elkaar te passen. De fax werd verstuurd vanuit Istanboel. Reznik zit in Istanboel...'

'Maar hij is geen idioot,' protesteerde ik, met één hand omhoog tegen het stof omdat we een vrachtauto inhaalden. 'Als die fax echt van hem was, zou hij hem dan niet ergens anders vandaan hebben laten sturen? Waar dan ook?'

'Misschien. Of het kan zijn dat de afzender hem erbij wilde betrekken. Waarom?'

'Het enige wat ik je kan vertellen,' zei ik, 'is dat de *Historia Amazonum* geacht wordt informatie te bevatten over het lot van de laatste Amazones, en de legendarische' – ik wuifde met mijn handen om een beetje drama toe te voegen – "schat van de Amazones".'

'Een schat?'

'Jazeker. Natuurlijk denken zelfs Amazonegelovers dat het een romantische oude legende is – net als het idee dat de Amazones een van hun borsten afsneden om betere speerwerpers te worden.' Ik zweeg even om mijn eigen mening over de kwestie te bepalen en besloot, zoals ik al zo vaak had gedaan, dat ik ook niet in de schat geloofde. 'Als Reznik daarop aast, is hij niet alleen slecht, maar gestoord. Een heel ongelukkige combinatie. Ik weet niet waar die absurde fantasie vandaan komt, dat een stel arme, nomadische krijgsvrouwen een goudschat zouden rondslepen, maar ik kan je verzekeren dat het niet meer dan een sprookje is.'

'Net als de Amazones zelf,' voegde Nick eraan toe.

Ik knikte. 'Volgens de meeste wetenschappers wel.'

'De Amazones in wier tempel wij net samen rondliepen.'

Verbaasd draaide ik op mijn stoel om hem aan te kijken. 'Vijf dagen geleden kon je het woord "Amazone" niet eens spellen! Misschien moet je me even vertellen wat er in de tussentijd met je is gebeurd?'

'Misschien moet jij me even vertellen over je armband.'

Onthutst door de hinderlaag legde ik een hand op mijn mouw. 'Ik weet niet zeker of...'

'Dacht je echt dat ik hem niet zou zien?'

Ik schoof ongemakkelijk heen en weer, me maar al te bewust dat ik met hem opgesloten zat in de auto. 'Ik zie niet in waarom dat jouw zaken zouden zijn...'

'Echt niet?' zei Nick; zijn recente kameraadschap viel weg alsof ze nooit iets anders dan een masker was geweest. 'Ik zie dat jij echt op je landgenoten lijkt. Jezelf eeuwenoude voorwerpen toe-eigenen is niet eens een punt van discussie.'

Toen pas begon het me te dagen dat hij het niet over oma's jakhalsarmband had. Nee, hij beschuldigde me ervan dat ik de jakhalsarmband uit de sarcofaag had gestolen. Maar als ik de diefstal ontkende, bleef het nog steeds de vraag hoe deze specifieke armband in mijn bezit was gekomen. Gezien de omstandigheden was dat een onderwerp dat ik tot zowat elke prijs wilde vermijden.

Dus nam ik een snelle beslissing en zei, zo rustig mogelijk: 'Als ik hem niet had meegenomen, zou hij voor altijd verloren zijn gegaan. Of niet soms? Maar maak je geen zorgen, ik ben nooit van plan geweest om hem te houden, ik heb hem alleen omgedaan om te zorgen dat hij voorlopig veilig is.' Ik wendde mijn gezicht om weer naar Nicks profiel te kijken; tijdens het luisteren naar mijn verdediging was het ondoorgrondelijker dan ooit. 'Hoe dan ook, ik zie niet in waarom hij meer van jou zou zijn dan van mij. Hij moet tentoongesteld worden waar iedereen hem kan zien...'

'Doe hem dan af. Ik zorg wel dat hij in een museum terechtkomt. Van de juiste soort.' Nicks sneer liet me weten dat Britse musea niet tot die categorie behoorden.

We bleven even zwijgen. Ondanks de koele avondwind zweette ik over mijn hele lichaam terwijl mijn brein ademloos heen en weer zwom om de situatie te redden. Uiteindelijk besloot ik het op de waarheid te houden. 'Ik krijg hem niet meer af.'

Nick keek boos en duidelijk ongelovig naar mijn pols.

Ik stak mijn hand naar hem uit. 'Ga je gang.' Het was geen bluf; ik wist dat hij hem net zomin af zou kunnen krijgen als ik.

Hij probeerde het niet eens.

Die nacht, slapend in de auto, droomde ik weer van oma.

We stonden samen op een klif uit te kijken over een woestijnlandschap. Ik had mijn pyjama aan en oma droeg haar versleten oude peignoir; haar grijze haar hing los op haar rug. Achter ons zaten mijn ouders in de Mini luidruchtig te ruziën, in de overtuiging dat wij hen niet konden horen. 'Zo gaat het niet langer,' zei mijn moeder. 'Vanmorgen vond ik weer een van die tekeningen in Diana's bed.'

Ze bedoelde mijn schetsen van verzonnen Amazones, waarvan de meeste een gezamenlijke inspanning van oma en mij waren, geproduceerd in vlagen van creativiteit op die schaarse, kostbare dagen dat we niet in de gaten gehouden werden door de denkbeeldige mannen in groene kleren. Samen tekenden we aan oma's eettafel uiterst gedetailleerde Amazonekrijgers, waarbij we elke kleur uit de potlooddoos gebruikten.

Meestal verborg ik alle bewijzen van onze heimelijke activiteiten zorgvuldig onder in mijn kledingkast, maar soms werd ik zo verliefd op een van de tekeningen, dat ik hem 's nachts onder mijn kussen legde. Zo'n tekening moest mijn moeder in handen hebben gekregen; ze had vast liever een briefje van een hopeloos verliefde klasgenoot gevonden, dan een vrouw te paard met een strijdbijl in de aanslag.

'Stel dat ze een jongen was,' opperde mijn vader, in een zeldzaam moment van verzet. 'Zou je je dan ook zorgen maken over die tekeningen?'

Mijn moeder kreunde van ergernis. Ze was geen tegenspraak gewend, en zeker niet van haar aanbiddende echtgenoot. Een jaar of twaalf geleden hadden ze elkaar ontmoet op een toeristische rondrit door Londen; zij was de Amerikaanse toerist met een schema om foto voor foto de oude wereld te overwinnen, hij was de verstrooide vrijgezel die per ongeluk ingestapt was, omdat hij dacht dat het bus N19 naar Finsbury Park was.

Die rolverdeling hadden ze aangehouden.

'Het is niet gemakkelijk voor me om zulke dingen te zeggen,' vervolgde mijn moeder, met de stem die een einde maakte aan alle ruzies. 'Tenslotte ben je haar bloedeigen zoon. Maar ze is *ziek*, Vincent...'

Ik drukte mijn handen tegen mijn oren om niet te horen wat er kwam. Maar het onvermijdelijke kon ik niet buitensluiten. Oma wist het ook. 'Niet huilen, kleintje van me,' fluisterde ze terwijl ze mijn wang streelde. 'Het heeft altijd zo moeten zijn.' Ze trok de ceintuur van de peignoir strakker om zich heen en keek met toegeknepen ogen uit over de oneindige woestijn. 'Ik moet terug naar mijn eigen volk...'

'Maar ik wil niet dat je weggaat!' Ik sloeg mijn armen om haar heen. 'En ze kunnen je niet dwingen. Als ze dat doen, loop ik weg...'

'Nee!' Ze maakte mijn armen los. 'Jij moet groot en sterk en wereldwijs worden. Leer alles wat er te leren is over de Amazones, maar laat nooit merken dat je één van ons bent.' Ze nam me bij de schouders en keek me met haar blauwe ogen strak aan. 'Vergeet niet dat ik instructies voor je heb achtergelaten.'

Ik knipperde mijn tranen weg en vroeg: 'Wat voor instructies?'

Antwoord kreeg ik nooit. Met de onwezenlijke panache die mijn dromen over haar typeert, stapte oma ineens over de rand van het klif en verdween. Ik vloog naar voren en ving een glimp op van haar peignoir die naar de grond fladderde, ver, heel ver beneden mij, en uiteindelijk op een smetteloze zandgolf belandde. Van oma zelf was er geen spoor. En binnen een oogwenk was ook de peignoir weg, verzwolgen door een plotselinge draaikolk van zand en verdwenen in de eeuwig hongerige ingewanden van de woestijn.

Nick liep helemaal met me mee naar het douanecheckpoint en zorgde dat alles soepel verliep zodat ik mijn vlucht niet zou missen. Toen ik hem ten slotte weg zag lopen door de kale hal van de luchthaven, voelde ik toch iets van spijt. Ondanks zijn tegenwerpingen wist ik zeker dat hij het antwoord wist op het merendeel van mijn vragen, en nu zou ik nooit meer de kans krijgen om het hem te ontfutselen.

Net toen ik door de douane was, ging mijn telefoon. Het was Rebecca.

'Ik heb me zo ongerust gemaakt,' zei ze toen ze mijn verwarde verslag had aangehoord. 'Ik snapte niet waarom je niet belde.'

'Nou, hier ben ik dan,' stelde ik haar gerust, onderweg naar de gate. 'Op weg naar huis.'

'Wacht! Je moet echt komen kijken naar wat ik gevonden heb.' Ondanks alles wat ik haar had verteld, klonk Rebecca uitgelaten. 'En breng je oma's schrift mee.'

Midden in de gang stond ik stokstijf stil. 'Waarom?'

'Omdat...' Zoals altijd werd Rebecca verscheurd door haar verlangen om geheimzinnig te doen, en haar onweerstaanbare neiging om altijd alles eruit te flappen. 'Kom nou maar gewoon. Neem een andere vlucht. Ik moet je dit echt laten zien.'

'Becks!' Ik was niet in de stemming voor nog meer raadsels. 'Ik heb een volkomen krankzinnige week achter de rug...'

'Het is een kleitablet,' flapte Rebecca eruit, 'en er staan precies dezelfde schriftsymbolen op als op die foto die je me hebt gemaild. Het ligt hier, in ons magazijn. Ik heb geprobeerd om een foto te maken, maar mijn telefoon is hopeloos. Je moet het zelf zien, maar het moet nu, voordat de teamleider terugkomt...'

Deels wilde ik Rebecca kalmeren en zeggen dat dit vast niet zo heel dringend was, maar aan de andere kant... als ze echt een eeuwenoud kleitablet had gevonden met dezelfde symbolen als in de Algerijnse tempel en in oma's schrift, zou ik geen rust hebben tot ik het in handen had. Als ik nu rechtstreeks naar Kreta vloog, kon ik misschien toch nog maandag terug zijn in Oxford. Wat was vierentwintig uur langer op een heel mensenleven?

DEEL III

SOL

17

KRETA

De zon scheen in haar gezicht en de wind blies in haar rug. Met haar handen op de reling stond Myrine op de boeg van het schip; ze deinde mee met het stijgen en dalen van elke golf en voelde onverwacht een straaltje hoop. Het was de eerste dag dat ze niet zeeziek was, de eerste dag dat ze werkelijk besefte dat ze eindelijk op weg waren.

Geholpen door Animone had Myrine hard gepleit om haar nog levende zusters over te halen hun verwoeste levens achter zich te laten en met haar mee te gaan, het onbekende tegemoet. Liefste Lilli, Kara de dochter van het stamhoofd en de mooie Klito met de avontuurlijke ogen... waar waren ze nu? Negen waren er ontvoerd. Waren ze nog te vinden?

Hoe hopeloos hun zoektocht ook mocht lijken, Myrine was niet tevreden tot iedereen ermee ingestemd had. De wereld die de rovers hadden achtergelaten was een radeloze, gewelddadige wereld, waar dievenbendes de straten afschuimden op zoek naar alles wat waarde zou kunnen hebben, en waar onbegraven lijken bleven liggen als voer voor ratten en honden. Was de onzekerheid van een reis niet te verkiezen boven de voorspelbare ellende van passiviteit?

Kreta, beweerde Animone, was de plaats waar ze een luisterend oor en antwoord op hun vragen zouden vinden. Op basis van de verhalen van haar zeevarende grootvader beweerde ze stellig dat dit welvarende eiland midden in de grote noordelijke zee door zeelui werd beschouwd als een handige plaats om hun voorraad zoet water en voedsel aan te vullen. De kwaadaardige schepen met hun zwart geteerde rompen waren de Kretenzers vast bekend... het kon zelfs zijn dat ook de kapers daar op weg naar huis zouden aanleggen.

Toen het besluit eenmaal genomen was, werkten de twaalf priesteressen ijverig samen om van hun verwoeste tempel een graftombe te maken. Ze verwijderden de heilige voorwerpen uit de holle altaarsteen en legden het onthoofde lichaam van hun hogepriesteres erin, genesteld in de as van de pas gestorvenen en omringd door hun jakhalsarmbanden. Nadat ze de grafkist zorgvuldig hadden afgesloten, schreef Kyme het volledige relaas van die laatste, van tranen en verdriet vervulde dagen op de muren van het heiligdom. 'In latere tijden,' vertelde ze de anderen, 'zullen mensen deze tempel vinden en zich afvragen wat er hier gebeurd is. Ik wil dat ze er alles van weten, zodat ze eer kunnen bewijzen aan onze gestorven zusters, die hun verhaal zelf niet langer kunnen vertellen.'

Intussen verzamelde Myrine alle wapens die ze kon vinden en zorgde dat iedere zuster in elk geval een mes, een boog en een pijlkoker vol pijlen had. Deze keer was Egee, trouw volgelinge van de hooghartige Kara, de enige die protesteerde, verbolgen omdat Myrine haar vertelde wat ze moest doen. Ze weigerde de wapens aan te nemen en riep: 'Waarom blijf je me die vreselijke dingen geven? De aanblik ervan maakt me ziek.'

'Ziek?' Myrine moest haar ogen sluiten om haar kalmte te bewaren. 'En de aanblik van je vermoorde zusters dan? Word je daar niet ziek van? Of de gedachte aan je ontvoerde vriendin?' Ze duwde de boog en de pijlkoker in Egees handen. 'Wil je weten waar ík ziek van word? Van de aanblik van een gezonde, capabele vrouw die zich weigert te verdedigen, omdat ze denkt dat wapens slecht zijn.' Myrine legde een hand op Egees schouder en kneep er even verzoenend in. 'Die mannen die hier kwamen, die zijn slecht. En de mensen die jou die verkeerde ideeën hebben bijgebracht, hebben voor eeuwig het bloed van onschuldigen aan hun handen.'

Toen ze eindelijk klaar waren en hun kleren hadden versterkt met slangenhuid – ooit zo weerzinwekkend, zelfs voor Myrines naaste vriendinnen, maar nu een welkom pantser rond hun gekwetste zelfvertrouwen – hadden de vrouwen allemaal samen een extra balk voor de kolossale tempeldeur aangebracht om hem zo goed mogelijk te vergrendelen. En na een laatste gebed voor de afwezige Maangodin had Myrine het kleine groepje de tempel uit geleid via het uitgestrekte ondergrondse gangenstelsel – vol gangen en grotten die zij allang in haar eentje had verkend, wanneer alle anderen van hun middagrust genoten. 'Deze kant op!' wenkte ze, met haar fakkel laag bij de grond om de slangen op afstand te houden. 'De vlam dooft snel, opschieten!'

Na het verdwijnen van de Maangodin en de dood van de hogepriesteres had het niet lang geduurd voordat de vrouwen de vaardigheden en passies van hun vroegere levens weer oppakten. Van de overlevenden was Animone het beste ingelicht; ze had altijd beweerd dat ze volkomen thuis was op zeilschepen en open water, en nu kreeg ze eindelijk de kans om haar vaardigheden aan de rest te demonstreren. 'Waarom geloven jullie me niet?' had ze uitgeroepen toen ze zag dat ze aarzelden om de verlaten vissersboot te verwelkomen die Myrine en zij met veel moeite langs de oever hadden meegesleurd. 'Ik zeg toch dat ik weet hoe ik dit ding moet hanteren. Maar eerst moeten we hem herstellen. We hebben touw nodig' – ze was op haar vingers gaan tellen, overlopend van lang vergeten geestdrift – 'we hebben palen nodig, we hebben naalden en stevig draad nodig, en we moeten sterke stof hebben voor het zeil.'

Intussen hield Myrine koppig vol dat ze een jager was. Niets meer en niets minder. Gekleed in een tuniek van slangenhuid, met haar kostbare boog en pijlkoker om haar schouders, maakte ze geen aanspraak op een gezaghebbende rol. Maar aangezien de anderen steeds bij haar kwamen voor antwoorden en aanmoedigingen, werd het leiderschap haar onvermijdelijk opgedrongen. Waar zij ging, zouden de anderen volgen; zelfs Egee durfde het niet anders te wensen.

Als een reus in ruste lag het eiland van de Kretenzers op de zee. Grote delen van de steile, grimmige kust maakten het onmogelijk om aan land te gaan; zelfs de meest aanlokkelijke kreken waren, volgens Animone, te verraderlijk voor ongeoefende zeelui. Vlak onder het fonkelende turkoois van die zacht deinende golven wachtten rotsen, zo scherp als tanden en bedekt met glibberig zeewier, om ongelukkige vreemdelingen omver te werpen en aan flarden te snijden.

Myrine was verstandig genoeg om haar niet tegen te spreken. Zonder Animone zouden ze al vele malen omgekomen zijn sinds hun vertrek uit het moeras dat zij thuis noemden. Ze zouden door gigantische golven zijn verzwolgen, verpletterd zijn door rotsen, of schipbreuk hebben geleden op onbekende kusten... hoe dan ook, ze zouden allang gesneuveld zijn voordat ze de Kretenzische kust zelfs maar in het oog hadden gekregen. Alleen dankzij de nooit vergeten kennis van zeilen en navigatie van die ene vrouw waren ze zo ver gekomen.

'Daar is het!' riep Animone uit en ze wees recht vooruit. 'Daar leggen de kooplui aan. Het paleis van de koning is er niet ver vandaan. Alleen noemen ze hem geen koning. Ik weet zeker dat mijn grootvader vertelde dat hij de Minos wordt genoemd.'

Met haar ogen toegeknepen tegen de zon bestudeerde Myrine de bedrijvige kustlijn. Allerlei soorten schepen voeren af en aan in de door mensenhanden aangelegde haven, maar geen ervan leek op de zwarte schepen die de arme Lilli hadden ontvoerd, en zoveel anderen. Hoewel ze smachtte om de schepen te vinden, wist Myrine ook dat ze nog niet klaar was om de strijd aan te binden met die woeste mannen. Op de boeg van hun dappere scheepje, met haar hand haar ogen beschaduwend, maakte de wond in haar rug haar duidelijk dat ze nog niet genezen was, en dat zij en haar zusters, ondanks al haar bemoedigende grote woorden en de schuttersoefeningen van de hele groep, nog steeds niet veel meer dan prooi waren.

'Weet je zeker dat we vreedzaam ontvangen zullen worden?' vroeg Pitana, die naast haar kwam staan aan de reling en haar pezige armen vrijmoedig op het verweerde hout liet rusten. Ondanks haar slungelige ledematen had Pitana in de afgelopen weken blijk gegeven van een koppige kracht die bijna die van Myrine evenaarde, en het ontdekken van haar onvermoede kracht had de kromming inmiddels bijna uit haar schouders verdreven.

'In de tijd van mijn grootvader,' antwoordde Animone, 'was dit het grootste marktplein ter wereld. Uit alle hoeken van de zee kwamen kooplui van alle volkeren en kleuren en talen hierheen om in vrede hun goederen te ruilen en kennis te verwerven over vaarroutes en windrichtingen en' – haar stem trilde – 'het lot van hun dierbaren.'

Maar eerst moesten ze eten zien te vinden. Hun magere voorraden waren allang uitgeput en de afgelopen drie dagen hadden ze geleefd op weinig meer dan oud water in geitenblazen, en af en toe een vis die door een goedgunstige zeegod aan een haarspeldhaak was bevestigd.

Om de zaken nog erger te maken, kregen ze van een havenbeambte te horen dat ze moesten betalen als ze de nacht in de haven wilden doorbrengen. Hij deed zijn ongastvrije mededeling in verschillende talen, voordat hij eindelijk de taal vond die in de tempel van de Maangodin werd gesproken – een taal die Myrine sinds ze priesteres was geworden na hard werken had leren beheersen. 'Ik heb nog nooit van zo'n betaling gehoord,' zei Kyme tegen de man, alsof ze veel meer van de wereld wist dan in werkelijkheid het geval was. 'En wie bent u?'

De man stak zijn bebaarde kin vooruit. 'Ik ben de belastingontvanger. De handel loopt terug, en toch' – hij gebaarde naar de drukte om hen heen – 'moeten wij het onderhoud van de haven verzekeren. Vergeet niet om de situatie uit te leggen aan jullie mannen wanneer die terugkeren.'

'Misschien zou de handel niet teruglopen,' merkte Kyme fijntjes op, 'als jullie geen betaling rekenden.'

Maar niets kon de man van gedachten doen veranderen. Er moest voor zonsondergang een of andere betaling worden geproduceerd, bij voorkeur in de vorm van koperstukken, hoewel iets smakelijks te eten ook aanvaardbaar zou kunnen zijn.

Myrine staarde naar de uitdijende stad waar geen boom meer overeind stond en verzuchtte: 'Kon ik maar op jacht.'

'Alsjeblieft,' zei Egee, die Myrine na zoveel dagen varen nog steeds vijandig gezind was, 'zeg het woord "jacht" niet meer. Ik heb er zo genoeg van.'

'Jagen zal ons hier geen goed doen,' zei Animone instemmend. 'Net zomin als ruziemaken. Laten we liever nadenken en een oplossing vinden.'

Ze hadden niets van waarde meegenomen uit de tempel, behalve voedsel en wapens. Niettegenstaande hun brute lompheid hadden de rovers vlijtig alle gouden en zilveren offergaven van de planken verwijderd, en niets achtergelaten wat elders van waarde zou kunnen zijn. Bovendien wisten de priesteressen niet eens van het bestaan van koperstukken, en ze hadden er zeker nooit één gezien.

'De klank ervan bevalt me niet,' snoof Kyme, haar privilege als oudste uitoefenend. 'Goud en zilver kan ik begrijpen, maar koperstukken? Stukken van wat, vraag je je af? Nee, laten we de stad maar in gaan en iets ruilen voor voedsel. Wat die irritante belastingontvanger niet wil aannemen, eten we zelf wel op. Want echt, ik heb zo'n honger dat ik de zeepokken van die pier aftrek als we niets beters vinden.'

'Iets ruilen voor eten,' echode Egee, 'wat dan? We hebben niets. Hoewel...' – ze haalde haar mes uit haar riem – 'misschien ziet iemand hier iets in.'

'We geven onze wapens niet op!' Myrine duwde het mes terug in Egees riem. 'Wat heb jij een kort geheugen. We zijn dan wel in een schijnbaar rustige stad aangeland, maar we weten allebei hoe snel dat kan omslaan.'

Dus bleven er twee zusters aan boord om het schip te bewaken, en zochten de anderen zich omzichtig een weg over de vele in elkaar overlopende bruggen en werven. Toen ze eindelijk op het vasteland stonden, was dat zo'n ongewoon gevoel dat ze wankelden en even moesten gaan zitten tot de grond onder hun voeten weer stabiel was.

Toen ze daar zaten, kwam er een man op hen af om iets te vragen in zijn eigen taal, met een gezicht dat zo wellustig stond dat Myrine ook zonder hem te verstaan wel vermoedde wat hij in de zin had. Ze wuifde hem weg, maar hij lachte slechts en kwam dichterbij, alsof een afkerige weigering deel uitmaakte van het spel.

'Kom mee!' Bruusk kwam Pitana overeind en trok haar zusters mee. 'We hebben genoeg gerust.'

Terwijl ze de stad in liepen, dacht Myrine terug aan haar aankomst in de stad van de Maangodin, zoveel maanden geleden, en aan Lilli's allesomvattende geboeide belangstelling. Lieve Lilli, die een gezicht trok bij de vieze geuren, maar toch verder wilde gaan... wat verlangde Myrine ernaar om haar weer bij zich te hebben, altijd opgewekt ondanks alle tegenslag.

'Ik heb een voorstel,' zei Animone, met een knikje naar een man met een gedresseerd aapje dat voorbijgangers vermaakte in ruil voor etensresten. 'Laten we onze heilige liederen zingen en de Kretenzers verrukken met onze harmonieuze stemmen.' Ze wees naar een lege plek tussen de krioelende marktkramen. 'Waarom proberen we het daar niet? Er is ruimte genoeg voor een kleine kringprocessie, en het lawaai houdt vast wel op als wij eenmaal beginnen.'

Myrine keek rond. De marktkramen om hen heen verkochten levende kippen en gekookte geitenkoppen, en ze zag vele goederen van eigenaar wisselen in een gestage stroom klanten. 'Het zou me niet verbazen als daar weer voor betaald moet worden...' begon ze.

'Dan betalen we die!' Animone haalde haar boog en pijlkoker van haar schouder en betastte haar kleine vlechtjes om zich ervan te vergewissen dat ze er op haar best uitzag. Geen van de anderen had de moed om haar te vertellen dat er zelfs nu, drie weken na de aanval op de tempel, nog een masker van veelkleurige kneuzingen over haar gezicht lag. 'Wacht maar,' zei ze met de bravoure van iemand die steeds gelijk heeft gehad.

De heilige liederen die zulke ademloze aandacht hadden gekregen van de bedevaartgangers in de tempel werden echter nauwelijks opgemerkt op het marktplein, en inspireerden al helemaal niemand om een blijk van waardering neer te leggen. Algauw ging Animones hoop ten onder aan het gebrek aan belangstelling van de mensen die langsliepen. 'Wat een nare stad!' siste ze toen ze elk lied en elke dans tot twee keer toe geprobeerd hadden. 'Deze mensen begrijpen onze kunst niet. Wat een domme lieden zijn het. Ze zouden verplicht moeten worden om te betalen!'

'Laten we teruggaan naar de boot en proberen nog een vis te vangen,' zei Kyme, bleek van honger en vermoeidheid. 'Twee, bedoel ik. Een voor ons, en een voor de man.'

'Doen jullie dat,' zei Myrine, en ze verschikte de boog achter haar rug. 'Dan ga ik intussen op jacht.'

Voordat ze verder de stad in liep, wikkelde Myrine de rafelige resten van haar priesteressenjurk om haar hoofd. Als alleen haar ogen zichtbaar waren, bedacht ze, zouden de mensen haar vanzelfsprekend voor een man aanzien, want ze was langer dan de meeste vrouwen en haar slangenhuidtuniek reikte laag genoeg om haar dijen te verbergen. Bovendien zou het vast bij weinig mensen opkomen dat er een vrouwelijke vorm onder zou kunnen zitten.

Op weg door de stad keek ze of ze oude mensen zag zitten in de schaduw van de gebouwen – spraakzame oudjes, die veel gezien hadden en graag herinneringen ophaalden met vreemdelingen. Ze bleef nergens lang hangen, maar vroeg hier en daar naar schepen met zwarte rompen, schepen die hebzuchtige, aapachtige mannen naar verre kusten brachten en terugkeerden met goudschatten.

Maar bijna niemand verstond de talen die Myrine sprak, en toen ze eindelijk kennismaakte met een bejaarde zeeman in een hangmat, had zelfs die spreker van de Oude Taal haar weinig te vertellen. 'Heel veel schepen hebben zwart geteerde kielen,' zei hij lijzig, zich koelte toewaaiend met een vijgenblad. 'Ze kunnen overal vandaan komen. Waarschijnlijk uit het noorden, omdat u zegt dat de mannen een bleke huid hadden. Ik deed vooral zaken in het zuiden, vandaar dat ik uw taal ken.'

Myrine besloot zich te concentreren op de dringendste kwestie, namelijk hoe ze haar zusters moest voeden en hun nacht in de haven kon betalen. 'Als ik gratis zou willen eten,' zei ze voordat ze de oude man verliet, 'waar moet ik dan heen?'

Hij antwoordde zonder aarzelen. 'De oostelijke haven. Daar leggen de grote schepen aan. Probeer de Trojanen: als zij er zijn, vind je ze aan het uiterste einde. Ik denk dat zij wel iets kunnen missen.'

Zo zocht Myrine haar weg daarheen, blozend achter haar shawl omdat ze zich gedroeg als een bedelaar. Maar ze kon geen eerbaar alternatief verzinnen. Aangezien het uitgesloten was dat ze hun lichaam zouden verkopen of uit stelen zouden gaan, en het niet waarschijnlijk was dat zij of haar zusters zich op andere rendabele manieren nuttig konden maken, restte Myrine alleen de nederige hoop op een ontmoeting met een genadige koopman met goederen te over.

Met haar ellebogen baande Myrine zich een weg tussen vreemd volk uit verre landen – mensen die van schepen kwamen die zo groot waren, dat zij ze voor gebouwen aanzag – en bereikte uiteindelijk het einde van de promenade langs de haven, waar de kust weer strand werd en zeemeeuwen boven op het zand getrokken vissersboten cirkelden. Hier, in het schuine oranje licht van de ondergaande zon, zag ze een groep mannen die hele kippen en allerlei groenten roosterden boven een vuur, hun vrolijkheid luidruchtig genoeg om haar ervan te overtuigen dat ze vriendelijk van aard waren. Zouden dat de Trojanen zijn waar de oude zeeman het over had?

Toen ze dichterbij kwam, zag Myrine dat ze een kinderspelletje speelden, waarbij ze stenen in een cirkel gooiden – een spel dat zij met haar vader had gespeeld toen ze nog te jong was om mee op jacht te gaan, en dat ze vaak alleen had gespeeld om de tijd te verdrijven en haar worp te verbeteren.

Een van de mannen – een gladgeschoren jongeling met een krachtige bouw en fraaie, geborduurde kleding – kon zijn stenen bijzonder goed midden in de cirkels mikken, en al begreep Myrine zijn taal niet, ze kon wel zien dat hij de anderen tartte en uitdaagde om hem te overtreffen.

Aangemoedigd door de joviale atmosfeer pakte Myrine een eigen steen en wierp die in het spel. Hij belandde met een plofje in de dichtstbijzijnde, gemakkelijkste cirkel, niet precies in het midden, maar dichtbij genoeg om te zorgen dat de mannen omkeken om te zien wie hem had geworpen.

Toen ze de verbijstering in hun ogen zag, wees Myrine naar het spel, toen naar de jonge kampioen en toen naar zichzelf, om te laten weten dat ze hem graag wilde uitdagen. Haar gebaar leidde tot een geamuseerd gemompel onder zijn kameraden en de jongeman keek haar ongelovig aan, alsof hij niet gewend was aan dergelijke brutale voorstellen.

Toen ze zijn aarzeling bemerkte, wees Myrine nog eens naar het spel, toen naar de kippen die gebraden werden boven het vuur, en vervolgens naar haar eigen mond achter de shawl. Waarop de jongeman iets zei wat ze niet verstond en met zijn intelligente amberkleurige ogen op haar verborgen gezicht zocht naar een teken van begrip. Maar Myrine bukte zich alleen om zes stenen op te rapen, waarvan ze hem er drie aanbood... om ineens abrupt bij haar armen te worden gegrepen door zijn vrienden.

Geschokt door deze omslag zwaaide en schopte Myrine angstig om zich heen om zich te bevrijden. Een schallende lach van de jongeman, gevolgd door een snelle woordenwisseling met zijn vrienden, zorgde echter dat ze haar snel weer loslieten. 'Hier...' Hij raapte de drie stenen op die ze in het zand had laten vallen. 'Ik zal met je spreken in de taal van de woestijnnomaden, want volgens mij zie je eruit als een nomade. Versta je me?'

Myrine knikte. Ook al had ze hem wel kunnen antwoorden, ze was vastbesloten om te blijven zwijgen, opdat ze haar geheim niet met haar stem zou prijsgeven.

'Mooi.' De man boog even zijn hoofd om haar streng aan te kijken, zoals stieren hun tegenstanders aankijken voordat ze aanvallen. 'Je hebt me uitgedaagd tot een duel, en dat is geen kleinigheid.' Maar aan de plagerige vonk in zijn ogen zag ze dat zijn ernst slechts spel was. 'Er staat een kip op het spel. En wellicht een wortel. Moge de hongerigste man winnen.' Hij knikte naar de cirkels in het zand. 'Na jou.'

Myrine mikte en wierp haar eerste steen, waarbij ze haar best deed om het gejouw om haar heen te negeren. De steen landde precies in het midden van de dichtstbijzijnde van de vijf kringen en stelde haar eerste poging in de schaduw.

'Goeie worp,' zei haar rivaal, en hij veinsde een bezorgd gezicht. 'Hoe moet ik dat ooit evenaren?' Maar al tijdens het spreken vloog zijn eerste worp door de lucht en kwam precies in het midden van de tweede cirkel terecht. 'Aha, ik heb geluk. Jouw beurt.'

Myrine klemde haar tanden op elkaar en wierp haar volgende steen, zich er maar al te zeer van bewust dat de man de spot met haar dreef. Iets in zijn ogen verzekerde haar echter van zijn onderliggende goedgezindheid, en zelfs toen haar tweede volmaakte worp geëvenaard werd door de zijne, waarmee ze beurtelings de derde en de vierde cirkel vulden, bleef ze hoop houden dat ze uiteindelijk van deze plek zou weglopen met iets te eten.

Ze had haar laatste steen echter nog niet in de vijfde cirkel geworpen of hij gooide de laatste steen van het spel, en verdreef de hare van de middenstip, hartelijk lachend om haar pech. 'O jee...' Hij grijnsde zogenaamd meelevend. 'Daar gaat je kip, jongen. Maar als compensatie zal ik je een wortel geven.'

Zonder een woord boog Myrine zich voorover om weer zes stenen op te rapen en hem er drie te overhandigen... maar hij nam ze niet aan. In plaats daarvan zei hij: 'Dit spelletje verveelt me. Zullen we iets anders proberen?' Hij keek om zich heen op zoek naar inspiratie, opgehitst door zijn schimpende maten, en zijn blik viel op Myrines boog, die boven haar schouder uitstak. 'Is dat alleen maar speelgoed, of weet je ermee om te gaan?'

Myrine aarzelde. Ze had niet alleen al maanden niet echt kunnen oefenen, maar de wond in haar rug was nog altijd zo verschrikkelijk pijnlijk dat ze nauwelijks een pijl had afgeschoten sinds de aanval op de tempel, zelfs als ze met haar zusters trainde.

'Laat eens zien hoe goed je bent.' De man trok een klein leren zakje open en haalde er vijf stukken brons uit. Koperstukken. 'Die zijn voor jou,' vervolgde hij, 'en de kip ook, als je die meeuw raakt die daar op de mast zit.' Hij wees op de scheef hangende mast van een vissersboot die ongeveer honderd meter verderop op het strand was getrokken.

Myrine schudde haar hoofd.

'Waarom niet?' De man keek haar met hernieuwde belangstelling aan. 'Ik begrijp het. Je wilt geen vogel doden voor de sport.' Hij glimlachte en trok een gezicht naar zijn vrienden. 'Wat een nobele knul! Wat denk je hier dan van: ik gooi een appel in de lucht en jij schiet hem neer?' Toen Myrine geen bezwaar maakte, stak hij een hand uit en kreeg meteen een appel van een van de andere mannen. 'Klaar?'

Voordat ze de boog zelfs maar van haar rug had kunnen halen, zeilde de appel met een grote boog over het water... en viel ongedeerd in de golven.

Hoofdschuddend zei de man: 'Je bent te traag, jongen. Maar ik geef je nog een kans.'

Deze keer was Myrine er klaar voor. Haar boog was al vrij voordat hij de appel zelfs maar in zijn hand had, en haar pijl kwam uit de koker net toen hij zijn arm uithaalde om te gooien. Als ze de tijd had genomen om na te denken, zou ze al te laat zijn geweest, of gemist hebben. Nu vloog de pijl met onwrikbaar vertrouwen weg om de sappige appel doormidden te schieten voordat hij sierlijk in zee dook.

De mannen waren zo verbaasd over het volmaakte schot dat niemand opmerkte hoe Myrine wankelde van de pijn. 'Wat een oog heb jij!' zei haar glimlachende kwelgeest met een bewonderende klap op haar rug. 'Laten we dat nog eens verder beproeven.' Maar toen hij haar gedempte kreun van pijn hoorde – het geluid was te onwillekeurig om niet van een vrouw te zijn – trok hij zijn hand vol afgrijzen terug.

Bij het zien van de verbijsterde blik op zijn gezicht en uit angst voor de vragen die onvermijdelijk zouden volgen, hurkte Myrine snel neer om de vijf koperstukken op te rapen die hij in het zand had laten vallen, klemde ze samen met haar boog tegen haar borst en sloeg op de vlucht. Myrine was zo wanhopig om weg te komen met haar prijs voordat hij een nieuwe manier vond om haar tegen te houden en haar met een kunstgreep haar winst afhandig maakte, dat ze niet eens halt hield om haar kip op te eisen.

'Wacht!' De man kwam achter haar aan, zijn stem boos genoeg om haar vaart nog op te voeren. Ze vloog de stenen treden naar de haven op, en holde over de promenade van de oostelijke haven, heen en weer springend om anderen onderweg te ontwijken. Toen ze achteromkeek, zag ze dat hij haar volgde, zijn schouders opgetrokken van woede, en snel nam ze het besluit om naar de drukke markt te rennen in plaats van naar de westelijke haven, waar haar zusters op haar wachtten.

Ze wist niet zeker waarom de man haar achtervolgde, maar vermoedde dat het nooit zijn bedoeling was geweest om haar te laten wegkomen met zijn vijf koperstukken. Als ze was gebleven, had hij haar ongetwijfeld overgehaald tot een of andere nieuwe weddenschap en zou haar voor schut hebben gezet om zijn vrienden te vermaken.

Ze ging zo op in haar verbeelding dat ze niet merkte hoe de muren van de stad steeds dichter om haar heen sloten, tot ze uiteindelijk in een doodlopend steegje terechtkwam, vol hopen stinkend afval. Met een vies gezicht draaide ze zich om... en zag hem daar staan, haar uitweg blokkerend. 'Gevangen,' merkte hij ietwat overbodig op, zijn hoofd iets schuin. 'Tenzij je ook nog een paar vleugels verbergt onder die schubben?'

'Alsjeblieft.' Met de koperstukken in haar ene hand geklemd trok Myrine met haar vrije hand het jachtmes uit haar riem. 'Ik wil je geen pijn doen.'

De man stak zijn handen op, al keek hij niet werkelijk bezorgd. 'Ik wil ook niet dat je me pijn doet. Ik wil alleen je gezicht zien.'

Myrine zette een stap achteruit en voelde haar hak in iets warms en zachts terechtkomen. 'Waarom?'

De man lachte. 'Waarom niet?'

'Deze koperstukken' – Myrine stak haar vuist naar voren – 'zijn van mij. Nietwaar?'

Hij keek verrast. 'Ja, natuurlijk zijn die van jou.'

'Wat wil je dan nog?' Myrine zette nog een stap achteruit, maar verloor even haar evenwicht in de glibberige smurrie.

'Dat zeg ik net.' De man kwam dichterbij, glimlachend alsof het hele geval maar een spelletje was. 'Ik wil je gezicht zien. Meer niet.'

Myrine stak haar mes naar voren om hem tot staan te brengen. 'En dan?'

Hij haalde zijn schouders op. 'Dan niks. Dan ben je vrij om te gaan.'

Ze aarzelde, probeerde zijn oprechtheid te peilen. Toen stopte ze het mes terug in haar riem en wikkelde snel de shawl los. 'Zo!' Ze sloeg haar ogen neer om zijn – daar was ze zeker van – laatdunkende blik niet te zien. 'Genoeg gezien?'

De man antwoordde niet. En toen Myrine eindelijk opkeek, kon ze zijn gedachten niet van zijn gezicht aflezen. 'Mag ik nu weg?' vroeg ze terwijl ze de shawl weer om haar gezicht wikkelde. 'Alsjeblieft?'

Eindelijk zette hij een stap opzij. Zonder hem nog een blik waardig te keuren rende Myrine zo snel als ze kon weg, de kostbare koperstukken dicht tegen haar borst geklemd.

Net toen de zon onderging achter de zee keerde Myrine bij haar zusters terug en ontdekte dat ze weer in gesprek waren met de belastingontvanger.

Ze beende over de loopplank naar het buitenste dok waar hun schip aangemeerd lag en riep: 'Wacht! Hoeveel koperstukken om vannacht te mogen blijven?'

'Dat ligt eraan,' zei de man. 'Wat heb je?'

Myrine opende haar vuist en liet ze hem zien.

'Aha,' zei hij. 'Laten we twee zeggen. Plus twee voor morgen.'

'Wát?' Kyme kwam naar voren, haar gezicht nog rood van de ruzie die Myrine had gemist. 'Kunnen we die morgenochtend niet betalen?'

De belastingontvanger schudde zijn hoofd. 'Dan moeten jullie bij zonsopgang vertrekken. Maar dat kan niet. Niet met deze noordenwind.'

Later die avond, na een onbevredigend maal van kleine krabkoekjes – een koperstuk per dozijn – keek Myrine op en zag een goedgeklede oudere man op het dok naast hun schip openlijk naar de vrouwen staren. 'Gegroet,' zei hij in de taal van de nomaden. Zijn accent en zijn houding herinnerden Myrine aan de spelende mannen die ze eerder op het strand had ontmoet.

'Kan ik u helpen?' vroeg ze terwijl ze beleefd opstond, in de hoop dat ze zich vergiste.

'Misschien wel,' zei de man op een toon van waardig geduld. 'U bent de boogschutter die een appel heeft neergeschoten, nietwaar?'

'Wat is er?' vroeg Animone, aan Myrines mouw trekkend. 'Wat zegt hij? We hebben voor morgen ook betaald, vergeet niet om hem dat te vertellen.'

'Vrees niet,' zei de man tegen Animone, even vloeiend in de ene taal als in de andere. 'Ik ben gekomen om jullie uit te nodigen voor het avondeten' – zijn blik ging onwillekeurig naar de bedroevende resten van hun karige maal onder in het schip – 'of misschien moet ik het een banket noemen, gegeven door mijn gulle meester, prins Paris.'

Toen er niet onmiddellijk een reactie volgde, voegde de man er met een superieure glimlach aan toe: 'Mijn meester is algemeen bekend als de koninklijke erfgenaam van Troje.'

18

Toen hij op Kreta aankwam... en een kluwen garen kreeg van Ariadne, die verliefd op hem geworden was, en van haar leerde hoe hij die moest gebruiken om zijn weg te vinden door de bochten van het labyrint, ontsnapte hij daaruit en versloeg de Minotaurus.

– PLUTARCHUS, *Theseus*

DJERBA, TUNESIË

HET VLIEGTUIG NAAR IRAKLION was vrijwel leeg. Vroeg in november was Kreta duidelijk geen populaire bestemming, en de grondstewardess was maar al te blij geweest om mijn ticket te veranderen.

Ik had me al geïnstalleerd met mijn voeten op de stoel naast me, toen een man in een spijkerbroek en een suède jack halt hield in het gangpad en zijn plunjezak in het compartiment net boven mijn hoofd begon te proppen.

Knappe vent, dacht ik bij mezelf terwijl ik mijn voeten weer op de grond zette. Pas toen hij naast me zat, realiseerde ik me dat het Nick was. Zonder baard.

'Maak je geen zorgen,' zei hij in reactie op mijn grootogige ongeloof. 'Hij groeit wel weer aan.'

Ik wilde ad rem reageren en mijn verbijstering verbergen achter een pittig voorbeeld van typisch Britse gevatheid, maar om de een of andere reden was het taalcentrum van mijn brein volkomen leeg. De slordige bos haar op zijn hoofd was ook geknipt, en wat er overbleef, was roetzwart. Het was echter aan de ontbrekende baard te wijten dat ik met mijn mond vol tanden stond. Nicks blote gezicht had iets absurd gewaagds; ik was bijna net zo geschokt als wanneer hij zich voor mijn ogen had uitgekleed.

'Dus,' zei hij, sneller dan ik, 'wat zoek je op Kreta?'

Zijn zelfvoldaanheid bracht me terug in de werkelijkheid. Niet alleen had deze man me bespied na ons afscheid op het vliegveld – hoe had hij anders kunnen weten dat ik op het laatste moment mijn plannen had veranderd? – maar bovendien had hij de euvele moed om te doen alsof ík de delinquent was, niet hij. 'Hoe durf je me zo te achtervolgen?' zei ik terwijl ik oma's schrift snel weer in mijn handtas schoof.

'Onze zaken zijn afgehandeld.'

Nick tikte met een hoek van zijn paspoort op mijn armband: 'Eerlijk gezegd zit ik niet achter jou aan. Ik zit achter hém aan. Zolang dat hondje aan jouw arm bungelt, ben jij nog steeds mijn zaak.'

Het was zo'n krankzinnige verklaring, zo'n absurde situatie... als we niet in een vliegtuig hadden gezeten, was ik opgestaan en linea recta vertrokken.

'Zie het maar,' vervolgde hij, met een irritante grijns, 'als een kleine handboei, die jou met mij verbindt.'

We zwegen tot het vliegtuig opsteeg, en ik was dankbaar voor de gelegenheid om mijn strategie te bepalen. Nick was hier, naar het scheen, omdat hij dacht dat ik de armband om mijn pols had gestolen. Stel dat ik hem de waarheid vertelde? Of in elk geval de essentie, zonder oma's schrift te vermelden?

'Het zit zo,' begon ik, in de hoop dat hij zou voelen dat ik oprecht was. 'Ik heb deze armband helemaal niet uit de sarcofaag gehaald. Geloof het of niet, hij was van mijn grootmoeder...'

Nick schudde zijn hoofd. 'In de memo die ik over jou kreeg, stond dat je een IQ hebt van 153. Nou, of die memo heeft het mis, of jij houdt nog altijd iets achter. Waarom?'

Ik stikte bijna in mijn eigen verontwaardiging. 'Excuseer?!?'

'Dat doe ik. De hele tijd al.' Nick begon door een tijdschrift van de luchtvaartmaatschappij te bladeren, belangstelling veinzend. 'Wat gebeurt er op Kreta? Wie trekt er aan de touwtjes?'

Ik wierp hem een vernietigende blik toe, maar hij leek het niet te merken. 'Als er om me heen geen dingen meer ontploffen,' zei ik, 'en mensen me niet meer bespieden... Misschien dat ik dan wat meer intelligentie ga uitstralen. Ik weet alleen niet of jij dat wel zou kunnen waarderen. Dat doen mannen van jouw soort zelden.'

Nick knipperde verleidelijk met zijn oogleden. 'Probeer het maar. Zeg eens iets slims.'

Geërgerd deed ik mijn mond open om dat inderdaad te doen, maar een kleine, innerlijke wervelwind van woede verscheurde elk mogelijk weerwoord. Dus verkoos ik te zwijgen.

'Na zo lang nadenken,' zei Nick uiteindelijk, 'mag het wel een heel goed verhaal zijn. Ik heb nog steeds niet gehoord wat we op Kreta gaan doen.'

'Welkom bij de club van onbeantwoorde vragen,' schoot ik terug, een beetje kinderachtig. 'Wat is er met je baard gebeurd?'

'Die heb ik niet meer nodig.'

'Waarom niet?'

Nick keek verrast. 'Ik dacht dat je dat intussen wel begrepen zou hebben.'

'We hebben al vastgesteld dat ik niet zo slim ben.'

'Goed dan.' Hij keerde zich naar me toe, zijn gesnoef verdween. 'Laat mij je maar wat slimmer maken. Zodra er sprake is van ontdekkingen en uitvindingen, zijn de parasieten niet ver weg. De overheid is natuurlijk de grootste, maar de antiekwereld kent een heel ecosysteem van handelaren, smokkelaars en grafrovers. Ze zijn allemaal hetzelfde: het zijn parasieten die zich voeden met het verleden van andere volkeren en hun culturele erfgoed uithollen.' Nick zweeg even en zocht een landkaart in het tijdschrift van de luchtvaartmaatschappij, haalde een pen uit zijn jaszak en tekende een x op oostelijk Algerije.

'Welnu, voor de grafrovers,' vervolgde hij terwijl hij mij het tijdschrift gaf, 'ben ik de x die het doelwit aangeeft. Het enige wat zij hoeven te doen is mij volgen, want ze weten dat ik ze rechtstreeks naar een nieuwe opgraving breng. Zelfs als ze niet bij de opgraving zelf kunnen komen, gaan ze in de buurt graven in de hoop iets te vinden wat wij over het hoofd hebben gezien. En als ze de kans krijgen, proberen ze onze gravers om te kopen om artefacten van de officiële vindplaats weg te smokkelen voordat ze gecatalogiseerd worden.' Hij wreef over zijn kin. 'Ik dacht dat ze het spoor bijster zouden raken door een baard en groezelige kleren. Jammer genoeg werkte het niet.'

Ik keek naar de kaart, van mijn stuk door de implicaties van wat hij zojuist had onthuld. Toen ik Nick voor het eerst ontmoette, precies een week geleden, had ik hem voor een lompe holbewoner aangezien voor wie het vervoer van een classicus uit Oxford gewoon een baantje was. Maar naarmate de tijd vorderde, was ik mijn vergissing gaan begrijpen, en nu wist ik het zeker. Ook al zag Nick eruit alsof hij zojuist uit het boek Openbaring was komen glibberen, in werkelijkheid was hij een belangrijke figuur.

'Denk je dat het daarom ging?' hoorde ik mezelf vragen. 'Ik bedoel, denk je dat er grafrovers achter die explosie zaten?'

Nick keek me aan, maar ik had het gevoel dat hij me niet echt zag. 'In het algemeen maken slimme parasieten er geen gewoonte van hun gastheer te doden. Ik begrijp de explosies nog steeds niet. Maar ik heb zo'n gevoel dat dat binnenkort gaat veranderen.'

Ik wilde lachen, maar het resultaat was nogal bedroevend. 'Ik hoop dat je niet probeert te suggereren dat ik er iets mee te maken had?'

Nick hield mijn blik nog een paar tellen vast, haalde toen zijn schouders op en keek weg. 'Mijn baas heeft honderdduizenden euro's verloren aan vergeefse inspanningen. Jij hebt er tienduizend verdiend en je bent een armband rijker. Bovendien ben je de enige wetenschapper die de tempel ooit heeft gezien, en je bent de eigenaar van het verhaal. Maar nee, ik suggereer niets, ik wil alleen maar zeker weten dat je veilig thuiskomt.'

Op de door stortregen gegeselde luchthaven van Iraklion stond Rebecca te wachten; haar natte rode krullen kleefden aan haar sproetige voorhoofd. In haar rubberlaarzen en haar verschoten rechte jurkje, ongeduldig wuivend vanachter de ijzeren hekken, zag mijn trouwe vriendin eruit alsof ze zo ongeveer ontplofte van een overdaad aan sensatie. Toen ze Nick zag, en zich realiseerde dat wij samen waren, veranderde haar ongedurigheid echter al snel in sprakeloze verbouwereerdheid.

'Becks!' Ik sloeg mijn armen om haar heen. 'Je bent drijfnat! Wat ontzettend lief dat je toch gekomen bent in dit vreselijke weer. Dit is Nick Barrán.' Ik zette een stap opzij zodat ze elkaar de hand konden schudden. 'Hij wil maar niet weggaan.'

'Dat krijg je,' zei Nick, 'als je dingen begint te stelen.'

Ondanks haar kenmerkende onverstoorbaarheid, en ondanks de vlaag regen die ons overviel zodra we de hal van de luchthaven verlieten, hervond Rebecca haar houding pas toen we op elkaar gepropt op de bekraste voorbank van haar kleine bestelbusje zaten. Nick had aangeboden om achterin bij de bagage te gaan zitten, om door elkaar geschud te worden in een studentenhaver van steenfragmenten, roestig gereedschap, en wellicht een staafje dynamiet of twee. Maar Rebecca, die de weerbarstige dynamiek tussen hem en mij nog niet begreep – laat staan wie Nick überhaupt was – had erop gestaan dat hij zich bij ons op de voorbank zou persen. 'Het spijt me dat we even niet voldoen aan de toeristenfolders,' zei ze terwijl ze vochtige stukken keukenpapier uitdeelde. 'Ik vrees dat jullie midden in het regenseizoen zijn gekomen.'

Aangezien de stad Iraklion momenteel weinig meer was dan een mistige grijze vlek, sloegen we de toeristische rondleiding over en reden rechtstreeks naar de archeologische vindplaats in Knossos, met de piepende ruitenwissers op volle kracht.

De laatste keer dat ik hier was geweest – tot mijn ontzetting al tien jaar geleden, toen ik het vasteland bereisde met Rebecca voordat we ook maar een idee hadden dat ze uiteindelijk op Kreta zou gaan wonen – was het zo heet en kurkdroog geweest dat zelfs de krekels zwegen. We hadden in shorts en bikinibovenstukjes rondgelopen, onze verbrande schouders een patchwork van roze en vervellend bruin, tot het ons eindelijk daagde dat we een laag stof tussen onszelf en de zon nodig hadden. Bij gebrek aan beter kochten we een stel mannenhemden en rolden die op tot ze pasten, en in deze bepaald niet modieuze outfit liepen we naar de eeuwenoude ruïnes van Knossos, wankelend onder onze topzware rugzakken en de stapel bibliotheekboeken over het klassieke Griekenland die ik beslist had willen meebrengen.

Vanzelfsprekend herkende ik helemaal niets in het mintgroene landschap waar we nu doorheen reden, mijn toenmalige opgetogen opwinding nog wel het minst.

'Zo jammer,' bleef Rebecca maar zeggen, vooroverleunend om met handenvol keukenpapier de beslagen voorruit schoon te vegen. 'Normaal gesproken heb je hier een goed uitzicht op de noordelijke ingang.' Met een nerveuze blik op Nick legde ze haastig uit dat het eeuwenoude paleis deels gereconstrueerd was, met opvallende rode zuilen, en dat de opgraving niet slechts de berg roomkleurig puin toonde die je zou verwachten. 'We hebben zelfs een monster,' voegde ze er trots aan toe. 'De angstaanjagende Minotaurus. Maar ik vrees dat je die vannacht niet te zien zult krijgen; kennelijk vindt hij het vervelend als zijn haar nat wordt.'

'De Minotaurus?' vroeg Nick. 'Dat klinkt bekend.'

'Half man, half stier. Woonde hier in vroeger tijden.' Rebecca wierp hem weer een vorsende blik toe. 'Vraag maar aan Diana; zij is de mythologiedeskundige.'

Toen we ten slotte een parkeerplaats opreden, keek ik vergeefs rond naar de statige villa die Rebecca me zo vaak had beschreven. Het enige wat ik zag was de vage omtrek van een witgekalkt motelachtig complex dat ons omringde in de vorm van een hoefijzer.

'Ik weet dat het geen Villa Ariadne is,' zei Rebecca, die mijn gedachten kon lezen. 'Maar ik dacht dat het beter zou zijn...' Ze aarzelde, waarschijnlijk beseffend dat het niet verstandig was om al te gedetailleerd uit te wijden in Nicks bijzijn, en vervolgde opgewekter: 'Eén pluspunt is dat de meeste kamers leegstaan, en bovendien zijn we op een steenworp afstand van de feitelijke opgraving. Als de mist straks optrekt, kun je hiervandaan de ruïnes van het paleis zien.'

Ondanks mijn grimassen en fluisterende toespelingen kreeg Nick van Rebecca de kamer naast de mijne toebedeeld. Niet omdat ze mijn capriolen niet begreep, ze verkoos ze gewoon te negeren. 'Ik heb er onderhand genoeg van,' siste ze toen we eindelijk alleen waren. 'Wat is er in vredesnaam aan de hand?'

Me maar al te zeer bewust dat we slechts door een paar vierkante meter pleisterwand van Nick gescheiden waren, bracht ik haar zo goed als ik kon op de hoogte, en bevestigde dat dit inderdaad dezelfde Nick was over wie ik haar aan de telefoon had verteld – de oplichter die nooit had verteld dat hij voor de Aqrab Foundation werkte. 'Ik weet nog steeds niet waarom hij hier is,' besloot ik, 'maar ik ben er vrij zeker van dat de armband maar een voorwendsel is. Hij probeert er waarschijnlijk achter te komen waarom ik mijn vlucht heb omgezet, en of het iets te maken heeft met wat er in Algerije is gebeurd.'

Rebecca leek niet overtuigd. 'Ik begrijp het nog steeds niet. Heb je die armband echt gestolen?'

'Becks!' Ik begon te lachen, maar ze lachte niet mee. In Rebecca's wereld, als overtuigd archeoloog, stond het voor jezelf houden van artefacten zo ongeveer gelijk aan moord.

'Nou ja, misschien geen moord,' had ze ooit gezegd, toen ze besefte dat ze zich wel erg opwond over een artikeltje in een weekblad, 'maar als ik zulke dingen lees – dat er een of ander onschatbaar artefact gevonden is in de chaotische nalatenschap van een dode verzamelaar – is het net zoiets als lezen over een ontvoerd kind dat vijftien jaar lang in iemands schuurtje opgesloten heeft gezeten.' Natuurlijk was haar ontzetting bij de ontdekking dat haar beste vriendin zo'n ontvoerder zou kunnen zijn aanzienlijk.

'Doe niet zo idioot,' zei ik, met een steek van boosheid dat ze me tot zoiets in staat achtte. 'Het was oma's armband, weet je dat niet meer?' Ik stak mijn arm uit om hem haar te laten zien.

'Jawel,' zei Rebecca na even te hebben gezwegen. Toen keek ze op met een beschuldigende blik. 'Ik heb alleen nooit geweten dat jij die had geërfd.'

Ik liep naar het raam. Buiten had de regen de kleine parkeerplaats allang in een meer veranderd, dat aan alle kanten werd gevoed door beekjes modder, en een dichte middagnevel belette me om meer te zien dan het silhouet van de units aan de overkant van het erf. De locatie was vreemd genoeg verlaten, ook al waren we in Knossos, een eeuwenoud Minoïsch paleis en de grootste toeristische attractie van Kreta; ondanks het ellendige weer was dit duidelijk de tijd van het jaar om hier te komen voor iemand die de mensenmassa's wilde vermijden.

Ik had de vindplaats slechts één keer bezocht, met Rebecca op die glorieuze dag tien jaar geleden. Interessant genoeg was ík indertijd degene die het meest gepassioneerd was over de plek; dankzij oma had ik lang geleden al gekozen voor een carrière in de klassieke geschiedenis, en ik vond mezelf al een hele deskundige op het gebied van de beschaving van de bronstijd.

Gewapend met een half dozijn boeken, plus onze gedeelde waterfles, hadden Rebecca en ik heel wat uren besteed aan het bestuderen van de funderingen van het paleis, ons verwonderend over de gereconstrueerde koninklijke vertrekken en de vondsten uit de ondergrondse voorraadkamers. We haalden onze neus op voor de toeristen die zich heen en weer haastten met hun reisgids-oogkleppen op, en baanden ons een weg langs de hele omtrek van de locatie, vastbesloten om een goed beeld te krijgen van de enorme omvang van het oorspronkelijke paleis. We hadden zelfs met het idee gespeeld om achter te blijven als de boel op slot ging voor de nacht, om het complete maanverlichte effect van de ruïnes te beleven.

'Ik zweer bij God dat we terug zullen komen,' had Rebecca gezegd, met tegenzin achteruitlopend terwijl de beveiligingsagenten het metalen hek achter ons afsloten, 'en dan brengen we de nacht hier door, al wordt het onze dood.'

Nu ik hier bij het raam van de gastenkamer naar buiten stond te turen in de mist, leken die vrolijke zondoorstoofde dagen heel ver weg. 'Nou,' zei ik ten slotte, toen ik besefte dat Rebecca nog steeds op een verklaring wachtte, 'hij zat op een dag bij de post. Ik veronderstel dat oma altijd al wilde dat ik hem zou krijgen.'

Rebecca was zo geschokt dat ze ineens overeind kwam. 'Ik kan niet geloven dat je me dat nooit hebt verteld! Waarom heb je... Hoe heeft ze...'

'Becks,' zei ik, ineens overweldigd door vermoeidheid. Ik had de nacht tevoren nauwelijks geslapen, en nu pas vloog het me allemaal aan – de gruwel in Algerije, de lange rit naar Djerba, en de schok van het weerzien met Nick. 'Laten we hier nu geen tijd aan verspillen. Vertel me over dat kleitablet. Je hebt een foto gemaakt?'

Rebecca greep naar haar hoofd alsof het haar lichamelijk pijn deed om van onderwerp te veranderen. Vervolgens pakte ze haar laptop en toonde me een paar afbeeldingen van een rond voorwerp. 'Daar. Ik krijg het er niet scherper op.'

Ik bestudeerde het scherm maar kon niet eens bevestigen of de ronde schijf beschreven was met oma's symbolen. 'Je hebt gelijk. Dit is zinloos. Waar is die schijf?'

Rebecca trok een gezicht. 'Ik weet niet of dat nog wel zo'n goed idee is...'

'Becks! Ik ben net de hele Middellandse Zee overgevlogen...'

'Dat weet ik heus wel!' Wrevelig stak ze haar armen in de lucht. 'Oké, dit is dus wat er gebeurd is: ik weet dat je zei dat ik het niet moest doen, maar...'

'Je hebt Ludwigs foto aan Telemachos laten zien?' Het was niet eens een vraag. Ondanks al haar professionele integriteit was Rebecca absoluut niet in staat om een geheim te bewaren. Zelfs als kind had ik al geweten dat ik haar opzettelijk bij mijn moeder weghield als er kattenkwaad op het programma stond, om haar te beletten onze plannetjes er op het meest ongepaste moment uit te flappen. En als volwassene had ik me soms afgevraagd of mijn ietwat zorgwekkende flair voor geheimzinnigheid was ontstaan als een noodzakelijk tegenwicht voor de clandestiene incontinentie van mijn vriendin.

Wat Telemachos betreft, hij was een van die semi-academische *wildcards* die ik altijd probeerde te mijden. Rebecca – die oorspronkelijk onder zijn bekoring was gevallen bij een postdoctoraal symposium in Athene – had me herhaaldelijk verteld dat dit Griekse 'orakel', zoals zij hem noemde, mij graag wilde leren kennen en wellicht wilde samenwerken aan een project. Tot dusver had ik echter geen moeite gedaan om de excentrieke autodidact te ontmoeten, deels omdat er in mijn budget geen ruimte was geweest voor een reis naar Griekenland, en deels omdat ik vreesde dat ik mijn wetenschappelijke reputatie zou bezoedelen indien ik mijn naam met de zijne verbond. 'Associeer je niet met zo'n charlatan,' had Katherine Kent gezegd toen ik haar mening vroeg. 'Hij heeft geen diploma's en geen publicaties... In hemelsnaam, hij is gewoon een onderwijzer!' Ondanks haar obsessie met academische zuiverheid had Rebecca zulke bedenkingen niet; Telemachos was de gezellige oom die ze nooit had gehad en – daar was ik van overtuigd – een enthousiast oor voor haar overschot aan roddels.

'Ik heb hem gemaild.' Rebecca keek in het geheel niet berouwvol, sterker nog, ze keek bepaald triomfantelijk. 'En daar mag je me wel voor bedanken. Zonder hem had ik nooit geweten dat het tablet hier lag. Echt, die man onthoudt álles. Hij zag meteen dat het schrift op jouw foto identiek was aan de symbolen op een tablet in ons magazijn – een ronde schijf die hij maar één keer had gezien, twintig jaar geleden. Onvoorstelbaar. Het enige probleem is' – ze keek op haar horloge en trok een gezicht – 'dat de teamleider het niet mag weten, en die komt morgenochtend vroeg terug.'

'Waarom mag hij het niet weten?'

Rebecca's ogen vernauwden zich. 'Omdat hij een hekel aan me heeft. Ik weet zeker dat hij hele dagen op redenen loopt te broeden om me te ontslaan.' Ze wendde zich af om uit het raam te kijken. 'Je weet hoe ik ben. Als mensen hun gegevens door elkaar halen, of het belang van een vondst opblazen... Ik kan nu eenmaal mijn mond niet houden.'

Ik wachtte tot ze verderging, maar ze zuchtte alleen maar.

'Wat een narigheid,' zei ik uiteindelijk; het stemmetje in mijn hoofd tot zwijgen brengend dat zei dat ik het allemaal al eerder had gehoord. Van de nederigste eerstejaars tot de hoogste professor: niemand was veilig voor Rebecca's hartstochtelijke feitenliefde. Het was me nog steeds een raadsel hoe Telemachos haar hoge eisen had weten te ontduiken. 'Maar je bent hier al drie jaar,' vervolgde ik. 'De vindplaats is inmiddels zo ongeveer van jou.'

Ze glimlachte bedroefd. 'Niet meer.' In haar oude jurk, met haar krullen nog steeds druipend van de regen, zag Rebecca er plotseling weer uit als het meisje dat ik zo goed kende maar bijna vergeten was – de domineesdochter die de wereld zo wanhopig graag blasé tegemoet wilde treden, maar het eigenlijk, diep vanbinnen, allemaal maar doodeng vond.

'Oké.' Ik stond op. 'Laten we dan nu meteen gaan kijken.'

Rebecca schudde haar hoofd. 'Zo simpel is het niet. Misschien moeten we Nick vragen...'

'Zeker niet!' Ik staarde haar aan en vroeg me af waarom mijn verdenkingen jegens de Aqrab Foundation haar niet hadden overtuigd. 'Iemand in Dubai heeft belang bij oma's schriftsysteem. En tot die iemand hoogstpersoonlijk bij me komt en me vertelt wat er verdomme aan de hand is, en wat de Amazones met dit alles te maken hebben, geef ik helemaal niets aan wie dan ook. Ja, ik heb de inscriptie in de tempel ontcijferd, en ja, daar hebben ze me voor betaald, maar dat is alles. Ik laat me niet dwingen om weer voor ze te werken, en zeker niet voor niets. Nick heeft helemaal niets met dat tablet te maken. Begrepen?'

'Als jij het zegt.' Rebecca beet op haar lip met een onuitgesproken gebrek aan instemming. 'Maar we hebben geen tijd om voor het eten te gaan kijken.'

'We gaan het zo aanpakken.' Ik ijsbeerde door de kamer om mijn gedachten te ordenen. 'Jij houdt Nick bezig, terwijl ik er in mijn eentje naar ga kijken. Dan weet ik zeker dat hij mij niet aan het stalken is. En als je beminde teamleider morgen komt aanvliegen, vlieg ik net weg.

Einde verhaal.' Ik keek Rebecca geestdriftig aan, al helemaal gegrepen door mijn plan. 'Waar zei je dat het ding bewaard wordt?'

'Nou...' Rebecca glimlachte schaapachtig. 'Dat is dus het probleem.'

We aten vroeg, in de Pasiphae Taverna vlak bij de ruïnes van Knossos. De regen was eindelijk opgehouden en had alles vochtig en nogal koel achtergelaten, en toen we tussen de druipende olijfbomen op het terras zaten, sneed er een feloranje straal zonlicht door de resten van de nevel, om ons eraan te herinneren wie er ook alweer de koning van de hemel was.

'Vertel eens wat meer over die Minotaurus,' zei Nick op zeker moment, met een verwachtingsvolle blik op mij. 'Half mens, half stier. Welke helft is wat, vraag ik me af?'

'Ach, laat zitten.' Ik keek weg, nog steeds verstoord door zijn aanwezigheid. 'Het is niet echt een onderwerp voor bij het eten.'

'Waarom niet?' Hij wendde zich tot Rebecca. 'Ik wil alleen weten hoe je half stier wordt. Het intrigeert me.'

'Goed dan.' Ze glimlachte hem toe, en ik was onder de indruk van haar vermogen om te doen alsof er geen geheim plan op stapel stond. 'Volgens de mythologie had de koning hier in Knossos een koningin, Pasiphaë, naar wie dit etablissement, ietwat verontrustend, is vernoemd.' Rebecca knikte naar de ingang van de taveerne en het uithangbord boven de deur. 'God weet wat er werkelijk met die arme vrouw is gebeurd, maar volgens de overlevering werd ze verliefd op een stier, en het resultaat was een monster met de kop van een stier en het lichaam van een mens.'

'Wat bedoel je, het resultaat?'

'Nou...' Rebecca bloosde helemaal. 'De koningin liet, naar het schijnt, een holle koe van hout maken en die in een veld in de buurt van de stier zetten. Ik veronderstel dat ze dacht dat dat hun... hun affaire zou vereenvoudigen. Hoe dan ook, uiteindelijk beviel ze van de afstotelijke, mensenetende Minotaurus, die in het donkere labyrint onder het paleis gevangen werd gehouden. Volgens de legende werden de Atheners gedwongen om ieder jaar zeven jongens en zeven meisjes naar Kreta te sturen, als voedsel voor het monster, en dat deden ze trouw, jaar na jaar, tot de heldhaftige Theseus heimelijk de groep kinderen infiltreerde, de Minotaurus doodde en zijn weg uit het labyrint wist te vinden met behulp van een klos draad.'

'Hoe verklaar je zo'n mythe?' wilde Nick weten. 'Is die geworteld in historische feiten?'

Rebecca straalde. Dat was precies het soort vraag waar ze dol op was. 'Er bestond in de oudheid zonder twijfel een stierencultus hier op Kreta,' zei ze. 'En het is niet ondenkbaar dat daar een ritueel van mensenoffers bij te pas kwam, uitgevoerd door priesters die stierenmaskers droegen. Vandaar, misschien, het angstaanjagende personage van de Minotaurus.'

'En dat labyrint? Is dat er nog?'

'In zekere zin.' Rebecca knikte in de richting van de paleisruïnes. 'De meeste archeologen geloven dat het woord "labyrint" gewoon naar het paleis zelf verwees. Het was immers een reusachtig, enorm uitgestrekt gebouw, en het moet uitermate intimiderend zijn geweest voor bezoekers – ook zonder de extra attractie van de Minotaurus.' Ze zweeg even om mij een blik toe te werpen, en ik wist dat we hetzelfde dachten. Onder de ruïnes lag een tweede labyrint, een donkere, grimmige plek, waar alleen een paar insiders van wisten.

'Voor veel archeologen is het een hete aardappel,' droeg ik bij, bang dat Rebecca uit haar rol zou vallen. 'Hoe verklaar je dat deze ogenschijnlijk gelukkige, vredelievende Minoïsche cultuur stapels menselijke botten bewaarde met sporen van messteken erop, verborgen in gewijde grotten onder de grond?'

'Die vondsten zouden uitzonderingen kunnen zijn,' zei Nick.

Rebecca knikte. 'Dat zou kunnen. Maar zoals mijn vriend Telemachos altijd zegt, uitzonderingen zijn de uitzondering, en vondsten zijn net mieren: als je er eentje ziet, kun je er zeker van zijn dat er twintig zijn geweest.'

'En de koningin en de stier?' vroeg Nick terwijl hij iedereen wijn bijschonk. 'Wat is de wetenschappelijke verklaring daarvan?'

'Naar alle waarschijnlijkheid,' zei ik, in de hoop een terugkeer naar dat onderwerp te vermijden, 'was dat gewoon weer een fantasievol verhaal om vrouwelijke hartstocht te belasteren...'

'Of,' onderbrak Rebecca mij, niet in staat om haar kennis te verbergen, vooral waar het zo'n sappig onderwerp betrof, 'de stierencultus had ook een element van' – ze bloosde opnieuw – '*hieros gamos*, om het Grieks te gebruiken.'

'Ik ken geen Grieks,' bracht Nick haar in herinnering.

Waarop Rebecca verrukt glimlachte en voor het eerst in uren de kuiltjes in haar wangen toonde. 'Ik zou het je kunnen leren.'

'Wat?' vroeg Nick, zelf ook met een halve glimlach. 'Hieros gamos of Grieks?'

Ik leunde achterover op mijn stoel en keek ongelovig toe hoe die twee Griekse woordjes gingen oefenen, tot groot vermaak van beiden. Het was niet voor het eerst dat ik mijn vriendin na een paar glazen wijn een cocon van mismoedigheid zag afwerpen, maar ik was verbijsterd om Nick zo volmondig te zien meedoen; als ik niet beter had geweten, zou ik hebben gedacht dat hij zich oprecht vermaakte.

En misschien was dat ook wel zo. Misschien had Rebecca's onbeholpen koketterie een tot nog toe verborgen gebleven kant van deze cryptische man tot leven gewekt – een kant die ik misschien nooit had gezien, omdat ik lang niet zo lief was als zij. Of was het weer eens de stem uit de hemel die deze verandering had bewerkstelligd? De stem die Nick die dag in Algerije had opgedragen om mij weer in te huren en mijn loon te verdubbelen... En die hem, vrijwel zeker, opdracht had gegeven om zichzelf op te kalefateren en mij naar Kreta te volgen? Wiens stem was het? Die van meneer al-Aqrab? Of was er nog iemand anders in de nevelige ether om me heen die Nick had opgedragen niet zo chagrijnig te zijn?

'Wat is er met je, Diana?' vroeg Rebecca ineens. 'Mankeert er iets aan het eten?'

'Het spijt me,' zei ik, mijn stoel achteruitschuivend, 'maar ik heb vreselijke hoofdpijn. Ik wil de avond niet bederven...'

'Ik loop wel met je mee,' zei Nick, die ook overeind kwam.

'Nee! Nee, dank je wel. Echt, dat hoeft niet.' Ik gebaarde dat hij weer moest gaan zitten. 'Blijven jullie maar gezellig hier.'

Terug op mijn kamer trok ik snel het oude windjack en de gympen aan die Rebecca me had geleend voor mijn nachtelijke missie. Het kleitablet werd, zo bleek, bewaard in een tablettenmagazijn in dat labyrintische deel van de paleiskelder waar we Nick met opzet niet over hadden verteld. Toen ze me voor het eten het scenario beschreef, had Rebecca gedaan wat ze kon om mij ervan te weerhouden daar in mijn eentje naar beneden te gaan, maar mijn trots belette me om het plan te veranderen dat ik haar met zoveel moeite had aangepraat. Bovendien had mijn nieuwsgierigheid er altijd al een handje van om mijn voorzichtigheid te onderdrukken, en nu spoorde die nieuwsgierigheid me ronduit aan met Amazonestrijdkreten.

Kennelijk werd de tablettenzaal door de archeologen die aan Knossos werkten, beschouwd als een soort collectief onderbewustzijn. Binnen de muren lagen honderden kleiplaten, de meeste beschreven in Lineair B, die voorraadlijsten bleken te zijn. De mysterieuze schijf met oma's schriftsymbolen lag er al jaren, weggestopt in een donkere hoek;

voor zover Rebecca wist, had niemand ooit een serieuze poging gedaan om de boodschap te ontcijferen die zo zorgvuldig in de klei was gedrukt, meer dan drieduizend jaar geleden.

'Ik weet dat het onvoorstelbaar is,' had ze in reactie op mijn sceptische gezicht gezegd, 'maar volgens Telemachos ging het gerucht dat deze specifieke schijf vervloekt was. Sommige mensen die hem aanraakten, kregen een ongeluk, en, nou ja...' Rebecca rolde laatdunkend met haar ogen. 'Je weet hoe die dingen gaan. Misschien is hij daarom wel zo lang verborgen gebleven.'

Terwijl ik de spullen verzamelde die ik nodig had voor mijn expeditie – mijn tas, een zaklamp, en de klos garen die ik van Rebecca beslist moest meenemen – hoorde ik een stemmetje beweren dat ik niet zo snel na mijn schrik in Algerije hier rond zou moeten sluipen. Maar ik wist dat het niet anders kon; ik had Rebecca beloofd dat ik ruim voor het aanbreken van de dag uit de kelder zou zijn, en ik was vastbesloten om de schijf voor Nick verborgen te houden, tot ik wist wat erop stond. Niet alleen vanwege zijn associatie met de Aqrab Foundation, maar ook omdat Nick – naar eigen zeggen – in de gaten gehouden werd door grafrovers en terroristen, en mijn kans om het raadsel van oma's geheime taal op te lossen zou in gevaar komen door zijn betrokkenheid.

Nadat ik tevergeefs had gezocht naar een veilige plaats om de tienduizend dollar die Nick me in Algerije had gegeven te verstoppen, besloot ik het geld in mijn tas te ritsen en mee te nemen. Ik vond het geen prettig idee om zoveel contant geld in mijn kamer achter te laten, op slechts meters afstand van een man die dieven aantrok waar hij maar ging.

Tegen de tijd dat ik op pad ging, was het al bijna donker. Op Rebecca's aanwijzingen haastte ik me over de modderige parkeerplaats en glipte door een gat in het hek de opgraving binnen. Uit haar mond had het zo eenvoudig geklonken, maar toen ik mezelf met veel moeite door de piepkleine opening perste, trok het kapotte ijzer aan mijn haar en mijn kleren, en herinnerde me eraan dat ik aanzienlijk groter was dan zij.

Terwijl ik mijn weg zocht over de zompige grond, probeerde ik waar ik maar kon de verspreide keien en uitstekende rotsen als stapstenen te gebruiken. Ondanks mijn inspanningen begon er echter al snel koele nattigheid door Rebecca's gympen te sijpelen, en toen ik eenmaal bij de schuur kwam die ze me had beschreven, waren mijn voeten drijfnat.

Op de tast liep ik langs de oneffen gevel, zonder vooralsnog mijn zaklamp te durven aansteken uit angst om gezien te worden. Toen ik eindelijk de deur vond, sloop ik zo stil mogelijk naar binnen en hoopte hevig dat niemand het piepen van de aftandse oude scharnieren hoorde toen hij achter me dichtging.

De schuur ontving me met die specifieke, overweldigende schimmellucht die meestal waarschuwt voor spinnennesten, en bijna liep ik net zo hard weer naar buiten. Maar volgens Rebecca was dit de veiligste plek om af te dalen in de eeuwenoude kelder van het paleis. Er waren andere ingangen, maar die waren te gevaarlijk; toen ik mijn zaklamp aanknipte en de geïmproviseerde houten trap zag verdwijnen in het ondergrondse aan mijn voeten, begreep ik ineens waarom Rebecca's verfoeilijke teamleider er een halsmisdaad van had gemaakt om de tablettenzaal na werktijd en zonder toestemming te bezoeken.

Met mijn hart in een nerveuze galop haalde ik de plattegrond die Rebecca voor me had getekend uit mijn tas en begon behoedzaam de wankele traptreden af te dalen. Onder aan de trap aarzelde ik een poosje en bescheen het muffe duister met mijn zaklamp, terwijl ik probeerde te ontdekken wat de bovenkant van de plattegrond was.

De duizenden jaren oude gang die zich aan weerszijden in het donker uitstrekte – en meer op een lange, kartelige grot leek dan op iets wat door mensenhanden was aangelegd – vormde kennelijk maar een klein deel van het enorme complex van opslagruimten onder het oude paleis. Nu ik zag hoe claustrofobisch het was, en hoe het me nu al verwarde, begreep ik eindelijk waarom Rebecca me die kluwen garen meegegeven had.

Ik haalde hem uit mijn tas en knielde neer om het uiteinde volgens opdracht vast te binden aan de onderste trede van de trap. Daarna dook ik in de tunnel, in wat naar ik hoopte de richting van de tablettenzaal was, waarbij ik mijn zaklamp zo goed mogelijk voor me uit liet schijnen en intussen geleidelijk het garen afrolde. Het vergde al mijn zelfbeheersing om geconcentreerd te blijven op de plattegrond en de paar oplichtende meters voor me; meer dan eens moest ik mijn opdracht hardop uitspreken om de schelle, rivaliserende stemmen van mijn ongetemde angsten de baas te blijven. 'Kleischijf. Tablettenzaal.'

Hoewel ik opgevoed was om te spotten met spoken en monsters, voelde ik ze hier onwillekeurig overal, wachtend tot ik hun aanwezigheid zou erkennen. Telkens wanneer ik een zwarte hoek omging of opnieuw een gapende deuropening passeerde en een vlaag schimmel of verrotting opving, zette ik me schrap voor een gruwelijke aanblik. Tijdens het eten was het gemakkelijk genoeg geweest om de oude legenden op te halen over een mensenetende boeman verscholen in het labyrint van Knossos, en om in rationele bewoordingen gemaskerde priesters en gruwelijke rituelen te bespreken. Helemaal alleen hierbeneden zijn en op mijn tenen door de tijdloze grotten sluipen die tot zulke beestachtige mythen hadden geleid, bleek een heel ander verhaal.

Toen ik eindelijk de tablettenzaal bereikte, zat er nog maar een paar meter draad op de klos. Nadat ik de zware houten deur had ontsloten met Rebecca's geheime sleutel, knoopte ik het uiteinde van de draad aan de deurknop vast en stapte de zaal binnen, voorzichtig mijn zaklamp rondzwaaiend.

Na mijn ineengedoken tocht door het duistere labyrint bleek het een geruststelling om in een redelijk grote, hoekige ruimte te belanden, waar stenen planken alle muren van de grond tot het plafond bedekten... planken vol kleitabletten, wel honderden, tegen elkaar geleund als boeken in een bibliotheek.

Toen ik de plafondlampen aanknipte, werd ik tijdelijk verblind door de halogeen bouwlampen die middels uitschuifbare palen aan een metalen rek hingen. De meeste lampen schenen omlaag op een tafel gemaakt van twee schragen, met een grote blauwe deur erop. Dit was kennelijk het nogal prozaïsche werkstation om de tabletten te bestuderen, en toch was het smetteloos schoon. Geen papieren, geen pen, zelfs geen lege waterfles was er achtergelaten, maar dat was niet echt verrassend. Volgens Rebecca deed de strenge teamleider elke ochtend bij zonsopgang een inspectieronde.

Nadat ik de op de plattegrond gekrabbelde instructies nog eens had bekeken, begon ik mijn zoektocht naar de kleischijf op de planken in de verste hoek van het vertrek. Hij stond precies waar Rebecca had gezegd dat hij zou staan: binnen handbereik. Geklemd tussen andere tabletten van vergelijkbare omvang was deze toch duidelijk anders, omdat het een van de weinige ronde tabletten in de hele collectie was.

Toen ik hem eindelijk in handen had, droeg ik de schijf naar de tafel en legde hem heel voorzichtig op de blauwe deur. De roodachtige klei was aan de randen beschadigd, en een haarscheurtje halverwege het midden zou wel eens rampzalig kunnen worden als de schijf trillingen of plotselinge veranderingen in de vochtigheidsgraad te verduren kreeg. In feite, bedacht ik met een steek van schuldgevoel, zou ik de schijf niet eens zonder beschermende handschoenen en een draagbare ontvochtiger moeten aanpakken.

Over de tafel gebogen inspecteerde ik zorgvuldig de piepkleine symbolen die in een spiralend patroon in de klei waren gedrukt. Ondanks de halogeenlampen was het schrift moeilijk te onderscheiden; het was niet vreemd dat Rebecca's foto's ontoereikend waren. En toch kostte het me weinig tijd om te bevestigen dat zij en Telemachos gelijk hadden: deze symbolen kwamen overeen met die in Algerije en in oma's schrift.

Gevolg gevend aan mijn onweerstaanbare verlangen haalde ik het schrift uit mijn tas. Ik had Rebecca wel beloofd dat ik niet langer in de tablettenzaal zou blijven dan strikt noodzakelijk was; ik zou de inscriptie overschrijven op een stuk papier, meer niet, en vooral niets proberen te ontcijferen voordat ik weer veilig boven de grond stond. Maar... nu ik hier eindelijk was, in alle staten van opwinding, moest ik echt alvast even van mijn vangst proeven.

Haastig door het schrift bladerend deed ik mijn best om het eerste woord dat in de klei gegraveerd stond te ontcijferen. Omdat ik al zo intensief met de symbolen had gewerkt, leken ze allemaal vertrouwd... en toch was ik dit eerste woord nog niet eerder tegengekomen. 'Aha!' zei ik hardop, toen ik eindelijk vond wat ik zocht. 'Koningin.'

Het tweede woord was echter veel lastiger. 'Koningin wat?' prevelde ik terwijl ik weer door het schrift bladerde. 'Koningin wie?'

Maar het woord stond er niet in. Teleurgesteld keek ik weer naar de schijf, bereid om dit dan maar over te slaan en het derde woord te zoeken. Er was echter iets met dat tweede woord – misschien een naam van drie lettergrepen – dat me dwars bleef zitten...

Uiteindelijk opende ik mijn laptop om mijn aantekeningen uit Algerije na te lezen. En daar stond het, tussen de vele onopgeloste raadsels van de bedolven tempel: hetzelfde woord van drie lettergrepen, dat aan de onderkant van de muur had gestaan. Volgens mijn aantekeningen was het bijna zeker de naam van de priesteres die na de inval de leiding had genomen, maar wier verdere doen en laten jammer genoeg verloren was gegaan in een lacune van verkruimeld pleisterwerk.

Toch dook ze hier weer op, in het paleis van Knossos. Nu als koningin.

Gejaagd en opgewonden haalde ik mijn camera tevoorschijn en maakte verschillende foto's van de schijf alvorens de spiraal van symbolen snel en vlijtig over te schrijven op een blad papier. Indachtig Rebecca's eis om snel terug te komen zette ik daarna de fragiele schijf precies terug waar ik hem gevonden had en pakte mijn spullen in. In gedachten al mijlenver weg, of in elk geval op mijn kamer, waar ik de rest van de tekst wilde vertalen voordat het ochtend werd, greep ik mijn zaklamp en liep naar de deur. Zodra ik die opendeed, werd ik echter abrupt teruggeworpen naar het heden.

Want de draad die ik zo nauwgezet aan de deurknop had vastgeknoopt, was verdwenen.

19

KRETA

De trojanen lagen aangemeerd in de oostelijke haven, net naast het strand waar Myrine haar vijf koperstukken had gewonnen. Met haar zusters achter de koerier aan lopend door de avondlijke menigte, voelde ze een toenemend onbehagen bij het vooruitzicht om opnieuw oog in oog te staan met de jongeman die haar zo had geplaagd voor de ogen van zijn kameraden. Sterker nog, ze vreesde dat de enige reden waarom hij haar uitnodigde, was om opnieuw met haar te kunnen sollen.

Hoe dan ook, ze had de uitnodiging onmogelijk af kunnen slaan. De Trojaanse koerier had een aanlokkelijk beeld geschilderd van eten en drinken, en na zoveel dagen op zee en zoveel teleurstellingen, wist Myrine dat haar eigen comfort het veld moest ruimen voor dat van haar zusters.

'Kijk!' Pitana knikte opgewonden naar de verbluffende schepen die in de verte boven hen uittorenden. 'Heb je ooit zoiets wonderbaarlijks gezien?'

Naast de drie Trojaanse schepen leken de meeste andere schepen in de haven inderdaad klein. Ze waren even hoog als breed en in staat om reusachtige zeilen te voeren; hun boeg was beschilderd met ingewikkelde patronen, en op de achtersteven van elk schip bevond zich iets wat op een huis leek. 'Deze kant op, alstublieft.' De koerier ging hun voor naar het middelste schip en liep voor Myrine uit de loopplank op. 'Vrees niet, het is heus veilig.'

Hij bedoelde duidelijk de lange houten plank waar ze op liepen, die telkens een beetje schudde wanneer iemand een stap zette. Maar Myrine was minder bezorgd over de loopplank, dan over de streng ogende gewapende bewakers die hen aan dek opwachtten. 'Welkom aan boord,' zei een lange, bebaarde man, die Myrine nog van het strand herkende. 'Uw wapens, alstublieft.'

Kennelijk verwachtten de bewakers dat de vrouwen hun wapens zouden neerleggen voor het beloofde banket en Myrine voelde dat haar zusters haar gespannen aankeken om te weten hoe ze moesten reageren. Ze wisten dat hun aanvoerder er een hekel aan had om haar boog af te leggen, en zeker haar mes, maar dit waren ongewone omstandigheden. 'Ik vind het maar niks,' fluisterde Animone. 'Misschien zijn het wel slavenhandelaren.'

'Misschien.' Myrine keek even naar de bebaarde man, met het gevoel dat er onder die gepantserde houding een vriendelijk hart te vinden zou zijn. 'Maar dat betwijfel ik.' Ze maakte haar eigen boog en pijlkoker los. 'Doe wat hij zegt.'

Toen ze klaar waren, lag er een hele stapel wapens op het dek, met Myrines imponerende jachtmes erbovenop. 'Goed,' zei de koerier, wiens ogen uitpuilden van verrassing bij elke speer en verborgen dolk die op de stapel terechtkwam. 'Volg mij.'

Hij bracht ze naar het huis op de achtersteven, dat een tentachtige constructie bleek te zijn van een stevige stof, aan weerszijden van het schip aan de relingen bevestigd, en in het midden omhooggehouden door lange houten palen. Het resultaat was een open, driehoekig vertrek met lage banken langs de kanten en bekleed met fijn geweven tapijten. Op die tapijten stonden vele schalen en schotels, overvloedig vol eten, en op de banken zat een dozijn goed geklede mannen, die de vrouwen met grote belangstelling aankeken.

In de punt van de driehoek, met zijn rug naar de oprijzende boeg, zat een koninklijke gestalte gekleed in het blauw comfortabel op een eigen stoel, met een gouden drinkbeker in zijn hand. Hij was het dus echt, dacht Myrine blozend toen hun ogen elkaar ontmoetten boven de gulle verzameling gerechten. De man die haar door de stad achternagerend was, alleen om een glimp van haar groezelige gezicht op te vangen, was een hooggeboren prins, en uit zijn gelaatsuitdrukking toen hij hun neerbuigend toeknikte en gebaarde te gaan zitten, maakte ze op dat hij er veel genoegen in schepte om zijn status in haar ogen te corrigeren en bovenal haar reactie te observeren.

'Toe dan,' siste Egee, met een duw in haar rug, 'ik sterf van de honger.'

In navolging van Myrine zetten de vrouwen zich op het tapijt, nerveus bijeen geschaard als hazen die door vossen in een hoek gedreven zijn.

Hoewel ze probeerde niet te kijken naar de mannen op de houten banken, voelde Myrine hun nieuwsgierige, wellustige blikken, en toen ze Egee zag reiken naar een haar voorgehouden broodmand, leunde ze snel naar voren om de hand van het meisje weg te duwen. 'Niets aanraken,' fluisterde ze tegen haar metgezellen, 'voordat we onze rol hier begrijpen.' Toen ging ze op haar knieën zitten en boog haar hoofd voor prins Paris, met de woorden: 'Hartelijk dank voor uw ontvangst. Wij zijn uw vriendelijkheid onwaardig.'

Hij glimlachte ten antwoord, als voor haar alleen. 'In mijn land hebben wij een gezegde: als je toch moet slaan, zorg dan dat de pijn gevolgd wordt door een kus.'

Even hingen de woorden in de lucht, heen en weer vliegend tussen de lachende mannen. Maar alleen Myrine kende hun ware bedoeling: de kus was aan haar om te geven, want zij was het die zijn trots had gekwetst door weg te rennen en haar mes te trekken.

'Ik begrijp het,' zei ze, en ging weer zitten, haar verlegenheid met de situatie heet kloppend in haar wangen. 'En daarom moet ik mij verontschuldigen. Zie je, wij zijn niet het soort vrouwen van wie een man een kus mag verwachten. Wij zijn heilige zusters, en als zodanig zijn we hier gekomen. Tenzij jullie dus genoegen scheppen in het beluisteren van heilige gezangen,' vervolgde ze met een spijtig gebaar naar het eten, 'kunnen wij jullie hiervoor nooit naar behoren bedanken.'

Het knappe gezicht van Paris vertrok geërgerd. 'Weer ben je onberispelijk trefzeker. Als ik een mindere man was, zou ik beledigd zijn. Maar...' – glimlachend spreidde hij zijn armen – 'dat ben ik niet. Wees dus gerust, dames, en geniet van onze hommage aan uw heiligheid. Jullie hoeven niet bang te zijn,' zei hij met een plagerige, uitdagende blik naar Myrine, 'dat wij je met iets anders dan voedsel willen vullen.'

Toen liet hij hen in vrede eten en het vertrek vulde zich met het geluid van krassende lepels op aardewerken kommen, en van krakende touwen en klotsend water wanneer de branding aan het enorme schip trok en de landvasten op de proef stelde. Nu en dan wisselden de mannen mompelend een paar woorden, maar prins Paris zweeg, zijn heldere ogen op Myrine rustend met de geduldige waakzaamheid van een afwachtend roofdier.

Halverwege de maaltijd kwamen er twee jongens stilletjes het vertrek binnen om een veelheid van kleine aardewerken olielampjes te ontsteken, en daarmee verdween de schemerige duisternis. Nu reikten de mannen naar de zoetigheden en het honingbrood, en er werd een koperen kan met een donkere, onbekend ruikende vloeistof doorgegeven.

Hoewel alle gerechten verrukkelijk waren, besteedde Myrine nauwelijks aandacht aan haar eten. Ze was te nieuwsgierig naar de mannen om hen niet heimelijk te bestuderen – hun taal, hun verschijning, hun gedrag. Waar ze ook vandaan kwamen, de Trojanen waren duidelijk een beschaafd volk, en hun uiterlijk was even aangenaam als hun manieren. Alles aan hen verhaalde van welvaart en comfort – de schepen, het meubilair, de maaltijd – en hoe langer Myrine luisterde naar de kalme toon van hun gesprekken, hoe meer ze zich schaamde voor haar wantrouwen. Te bedenken dat ze wellust en berekening meende te voelen toen ze het vertrek binnenkwam... dat had ze duidelijk zelf verzonnen. Ongeacht hoelang deze mannen al op zee voeren, en hoezeer ze ook verlangden naar de aanraking van een vrouw, het was niet erg waarschijnlijk dat zij de heilige regels van het gastrecht zouden schenden; nee, zíj was in gebreke gebleven in haar plichten als gast, door zichzelf dat wantrouwen toe te staan.

Tegen het einde van de maaltijd keek Myrine op en sprak tegen Paris, naar ze hoopte op verontschuldigende toon: 'Je bent meer dan vriendelijk voor ons geweest,' zei ze, met haar hand tegen haar borst gedrukt, 'en de gedachte dat wij zo onhoffelijk zijn gekomen en weer zullen vertrekken, kan ik niet verdragen. Sta je ons toe een hymne van dankbaarheid te zingen?'

Het aanbod leek de prins te amuseren, maar hij wist zijn glimlach te veranderen in een statige frons. 'Spaar je hymnen, dames. Jullie zijn ons niets verschuldigd.'

Myrine worstelde om iets anders te bedenken. 'We moeten je toch bedanken...'

Paris hield zijn hoofd schuin. 'Wil je mij je boog schenken?'

Bij die directe vraag deinsde Myrine geschrokken achteruit. De beleefdheid vereiste dat ze hem zijn wens zou gunnen, maar ondanks haar verlangen om grootmoedig te zijn, kostte het haar moeite om het te zeggen.

Toen hij haar verwarring zag, wierp Paris zijn hoofd in zijn nek en lachte hartelijk. 'Vrees niet! Ik zou nog liever het hart uit je boezem rukken dan je boog innemen, want ik denk dat je dat minder zou missen.'

Myrine keek hem aan, niet zeker van zijn bedoeling.

Nog steeds glimlachend stak Paris zijn beker uit naar een van de jonge bedienden, die hem meteen met wijn vulde. 'Kijk niet zo ongerust.

Wat zou ik moeten met nog een boog... of nog een hart?' Hij keek vragend rond, en een paar van de andere mannen grinnikten instemmend. 'Nee, heilige boogschutter – of moet ik boogschutster zeggen? Is dat wel een woord, vraag ik me af?' Paris tuitte zijn lippen alsof hij daarover nadacht. 'Wat denk jij?'

Deze keer liet Myrine zich niet van de wijs brengen. Ze begreep dat Paris graag met haar wilde praten... maar hij kon niet werkelijk oprecht zijn waar zijn mannen bij waren, uit vrees dat ze hun meester voor een zwakke dwaas zouden aanzien.

In Myrines ogen was de elegante prins zo verschillend van haar als een beschaafd mens kon zijn. Niet wat lichaamskracht of capaciteiten betrof, want ook hij was lang en capabel, maar eerder wat geesteskracht en manier van doen betrof: waar zij donker was, was hij wonderlijk licht. Zijn haar en zijn ogen hadden bijna dezelfde koperbruine gloed als de wilde bloemenhoning die hun moeder haar en Lilli had geleerd te verzamelen, maar opmerkelijker was dat hij volkomen onbelast leek door het noodlot. Zelfs op dit uur, in het opkomende duister, had hij een volstrekt hypnotiserende gloed om zich heen. Het leek wel of zijn lichaam het stralende van de zon vasthield... Alsof deze jongeman, die overvloeide van daglicht, vastbesloten was om eigenhandig de nacht op afstand te houden.

'Als jij het goedvindt,' antwoordde ze hem ten slotte, 'zal dat woord zeker bestaan.' Toen ze zag dat ze hem had weten te verrassen, en op een aangename manier, ging Myrine vrijmoediger verder: 'Wil je nu zo vriendelijk zijn om te onthullen wat het is dat je van ons wilt? Want je wilt iets, daar ben ik zeker van, en toch kan ik de aard daarvan niet raden.'

Paris leunde achterover in zijn stoel, onder de indruk van haar verzoek. 'Heel goed,' zei hij met een knikje. 'Ik wil jullie verhaal. Waar is jullie thuishaven? Komen jullie van een volk van vrouwen? Waar ik vandaan kom, is de macht van de Grote Moeder reeds lang vervaagd en heerst de man, de trotse man, over hemel en aarde.' Hij stak zijn handen op alsof hij om vergiffenis vroeg. 'Kun je het me kwalijk nemen dat ik nieuwsgierig ben?'

'Als er een land bestaat zonder mannen,' antwoordde Myrine met een blik op haar zusters, 'zouden wij bovenal graag willen weten waar het is. Zoals je wel kunt zien, hebben wij veel geleden en wij verwachten nog meer te lijden, want deze wereld van schepen en reizen is niet mild voor ons geweest.' Ze boog haar hoofd toen beelden van de tempelrovers weer voor haar geestesoog verschenen. 'Geluk heeft in ons lang geleden zijn beloop gehad. Wij kunnen nog slechts kiezen tussen gevaar en spijt, en geen van beide kan ooit de levens herstellen die wij verloren hebben.'

Toen ze eindelijk naar Paris op durfde kijken, zag Myrine tot haar opluchting dat plagerij en vrolijkheid plaats hadden gemaakt voor een oprecht verlangen om de tragedie te begrijpen die zijn gasten had getroffen. Voorovergeleund in zijn stoel leek de knappe prins de mannen om hem heen te zijn vergeten; zelfs de wijn in zijn beker bleef onaangeraakt terwijl hij wachtte tot ze verderging.

De oprechtheid van zijn belangstelling bemerkend besloot Myrine hun hele landkaart van ellende aan zijn voeten te leggen, met alle bekende en onbekende details, zonder een enkel grimmig detail te sparen. Meer dan eens schoten haar zusters haar te hulp bij haar verhaal, herinnerden haar aan bepaalde afschuwelijke momenten, of vulden een treurige zin aan als de verafschuwde woorden in haar keel bleven steken.

'Je ziet dus,' zei Myrine ten slotte, tersluiks een traan van haar wang vegend, 'dat wij voor onszelf geen hoop hebben, alleen om in leven te blijven. Ons hart klopt enkel voor hen die geroofd zijn en ongetwijfeld veel smartelijker lijden dan wij. Waar ze heen gebracht zijn weten we niet. Maar we hebben gezworen onze zusters tot elke prijs te vinden.'

Op haar verhaal volgde een diepe stilte. Er was geen man in het vertrek die de vrouwen niet met medelijden aankeek, en Paris zat inmiddels peinzend voorovergebogen en tikte met een bedachtzame knokkel tegen zijn kin. 'Ik vermoed dat de aanvallers Grieken waren,' zei hij uiteindelijk. 'De geteerde schepen, de uitstekende wapens, de taal die jullie beschrijven.' Hij keek zijn landgenoten aan en zag slechts ernstige instemming. 'Wij delen de noordelijke zee met hen en kennen hun manieren maar al te goed.' Een gemurmel in het vertrek beaamde deze bewering en maakte duidelijk dat Paris geen compliment had uitgesproken.

'De noordelijke zee,' zei Myrine. 'Is dat ver weg?'

Hij keek haar grimmig aan. 'Het is niet de afstand die telt. Iedereen kan erheen zeilen, als de wind goed staat. Maar de Grieken zijn een ambitieus en na-ijverig ras. Ze hebben vele steden gesticht en bewaken die fel – geen meer dan Mykene, stad van hun grote koning, Agamemnon. Hoog op een heuvel in een beschermde baai is die stad, naar mijn mening, onaantastbaar. Tenzij jullie natuurlijk ergens een machtige vloot en een landlegertje hebben, en dat vermoed ik niet.'

Myrines teleurstelling maakte een antwoord onmogelijk.

'Voor de Grieken,' vervolgde Paris, 'zijn vrouwen weinig meer dan vee, en buitenlanders worden als nog beestachtiger beschouwd. Daarom hebben de piraten van Agamemnon er geen enkele moeite mee om een buitenlandse tempel aan te vallen of de hand te leggen op een priesteres, en daarom dring ik erop aan dat jullie deze queeste vergeten. Als jullie vriendinnen niet al dood zijn, zal dat snel gebeuren. Waarom zou je nog meer lichamen aan de brandstapel toevoegen?'

Myrine was zo geschokt door zijn woorden dat haar toenemende respect voor prins Paris bijna verdween. Ze rechtte haar rug en zei: 'Als ik een man was, zou je niet zo tegen mij hebben gesproken. Omdat ik een vrouw ben, veronderstel jij dat weelde mijn levensdoel is, en dat mijn eer slechts in mijn kuisheid besloten ligt. Dat kan ik je niet euvel duiden, want je zegt slechts wat je denkt dat ik hoop te horen. Maar je vergist je. Wij hebben hogere doeleinden dan dat – doeleinden die ons leiden als sterren door de duisternis, en onze queeste laat zich niet zo gemakkelijk ontmoedigen.'

De woorden leken een tijdje in de lucht te weerklinken, en Myrine kon voelen dat haar zusters onbehaaglijk van houding veranderden, bang dat zij de welwillendheid van hun gastheer de genadeslag had toebedeeld. Maar uiteindelijk zuchtte Paris alleen en zei: 'Morgen ontmoet ik de Minos in het paleis van Knossos. Wij hebben zaken te bespreken. Misschien moet je met me meegaan en hem je klachten vertellen. Hij is een bondgenoot van de Grieken, en zij steunen zijn heerschappij; als iemand hen in deze zaak kan beïnvloeden, is hij het. Als je zusters nog leven, kunnen we misschien tot een vergelijk komen.'

Ondanks alles moest Myrine bijna lachen. 'Je grootmoedigheid maakt je blind voor mijn situatie. Je wilt je toch zeker niet verlagen door een vrouw in vodden te begeleiden...'

Paris stak een hand op om haar tot zwijgen te brengen. 'Ik zie niets wat niet kan worden overwonnen door een stuk talgzeep. Breng de nacht hier door, allemaal, slaap comfortabel in dit vertrek, en begin morgen met een flink ontbijt en een bad in de zee. Ik durf te wedden – want je weet al dat ik een gokker ben – dat je na een nacht veilig slapen en in schone kleren wellicht al een koningin bent.' Hij glimlachte, en er verscheen weer een spoor van ondeugd in zijn blik. 'Zo niet, dan zorgen we wel dat je erop lijkt.'

Het paleis van Knossos verhief zich hoog boven de omringende stad met zijn vele lagen felgekleurde daken en zuilengangen. Een harmonieus bouwwerk, naar het scheen, zonder het minste spoor van versterkingen.

'Is er iets?' vroeg Paris, toen hij Myrine tussen de dunne gordijntjes van de draagstoel door zag gluren. 'Had je toch liever op het formidabele wezen tussen mijn benen willen rijden?'

De vraag bracht lachsalvo's teweeg om hen heen. De ochtend had de Trojanen toch al eindeloos vermaak bezorgd, te beginnen met een geïmproviseerd saterspel op het strand toen ze opdracht hadden gekregen om de badende vrouwen te bewaken, en afgesloten met de komedie waarin koningin Myrine voorgesteld werd aan haar koninklijke vervoermiddel.

'Godin!' had ze uitgeroepen, in afschuw achteruitdeinzend toen ze het dier zag waar Paris haar op wilde laten rijden. 'Wat is dát in vredesnaam?'

De schepselen die door de Trojanen over de loopplank aan wal werden gebracht – groter dan koeien, maar kleiner dan kamelen, en aanzienlijk nerveuzer dan beide – vond Myrine mooier, dat wel, maar ook wispelturiger dan elk ander tam dier dat ze ooit had gezien. Zichtbaar schrikachtig na hun lange verblijf op het schip bokten en steigerden ze met de felheid van wilde katten, en toen Paris Myrines groeiende argwaan bevestigde dat zij werd geacht er eentje te berijden, zette ze hoofdschuddend enkele stappen achteruit.

'Kom!' tartte hij haar, 'ik heb je onbevreesd genoemd. Maak van mij geen leugenaar. Niets is eenvoudiger dan een paard berijden. Kijk maar.' Moeiteloos klom hij op een van de dieren, niet afgeschrikt door het schichtige springen en dansen. 'Je hoeft je alleen maar vast te houden.'

Maar niets kon Myrine ertoe brengen om zelf op een paard te gaan zitten. Noch kon Paris haar overhalen om het zijne te delen. 'Alsjeblieft,' zei ze ten slotte; haar vingers tastten naar de veiligheid van haar boogpees en de lus van haar pijlkoker, maar vonden alleen de geborduurde jurk die diezelfde ochtend – ongetwijfeld tegen hoge kosten – op de markt voor haar gekocht was. 'Waarom kan ik niet lopen?'

'Lopen?' Paris viel bijna achterover uit zijn zadel. 'Sinds wanneer laat een prins van Troje een koningin als een prostituee door de straten lopen?'

Met een wat geïrriteerde blik had hij de bediende er weer op uit gestuurd, deze keer om een draagstoel te bestellen. Toen die uiteindelijk arriveerde, kon Myrine niet anders dan erin klimmen. Haar plotselinge schroom, besloot ze, was een gevolg van het feit dat haar wapens haar waren afgenomen en omdat ze gevangen zat in onzinnige gewaden... en toch wist ze, tot haar heimelijke verbijstering, dat het ook met Paris te maken had. De manier waarop hij naar haar had gekeken toen hij de smalle gouden band om haar hoofd had gelegd en zei: 'Zo! Ik heb mijn weddenschap gewonnen! Je bent werkelijk een koningin!' spookte de hele weg door de stad door haar hoofd, en alle humoristische opmerkingen konden het dwaze gefladder in haar borst niet stillen.

De paleiswachters hielden hen niet lang op. Zonder zelfs maar in de draagstoel te kijken, lieten ze de Trojanen door het grote hek op de binnenplaats, en vanachter haar gordijntjes hoorde Myrine de paarden van grind op tegels stappen.

Toen ze weer door de gordijntjes gluurde, zag ze de scherpe hoeken van de paleisgebouwen afgetekend tegen de helderblauwe hemel, en de brede trappen volgepakt met mensen. Het was een prachtig gezicht, veel grootser en verfijnder dan het verblijf van hun Maangodin, en onwillekeurig verwonderde ze zich erover dat dit schitterende labyrint van imposante zalen en rode zuilengangen gebouwd was voor sterfelijke mannen – een heerser en zijn bestuurders.

Op dat moment werd het gordijn opzijgeschoven, en Paris stak zijn hand uit om haar uit de draagstoel te helpen. 'Koningin Myrine,' zei hij beleefd, maar zonder glimlach. 'Sta mij toe.'

Toen ze uit de draagstoel stapte en omgeven bleek door onaangedane Trojanen en zelfgenoegzame paleisherauten, voelde Myrine zich vreemd klein. Hoewel de bevallige slippers die bij de jurk hoorden verhoogde houten hakjes hadden, leek het alsof ze kleiner was geworden toen ze haar tuniek van slangenhuid uittrok en zich in de kostbare gewaden hulde. Paris was lang, ja, maar eerder had hij toch niet zo ver boven haar uitgetorend. Het maakte niet uit dat zijn gouden hoofdband tijdelijk op háár hoofd lag; de erfgenaam van Troje zag eruit als een rechtgeaarde prins in zijn geborduurde blauwe tuniek en mantel, terwijl Myrine zich, in weerwil van haar geleende elegantie, nog nooit zo laaggeboren had gevoeld.

Zelfs al hadden de Trojanen gelijk gehad met hun verzekering dat ze een nobele houding had en gemakkelijk voor iemand van koninklijken bloede kon doorgaan, Myrine was zich maar al te bewust van haar eigen onelegante gang in de verraderlijke slippers. En ondanks haar vele maanden in de tempel van de Maangodin, waar jurken verplicht waren, had ze het nooit gemakkelijk gevonden om rond te fladderen met het etherische air van een priesteres. 'Je bent toch geen woestijnrat aan het besluipen, Myrine!' had de hogepriesteres haar ooit berispt, tot groot vermaak van Kara en Egee. 'Je bent een hemellichaam, een ster aan het gewelf, een ding zonder gedachten.'

Ondanks al haar bereidheid om zich aan te passen, had Myrine de kunst om een ding zonder gedachten te worden nooit onder de knie gekregen. En toen ze de hand van Paris losliet om onhandig haar rokken te verschikken, was ze bang dat de paleiswachten een koningin noch een vrouw zagen, maar een slecht vermomde buitenlander.

Als dat zo was, lieten ze het in ieder geval niet merken. De herauten bogen met het grootst mogelijke respect voor Paris en de zeven andere Trojanen, en gingen de gasten voor over een mozaïek van tegels dat veel bewerkelijker was dan Myrine ooit had gezien in hun eigen heilige vertrekken. 'Zie je die dubbele bijl?' fluisterde Paris met een knikje naar het patroon. 'Dat is hier een heilig symbool.'

Terwijl ze over schoon gebezemde witte trappen naar de audiëntiezaal liepen, keek Myrine even uit op de binnenplaats en vroeg zich af waarom deze schijnbaar zo gastvrije open plek haar zo verontrustte. Aan het andere einde van het betegelde plein stak een dubbele rode deur scherp af tegen het bleke geel van de omringende bakstenen, en een gouden patroon van stierenkoppen en dubbele bijlen op de lateibalk suggereerde dat het vertrek achter de deur een heilige bestemming was.

'Let op,' fluisterde Paris, met zijn hand strak om Myrines elleboog geklemd, 'als we de troonzaal binnenkomen, moeten we eerst buigen voor de Heilige Moeder, ook al ligt de werkelijke macht bij de Minos.'

Ondanks de imponerende naam was de troonzaal niet groot, maar het stond er zo vol mensen dat Myrine de Heilige Moeder wellicht niet zou hebben opgemerkt, tenzij ze specifiek naar haar had gezocht. Gezeten op een troon tegen de levendig versierde muur, in elkaar gezakt alsof ze sliep, leek de Vrouwe van Knossos wel een groot weidedier, tegen haar aard aangekleed en naar binnen gesleept. Pas toen Myrine voor haar neerknielde, keek de vrouw op en vestigde een vermoeid oog op de gouden band die de krullen van haar ongewone suppliant bekroonde. Daarop tilde de Heilige Moeder met de lome gelatenheid van een koe haar hand vol sieraden op en verwees Myrine naar de ware heerser van Kreta.

De Minos stond in de verste hoek, omspoeld door een nevel van politiek. Omgeven door de dringende gebaren van mannen met tegengestelde belangen, was hij duidelijk iemand die zelden met rust werd gelaten. Zelfs vanaf de andere kant van de volle zaal was de reptielachtige sluwheid op zijn gezicht onmiskenbaar; niemand had een groter contrast kunnen vormen met de Vrouwe van Knossos dan deze kleine, nerveus ogende man. Terwijl Myrine voor hem neerknielde, vroeg ze zich af wat de exacte relatie tussen die twee was. Waren ze man en vrouw? Moeder en zoon? Het was moeilijk te zeggen.

'Vandaag breng ik u koningin Myrine,' zei Paris tegen de Minos in de taal die in de tempel van de Maangodin gesproken werd, in zijn stem en zijn houding volkomen onaangedaan door alle commotie. 'Ze heeft ver gereisd om dit land te bezoeken en brengt een geschenk van vrede.' Hij wenkte zijn vertrouwde metgezel, de langbenige Aeneas, om naar voren te komen met het kleine kleitablet dat Kyme en Myrine die ochtend hadden opgesteld.

De verandering in de Minos was onmiddellijk. Zodra hij de ronde kleischijf zag met de elegante spiraal van tekst, spreidde hij zijn armen in een allerhartelijkste begroeting. 'Sta op, lieve koningin!' riep hij uit terwijl hij de schijf van Aeneas aannam. 'En vertel me over uw land. Uit welke exotische streken bent u gekomen?'

Myrine probeerde niet eens te antwoorden. Paris had met klem benadrukt dat, niettegenstaande alle vriendelijke woorden en gebaren, alleen mannen rechtstreeks tot de Minos mochten spreken. 'Koningin Myrine regeert over een uitgestrekt land,' loog hij namens haar, 'bij het Tritonismeer.'

'Aha,' zei de Minos; zijn geestdrift verflauwde even, maar laaide weer op. 'Ik zie het al. U bent voor voedsel gekomen, begrijp ik. Om uw mensen te steunen tot er betere tijden aanbreken.' Met gefronst voorhoofd keek hij neer op het tablet. 'Deze taal is mij niet bekend. Wat voor eed is het?'

'Zegeningen,' verklaarde Paris. 'En een aanbod van vriendschap.'

'Wat? Geen geschenk van mensen? Gezien de omstandigheden zou ik toch denken...' De Minos draaide het kleitablet om, alsof hij de gewenste belofte aan de andere kant verwachtte. 'Dit zijn wanhopige tijden voor haar volk!' merkte hij tegen Paris op, Myrine volkomen negerend. 'Ze begrijpt toch zeker wel dat de goden ontstemd zijn en verzoend moeten worden?'

Paris knikte onverstoorbaar. 'Dat weet de koningin. Maar ze is hier niet om over voedsel te onderhandelen. Ze is hier omdat ze weet dat Kreta vriendschapsbanden onderhoudt met de Grieken.'

De Minos rechtte zijn rug. 'Inderdaad, de zoon van koning Agamemnon was zojuist nog hier.'

'Is dat zo?' Paris keek even naar Myrine. 'Dan moet hij rechtstreeks van het Tritonismeer gekomen zijn.'

De Minos fronste zijn voorhoofd. 'Hij zei wel dat hij zijn schepen door een van slangen vergeven moeras had moeten sleuren om naar zee terug te keren. En iets over een groot, zwart standbeeld. Maar mag ik vragen waarom u zo geïnteresseerd bent in de daden van de Grieken? Ik hoop oprecht dat er niet weer een conflict op stapel staat.'

Myrine zette een stap vooruit, in haar opwinding vergeten dat ze moest blijven zwijgen. Voordat ze iets kon zeggen kneep Paris haar echter zo hard in haar arm dat ze in elkaar kromp. 'Drie weken geleden,' vertelde hij de Minos, 'bezocht Agamemnon het paleis van koningin Myrine onder voorwendsel van vriendschap, maar verdween met verschillende kostbare voorwerpen, waaronder negen ongehuwde nichtjes van de koningin.'

De Minos deinsde even achteruit. 'Ik ben geschokt!'

'Natuurlijk,' vervolgde Paris, 'is de koningin woedend. Maar ze wil liever geen militaire vergelding ondernemen.'

'Maar natuurlijk.' De Minos slikte zichtbaar. Zijn welvaart en zijn macht, zo had Paris Myrine uitgelegd, waren geheel afhankelijk van het vrije verkeer van schepen rond zijn eiland. Een oorlog zou dat verkeer belemmeren en nog meer onzekerheid veroorzaken in de wereld van de handel. Alleen om die reden was de Minos altijd een man van vrede geweest.

'Het is misschien niet algemeen bekend,' ging Paris verder, 'maar de koningin heeft het bevel over een leger van duizenden, waarvan de meesten te paard.' Weer een kneepje vertelde Myrine dat Paris haar plaagde, zelfs nu. 'Het is in niemands belang om dergelijk geweld tegen de mensheid te ontketenen.'

De Minos poogde te glimlachen. 'Natuurlijk niet. Maar waarom bent u naar mij toe gekomen? Hoe kan ik hierbij van nut zijn?'

Paris knikte naar het kleitablet. 'De koningin hoopt op een overeenkomst waarin vastgesteld wordt dat u een bondgenootschap met haar aangaat. Geconfronteerd met een dergelijke overeenkomst, kunnen de Grieken wellicht worden overgehaald om terug te geven wat ze gestolen hebben...'

'O jee.' De Minos slaakte een zucht. 'Dat zal even duren. De priesters hebben het heel druk, en toch moeten zij het goedkeuren... de voortekenen lezen...'

Myrine kon het niet langer verdragen. 'Alstublieft,' riep ze voordat Paris haar kon tegenhouden, 'kunt u geen uitzondering maken?'

De hoorbare schok van afgrijzen om haar heen maakte haar duidelijk hoe ernstig haar misstap was, al voordat de Minos zijn ongenoegen kenbaar kon maken. 'Wellicht zou het beter zijn,' siste hij, zijn stem bijna haperend, 'als de koningin zich met de andere vrouwen verpoosde, terwijl de mannen de zaken hier afhandelen.'

Het kostte Paris weinig tijd om zijn onderhoud met de Minos te beëindigen en Myrine op te zoeken in het andere deel van de volle troonzaal. Toen hij haar het verblindende licht weer in bracht, vreesde Myrine dat zijn laatdunkende glimlach het antwoord was op haar onbesuisde gedrag. 'Het spijt me zo,' begon ze, terwijl ze zijn snelle tred probeerde bij te houden, 'ik vergat mezelf...'

Paris stond even stil op de trap, rondkijkend naar de mannen die hij buiten had achtergelaten. 'Als je je toch moet verontschuldigen, doe dat dan voor het feit dat je hem niet erger beledigd hebt. Wat een lapzwans van een vent. Volledig gemuilkorfd door zijn eigen priesters. Let op mijn woorden: dit eiland heeft zijn beste tijd gehad.'

Paris en Myrine daalden samen de trap af toen de langbenige Aeneas naar voren kwam om snel en dringend in het oor van Paris te spreken. Hoewel ze de woorden niet kon verstaan, raadde Myrine dat het verhaal afschuwelijk was, want Aeneas was bleek van ontzetting en de laatdunkende blik van Paris maakte al snel plaats voor strak opeengeperste lippen van verontwaardiging.

'Wat is er?' vroeg ze hem toen Aeneas eindelijk zweeg.

'Niets,' antwoordde Paris, zijn ogen gericht op de rode dubbele deur aan de andere kant van de binnenhof. 'Laten we deze plek zonder dralen verlaten.'

'Maar wat is er dan zo erg?' Myrine probeerde de gedachten te lezen die zo'n onthutste uitdrukking op zijn gezicht hadden getekend. 'Gaat het over de Grieken?'

Paris antwoordde pas toen ze herenigd waren met de paarden en klaarstonden om te gaan. 'Het schijnt dat we ze op een haar na zijn misgelopen,' zei hij, in een poging tot luchthartigheid. 'Ze zijn zes dagen geleden vertrokken, om rechtstreeks naar Mykene terug te keren.'

Myrine keek hem aan; ze voelde dat er meer loos was. 'Was er ook nieuws over mijn zusters?'

'De vrouwen hebben de schepen nooit verlaten.' Paris nam haar hand om haar in de draagstoel te helpen. 'Op één na. Zij werd als geschenk aan de Minos gegeven...'

Myrine sloeg haar hand voor haar mond. 'Is ze hier? In het paleis?'

De mannen wisselden een ernstige blik en weer werden de ogen van Paris naar de dubbele deur aan de overkant van het binnenplein getrokken.

Zonder nog een woord te zeggen liet Myrine zijn hand los en begon zo snel als ze durfde naar de rode deur met de gouden symbolen erboven te lopen.

'Ga daar niet heen!' Snel kwam Paris haar achterna, maar Myrine schopte haar slippers uit, dook van hem weg en begon te rennen. Het kon haar niet schelen wie er keek; nooit zou ze een zuster hier kunnen achterlaten.

Toen de deur niet afgesloten bleek, duwde Myrine hem zonder aarzelen open en liep de heilige zaal in met Paris en Aeneas op haar hielen. En hoewel het contrast tussen het zonnige binnenplein en de raamloze grot waar ze binnenkwam verblindend was, struikelde ze haastig verder in het bijna-donker, eerder gespannen om te ontsnappen aan de Trojanen dan om zich voor te bereiden op wat ze zou aantreffen.

De zaal bleek lang en smal te zijn, als een gang, met aan de muren een paar brandende toortsen in hun houders. Aan het einde van de gang leidde een trap omlaag naar het onbekende.

'Myrine!' Paris haalde haar eindelijk in. 'We mogen hier helemaal niet komen.' Maar toen hij de vastberadenheid in haar ogen zag, zei hij niets meer en liep met haar mee.

Samen gingen ze de trap af, met de andere Trojanen dicht achter zich aan. Onder aan de trap lag een gang die nog donkerder was en op zijn beurt naar een rond vertrek leidde, verlicht door offervuren in koperen schalen. Het was het heilige der heiligen van het paleis.

Op de drempel stond Myrine stil en keek om zich heen naar de gouden stierenkoppen aan de muur en naar de altaren vol vlees en botten. Ze was bekend met dierenoffers, en als jager met de aanblik van ingewanden en afgehakte ledematen, maar de ondraaglijke geur van verrotting op deze plek had iets wat in strijd was met al haar instincten.

En toen zag ze de menselijke hoofden die in een kleine piramide op het voornaamste altaar lagen, met aan weerszijden netjes opgestapelde afgehakte armen en benen. Sommige van de ledematen waren donker van verrotting, andere grijs en bloedeloos alsof ze daar onlangs waren gedeponeerd. Toen Myrine er in doodsangst naar keek, ving een glanzend voorwerp het licht van de flakkerende toortsen...

Het was een jakhalsarmband om een smalle pols.

20

IJlings, nu de wachter in slaap lag begraven, snelde Aeneas de toegang door en ontvluchtte de oever van de stroom die geen terugkeer gedoogt.
– VERGILIUS, *Aeneas*

KRETA – *Heden*

IK WEIGERDE IN PANIEK TE RAKEN en doorzocht de ruw uitgehakte vloer van de gang zo grondig mogelijk bij het licht dat uit de tablettenzaal stroomde. Vervolgens breidde ik mijn speurtocht verder uit, knipte de zaklamp aan en liep de kant op waar ik vandaan gekomen was... maar allemaal tevergeefs. De draad was weg.

Misschien, dacht ik, had een plotselinge tochtvlaag aan de dunne draad gerukt en mijn knoop van de deurknop getrokken. Zo'n tochtvlaag zou de draad zelfs door de tunnel en uit het zicht hebben kunnen voeren. Ik deed mijn best om mezelf van die verklaring te overtuigen. Want de enige andere rationele verklaring – dat ik niet alleen was in het labyrint – was te angstaanjagend om te overwegen.

Ik stond aan de rand van het duister, de straal van mijn zaklamp zo zwak dat ik me afvroeg of de batterijen leeg waren. Trillend van de zenuwen schakelde ik hem uit en trok me terug in de tablettenzaal om de situatie te overdenken. Mijn mobiel stond aan, maar het verbaasde me niet dat ik geen ontvangst had. Er zaten immers duizenden tonnen aarde en eeuwenoude steen tussen mij en de moderne wereld. En wat zou ik überhaupt tegen Rebecca hebben moeten zeggen? Dat ik van plan was om de rest van de nacht in de tablettenzaal door te brengen – deur op slot, licht aan, gebarricadeerd achter de werktafel – tot de teamleider me de volgende morgen betrapte?

Nee, besloot ik, zo'n lafaard was ik niet. Ik mocht Rebecca's baan niet in gevaar brengen. Ik was het aan haar verplicht om mezelf even discreet uit de verboden kelder te verwijderen als ik gekomen was, zonder enig spoor achter te laten van mijn ongewenste aanwezigheid.

Weer deed ik de deur naar de gang open en stond een poosje te luisteren, zonder iets te horen. Er klonk een vage luchtstroom, eerder een fluisterende zucht, maar meer niet. Ik haalde diep adem en vouwde Rebecca's plattegrond open. Draad of geen draad, met rustige logica zou ik de weg terugvinden waarlangs ik gekomen was, en weldra zou ik in mijn bedje kunnen kruipen en om het hele geval lachen.

Maar toen ik de tunnel in liep, achter de wankele straal van mijn leeglopende zaklamp aan, werd rustige logica al snel overspoeld door een opkomend getij van angst. Ik kon er niets aan doen; zelfs zonder het raadsel van mijn verdwenen draad sloegen al mijn instincten op hol in deze onheilspellende grotten. Bij elke stap die ik zette, sprongen mijn ogen in paniek naar een nieuwe groteske schaduw die op de kartelige muur werd geworpen, en telkens als ik mijn lamp op de plattegrond richtte, sloot het donker me van alle kanten in.

Toen steeg er ineens, ergens diep vanuit mijn binnenste, een stem op die deels van mij was en deels van oma, om de mantra te declameren die ze mij zo lang geleden had geleerd, en die ik altijd had onthouden. Het was de dag na het incident met de moorddadige hond en we waren halverwege ons avondeten toen ik me realiseerde dat oma me anders behandelde dan voorheen: met minder geduld, maar met meer respect.

'Ik ben een Amazone,' had ze gezegd, haar grijsblauwe ogen stralend met een koortsachtige, metalige glans, 'een doder van beesten en mannen. Vrijheid stroomt door mijn aderen; geen touw kan mij binden. Ik ken geen vrees; vrees vlucht voor mij. Ik ga altijd voorwaarts, want dat is de enige weg. Hinder je mij op mijn pad, dan voel je mijn razernij.'

Deze autoritaire verklaring had ze telkens en telkens weer herhaald, tot ik hem uit mijn hoofd kende. Toen overhoorde ze me en liet me de woorden telkens opnieuw herhalen, tot mijn stem vast en vol vertrouwen was en ik voor haar stond, zo recht als ik kon, en ieder woord geloofde.

Ik had de mantra wel eens gebruikt voor een belangrijk examen of voor een schermwedstrijd, maar nooit hadden haar woorden me zo gesterkt als vanavond, in het labyrint. Hier had oma me op willen voorbereiden – niet op de triviale toestanden van het moderne leven van alledag, maar op die zeldzame, intuïtieve momenten van waarheid, wanneer je gevangen zit in het web van het noodlot en de echte monsters tevoorschijn springen.

Toen ik vervolgens de eerste bocht naderde zonder ook maar een spoor van de draad te zien, zette ik me schrap voor een mogelijke ontmoeting. Iemand of iets was door deze gang gekomen terwijl ik bezig was in de tablettenzaal, daar was ik nu wel zeker van. Met mijn tas tegen mijn borst geklemd haalde ik de zaklamp vast achteruit om te kunnen toeslaan... maar toen ik voorzichtig om de hoek keek, zag ik weer een andere lege tunnel, die zich tot in het oneindige leek uit te strekken.

Maar eigenlijk was hij niet helemaal leeg, want een paar stappen verder zag ik iets op de grond liggen: het bolletje garen. Keurig opgerold.

Ik was zo verbijsterd dat ik niets hoorde aankomen. In het donker van de tunnel zag ik alleen een plotseling boven me uittorenende schaduw, die me van achteren opslokte. Uit doodsangst dook ik instinctief in elkaar, en ik zou het op een rennen hebben gezet als iets me niet bij mijn jack had gegrepen met een bloedstollend gegrom van waarschuwing.

In mijn wanhoop om te ontsnappen draaide ik me om en zwaaide als een gek met mijn zaklamp naar mijn aanvaller. Door een nevel van paniek heen onderscheidde ik een hoofd maar geen gezicht... alleen een brede dikke wenkbrauw en twee dode ogen. Krijsend sloeg ik naar het ding, zo hard als ik kon, telkens en telkens weer, tot de zaklamp uit mijn handen werd gerukt en meteen weer terugkwam met een verlammende klap tegen de zijkant van mijn hoofd.

Het eerstvolgende dat ik voelde, was de koude, harde vloer van de tunnel tegen mijn gezicht. Een seconde later greep iets me bij mijn arm en draaide me ruw op mijn rug. Ziek van angst en niet in staat om iets te zien in het pikzwarte donker, deed ik mijn best om naar het gewelddadige, hijgende lichaam te schoppen dat over me heen hing, maar mijn benen werden vastgegrepen en tegen de vloer van de grot gedrukt. Ondanks mijn geschreeuw en mijn geworstel rukten woedende klauwen aan mijn jack.

Eindelijk herinnerde ik me mijn scherp geoorde jakhalsarmband en wist een paar krachtige achterwaartse stompen uit te delen; één ervan ontlokte mijn aanvaller een kreun van pijn en ik werd losgelaten. Het ergste vrezend rolde ik me op met mijn handen beschermend om mijn hoofd.

Maar er kwam geen klap. Ik hoorde voeten snellen, voelde een bries langs glijden, en...

Stilte.

Mijn hele lichaam trilde en een tijdlang bleef ik ineengedoken op de vloer van de tunnel liggen, afwachtend of het ding terug zou komen, wat het ook mocht zijn. Het duister was zo zwart dat ik niet eens zeker wist of mijn ogen open waren, en het vergde al mijn wilskracht om overeind te komen en op zoek te gaan naar mijn zaklamp.

Ik kon hem nergens vinden. Hijgend van paniek tastte ik blind om me heen op de zanderige vloer tot het uiteindelijk bij me opkwam om mijn telefoon te pakken. Gelukkig was die niet beschadigd en hij ging meteen aan om me steeds een paar seconden lang blauw licht te geven. Niet genoeg om ver te kijken, maar voldoende om Rebecca's plattegrond te lezen. Behalve dat het stukje papier nergens te vinden was. Net zomin als mijn tas. Mijn aanvaller, realiseerde ik me, was erin geslaagd om alles mee te nemen. Zelfs mijn ene schoen was weg. Het enige wat ik nog over had, waren de paar dingen die ik in mijn jaszakken had gestopt: mijn telefoon, mijn camera, en oma's schrift met de transcriptie van het ronde kleitablet erin geschoven.

Bevend op mijn benen liep ik de donkere tunnel door, terug naar de tablettenzaal. Die was maar een bocht van me verwijderd, stelde ik mezelf gerust; ik kon hem vast wel op de tast terugvinden, zelfs zonder hulp van de plattegrond.

Dat kon ik niet. Toen ik een ronde holte binnenkwam waarvan ik zeker wist dat ik hem niet eerder had gezien, wist ik dat ik te ver was doorgelopen. Ik draaide me om en wilde dat ronde vertrek langs dezelfde weg weer verlaten, maar absurd genoeg stond ik naar drie identieke openingen te kijken, zonder te kunnen bepalen door welke ik binnengekomen was.

Bijna in tranen van schrik en frustratie, en te bang om langer dan een paar tellen stil te staan, koos ik uiteindelijk de linker, vastbesloten om terug te keren als het verkeerd aanvoelde. Eerst was het onmogelijk om deze tunnel te onderscheiden van die waar ik al was geweest; ik bleef details opmerken die er eerder misschien wel of misschien niet geweest waren, gewoon omdat ik er niet op had gelet. Een hoop puin, een gapende scheur in de muur – de noodzaak om zekerheid te vinden was zo verpletterend dat ik het liefst wilde gaan zitten waar ik was, in de hoop dat een reddingsexpeditie me zou vinden voordat het monster terugkwam voor de rest.

Ik was die lafhartige impuls maar net te boven, toen de tunnel zich verwijdde tot een echte gang. Bemoedigd door de lamphouders aan de muren haastte ik me voort, bijgelicht door de telefoon in mijn uitgestoken hand, en kwam uiteindelijk terecht in een gewelfde grot. Bij het zwakke licht van mijn mobiel kon ik niet veel zien, maar wat ik zag, was veelbelovend. Ik stond op de rand van iets wat op een ondergronds kanaal leek. De spookachtige aanwezigheid van een platbodemschuit en een vaarboom suggereerden dat het kanaal ooit bevaarbaar was geweest – ooit ging het ergens heen. Misschien was het een klassiek soort leiding; misschien stond ik wel op de rand van het vroegere paleisriool. Als dat zo was, leidde het kanaal naar buiten. Zelfs de ingewanden van Hades moesten ergens op uitlopen.

Ik besloot dat dit mijn beste kans was om een uitgang te vinden en ik baande me een weg door het puin, in de hoop dat ik niet zou uitkomen op een doodlopend eind van ingestorte rotssteen. Ik had het intussen ijskoud, doodsbang door wat er was gebeurd en voor wat er nog zou kunnen gebeuren, en mijn ene kousenvoet – kloppend van de pijn bij elke stap die ik zette – herinnerde me er voortdurend aan hoe kwetsbaar en menselijk ik was.

Struikelend over de brokstukken van het oude paleisriool verloor ik telkens mijn evenwicht en schraapte mijn handen rauw door blind om me heen te grijpen naar iets waar ik me aan vast kon houden. Af en toe zette ik mijn telefoon aan om de tijd te zien, maar dat lukte niet. De getallen waren hun betekenis kwijt. Om me te vermannen probeerde ik een paar keer om oma's Amazonemantra op te zeggen, maar mijn tanden klapperden zo hard dat ik het moest opgeven.

Op zeker moment veegde mijn hand langs een klam, kleverig web van het een of ander. Toen ik mijn telefoon openklapte, zag ik wortels omlaag hangen. Bemoedigd door hun aardse geur en door de kennelijke nabijheid van de natuur zette ik door, beende door brokstukken en klom over keien... tot de gang zo smal werd dat ik op handen en voeten verder moest kruipen.

Verstijfd van de kou wurmde ik me door die benarde ruimte, koppig een pad vrijmakend door brokken steen op te rapen en achter me neer te gooien. Ik was zo radeloos, zo hopeloos ook, dat ik mijn zintuigen nauwelijks durfde te geloven toen ik eindelijk door een met mos overwoekerde kloof in een ander soort donker naar buiten kwam.

Ik keek omhoog en slaakte een kreet van vreugde bij het zien van de wassende maan... en sprong als een haas opzij toen er een paar koplampen op me afkwamen, die op het laatste moment uitweken – recht naar Rebecca's ivoren dorp.

Hinkend over de modderige parkeerplaats en de stenen treden op naar het gedeelde terras voor onze kamers, deed ik alle mogelijke moeite om heel stil te zijn. Ik zag het licht op Nicks kamer nog branden en ging op mijn tenen langs zijn deur, terwijl ik zo geruisloos mogelijk in mijn zakken naar mijn kamersleutel zocht.

De sleutel zat er niet in. Net zomin als de sleutel van de tablettenzaal, die Rebecca voor het gemak aan dezelfde sleutelring had bevestigd. Terneergeslagen door alle stommiteit legde ik in stil verdriet mijn hoofd tegen de dichte deur.

'Opgeknapt?'

Door de schok van het geluid van een mannenstem rechtte ik meteen mijn rug. Met over elkaar geslagen armen stond Nick tegen de muur geleund, op nog geen tien stappen afstand, naar me te kijken en vroeg: 'Waar is je andere schoen?'

Hoewel zijn houding niet echt vriendelijk was, voelde ik dat zijn vraag me vermurwde en van uitputting boog ik mijn hoofd. 'Dat weet ik niet precies.'

Toen pas kwam Nick dichterbij; zijn gebruinde blote voeten staken af tegen het witgekalkte terras. 'Wat is er aan de hand, Diana?'

Met tegenzin keek ik even naar hem op, niet in de stemming voor een uitleg. Zodra hij mijn gezicht zag, veranderde zijn gelaatsuitdrukking. Zonder een woord pakte hij me bij de arm en nam me mee naar zijn kamer. 'Kijk eens omlaag.' Hij inspecteerde mijn beschadigde jukbeen bij het licht van de plafondlamp. 'Ben je buiten westen geweest?'

'Ik geloof van niet...' begon ik. Toen ving ik een beeld van mezelf op in een spiegel aan de muur. De kneuzing zag er nog erger uit dan hij aanvoelde; niet alleen was mijn gezicht rood en opgezwollen waar de zaklamp me had geraakt, maar een donkere vlek had zich verspreid tot bij mijn rechteroog.

'Wat is er gebeurd?'

Ik kromp in elkaar toen hij de wond aanraakte. 'Er kwam een deur op me af.'

Nick verdween in de badkamer. 'Moet ik mijn vraag echt herhalen?' vroeg hij toen hij terugkeerde en een vochtig washandje stevig tegen mijn slaap drukte.

Zijn neerbuigende manier van doen was de spreekwoordelijke druppel. 'Je herhaalt maar een eind heen,' zei ik terwijl ik zijn hand wegduwde. 'Ik hoef jou helemaal niets te vertellen. Jij hebt me vanaf de eerste dag leugens voorgespiegeld...'

Nick keek verbaasd. 'Wat voor leugens?'

Nijdig keek ik hem aan, niet in staat om de woede te onderdrukken die al zo lang in mijn binnenste broeide. 'Misschien zou je me om te beginnen de naam van je werkgever kunnen vertellen? En zeg alsjeblieft niet "meneer Skolsky".'

'Waarom zou ik mijn tijd verspillen?' Nick was volkomen onaangedaan. 'Dat weet je allang.'

Verslagen ging ik op de rand van het bed zitten. Ik had mijn sterkste troef gespeeld, maar hij ontweek me moeiteloos. Hij keek me aan met een half arrogante glimlach, alsof hij wilde zeggen: kon je nou echt niets beters verzinnen?, voordat hij me hoofdschuddend het washandje overhandigde.

'Dus,' zei ik terwijl ik het aanpakte, 'je geeft toe dat je me hebt misleid?'

Nick haalde zijn schouders op. 'Ik ben een leugenaar, jij bent een dief. Gezien de omstandigheden denk ik dat samenwerken handiger zou zijn.' Hij wees met een knikje naar mijn blauwe plek. 'Denk je niet dat je hoofd het daarmee eens is?'

Op dat moment hoorden we een zacht kloppen.

'Dat zal Becks zijn,' verzuchtte ik. 'We hebben afgesproken...'

Nick liep naar de deur. 'Ik zal haar vragen om ijsklontjes te halen.'

'En een fles Metaxa,' vulde ik aan, het washandje tegen mijn hoofd drukkend.

Later die avond, toen ik me op Nicks bed genesteld had met een welkom glas van de plaatselijke pijnstiller, veranderde mijn resterende schrik geleidelijk in bittere verwarring. Rebecca had vol afgrijzen geluisterd naar mijn relaas van het gebeurde, en al had Nick weinig gezegd, ik wist dat hij ook geschokt was. Hij zat in een hoek van de kamer in een aftandse leunstoel met grote gladiolen op de stoffering en ging steeds grimmiger kijken; zijn vingers trommelden luidruchtig op de tot de draad versleten armleuning.

'Wie wist er nog meer dat je daarbeneden was?' vroeg hij ten slotte.

Ik keek naar Rebecca, die op de rand van het bed vlak naast me zat, klaar om mijn glas bij te vullen. 'Heb jij je dierbare meneer Telemachos verteld dat ik vannacht naar beneden zou gaan?' vroeg ik haar.

Ze keek me een beetje beledigd aan. 'Dat weet ik niet meer. Maar je verdenkt hém toch zeker niet?'

Ik nam nog een paar slokken Metaxa terwijl Rebecca moeite deed om het fenomeen Telemachos aan Nick uit te leggen. Dit was duidelijk geen moment voor ruzie, maar ik was ervan overtuigd dat de grote mond van mijn vriendin mij op de een of andere manier in de problemen had gebracht.

'Even samenvatten.' Nicks ogen dwaalden over mijn vuile kleren en geschaafde knieën om vervolgens terug te keren naar de roodachtige buil op mijn hoofd. 'Je bent je laptop en een sleutelbos kwijt. Wat zat er nog meer in die tas?'

'O, niet zoveel.' Ik stroopte mijn mouw op om mijn pijnlijk kloppende elleboog te inspecteren. Daarbij verscheen oma's armband in al zijn tijdloze gratie, om ons eraan te herinneren wat een doortrapte leugenaar ik kon zijn. 'Alleen een envelop met tienduizend dollar.' Ik schudde mijn hoofd en negeerde het geluid van Rebecca's verbijsterd stokkende ademhaling. 'Al het andere lag op mijn kamer of zat in mijn zakken.'

'Al het andere?'

Ineens verkild trok ik de sprei dichter om me heen. Hoewel ik de waarheid sprak, klonk mijn stem onoprecht. 'Nou, ik heb mijn camera nog met de foto's van Algerije.' Ik reikte in de zak van mijn zwarte windjack, dat naast me op bed lag. 'Ik hoop dat die nog werkt.'

Zonder aarzelen pakte Nick de camera van mij aan en wipte de geheugenkaart eruit. 'Laat mij maar even.' Het was geen vraag.

Nicks laptop was van de stevige soort, gemaakt om vuil, woestijnritten en kleine explosies te weerstaan. Een uitstekende keus, gezien zijn werkgever, dacht ik toen hij hem voor me op het bed neerzette en mijn foto's rechtstreeks naar zijn eigen fotomap kopieerde. Meteen speelde een heel jaar van mijn leven zich voor ons af in een tenenkrommende diavoorstelling van een tennissende James, mijn vader die de kerstkalkoen aansneed in zijn eekhoorntjesschort, een paar vroege narcissen die ik op de markt had gekocht, mijn moeder die een van haar zeldzame ijsjes at... en ten slotte al mijn foto's uit Algerije, gevolgd door de opnamen die ik een paar uur eerder had gemaakt in de tablettenzaal.

'Het ziet ernaar uit,' zei ik, enigszins geërgerd over het gemak waarmee Nick zich mijn privéleven toe-eigende, 'dat ik ineens in jouw computer ben komen wonen.'

'Dat geeft niet.' Hij boog zich voorover om de foto op het scherm te bestuderen, de laatste van de reeks. 'Het werd toch saai daarbinnen. Is dat de schijf?' Toen ik knikte, schudde hij zijn hoofd. 'Je hebt je leven geriskeerd om een foto van een gegraveerde pannenkoek te maken?'

Ik besloot niet te reageren. Eigenlijk was het een opluchting dat Nick de kostbare kleischijf met zo weinig respect behandelde; als hij echt belangstelling had getoond, had ik me misschien weer afgevraagd wat zijn ware beweegreden was om naar Kreta te komen.

Een vreemd zoemend geluid bracht me weer terug in de werkelijkheid.

'Neem me niet kwalijk.' Nick haalde zijn telefoon uit een broekzak en verdween naar buiten. Zodra de deur achter hem dicht was, schoof Rebecca naar me toe, zichtbaar brandend van verlangen om zijn computer aan een onderzoek te onderwerpen.

'Laten we kijken wat hij erop heeft staan!' spoorde ze me aan. 'Snel!'

'Ga je gang en hack hem maar. Je mag hem hebben.' Ik duwde de laptop naar haar toe. 'Alsjeblieft.'

Rebecca keek omlaag naar de toetsen en zag toen pas dat ze allemaal Arabisch waren. 'O.'

'Juist.' Ik trok hem weer naar me toe. 'Je dacht toch niet dat hij het ons zo gemakkelijk zou maken, hè?'

'En zijn eigen foto's dan?' Geestdriftig wees Rebecca naar het scherm. 'Probeer een andere map te openen.'

Ik had nee moeten zeggen, maar in feite was ik nog nieuwsgieriger dan zij. Na een week intensief samenleven wist ik nog steeds vrijwel niets over Nick, behalve dat hij een lepe gladjanus was die voor de Aqrab Foundation werkte.

Op het eerste gezicht bevatten zijn fotomappen niets wat verdacht was. Voor zover ik in mijn schuldbewuste haast kon zien, waren het voornamelijk foto's van archeologische opgravingen, waarop de verschillende stadia van het opgraven en reinigen van diverse vondsten te zien waren. Soms waren het grafplaatsen met skeletten omringd door aardewerken potten en wapens; op andere staken echte gebouwen uit woestijnduinen, en de daar gevonden voorwerpen omvatten gouden sieraden en drinkbekers.

Tussen de opgravingen en de voorwerpen zaten echter ook foto's van gewapende bewakers en pantservoertuigen, die de hele fotomap met prikkeldraad aan elkaar verbonden. Ook al poseerden de bewakers vaak glimlachend voor de opnamen, er gonsde een elektrische stroom van latent geweld door de selectie, vlak onder het wetenschappelijke oppervlak.

Toen pas kwam het bij me op om de meest recente map te bekijken. Zoals verwacht bevatte die foto's van de tempel in Algerije, waaronder verschillende close-ups van de sarcofaag in het heilige der heiligen. Met trillende vingers scrolde ik door de afbeeldingen en gunde me nauwelijks de tijd om goed te kijken tot ik bij de allerlaatste belandde.

'Kijk nou!' siste Rebecca. 'Dat is jouw armband!'

Ik staarde er ongelovig naar. De foto toonde inderdaad een spiraalvormige jakhals, gelegen op een papieren servetje, het eeuwenoude brons dof van het stof. Maar het was beslist niet de mijne. Dit moest de armband uit de sarcofaag zijn. Met mijn gekneusde hoofd kloppend van inspanning besloot ik dat er maar één verklaring kon zijn voor de aanwezigheid ervan tussen Nicks foto's. Hij was het die hem van het skelet af gehaald had, en zijn bewering dat ík de dief was, was alleen maar een voor de hand liggend excuus om mij naar Kreta te volgen.

Op dat moment ging de deur open en Rebecca – die de training in heimelijk handelen uit mijn jonge jaren ontbeerde – deinsde met een kreetje achteruit. Nick keek haar even doordringend aan, liep naar ons toe en klapte de laptop dicht. 'Bedtijd.'

Toen ik die avond bij Rebecca in bed kroop, merkte ik dat ik niet kon slapen. De gebeurtenissen van die avond buitelden voortdurend door mijn hoofd en ik voelde een vreemde, duizelige opwinding die eigenlijk nergens op sloeg. Ik had een helse beproeving doorstaan, en mijn voorhoofd klopte zo erg dat ik nauwelijks kon blijven liggen. En toch... ik had het overleefd. Ik had me verzet tegen mijn aanvaller en me koppig een weg uit de onderwereld geklauwd. Als uitgestelde reactie was mijn verrassend opgetogen duizeligheid doorspekt met triomf.

Misschien, bedacht ik, zat ik anders in elkaar dan andere mensen. Het kon natuurlijk te wijten zijn aan oma's indoctrinatie, en haar obsessie met de taaie Amazones... of het kon zijn dat ik iets genetisch van haar had geërfd; misschien ontbrak er wel gewoon een heel cluster zenuwen aan mijn hersenen. Dit was niet de eerste keer dat ik dat vermoeden koesterde, maar het was wel de eerste keer dat ik met blijdschap de mogelijkheid omarmde dat ik, in bepaalde opzichten, meer op mijn grootmoeder leek en minder op alle anderen.

We brunchten met Nick in de Pasiphae Taverna. Na een mistige ochtend wist de zon eindelijk door de nevel te piepen en het heldere licht hielp de resterende nachtelijke schaduwen te verdrijven. Kennelijk hadden we geen van drieën haast om mijn tegenspoed in het labyrint aan te kaarten; Nick keek een paar keer naar mijn kneuzing, maar vroeg niet hoe ik me voelde.

Hij was gekleed in een wijde, witte outfit bestaande uit een kraagloos overhemd en een broek met een trekkoord, die mijn moeder – in haar onuitputtelijke onbegrip voor de manieren van anderen – meteen zou hebben geclassificeerd als een aardige pyjama. Ik zag het als een bewijs dat hij met het volgende vliegtuig zou terugkeren naar Algerije of wellicht naar Dubai, en wist dat ik opgelucht zou moeten zijn over zijn vertrek.

'Vertel eens.' Met een gewiekste glimlach keek hij me aan. 'Wat staat er op die pannenkoek? Ik weet zeker dat je het ontcijferd hebt.'

Ik aarzelde. Vanuit mijn ooghoek zag ik Rebecca verstrakken, maar ik besloot dat het onderwerp onschuldig genoeg was om niet over te liegen. Inderdaad had ik de vroege ochtenduren besteed aan het ontcijferen van het tablet met behulp van mijn transcript op papier en oma's schrift, maar ik had geen vermelding gevonden van goudschatten of andere zaken die mensen als al-Aqrab zouden kunnen interesseren. 'Het lijkt op een verdrag,' antwoordde ik naar waarheid, 'of in ieder geval het voorstel tot een verdrag, tussen een koningin en – vermoed ik – de heerser hier in Knossos.'

'Zie je enig verband tussen dit tablet en de inscripties in Algerije – behalve de taal?' vroeg Nick, zijn blik strak op de mijne.

'Mogelijk.' Zijn intensiteit bracht me een beetje van slag. 'De naam van de koningin is dezelfde als de naam van de priesteres die op de tempelmuur stond, en het verdrag beschrijft de vijand ook expliciet als in het bezit van "zwarte schepen". Ik weet niet echt wat ik van die gelijkenissen moet denken, tenzij...'

Ik stopte, omdat ik wel wist dat het verhaal dat ik in mijn gedachten had gemaakt – een verhaal van onteerde vrouwen op zoek naar wraak – te wild, te beschamend fantasievol was.

'Oké.' Nick bestudeerde me met die donkere ogen van hem – ogen die mij telkens het gevoel gaven dat ik zelf de oplichter was, en niet hij. 'Hoe heb je dat gedaan? De tekst in Algerije ontcijferde je binnen vijf dagen. En nu dit. Wat is het kunstje?'

Ik voelde een steek van verontrusting. Hoewel ik niet echt moeite had gedaan om oma's schrift voor hem verborgen te houden, had ik hem ook niet bepaald duidelijk gemaakt hoe belangrijk het was. Voor zover Nick wist, was ik simpelweg een begenadigde codebreker, die patronen en verbanden zag waar anderen bot vingen.

'Je mag volmaaktheid niet onder druk zetten!' riep Rebecca uit, en ze sprong van haar stoel om door mijn haar te woelen. 'Ze kan er niets aan doen. Ze is nu eenmaal een decryptomaniak.'

Op dat moment ging haar mobiel en ze verontschuldigde zich om hem aan te nemen. Tijdens haar afwezigheid kwam de ober met ons eten en ik tastte toe, me intussen al te bewust van Nick, die me over de tafel heen strak aankeek. 'Wat?' vroeg ik ten slotte, toen ik zijn onderzoekende blik niet langer kon verdragen.

Hij schudde echter alleen maar zijn hoofd en bleef naar me kijken. Hoewel de houten taveernestoelen vrij vierkant en recht waren, had Nick een comfortabele houding gevonden – een van zijn specialiteiten, naar het scheen. Met een arm over de rug van zijn eigen stoel en een slipper losjes op die van Rebecca, zou hij eruit hebben gezien als het toonbeeld van een man op zijn gemak, als hij die speculatieve uitdrukking niet op zijn gezicht had gehad.

'Het spijt me heel erg,' zei Rebecca, toen ze in een vlaag van gespannen opwinding terugkwam bij de tafel, 'maar ik moet weg. De teamleider heeft iets voor me, wat schijnbaar – ze trok een gezicht en nam snel een slok koffie – 'niet kan wachten.'

En toen was ze weg en liet ons achter met een hele lading verrukkelijk eten – waar mijn maag ineens van omdraaide. Want ondanks mijn goede bedoelingen was dit uitstapje naar Kreta een regelrechte ramp geworden. Ik had een buil op mijn hoofd zo groot als Sicilië, bittere herinneringen aan tienduizend verloren dollars, een voedingskabel maar geen laptop, en in Oxford was het Larkin-lectoraat ongetwijfeld aan het imploderen in mijn afwezigheid. Alsof dat nog niet genoeg was, was ik betrokken geraakt bij de verkeerde mensen – van wie er één me momenteel zat aan te kijken met argwanend toegeknepen ogen, kennelijk vergeten dat hij de slechterik was, en niet ik.

'Ik ben benieuwd,' zei ik uiteindelijk terwijl ik in mijn roerei prikte, 'of je ooit iemand op je kantoor hebt gevonden die het verband met de Amazones kon verklaren?'

Abrupt verschoof Nick op zijn stoel. Hij had het eten nog altijd niet aangeraakt, maar treuzelde met een glas sinaasappelsap. 'Welk verband bedoel je ook weer?'

'Nou.' Ik voelde mijn irritatie even oplaaien. 'Kennelijk had *iemand* die met jou samenwerkt besloten dat je mij nodig had in Algerije – waarschijnlijk dezelfde *iemand* die Ludwig naar Oxford heeft gestuurd om mij te lokken met een verhaal over de Amazones. Naar nu blijkt had je mij inderdaad nodig... en toch blijf ik me afvragen wat er zo verrekte belangrijk is aan die priesteressen in de tempel. Waren het Amazones? En zo ja, hoe is dat idee dan eigenlijk bij Ludwig terechtgekomen? En als je toch bezig bent' – ik wees naar de kneuzing op mijn slaap – 'vraag je geliefde Aqrab dan ook eens waarom ik telkens gewond raak!'

We zwegen een poosje, tot Nick uiteindelijk zijn bord opzijschoof alsof ons gesprek zijn onverdeelde aandacht vereiste. 'Die avond bij het vuur,' zei hij uiteindelijk, over de tafel leunend, 'hoorde ik je vertellen over een legendarische held die Medusa's hoofd had gestolen. Jij zei dat het je deed denken aan de godin Athene, die geïmporteerd zou kunnen zijn uit Noord-Afrika. Heb je daar nog meer ideeën over?'

De vraag bracht me van mijn apropos. 'Nee, waarom?'

Nick schokschouderde. 'Ik probeer alleen het raadsel op te lossen. Wie waren die vrouwen... waar zijn ze heen gegaan... hoe zijn ze als Amazones in het hoofd van John Ludwig beland? Ik denk dat het allemaal met elkaar te maken heeft. En het aardige is' – eindelijk pakte hij zijn vork, prikte er een kerstomaatje aan en wees ermee naar mij – 'dat ik denk dat jij het antwoord al weet.'

Ik was zo verbijsterd dat ik niet eens een snedig antwoord kon verzinnen.

'Help me eens even,' ging Nick verder, terwijl hij de tomaat verorberde. 'De priesteressen vertrokken uit Algerije en zeilden naar Kreta. Waar gingen ze daarna naartoe?' Toen hij mijn sprakeloze ongeloof opmerkte, spreidde hij zijn armen in een pleidooi, met vork en al. 'Kom op! Geef me in ieder geval iets om aan de baas te vertellen. Maakt niet uit wat.'

'Ik heb absoluut geen idee wat je wilt horen...' begon ik.

Nick schudde zijn hoofd en leunde weer achterover op zijn stoel. 'Jij hebt nooit in een grote onderneming gewerkt, is het wel? Het zijn net regeringen: elke klaploper heeft een budget uit te geven. En omdat het geld dat je beheert toch van andere mensen is' – hij stak zijn vork uit en prikte er weer een tomaatje op – 'kan het je diep vanbinnen eigenlijk geen reet schelen. Het is maar een baantje. En het enige wat ze bij de grote vergadering willen horen, is dat je je quotum hebt gehaald.'

Ik was zo geschokt door zijn prozaïsche toespraak, dat ik niet meteen kon vaststellen of hij loog of eindelijk de waarheid vertelde. 'En dat is wat jij bent?' vroeg ik. 'Een klaploper met een reisbudget?'

Nick glimlachte alsof hij geen enkele moeite had met dat etiket. 'Een overwerkte klaploper, om precies te zijn. Lekker hoor, even vakantie.' Hij keek rond naar de andere gasten van de taveerne alsof hij oprecht blij was om hier te zijn. 'Ik ben altijd erg op Kreta gesteld geweest. De mensen zijn hier aardiger.'

Aardiger dan waar, vroeg ik me af. Was dit echt de man die tegen me had geschreeuwd toen ik zijn sarcofaag niet wilde onderzoeken om de zaak aan het rollen te brengen? De man die met de manieren van een gevangenisbewaker mijn mobiel in beslag had genomen? Waarom zou zo'n fanatieke workaholic in vredesnaam veranderd zijn in een slak die bereid was om een betaalde vakantie bij elkaar te ouwehoeren? Het klopte gewoon niet. Ja, Nick kon overtuigend zijn in zijn rol van loopjongen van al-Aqrab, met veel vertoon van sjofele kleding compleet met kermishorloge, maar deze keer liet ik me niet in de maling nemen. Ik had genoeg tijd met hem doorgebracht om te weten dat dit alleen maar een nieuwe vermomming was en dat zich daarachter een handige manipulator verborg, met als enige verantwoordelijkheid – de laatste tijd in elk geval – mij in de gaten houden.

'Dat zal best.' Ik keek over de tafel toe terwijl hij eindelijk aan zijn toast begon. 'Jij bent op vakantie. Het is vast geweldig ontspannend om andere mensen klappen te zien krijgen.'

'Ja,' zei Nick met een frons. 'Het spijt me vreselijk dat ik je gedwongen heb om helemaal alleen dat labyrint in te gaan. Hoe kan ik het ooit goedmaken?' Hij deed alsof hij erover nadacht, en zei toen: 'Ik heb een idee: jij vertelt mij wat ik in mijn rapport moet zetten, en ik geef jou een cheque om je verlies te compenseren. Hoe klinkt dat?'

Ik wist zeker dat ik hem verkeerd had verstaan. 'Je biedt aan om me nog eens tienduizend dollar te geven?'

Hij knikte. 'Én een nieuwe laptop te betalen.'

Ik moest bijna hardop lachen. 'Juist ja. En waar zit 'm de kneep?'

'Geen kneep. Ik wil alleen antwoord op mijn vraag. Wie waren de mannen op de zwartgeteerde schepen? Waar gingen de priesteressen naartoe?'

Ik keek hem aan en probeerde – zoals ik al zo vaak had gedaan – te begrijpen wat zijn spelletje was. 'Oké,' zei ik, het innerlijke stemmetje negerend dat me voor een valstrik waarschuwde en volhield dat er ergens, onder Nicks speelse weerwoord, een bom onheilspellend tikte. 'Je kunt in je rapport zetten dat alle pijlen naar Griekenland wijzen. De held Perseus die Medusa's hoofd stal, de godin Athene' – ik telde af op mijn vingers – 'en het belangrijkste: de zwarte schepen, die we van Homerus kennen... Ik zeg niet dat ik gelijk heb, maar als dat zo is, en als we aannemen dat de klassieke mythen een kern van waarheid bevatten, dan waren de piraten die de Tempel van de Maangodin overvielen Grieks. In de oudheid waren de Grieken een aanzienlijke macht – een imperium, zeg maar, dat bestond uit vele kleine staatjes, waarvan het sterkste Mykene werd genoemd. Mykene was natuurlijk de thuishaven van koning Agamemnon, die, zoals je weet, een vloot van duizend schepen lanceerde en de Trojaanse Oorlog begon. Waarom? Omdat de Trojanen – dom genoeg, moet ik toegeven – de mooie Helena van Sparta hadden geschaakt... en gezien het feit dat Helena's echtgenoot de broer van de grote koning Agamemnon was, kunnen we wel stellen dat het handiger was geweest als prins Paris van Troje iets omzichtiger te werk gegaan was bij het kiezen van zijn slachtoffer. En, ben ik mijn tienduizend dollar al aan het verdienen?'

Nick knikte, niet onwelwillend. 'Bijna. Waar passen de Amazones in het verhaal?'

Zijn plotselinge belangstelling voor een onderwerp waar tot dusver vrijwel niemand anders dan ikzelf opgewonden van raakte, was te verleidelijk. 'Goed. Volgens de mythologie,' ging ik verder, in de wetenschap dat mijn hooggeleerde collegae zich voor het merendeel zouden omdraaien in hun clubfauteils bij de herensociëteit als ze mijn fantasierijke speculaties hoorden, 'werd Perseus, die Medusa had gedood, beschouwd als de stichter van Mykene, dat wil zeggen, de hoofdstad van het Griekse rijk in homerische tijden. Met andere woorden, er zou een lang vergeten historisch verband kunnen bestaan tussen Noord-Afrika en Griekenland. Wat de Amazones betreft, volgens de legende waren zij zulke felle doodsvijanden van de Grieken, dat ze zich in de Trojaanse Oorlog zelfs aan de kant van de Trojanen schaarden.'

'Ik kan me niet herinneren dat ik ze daar heb opgemerkt.'

'Klopt. Zelfs Hollywood is, ondanks alle vrouwelijke superhelden, nooit gegrepen door de Amazones. Ik heb me vaak afgevraagd waarom. Misschien bestaat er wel een kartel van hedendaagse Amazones die zulke ideeën de kop indrukken.' Ik wierp een snelle blik op Nick om zijn reactie te peilen, maar zag alleen een frons.

'Terug naar de Grieken. Nog meer verbanden?'

'Nou.' Ik voelde mijn hartslag versnellen. Misschien was het mijn verbeelding, maar ik had de indruk dat zijn nonchalante afwijzing van het onderwerp hedendaagse Amazones iets te abrupt was geweest. 'Interessant genoeg is een van de hoogtepunten van de Amazoneverhalen hun aanval op Athene – dat is sindsdien altijd een teer punt gebleven voor de Grieken. Daarmee hebben de Amazones hun plek op de beroemde Parthenonfries verdiend...'

'Ik denk dat je zaal 18 van het British Museum bedoelt.'

Ik hoorde hem amper. 'Ja, maar de kwestie is dat Athene niet meer dan een stipje was in homerische tijden; als de Amazones echt stelling hadden willen nemen, hadden ze Mykene wel aangevallen.'

'Het hart van het Griekse rijk? Waarom zouden ze dat risico nemen?'

'Goeie vraag.' Ik dacht er even over na. 'Volgens onder andere de klassieke auteur Plutarchus hadden de Grieken de koningin van de Amazones ontvoerd, en haar zusters waren vastbesloten om haar te bevrijden.'

Nick glimlachte breed. 'Zie je wel, ik wist dat je het antwoord al kende. Griekse piraten vielen een Amazonetempel in Algerije aan, en op hun beurt vielen de Amazones binnen in wat het Athene van die tijd zou zijn geweest, Mykene dus, om hun ontvoerde vriendinnen te bevrijden. Klopt als een bus.'

Ik barstte in lachen uit. 'Jij zou eens met die vriend van Rebecca moeten praten, Telemachos. Hij heeft een huis in Mykene, en hij is ook krankzinnig.'

Nick knikte. 'Dat idee bevalt me wel. Doen we.'

'Wat?' Ik staarde hem aan in de overtuiging dat hij een grapje maakte. 'Naar Mykene gaan?'

'Waarom niet?' Hij keek op zijn horloge. 'Dan kunnen we jou nog steeds morgenochtend in Oxford hebben. Met je tienduizend dollar. Wat zeg je ervan?'

Het kostte me weinig tijd om Rebecca te vinden; ze lag dwars over haar bed, met haar gezicht in haar kussen. Ik haastte me naar haar toe en riep: 'Becks! Wat is er mis?'

'Alles,' mompelde ze, haar stem vervormd door het kussen. 'Ben je alleen?' Toen ik haar daarvan verzekerd had, tilde ze haar hoofd op en ik schrok van haar gezicht: ik had er nog nooit zoveel openlijke haat op gelezen. 'Waardeloze hufter,' sneerde ze, tegen een spook dat alleen voor haar zichtbaar was. 'Ik had hem precies moeten vertellen wat ik van hem vind.'

De teamleider, legde ze vervolgens uit, had haar naar zijn kantoor geroepen onder het voorwendsel dat hij haar iets wilde laten zien. Dat was, zo bleek, de schoen die ik had verloren bij de aanval in het labyrint. Daar stond hij, op zijn bureau, en zelf zat hij triomfantelijk stralend in zijn draaistoel. 'En toen ik zei dat het mijn schoen niet was,' vervolgde Rebecca, nog steeds met het kussen tegen zich aan geklemd en zonder het glas water dat ik haar aanbood aan te willen nemen, 'wat denk je dat hij toen deed, de slijmerd? Hij haalde de sleutels tevoorschijn die jij in de deur had laten zitten en bungelde ermee in de lucht.'

'O, Becks!' riep ik meelevend, met een steek van pijn. 'Het spijt me zo...'

'Nergens voor nodig!' Rebecca's zoetgevooisde stem was tijdelijk veranderd in een korzelig gegrom. 'Hij zat gewoon te wachten op een excuus om van me af te komen. Hij kan het niet uitstaan dat ik meer over deze plek weet dan hij.'

'Heeft hij je echt ontslagen?'

Eindelijk bokste ze het kussen weg en pakte het glas water aan. 'Min of meer. Hij zei dat ik twee weken vrij moest nemen om na te denken, oftewel, ander werk te zoeken.'

'Dat is vreselijk.' Ik probeerde een arm om haar heen te slaan, maar dat stond ze niet toe.

'Wat is er met jou gebeurd?' vroeg ze in plaats daarvan, haar stem begrijpelijkerwijs gespannen. 'Jij ziet er stralend uit.'

Ik schudde mijn hoofd. 'Ik denk dat je woedend bedoelt. Nick wil de tienduizend dollar die ik verloren heb vervangen...'

'Hé, dat is mooi!' Rebecca was veel te overstuur om naar mij te luisteren. 'Dan vliegen we naar Milaan en geven het allemaal uit aan schoenen. Oké?' De manier waarop ze naar me keek, suggereerde dat ze mij, ondanks haar verzekeringen van het tegendeel, nog steeds grotendeels de schuld gaf van de problemen waar ze in verkeerde.

'Er zit een addertje onder het gras,' merkte ik op. 'Nick wil Telemachos ontmoeten. Hij betaalt me alleen als ik hem naar Mykene breng.'

Rebecca's ogen vernauwden zich en ik kon de tandwieltjes bijna zien draaien in haar hoofd. 'Interessant.'

'Vergeet het maar,' zei ik. 'Ik reis geen kilometer meer met die man. En het geld kan me geen moer schelen. Ik ga naar huis.'

Rebecca stond op van het bed om de waterketel aan te zetten. 'Ik vraag me af wat je grootmoeder daarvan zou zeggen.' Met nijdige gebaren sloeg ze de koelkastdeur dicht en trok de dop van een melkfles. 'Ik dacht dat het je erom begonnen was om háár te vinden. Zei je niet dat je haar op een onverklaarbare manier aan je kon voelen trekken?'

'Ja, maar...'

'En hoe zit het dan met die theorie dat het allemaal een oproep was... Die Ludwig, de foto, de inscriptie... en dat ze misschien, ergens ter wereld, op je wacht?' Rebecca keek me aan alsof ik in één klap zowel haar als mijn oma had verraden.

Eindelijk kwam ik overeind, met pijn in mijn geschaafde knieën. 'Wat wil je dan dat ik doe?'

Rebecca kwam naar me toe met mokken en melk op een dienblad en overhandigde het met de woorden: 'Ik wil dat jij een echte Amazone wordt. Als dit mij mijn baan moet kosten, kun jij er niet zomaar tussenuit knijpen. Wil het suikeroompje naar Mykene? Prima, ik breng je wel, eersteklas.' Ze ging weer naar de ketel kijken, nu met veel rustigere gebaren. 'En dan ga jij eindelijk meneer Telemachos ontmoeten, of je wilt of niet.'

Ik zette het dienblad op een voetenbankje, op zoek naar een tegenwerping waar Rebecca niet nog verder overstuur van zou raken. 'Dat hoef je allemaal niet te doen...'

'Ik geloof dat jij vergeet dat de Aqrab Foundation in de hele wereld opgravingen financiert.' Ze probeerde er sluw bij te kijken, maar dat lukte niet helemaal. 'Misschien kan ik Nick wel overhalen om me een nieuwe baan te geven...'

'Nee!' Heftig schudde ik mijn hoofd. 'Nee, nee, nee...'

'Waarom niet?' Ze nam me van hoofd tot voeten op; opnieuw verscheen het verwijtende vonkje in haar blik. 'Waarom kun jij wel voor ze werken en ik niet? Waar graven ze? Hoeveel archeologen hebben ze in dienst?'

Ik zuchtte. 'Geen idee. Ik was van plan ze te googelen...'

'Wat!' Ze keek me boos aan. 'Je hebt ze niet eens opgezocht? Je reist met die man rond, ontsnapt aan explosies en wordt in elkaar geslagen... zonder de feiten zelfs maar te kennen?' Vol ontzetting schudde ze haar hoofd, zonder me de kans te geven me te verdedigen. 'Wees gerust, mejuffrouw Morgan, dat gaat allemaal heel binnenkort veranderen.'

Het duurde even voordat ik genoeg moed had verzameld om James te bellen. Omdat ik half verwachtte dat hij bij een of andere liefdadigheidslunch zou zijn met zijn telefoon uit en een van sieraden blinkende douairière aan zijn arm, was ik een beetje verbaasd dat hij meteen opnam. Ik hoorde water spetteren en toen: 'Morg! Dat zal tijd worden!' Zijn stem klonk zwaarder dan anders.

'Misschien is dit geen goed moment,' begon ik, mijn moed verliezend.

Weer klonk er gespetter. 'Niet ophangen! Ik draai hem even dicht.' Ik luisterde vol verbazing terwijl James – waarschijnlijk – zijn douche onderbrak om met mij te praten. 'Ben je er nog?' Hij klonk oprecht bezorgd. 'Wat gebeurt er allemaal, Morg?'

Snel schetste ik de situatie, elk detail weglatend dat hem zou kunnen verontrusten. Het resultaat was een kort relaas, dat ik afsloot met de belofte om binnen een paar dagen naar Oxford terug te keren. 'Het probleem is,' zei ik ten slotte, 'dat ik morgenmiddag een college heb – inleiding op het Sanskriet – en ik vroeg me af of ik jou kon overhalen om in te vallen en je college over het Assyrische rijk te geven?'

Er viel een korte, nogal onaangename stilte. Toen schraapte James zijn keel en zei: 'Voor jou doe ik alles. Beloof me alleen één ding. Wat er ook gebeurt, laat je door die mensen alsjeblieft het hoofd niet op hol brengen.'

Ik was zo verbaasd dat ik begon te lachen. 'Jij maakt je zorgen over mijn hóófd?'

Er klonk geen geluid waaruit bleek dat James dat even geestig vond als ik. 'Je bent een slimme meid, Morg. Als ze je hoofd eenmaal hebben, krijgen ze de rest ook wel. Pas op voor Kamal... hij is een slechterik.'

'Wie?'

'Kamal... of Karim, of hoe jij hem ook noemde.'

'Bedoel je Nick?'

'Ja. Die vent die al-Aqrabs vuile werk opknapt. Geef hem geen kootje.'

Even was ik weer in de instortende tempel en voelde Nick vechten om mij veilig omhoog te hijsen. 'Maak je geen zorgen,' zei ik. 'Ik ben praktisch onderweg naar huis.'

'Dat zei je in Algerije ook al,' merkte James op. 'Je mag wel een verdomd goeie verklaring hebben voor de oude helleveeg.'

Mijn rug bevroor ter plekke, als een ijspegel. 'Ja, zeker.'

Na afloop van het telefoongesprek bleef ik een poosje op Rebecca's bed zitten. Ik kon me simpelweg niet bewegen. Er was iets helemaal mis. Dat ik thuis steeds onpopulairder werd, was nog tot daaraan toe. Maar ik wist heel zeker dat ik James – laat staan Katherine Kent – nooit had verteld dat mijn mysterieuze bestemming in Algerije bleek te liggen.

21

KRETA

DOODSBANG DEINSDE MYRINE ACHTERUIT bij het gruwelijke tafereel. Ze wist dat godsdienst veel vormen kon hebben, maar ze had nog nooit een eredienst gezien in de vorm van mensenoffers. En ze had nooit verwacht dat de tempelzuster die zij zocht al zo afschuwelijk aan haar einde zou zijn gekomen.

'Weg hier,' zei Paris schor en stak zijn armen uit om de anderen tegen te houden. 'Ik heb in de hele wereld nog nooit zo'n vervloekte plek gezien.'

Hun terugtocht werd echter geblokkeerd door de komst van een priesteres – dat wil zeggen, Myrine vermoedde dat ze een priesteres was, aan haar naakte borsten en rijke sieraden te zien. Met een van ongelovige razernij vertrokken gezicht greep de vrouw een bijl van een van de slachtbanken en begon er zo wild mee in het rond te zwaaien dat ze Aeneas ternauwernood miste.

'Smerige, walgelijke demon!' sneerde Paris en hij greep naar zijn dolk. Met één soepele, moeiteloze beweging kwam het wapen uit zijn riem en stak in het bovenlichaam van de priesteres, die met een doordringende kreet tegen de muur en op de grond viel, haar opengesperde ogen even akelig in de dood als toen ze nog in leven was.

'Snel,' Paris wuifde iedereen naar de trappen. 'Er kunnen anderen komen!'

En dat deden ze. Gealarmeerd door de commotie kwamen er nog twee priesteressen door een deur in de muur tevoorschijn – een deur die Myrine niet eens had opgemerkt. Zodra ze het dode lichaam van de priesteres zagen, vielen ze op de grond, pleitend voor hun leven.

Zo schel waren hun smeekbeden dat de Trojanen de opschudding achter zich niet hoorden. Alleen Myrine, die nog steeds verstijfd was van schrik, zag het monster naderen dat uit het niets getoverd leek te zijn – uit een nis achter het hoofdaltaar. Te lang en te breed voor normale, menselijke proporties, en nog woester ogend door zijn gehoornde hoofdbedekking, sprong er een reus van een man naar voren met een lange speer gericht op de rug van Paris.

Gewekt uit haar verstarring handelde Myrine instinctief. Omdat ze haar eigen wapens niet had, bukte ze zich razendsnel om de dubbele bijl op te rapen die uit de handen van de dode priesteres gevallen was, en wierp hem met al haar kracht naar het monster.

Het dodelijke lemmet, met al haar kracht en precisie geworpen, bleef in de keel van de man steken en bekortte zijn grootogige verrassing over het gemak waarmee hij neergeslagen werd. Pas toen zijn enorme lijk met een doffe klap op de grond viel en een stofwolk opwierp, draaiden de Trojanen om hun as en zagen wat er zich achter hen had afgespeeld.

Myrine was te druk bezig om de bijl uit de nek van haar vijand te wrikken om het gezicht van Paris te zien toen hij begreep dat ze zijn leven had gered. Maar toen ze opkeek en zijn blik ontmoette, besefte zij het ook.

'Laten we hier weggaan,' zei Aeneas, zijn stem dik van walging. 'Wat doen we met die twee?' Hij knikte naar de priesteressen die zich tegen de grond drukten, hun gebeden nog scheller dan eerst.

'Dood hen,' zei Paris, die een hand uitstak naar Myrine en de trap af begon te lopen. 'Dood hen zoals ze verdienen: als beesten.'

De rit terug naar de haven was een waas voor Myrine.

Tot grote opluchting van Paris kwamen ze net terug op de binnenplaats van het paleis van de Minos toen er een andere delegatie arriveerde, zodat de koninklijke herauten het te druk hadden om de Trojanen uit het heiligdom te zien komen.

Nadat hij de draagstoel had weggestuurd die haar naar het paleis had gebracht, tilde Paris Myrine op zijn eigen paard en wikkelde haar in zijn cape, terwijl zij de dubbele bijl stevig bleef vastklemmen. Een paar tellen later waren ze veilig de binnenplaats af en reden snel door de straten van de stad – heuvelafwaarts deze keer, naar de zee. Het kwam niet eens bij Myrine op dat ze dit eerder had geweigerd: op het paard van Paris rijden. Het enige wat ze voelde was een verstikkend verdriet om de verdorvenheid van wat ze zojuist had gezien, en een misselijkmakende woede tegen de Minos, die op de bovenverdieping bezoekers ontving met zoveel welbespraaktheid, terwijl hij in zijn kelders afschuwelijke kannibalistische praktijken tolereerde.

Bij de oostelijke haven steeg Myrine met hulp van Paris van het paard en zette een paar stappen naar de loopplank... maar kon niet verder. 'Hoe moet ik mijn zusters in vredesnaam vertellen wat ik heb gezien?' fluisterde ze, meer tegen zichzelf dan tegen hem. 'De verdorvenheid ervan...'

'Kom.' Paris nam de dubbele bijl uit haar handen en trok haar weg van de pier en mee omlaag naar het strand waar ze elkaar voor het eerst hadden ontmoet. 'Laten we eerst het bloed van je gezicht wassen, anders vallen ze zeker flauw bij je aanblik.' Zonder halt te houden om zich te ontkleden trok hij haar aan haar hand de branding in, wadend tot de rokken als bloembladen om Myrines middel dreven. 'Zo,' zei hij terwijl hij met een ervan haar gezicht schoonveegde. 'We kunnen toch niet hebben dat een koningin de bloederige kenmerken van een jager draagt.'

Myrine ontmoette zijn blik. 'Maar dat ben ik wel, een jager.'

Paris pakte haar bij haar kin en keek haar streng in de ogen. 'Je hebt mijn leven gered. Volgens menselijke maatstaven maakt dat je een edelvrouw. En de goden, dat weet ik zeker, hebben jou al lang geleden tot koningin benoemd.' Hij zweeg even, en zijn ogen daalden even naar haar lippen. 'Net als ik.'

Ze zette een stap achteruit. 'Het zou verstandig zijn als je me terugbracht naar de goot waar je me hebt gevonden. Ik heb misschien je leven gered, maar vergeet niet dat ik ook degene was die ons in gevaar bracht. En nu zal de Minos zeker je vijand zijn.' Ze zuchtte hoofdschuddend. 'Je bent te vriendelijk, en dat ben ik niet gewend. Voor je eigen bestwil: wees niet zachtzinnig met mijn verdriet. Het weet niet hoe het moet reageren, anders dan met een gemene beet.'

'Wacht.' Hij pakte haar pols. 'Ik heb je steeds al iets willen vragen.' Hij trok haar dichter naar zich toe in het water, draaide haar om en trok de jurk van haar schouders.

Met een kreet van verontwaardiging klemde Myrine het gewaad tegen haar borst. 'Wat doe je...' begon ze, maar ze werd tot zwijgen gebracht door zijn vingers, die de oude wond op haar rug betastten.

'Dat baart me zorgen.' Paris drukte hier en daar op de huid om de schade te bepalen. 'Waarom heb je daar niets over gezegd?'

Myrine bevrijdde zich en sjorde onhandig aan de jurk om die weer over haar schouders te draperen. 'Omdat het niets is. En het geneest al...'

'Ik ben bang van niet.' Paris begon naar de oever te waden. 'Zodra we op zee zijn, zal ik beter kijken.'

'Op zee?'

Hij stond stil en keek achterom, een spottende glimlach op zijn gezicht. 'Tenzij je liever de nacht wilt doorbrengen met de Minos? Ik verwacht zijn uitnodiging elk moment...'

Geen van de vrouwen protesteerde toen ze zagen dat de Trojanen hun schepen klaarmaakten voor het vertrek en vernamen dat ze geen andere keus hadden dan aan boord te blijven. Al was hun toekomst ongewis, Myrine wist dat haar zusters heimelijk verheugd waren om de ontberingen van de oude vissersboot achter zich te laten.

Toen ze eenmaal op zee waren en de grote zeilen zich vulden met een aantrekkende wind, verzamelde ze hen om zich heen op het dek en legde de reden voor hun haastige vertrek uit. Zoals ze al had verwacht, veroorzaakte het verhaal van haar afschuwelijke ontdekking in het paleis van de Minos zoveel verdriet en wanhoop, dat ze de woorden nauwelijks konden aanhoren.

'Kon je zien... wie het was?' vroeg Animone ten slotte, haar handen nog steeds geschokt voor haar mond.

'Ik denk dat het Neeta was,' fluisterde Myrine, haar ogen gesloten tegen het visioen van de vele afgehakte hoofden. 'Maar ik weet het niet zeker.'

Neeta was een stil meisje geweest, dat zelden de aandacht trok; nooit hadden haar zusters haar zoveel liefde en aandacht geschonken als vanavond, op het dek onder een onverschillige maan, herinneringen ophalend aan haar zachtmoedigheid.

'Ze deed haar plicht zonder klagen,' fluisterde Pitana, in de verte naar haar eigen herinneringen kijkend. 'Nooit schond ze de regels.'

Omdat ze de oudste was, probeerde Kyme rustig te blijven tijdens deze herdenkingen. Verdrietig haar hoofd schuddend zei ze: 'Bovenal toonde Neeta ons dat er evenveel deugd ligt in de dingen die we laten, als in wat we doen.'

De vrouwen zwegen een poos, hun steeds weerkerende tranen wegvegend. Toen zei Egee, die, in tegenstelling tot Neeta, in elke situatie een strijdpunt wist te vinden, tegen Myrine: 'Ik begrijp nog steeds niet waarom we niet konden wachten om haar een fatsoenlijke begrafenis te geven. Jíj mag het dan heerlijk vinden om regels te schenden, maar ík vind dat er nog altijd regels zijn die naleving verdienen. En nu zijn we onderweg naar Troje' – haar stem klonk nog bitterder – 'dat wil zeggen, ik neem aan dat we naar Troje gaan?'

'Hier heb je een nieuwe regel,' zei Myrine, terwijl ze opstond voordat ze haar geduld verloor. 'Neem nooit iets klakkeloos aan. Wat onze bestemming betreft ben ik even onwetend als jij en niet de samenzwerende tiran waar jij me voor aanziet. Jij bent hier, net als wij allemaal, omdat we geen betere plek hebben om te zijn.'

Later die avond trof Myrine Paris alleen, in de boeg van het schip, waar hij uitkeek over de wijn-donkere zee en de sterren erboven. 'Is de hemelkaart anders waar jij vandaan komt?' vroeg hij.

Myrine keek op naar de hemel die ze zo goed kende. 'Nee. Ik veronderstel dat onze sterren ons volgen, waar we ook heen gaan.'

'Die daar' – Paris wees naar een constellatie – 'is naar jou vernoemd. Wij noemen haar "de Jager".' Hij keek haar plagerig aan. 'Wat is jullie naam ervoor?'

Myrine boog zich voorover om haar ellebogen op de reling van het schip te laten rusten. 'Mijn moeder noemde hem "de drie gezusters". Volgens haar waren ze drie zusters die verliefd waren op dezelfde man en hem vroegen te beoordelen wie van hen de mooiste was. Het resultaat was oorlog en verwoesting.' Ze keek Paris even aan. 'Mijn moeder was ervan overtuigd dat de sterren resten waren van een eerdere wereld, aan de hemel achtergelaten als een waarschuwing.'

De arm van Paris kwam vlak naast de hare rusten. 'Een waarschuwing waarvoor?'

Myrine ging rechtop staan, rechtte haar schouders tegen de pijn die nog steeds in haar rug klopte. 'Houd afstand van zusters.' Ze wierp hem een zijdelingse blik toe. 'Vooral van de heilige.'

Paris draaide zich om, tegen de reling geleund om haar beter te kunnen aankijken. 'Hoe heilig zijn jullie precies? Kennelijk niet te heilig om een wapen te hanteren als een krijger. Vertel eens, wat hanteer je nog meer?'

Myrine probeerde met een boze blik een einde te maken aan het gesprek, maar het donker slokte haar bedoeling op.

'Kom mee.' Paris pakte haar stevig bij de hand. 'Ik wil je wond bekijken.'

'Wacht!' Myrine probeerde tegen te stribbelen, maar ze werd meegetrokken naar het benedendek, door een smalle ruimte waar mannen in zacht wiegende hangmatten lagen te slapen. Pas toen ze een opslagruimte in de achtersteven van de scheepsromp bereikten, durfde ze anders dan fluisterend te protesteren. Toekijkend terwijl hij een lamp ontstak, zei ze: 'Het is toch zeker geen taak voor een prins om wonden te verzorgen.'

Paris draaide zich om, zijn gezicht volkomen oprecht. 'Denk je nu echt dat ik mijn koningin door iemand anders laat aanraken? Trek dat eens uit.' Hij gebaarde naar haar tuniek van slangenhuid.

Toen ze zich niet verroerde, schudde hij zijn hoofd en stapte op haar af. 'Moet ik het echt zelf doen?'

'Nee!' Myrine stapte achteruit, maar kwam niet verder dan een muur van houten vaten. 'Je noemt me een koningin, maar je behandelt me als een hoer. Neem je me daarom mee naar Troje? Om je lust op mij te kunnen botvieren?'

Zelfs in het flauwe licht zag ze de diepe gekrenktheid op het gezicht van Paris. 'Alsjeblieft,' zei hij, zijn stem verstikt van verslagenheid, 'leg je bijl neer, vrouw. Ik wil je niet beledigen. Ik...' Hij haalde beide handen door zijn haar, als om zichzelf uit een hallucinatie te wekken. 'Ik wil alleen maar voor je zorgen.'

Myrine legde een hand tegen haar voorhoofd, haar uitroep berouwend. 'Vergeef me. Je bent in elke zin van het woord een nobel man geweest. Recente gebeurtenissen hebben me ervan overtuigd dat buitenlandse mannen niets dan pijn en smart veroorzaken' – ze keek zijn kant op, dankbaar voor de schaduwen die zijn gezicht verborgen – 'maar jij leert me anderszins. Als alle Trojanen zo goed zijn als jij, moet Troje een gezegende plek zijn voor mannen zowel als vrouwen. Ik kan niet wachten om het te zien.'

Eindelijk glimlachte Paris. 'Dan is het mijn onaangename plicht om je teleur te stellen, want we gaan niet naar Troje. Hoe zouden we dat kunnen doen? We gaan naar Mykene om te zien of we je zusters kunnen redden. Draai je nu om en laat me zien wat er aan die wond te doen is. Wees niet bang dat genot mijn doel is, dit zal al heel snel pijn gaan doen.'

Vanuit de zee gezien vertoonde het land van de Grieken veel gelijkenis met het eiland Kreta – aanlokkelijk voor het oog, maar dodelijk voor de onoplettende zeeman. De wetenschap dat deze kust – met zijn trotse, groene heuvels, zijn zachte, vriendelijke kreken – een ras van op verwoesting azende bruten had voortgebracht, was voldoende om Myrine en haar zusters zich te laten afkeren van de schoonheid en tegen elkaar te mompelen dat hun groene moeras thuis, ondanks alle glibberende slangen, in elk opzicht beter was.

'Achter die heuvels,' vertelde Aeneas terwijl ze langs zeilden, 'ligt Sparta, de meest meedogenloze stad van allemaal. De mannen daar worden opgevoed tot krijgers en kennen geen groter genoegen dan hun speer in het vlees van levende wezens te steken. Hun koning is de bloedbroeder van de man die wij gaan bezoeken; zij hebben een onverbrekelijk verbond gesloten en worden gevreesd in deze streken en ver daarbuiten.'

Myrines zusters keken zwijgend naar de kust en stelden zich voor wat ze niet konden zien. Toen vroeg Animone, die nooit naliet zich te verontschuldigen voor hun aanwezigheid of de Trojanen te bedanken voor hun vriendelijkheid, aan Aeneas: 'Zouden jullie deze kant op zijn gegaan, langs deze vijandige kust, als wij er niet waren geweest?'

Hij haalde zijn schouders op. 'De Grieken zullen ons niet lastigvallen. Ze kunnen het zich niet veroorloven om koning Priamos tegen zich in het harnas te jagen.'

Animone keek even naar Myrine maar zei niets meer. Sinds het de vrouwen duidelijk was geworden dat er een voortdurende, pulserende stroom van bewondering bestond tussen hun leidster en prins Paris, liet Animone geen gelegenheid onbenut om Myrine te herinneren aan haar eed en haar verantwoordelijkheid. 'Wellicht voel je genegenheid voor die man,' zei ze, na een lange blik tussen die twee te hebben opgevangen, 'en dat kan ik je niet kwalijk nemen, want ik heb nooit een vaardiger man gezien. Maar denk aan het verbond dat je hebt gesloten met de Maangodin. Waar ze ook is, wees er zeker van dat ze nog steeds op je let. Als je Paris werkelijk graag mag, laat je hem dus met rust.' Animone raakte Myrines armband aan. 'Onthoud dat de jakhals een jaloerse meesteres is.'

Maar Animone hoefde Myrine niet aan het gevaar te herinneren; ze was zich er maar al te goed van bewust. Vanwege ongunstige winden was de reis, die drie dagen had moeten duren, al drie keer zo lang geworden. Gevangen in die tijdloze draaikolk had Myrine al gemerkt dat ze steeds verder onder zijn bekoring viel, tot het punt waarop ze bijna geen kracht meer over had om tegen de stroom in te zwemmen. Elke avond bleef zijn hand, onder het voorwendsel dat hij haar genezende wond moest verzorgen, iets langer op haar rug rusten, elke avond kwam zijn adem iets dichterbij... Zonder Animone, die hem telkens uitbundig bedankte alvorens Myrine bij hem weg te halen, was er tussen hen zeker een aanraking of een geluid voorgevallen, die geen woord ongedaan had kunnen maken.

Als ze 's nachts tussen haar zusters op de vloer van de eetzaal lag, woelend en draaiend op de golven van haar eigen gedachten, voelde Myrine de jaloerse woede van de jakhals heel duidelijk. En omdat ze zo vastbesloten was om die giftige, duivelse toorn nooit uit te storten over de man die zo goed voor haar was, deed ze de hele dag haar best om hem te mijden en leed moedig alleen.

Maar Paris, altijd aan dek en altijd waakzaam, zag eruit alsof het gif hem toch gevonden had. Zijn blik zocht Myrine waar ze ook was, dronk haar aanblik in, en zolang hij de besmetting voor genezing aanzag, verergerde zijn dorst naar haar.

Toen de drie Trojaanse schepen eindelijk de baai van Argos bereikten, had Myrine bijna het gevoel dat het gevaar dat haar aan boord bedreigde, groter was dan wat hun op het land te wachten kon staan. Ze bood zich als eerste vrijwillig aan, maar tot haar woede wilde Paris haar het schip niet laten verlaten, en toen hij en zijn meest vertrouwde mannen wegroeiden om informatie te verzamelen over de haven, stond ze mismoedig aan de reling.

'Maar zie je dan niet dat het rampzalig zou zijn als iemand ons herkende?' vroeg Animone, die naast haar stond.

'Misschien.' Zo ver als ze kon, volgde Myrine de roeiboot met haar blik. 'Misschien niet. Ik weet nog steeds niet wat Paris van plan is.'

In feite wist ze niet eens of Paris wel een plan hád voor hun bezoek aan Mykene. Hij had haar ook geen beloften gedaan. 'Eerst moeten we uitvinden of je zusters inderdaad hier in het paleis zijn,' had hij voor zijn vertrek gezegd.

Maar toen de mannen terugkeerden van hun verkenningstocht, zag Myrine meteen dat Paris nieuws voor haar had. 'De Minos heeft ons niet bedrogen,' zei hij toen hij haar terzijde nam. 'De zoon van koning Agamemnon is zojuist teruggekeerd van een reis, en er wordt veel gepraat over een zwarte godin, bestemd als geschenk voor een hoofdman hoger aan de kust. We gaan de schepen in de haven aanmeren, want vanavond dineren wij aan het hof. En ja, jij mag mee' – Paris stak een hand op om Myrines verheugde kreet te smoren – 'maar dit keer zul je mijn kroon niet dragen. Dit keer ben je mijn slavin, en geloof me, het zal me een groot genoegen zijn om jou te bevelen.'

Het koninklijke hof van Mykene lag in het binnenland, een paar kilometer buiten het havenstadje Argos. Tussen Argos en Mykene lag een uitgestrekte open vlakte, omringd door beschermende heuvels en beplant in lange, smalle stroken. Hoewel het er nu dof en ingeslapen bij lag voor de winter beloofde het landschap rijpe, vruchtbare zomers, en voor Myrine was het contrast met de verschroeide zoutvlakten uit haar jeugd zo verbijsterend, dat ze amper wist waar ze moest kijken.

'Je zou het hier fijn vinden,' zei Paris, toen hij over zijn schouder even naar haar keek. Hij zat vlak voor haar op zijn gigantische paard en toonde meer belangstelling voor haar reactie op hun omgeving dan voor de weg die voor hen lag. 'Het zit hier vol jagers en boeren en onbesuisde voornemens. Misschien is het niet zo verfijnd als de wereld die jij vroeger gekend hebt, maar ik vermoed dat jij je thuis zou voelen.'

Achter haar hoofddoek glimlachte Myrine slechts en ze verplaatste haar handen opnieuw om hem zo min mogelijk aan te raken als het beest onder hen haar door elkaar schudde. Ze had zich verzet tegen het plan om achter Paris te zitten, zijn zadel te delen, in de wetenschap dat ze meer van zijn nabijheid zou genieten dan gepast was, maar uiteindelijk had het gezond verstand overwonnen.

'Lopen kost uren,' had Paris haar verteld. 'Als je mij wilt vergezellen, is het op de rug van mijn paard. En ook je zusters' – met een knikje naar Animone, Egee en Pitana, die beslist ook mee wilden – 'zullen dezelfde vernedering moeten ondergaan.' Met een glimlach om haar nervositeit had hij haar toch uitgedaagd. 'Beslis zelf maar.'

De koninklijke residentie van Agamemnon stond hoog op de flank van een heuvel boven de Vlakte van Argos, met het kleine maar welvarende stadje Mykene geknield aan haar voeten. Zware muren beschermden zowel de stad als de citadel, en ondanks een gestage stroom verkeer die de centrale poort in en uit ging, heerste er een sfeer van angst en wantrouwen.

Naarmate de weg steiler werd, voelde Myrine haar bloed jagen van angstige voorgevoelens. Een blik op Animone, die achter Aeneas zat, deed haar vermoeden dat haar vriendin eveneens van angst en bange twijfel vervuld was, want ze werd steeds stiller naarmate ze de poort van de citadel naderden. Hoewel er slechts een smalle strook van Animones ogen te zien was achter de shawl, was die glimp voldoende om Myrine te laten zien dat haar zusters gedachten niet alleen uitgingen naar de vrouwen die ze aan het hof van koning Agamemnon hoopten te vinden. Animone dacht ook aan de mannen die ze zouden kunnen herkennen – de demonen die hun idyllische leven in de tempel hadden verwoest, en die vast nooit hadden vermoed dat de boosaardige schaduw die zij in het buitenland hadden geworpen, hen naar huis zou volgen.

De koninklijke residentie van Mykene was een uitgestrekt gebouwencomplex dat in de loop der tijd was ontstaan, niet volgens een plan, maar naar de wens en het gerief van de opeenvolgende bewoners. Waar het paleis van de Minos een elegante constructie met rechte hoeken was geweest, had het hof in Mykene iets organisch. Voor een vogel in de lucht, dacht Myrine onwillekeurig, moest het geheel eruitzien als een wildgroei van witte paddenstoelen, ontsproten aan een rottende voedingsbron in de grond.

Overal waar ze keek, zag ze weer een stel traptreden of een overdekte steeg die ergens heen leidde; het geheel was volstrekt desoriënterend. De Trojanen draalden echter niet in verwarring toen ze eenmaal op het bovenste terras van de citadel aankwamen. Zowel Paris als Aeneas kende de weg, want ze hadden koning Agamemnon al verscheidende keren eerder bezocht om de diplomatieke banden tussen Mykene en Troje te herstellen en te versterken. Zoals afgesproken lieten ze de paarden bij Pitana en Egee en liepen de brede trap op naar de centrale binnenplaats; Paris liep voorop en zijn slavinnen Myrine en Animone volgden met onderdanig neergeslagen ogen in de achterhoede.

Aan de andere kant van de binnenplaats bevond zich de ingang tot de troonzaal – een brede deur achter een porticus bewaakt door vier forse mannen met speren. Ondanks haar belofte om discreet te zijn, kon Myrine zich er niet van weerhouden om de mannen scherp op te nemen terwijl ze langs hen heen het gebouw binnenliep. Hoewel ze qua bouw op de tempelrovers leken, trof niets aan de vier haar als bekend.

'Slavin.' Paris stond even stil op de drempel om Myrine gedempt toe te spreken. 'Ken jezelf. En beheers je.'

Daarop kwam er een heraut om hen te verwelkomen, met ijverige buigingen en nerveus wringende handen, en ten slotte kwamen ze de zaal binnen die de Trojanen eerder op ernstige toon 'het hol van de leeuw' hadden genoemd. Want hier zat de bebaarde koning van Mykene op zijn troon, soms bloeddorstig, soms niet. En altijd omringd door mannen die alles zouden doen – wie dan ook zouden doden – om hun koning te plezieren. Voor bezoekers die zich aandienden, ongeacht hun boodschap, waren Agamemnon en zijn makkers werkelijk als een troep leeuwen – niemand die zo brutaal of onverstandig was om hun hol binnen te gaan, kon er zeker van zijn dat ook weer levend te kunnen verlaten.

De koninklijke troon was nauwelijks meer dan een gewone stoel; de koning van Mykene behoefde geen praal of podium om formidabel te zijn. Alle zetels in de zaal, inclusief die van Agamemnon, stonden rond een vuurkuil die groot genoeg was om een os te braden, en dat was precies wat er nu aan een spit boven de vlammen draaide – een zwartgeblakerde stier, met de hoorns er nog aan.

'Paris!' riep Agamemnon uit, zijn kelk geheven in een vriendschappelijke begroeting. Wat hij daarna zei kon Myrine echter niet verstaan, en het uitgebreide antwoord van Paris kon ze evenmin volgen. Het werd allemaal uitgesproken in de taal die ze maar één keer eerder had gehoord, gedurende een nacht en een ochtend van onuitsprekelijke gruwel. Die cadans was, in haar oren, het verwerpelijkste geluid ter wereld.

Gezeten op een bank met kussens van geweven wol gebaarde Paris zijn mannen om naast hem te komen zitten – allen behalve Aeneas, die zich met Myrine en Animone op de stenen vloer achter de bank installeerde, om fluisterend te kunnen vertalen wanneer hij het gesprek de moeite waard achtte.

In het begin werd er weinig meer uitgewisseld dan beleefde opmerkingen en onschuldige vragen. Myrine keek discreet om zich heen in de zaal en probeerde de gezichten te onderscheiden van de mannen rond de haard van de koning. Velen waren even oud en grijs als hij, maar een paar van hen kwamen haar pijnlijk bekend voor. De meeste keren dat Animone Myrines heimelijke blikken volgde, boog ze haar hoofd en knikte met bedroefde zekerheid.

Tegen de tijd dat er vlees en wijn was rondgebracht, wist Myrine redelijk zeker dat ten minste vier van de vijftien Grieken in de troonzaal deelgenomen hadden aan de aanval op de tempel van de Maangodin. Ze herinnerde zich hun gezichten en gebaren op het strand, waar ze over de buit hadden geruzied en om de priesteressen hadden gevochten. Toen ze Animone ineen zag krimpen bij de aanblik van weer een andere man, die de zaal vanuit een achterkamer binnenkwam, wist ze instinctief dat haar vriendin zich meer herinnerde dan alleen zijn verachtelijke gezicht.

Aeneas boog zich naar Myrine en fluisterde: 'Nu praten ze over jullie land. Mijn heer vraagt de koning of hij enig bewijs heeft gezien van de droogte waarover zoveel geruchten gaan, en de koning zegt dat zijn zoon net is teruggekeerd van het Tritonismeer. Hij zegt dat ze de schepen vanwege het lage water over het land moesten slepen om naar zee terug te keren. Hij noemt het een gebied vol monsterlijke slangen en lelijke heksen.' Aeneas viel even stil, zijn ogen vol schaamte. En op de bank voor hen zag Myrine Paris verstrakken terwijl hij naar het verhaal van Agamemnon luisterde.

'Wat zegt hij?' vroeg ze dringend aan Aeneas.

De Trojaan aarzelde. 'Hij zegt dat de vrouwen van die streek koppig en hooghartig zijn. Hij schudt zijn hoofd omdat zijn zoon, de prins, er zoveel mee naar huis heeft gebracht.' Aeneas knikte naar de vuurkuil. 'De prins zit daar. Kun je hem zien? Misschien als je een beetje vooroverleunt.'

Toen Myrine naar voren schoof om de zoon van Agamemnon te ontdekken aan de overkant van de vuurkuil, zag ze een gezicht dat ze nooit zou vergeten: dat van de man die de hogepriesteres had afgeslacht, en haar hoofd triomfantelijk in de lucht gestoken had.

'Nu zegt mijn heer dat het verhaal van de koning hem nieuwsgierig heeft gemaakt,' vervolgde Aeneas. 'Hij vraagt of hij zelf een van die vreemde vrouwen mag zien. En de koning...' Maar Aeneas hoefde niet verder te vertalen. Agamemnon knipte met zijn vingers en een kruiperige bediende holde weg om vrijwel meteen terug te keren met een jonge vrouw in een witte jurk.

Myrine herkende haar alleen al aan haar tred. Onhandig en onzeker klemde het meisje zich vast aan de arm van de bediende, afhankelijk van hem om haar door de onbekende zaal te leiden. Bij haar aanblik kromp Myrine ineen van zowel pijn als opluchting tegelijk, want het meisje was Lilli.

22

O, koning, o, koning,
Hoe zal ik om u wenen?
Mijn hart is vol liefde,
Wat moet ik toch zeggen?
U ligt hier in het web van een spin,
En blaast uw leven uit
In een hemeltergende dood.
O nee, nee, in zo'n slaafse houding,
Bedrieglijk bedwongen door een hand
Met een vlijmscherpe kling.
– AESCHYLUS, *Agamemnon*

KNOSSOS, KRETA

EVEN NAAR MYKENE WIPPEN voor een praatje met Telemachos bleek niet helemaal de eersteklas belevenis te zijn die Rebecca me had voorgespiegeld. Ik had nog niet ingestemd met het bezoek, of mijn vriendin verdween bijna een uur lang; toen ze terugkwam, droeg ze een hip pilotenjack en een strakke leren helm met een vliegbril.

'Je had nooit gedacht dat ik het echt zou doen, hè?' grijnsde ze, verwijzend naar een van onze vele discussies op de late avond over de voor- en nadelen van het besturen van je eigen vliegtuig. 'En toch heb ik eindelijk mijn vliegbrevet gehaald. Of liever gezegd, ik krijg het zodra Stavros zijn printer heeft gefikst.'

'Dat is geweldig nieuws, Becks,' zei ik, terwijl ik een akelig voorgevoel aan mijn verbeelding voelde knagen. 'Ik hoop dat je niet van plan bent om ook echt ergens heen te vliegen.'

'Jazeker wel!' Ze dreef me naar buiten en deed de deur achter ons op slot. 'Volgens mij is het echt de beste manier om te reizen. Je vliegt rechtstreeks van de ene opgraving naar de andere, zonder ooit met de moderne wereld te maken te krijgen.'

Nadat we Nick hadden opgehaald, zag ik wat ze bedoelde. In haar busje maakten we een korte, hobbelige rit over een grindweg, met aan het eind een vervallen hangar waar drie propellervliegtuigen in geparkeerd stonden. Twee ervan zagen er luchtwaardig uit; de derde leek me in een museum thuis te horen, met een bordje NIET AANRAKEN aan een vleugel.

'Ik huur hem via Stavros,' legde Rebecca uit terwijl ze het busje naast de hangar parkeerde. 'Het heeft alleen een beetje liefde nodig,' zei ze met een knikje naar het ene aftandse vliegtuig, 'maar de prijs is goed.'

'Wie is die Stavros?' vroeg ik, te geschokt om redelijk te denken. 'En waarom wil hij je dood hebben?'

Rebecca was echter al uit het busje gesprongen en had de deur wijd open laten staan. Nick volgde haar zonder een woord van protest. Daar zat ik dus, alleen met mijn bange voorgevoelens, en vroeg me af hoe een impulsieve vlucht met een ten dode opgeschreven vliegtuig mij in vredesnaam dichter bij oma moest brengen. Wat me voortdreef, was de wetenschap dat ik nog niet klaar was met Nick. Niet vanwege het geld dat hij me ging terugbetalen, dat ik vanzelfsprekend met Rebecca zou delen – nee, vanwege mijn overtuiging dat er ergens in een kantoor in Dubai een topgeheime map lag met het antwoord op al mijn Amazonevragen.

Die ochtend hadden Rebecca en ik ruim een halfuur lang op haar pc gezocht naar informatie over de Aqrab Foundation. Het weinige dat we vonden, was genoeg om mijn angsten te voeden en te bevestigen wat James me al had verteld. Geweld, schietpartijen, rechtszaken... de manier waarop al-Aqrab archeologie bedreef, was in strijd met alles wat mij dierbaar was in het onderzoek naar de klassieke wereld. Nergens zag ik een eerbewijs van de schoonheid en de poëzie van het verleden – integendeel, het ging allemaal over geld en eigendom.

Rebecca en ik waren zo verstoord over onze ontdekkingen dat we bijna het – voor mij tenminste – meest relevante nieuwsartikel misten. Niet alleen voerde de Aqrab Foundation al jaren processen tegen Britse musea omdat die volgens hen opzettelijk geplunderde voorwerpen uit het Midden-Oosten hadden aangekocht, maar onlangs hadden ze ook de Moselane Manor Collectie toegevoegd aan hun lijst van doelwitten, met een waar spervuur van wat mij bijzonder vergezochte aantijgingen leken. Nu begreep ik waarom James me had gewaarschuwd, pas een paar uur geleden, om me niet door Nick en zijn trawanten 'het hoofd op hol te laten brengen'.

De ontdekking had mijn toch al verwarde toestand nog verergerd. Was ik soms ongewild een pingpongballetje geworden dat heen en weer stuiterde tussen al-Aqrab en Lord Moselane? Had James daarom ineens zo'n belangstelling voor mijn locatie, dat hij zelfs Nicks telefoon had nagetrokken en had ontdekt dat ik in Algerije was geweest? Ik had geen idee wat ik ervan moest denken.

'Hallo? Aarde aan Bronstijd!' Rebecca bekortte mijn ongelukkige overpeinzingen door haar hoofd in de bus te steken. 'Het Orakel wacht. En ja, misschien ga je wel dood, maar dan wel als martelaar voor echte vriendschap.'

Ondanks al zijn kwaliteiten – waarvan effectief van de grond komen en echt vliegen de belangrijkste waren – was het wonder van Stavros met zijn acht zitplaatsen angstaanjagend beverig, en het ratelende misbaar van de motoren was hels. 'Dat komt omdat hij hem leeggetrokken heeft!' schreeuwde Rebecca toen we eindelijk vlogen, bijna overstemd door het geraas en geratel van het opgelapte toestel. 'Het wordt beter als we eenmaal op kruishoogte vliegen.'

'Over kruishoogte gesproken,' schreeuwde ik terug, me vastklemmend aan mijn reddingsvest, 'moet jij eigenlijk geen radioverbinding maken met... een of andere autoriteit?'

'Ik zou niet weten waarom.' Rebecca controleerde haar instrumenten; kennelijk had ze alles in de hand. 'We vliegen letterlijk onder de radar. En in het onwaarschijnlijke geval dat we een ander vliegtuig tegenkomen, zijn er basisvoorschriften. Het is allemaal verbazend simpel geregeld.'

Nick was laconiek tijdens de vlucht, en zag er toch uit alsof hij helemaal op zijn gemak was. Hij had de stoel net achter Rebecca bezet, maar praatte niet met haar; hij keek alleen wat ze aan het doen was en wierp af en toe een blik uit het raampje. Maar ja, als ik moest geloven wat ik net op het internet had gelezen, was zelfs een gammel vliegtuig in handen van een amateur een veiligere omgeving dan Nick gewend was, als medewerker van al-Aqrab. Misschien, dacht ik, terwijl ik hem zoals zo vaak met weerspannige nieuwsgierigheid bestudeerde, had hij niet eens gelogen toen hij zei dat hij aan vakantie toe was.

Tegen de tijd dat we eindelijk op de vlakte van Argos landden, verhinderde alleen mijn respect voor Rebecca's waardigheid me om de grond te kussen. Ik was nog steeds licht in mijn hoofd toen we werden opgehaald door de beruchte meneer Telemachos, en het feit dat een deel van mij nog steeds aarzelde om die excentrieke man te ontmoeten, hielp ook al niet. De afgelopen drie jaar had ik al Rebecca's pogingen om ons aan elkaar voor te stellen ontweken, in de hoop dat de man die zij de bijnaam 'het Orakel' had gegeven het uiteindelijk zou opgeven. Maar kennelijk was het noodlot, ondanks al mijn inspanningen, vastbesloten om ons samen te brengen.

'Welkom in Mykene, barbaren!' baste Telemachos terwijl hij de deur van zijn roestige convertible dichtsloeg. Hij was een zongebruinde, kale reus van een man, wiens natuurlijke gezag niet in het minst te lijden had van zijn openhangende batikhemd, of van de gouden ketting die tussen zijn jungle van wit borsthaar kronkelde. 'Mijn kleine Hermes.' Hij wachtte tot Rebecca naar hem toe kwam voordat hij haar omhelsde. 'Wat heb je vandaag voor me meegebracht?' Maar voordat ze antwoord kon geven, wierp hij een triomfantelijke blik op mij en zei: 'Diana Morgan. Eindelijk.'

Ik deed mijn mond open om iets gepast verzoenends te zeggen, maar dat bleek niet nodig. Telemachos had zich al naar Nick gewend en over zijn gezicht verspreidde zich een brede glimlach van herkenning. 'Daar ben je weer!'

Rebecca en ik keken verbijsterd; Nick keek ronduit onthutst. 'Ik ben hier nog nooit geweest...' begon hij.

'Jawel!' hield Telemachos vol. 'Je bent hier geweest om me vragen te stellen, en we hebben de hele nacht gepraat. Weet je dat niet meer?' Geobsedeerd door de herinnering en vastbesloten zijn gelijk te halen, bracht Telemachos ons linea recta naar zijn huis, een veldstenen bungalow op een grindachtige heuvel, recht tegenover de ruïnes van het oude Mykene. In het Grieks bij zichzelf mompelend liep hij voor ons uit de woonkamer in en kwam bijna onmiddellijk terug met een groot plakboek in zijn armen. 'Aha!' Hij legde het boek op een snijplank vol broodkruimels op het keukenaanrecht. 'Nou, laten we eens kijken.'

Telemachos bladerde achterwaarts door het dikke boek en bekeek elke foto en elk bijschrift. Hoe verder hij kwam, hoe ongeduldiger hij werd. 'Ik weet zeker dat ik gelijk heb!' hield hij vol. 'Het moet hier ergens tussen zitten.'

Toen hij eindelijk vond wat hij zocht, verdween zijn blijdschap. De foto was dertig jaar oud. Bovendien was het, ondanks de vervaagde kleuren, duidelijk dat de jongeman op de foto slechts een vage gelijkenis vertoonde met Nick. Hij was knap, dat zeker, maar zijn trekken waren donkerder, zijn gelaatsuitdrukking afstandelijker. 'Chris Hauser,' zei Telemachos, het handgeschreven bijschrift oplezend. 'Uit Baltimore. Ken je die?'

Nick schudde zijn hoofd, maar leek niet op zijn gemak. Ik kon het hem niet kwalijk nemen. Het zag ernaar uit dat hij zijn leven had geriskeerd met Rebecca in het vliegtuig voor een afspraak met een krankzinnige – de tienduizend pegels die hij mij verschuldigd was nog daargelaten. Ik bedacht dat het toch allemaal flink opliep, tot in de rode cijfers... zelfs voor iemand die voor een miljardair werkte.

Even later glipte Nick naar buiten om zijn gebruikelijke dozijn telefoontjes te plegen. Een halfuurtje later, toen zijn afwezigheid me begon te vervelen, ging ik naar hem op zoek en vond hem achter de garage, waar hij met openhangend overhemd door het hoge onkruid marcheerde. 'Fluister het niet eens tegen het gras,' hoorde ik hem in het toestel prevelen. 'Dit is volstrekt off the record.'

Ik deinsde een eindje achteruit in de hoop dat hij me niet had opgemerkt. Vanachter de hoek van het huis kon ik zijn volgende woorden pijnlijk duidelijk verstaan: 'Nou, kennelijk is het echt. Iedereen is er al drieduizend jaar naar op zoek. De deskundigen met wie ik samenwerk zijn ervan overtuigd dat we op het goede spoor zitten.' En even later: 'Dat kan ik je niet vertellen. Maar zij zeggen dat het groter is dan alles wat we ooit gevonden hebben. Ze noemen het "de schat van de Amazones".'

Bijna misselijk van ontzetting en verwarring leunde ik gespannen tegen de brokkelige muur om meer te horen. Maar dat was alles. Na een paar beleefdheden hing Nick op en belde nog iemand, deze keer in het Arabisch.

In een staat van machteloze razernij ging ik weer naar binnen. Hoe vaak had hij nu al tegen me gelogen? Toen ik hem in de auto onderweg uit Algerije vertelde over het eeuwenoude manuscript, de *Historia Amazonum*, had ik kunnen zweren dat hij nog nooit van de schat van de Amazones had gehoord. Hij was bekend met de verzamelaar uit Istanboel, Grigor Reznik, dat wel, maar niet met de schat. Dat was twee dagen geleden. Ofwel hij had het feit dat hij er wel vanaf wist briljant verborgen gehouden, of er was tussen toen en nu iets uitzonderlijks gebeurd. Maar wat dan?

Omdat hij ervan overtuigd was dat mijn plotselinge malaise aan honger te wijten was, nam Telemachos ons haastig mee voor een vroege avondmaaltijd in een restaurant iets verderop, dat Koning Menelaos heette. Het werd gedreven door een verre maar vriendelijke neef en Telemachos had er zijn eigen exclusieve tafel op de patio, volgestapeld met kranten en weggegooide loterijbriefjes om toeristen of andere gasten te ontmoedigen om er te gaan zitten.

Telemachos, wiens haar even weelderig uit zijn open overhemd groeide als het ooit op zijn hoofd moest hebben gedaan, stond erop om voor ons te bestellen, met de bewering dat hij precies wist wat we nodig hadden. 'Een jongeman zoals jij,' zei hij, terwijl hij Nick met nostalgische kameraadschap een klap op zijn schouder gaf, 'moet vlees eten. Onthoud dat. Veel vlees. Anders' – hij boog voorover om zijn wijsheid achter een opgevouwen krant te delen – 'heb je niet genoeg energie om de dames tevreden te houden. Toch?' Hij grinnikte om hun heimelijke onderonsje en vervolgde toen, op ernstiger toon: 'Dat overkwam Menelaos. Hij at niet genoeg vlees, en daarom kon hij zijn vrouw niet houden.' Telemachos zuchtte en reikte hoofdschuddend naar zijn glas ouzo. 'Dat kan zelfs de besten overkomen.'

'Zijn vrouw was de mooie Helena,' kwam Rebecca tussenbeide, voornamelijk tegen Nick, 'die wegliep met de vleesetende Paris en zo de Trojaanse Oorlog veroorzaakte.' Ze glimlachte nerveus bij haar poging om de opgewekte sfeer te bewaren. Telemachos was onlangs gescheiden, had ze ons eerder verteld, en moest nodig opgevrolijkt worden.

'Ik proost op Menelaos' – onze gastheer hield zijn glas omhoog – 'die niet besefte wat hij had tot ze verdwenen was: Helena, het bedrieglijke kreng.'

'Op de vegetariër,' zei Nick, zijn eigen glas omhoog, 'die duizend schepen liet uitvaren.'

Ik keek even naar hem, verbaasd over zijn kalmte. Hij zat daar maar, nadat hij zojuist een mes in mijn rug gestoken had, en leek zich nergens druk over te maken. Als de mooie Helena een bedrieglijk kreng was geweest, wat was Nick dan wel niet?

'En dit hier,' vervolgde Rebecca terwijl ze een kom kappertjes doorgaf, 'is de plek waar Menelaos die schepen uitzond, zoals je vast al geraden hebt. De thuishaven van zijn grote broer Agamemnon – het fundament van de Griekse macht in het Heroïsche Tijdperk.'

'Heroïsch! Pfff.' Telemachos wuifde het woord weg alsof het een irritante vlieg was. 'Mensen blijven mensen: eerst moorden en dan uitleggen. Daarom hebben we deze grote hersenen, zie je.' Hij greep zijn hoofd vast alsof hij het er in één keer af wilde rukken. 'Die hebben we zodat we achteraf mooie verhalen kunnen rondvertellen. Daar was Homerus goed in.'

'Naar het schijnt,' viel Rebecca hem in de rede, die zijn tirade kennelijk al eerder had gehoord, 'heeft de mooie Helena nooit bestaan. Ze was een stijlfiguur, bedoeld om de vernietiging van Troje een romantisch tintje te geven.'

'Sorry dat ik achterloop,' zei Nick, zo ver als menselijk mogelijk was achteroverleunend op zijn stoel, 'maar waar lag Troje nou precies?'

Ik kreunde inwendig. Was dit weer een stukje toneel? Rebecca was echter maar al te blij om zich in een van de grootste archeologische vraagstukken aller tijden te verdiepen. 'Tot op de dag van vandaag,' vertelde ze Nick, ' zijn er collega's die er na tientallen jaren van opgravingen in Hisarlik nog steeds niet van overtuigd zijn dat we het antwoord gevonden hebben.'

'Hisarlik ligt in Turkije,' voegde ik eraan toe, 'aan de noordwestelijke kust van Anatolië, precies waar de Egeïsche Zee de Zee van Marmara ontmoet.' Ik wees over mijn schouder. 'Daar, feitelijk. Vier dagen varen, in de tijd van Homerus.'

'En dat was ook precies het probleem.' Rebecca boog zich voorover om haar vertelling op te pakken. '*Location, location, location*. Troje was een fantastisch stuk onroerend goed voor wie de Egeïsche Zee wilde beheersen.'

'De Trojaanse Oorlog is nooit een persoonlijke kwestie geweest,' droeg Telemachos bij, met een gezicht dat zo bezorgd stond alsof hij persoonlijk schuld had aan wat er indertijd was gebeurd. 'Wij, de Grieken, bouwden aan een handelsimperium, en Troje stond in de weg.' Hij prikte een paar plakjes worst op en legde die op zijn bord. 'Noem het zoals je wilt, maar noem ons geen helden.'

Na het eten maakten we een wandeling bij maanlicht door de Mykeense ruïnes en bewonderden het metselwerk op deze schijnbaar afgelegen helling. Het contrast tussen deze massieve muren en het volkomen onversterkte paleis van Knossos op Kreta was opmerkelijk. Het was moeilijk voorstelbaar dat die twee beschavingen zo dicht bij elkaar lagen, zowel in tijd als in plaats.

'Ergens rond 1450 v.Chr. namen de Grieken Kreta in,' zei Rebecca. 'Van oudsher werd er gedacht dat het paleis van Knossos slechts een halve eeuw later door brand werd verwoest, maar er heeft een intensief debat gewoed over de datering van die brand, en *sommige* mensen' – aan de ene wenkbrauw die ze optrok te zien hoorde zij daar ook bij – 'zijn bereid te zweren dat die in feite pas plaatsvond rond 1200 v.Chr. Neem nou de tabletten van Pylos...'

'Waar wil ze nou heen?' mompelde Nick, die de ratelende academici voor liet gaan op hun wandeling om een paar woorden met mij te wisselen.

'Ik zou het je niet kunnen zeggen,' antwoordde ik, ook al wist ik maar al te goed wat Rebecca aan het doen was. Ondanks al mijn waarschuwingen over vals spel en tikkende tijdbommen probeerde ze met haar deskundigheid indruk te maken op Nick, in de hoop dat daar het aanbod van een baan uit voort zou komen. 'Het schijnt dat Telemachos een verrassing voor ons heeft.'

Net als jij, dacht ik, toekijkend terwijl Nick een nieuw sms-bericht doornam. Ook al was hij heel normaal gekleed in een spijkerbroek en een T-shirt, ik wist dat die normaliteit slechts oppervlakkig was. Deze man zat vol onaangename verrassingen.

'Ik had je willen vragen,' onderbrak Nick mijn verbitterde gedachten. 'Wat ga je de volgende keer doen als iemand je weer aanvalt? Hopen dat ze wegrennen, zoals die kerel in het labyrint?'

De vraag was bedoeld om te provoceren, en dat lukte. 'Dat komt wel goed, dank je wel,' zei ik. 'Ik kan best voor mezelf zorgen.'

'Kom eens hier.' Hij wenkte me dichterbij. 'Ik wil je iets laten zien.'

Omdat ik dacht dat hij iets op zijn telefoon bedoelde, deed ik wat hij zei. Maar zodra ik dichterbij kwam, greep hij mijn armen beet en draaide me rond, zodat ik met mijn rug tegen zijn borst stond.

'Kip, ik heb je,' zei hij, vlak bij mijn oor. 'En nu?'

Ik was te geschokt om zelfs maar een poging te doen om los te komen. 'Tot drie tellen...'

'En dan? Je kunt je niet overal uit kletsen.'

'Eén!' zei ik geforceerd geduldig. Ik was woedend dat Nick zich dergelijke spelletjes meende te kunnen permitteren, en ik was vastbesloten om niet naar zijn pijpen te dansen. 'Twee...'

'Je gaat ervan uit dat ik een aardige vent ben. Stel dat ik dat niet was?'

'Drie.' Ik wachtte rustig tot hij me losliet, en net toen ik bang werd dat hij dat niet zou doen, liet hij me gaan.

'Diana,' zei hij hoofdschuddend. 'Je hebt mazzel dat je nog leeft. En de volgende keer? Hoe kun je nou niet willen leren om jezelf te verdedigen, of je dierbaren? Ik kan je een paar simpele kunstjes laten zien...'

'Dat zal best.' Ik keek boos naar hem, zoals hij daar stond tussen het maanverlichte puin en ogenschijnlijk meende wat hij zei – alsof mijn veiligheid zijn eerste prioriteit was. 'Maar ik heb jouw goedkope kunstjes niet nodig. Toevallig ben ik lid van het schermteam van de universiteit.' Beseffend hoe slap dat klonk, voegde ik er, met wat meer waardigheid, aan toe: 'Ik geef de voorkeur aan hoffelijkheid en etiquette boven vandalenmethoden.'

Nick knikte, zichtbaar onder de indruk. 'Goed. Dat is uitstekend. Maar waar' – hij spreidde zijn armen en deed alsof hij om zich heen keek – 'is je zwaard?'

Met mijn onuitgesproken weerwoord knarsend tussen mijn tanden keerde ik me af en liep verder over het pad op zoek naar de anderen. Niet één keer keek ik achterom of Nick wel meekwam; ik wilde om zoveel verschillende redenen afstand van hem nemen.

Bij de ingang van de eeuwenoude citadel stonden Rebecca en Telemachos al te wachten. Ze werden omlijst door gigantische rotsblokken en een kolossale, monolithische dorpel die ik amper kon zien in het schemerige licht, maar wel herkende van illustraties uit boeken: dit was de beroemde Leeuwenpoort met het reliëf van twee tegenover elkaar gezeten woeste roofdieren.

'Gebouwd door reuzen,' zei Telemachos trots, met een klopje op de indrukwekkende steen. 'De Mykeners waren beren uit de bergen, zie je. Grote, harige mannen die graag rond een laaiend vuur over oorlog zwamden.' Hij krabde aan zijn borst en keek om zich heen. 'Ze bouwden hun rijk met geweld, maar werden uiteindelijk belegerd door piraten. Is dat nou geen poëtische gerechtigheid?'

'Wie leeft bij het zwaard...' zei ik.

'Wordt neergeschoten door wie dat niet doet,' prevelde Nick vlak achter me.

'Laten we hun nalatenschap van verhalen niet vergeten,' merkte Rebecca op toen we verder klommen op het steile pad, 'die de inspiratie vormden voor de Griekse tragedies en sindsdien voor de hele westerse literatuur. Agamemnon, Cassandra... teruggekeerd uit Troje voor een moorddadig diner. Orestes, die zijn eigen moeder doodde. En Elektra...'

Haar opsomming duurde helemaal tot aan de top. Pas toen we eindelijk op de fundamenten van de vroegere koninklijke residentie stonden en over de kalkstenen heuvels uitkeken op de verre lichten van Argos en de zwarte oceaan erachter, zweeg ze om op adem te komen.

'Goed dan, Diana Morgan,' zei Telemachos, die ondanks zijn omvang niet in het minst vermoeid leek door de steile klim. 'Vertel ons eens waarom we hier zijn.'

Het verzoek zou me een glimlach hebben ontlokt als ik niet zo verdiept was geweest in tegenstrijdige gedachten. Ik was Nick gaan mogen, besefte ik, veel meer dan goed voor me was, en wat ik er ook aan deed, het voelde alsof ik tegen een heftige stroom in zwom die me uiteindelijk onherroepelijk zou verzwelgen. Waar hij ook echt naar op zoek was, en wie hem ook hielp, het was allemaal op een schaal waar mijn eigen bijdragen volledig bij in het niet vielen. Ik was duidelijk niet een van die deskundigen die hij had genoemd in zijn telefoongesprek, want – zoals ik hem in de auto al had verteld toen het onderwerp voor het eerst ter sprake kwam – ik had nooit ook maar een seconde geloofd in de geheime schat van de Amazones, en ik had ook geen enkel idee waar een dergelijke schat – als die al bestond – te vinden zou zijn.

Beseffend dat iedereen op mijn antwoord wachtte, zei ik: 'Nou, er is weinig bekend over...'

Telemachos snoof als een muilezel. 'Goed dan! Wees jij maar saai. Maar als je het mij vraagt, ligt er heel wat speelruimte tussen bekend en onbekend. En in die ruimte heeft iedereen een naam. De drielettergrepige naam van jouw priesteres-koningin bijvoorbeeld,' zei hij met een knikje naar Rebecca, die het hele verhaal natuurlijk al uit de doeken had gedaan voordat we Kreta verlieten, 'is niet moeilijk te raden. En jij, Diana Morgan' – dit met een beschuldigende vinger in mijn richting – 'had dat allang moeten raden. Elke kruiswoordpuzzelaar had het gekund. Amazonekoningin uit Noord-Afrika. Hoe heette ze?'

Ik trok een gezicht in reactie op zijn beschuldigende vinger. Al mijn kennis van Griekse mythologie en Amazonelegenden ten spijt, was het nooit bij me opgekomen dat de naam er één kon zijn die ik al kende. Het was zo'n schok om van die berg van vragen te tuimelen en met een klap op het antwoord te stoten, dat ik het bijna niet uit mijn mond kreeg: 'Myrine.'

'Bravo!' Telemachos klapte in zijn handen. 'Zie je wel, je wist het best.'

'Wacht eens even...' Met mijn tollende hoofd zette ik een stap naar voren om zijn enthousiasme in te tomen voordat het ons allemaal in zijn vaart meesleepte. 'Hoe weet u dat? Hoe kunt u zo zeker zijn van die naam?'

Telemachos wipte op zijn hakken om op me neer te kunnen kijken. 'Ik vertrouw op de mythen. Zij vertellen dat de Amazones echt waren; ze kwamen uit Noord-Afrika en hun koningin heette Myrine. Ik geloof het allemaal. Jij niet?'

Die avond, nadat hij ons mee teruggenomen had naar zijn huis, begon Telemachos een uitzonderlijk sprookje te vertellen over de oorspronkelijke Noord-Afrikaanse Amazones. Geholpen door vele volle glazen retsina weefde hij een kleurrijk web van avontuur, van het Tritonismeer via Mykene naar de Slag van Troje... gesponnen uit een bodemloze grabbelton van obscure literaire brokstukjes en een plaatselijke mondelinge traditie die nooit op schrift was gesteld, omdat niemand die ooit van belang had geacht.

We zaten in zijn woonkamer, waar geen meubels stonden behalve een eettafel gemaakt van een groot verweerd schoolbord en vijf niet bij elkaar passende stoelen, allemaal getuigen van betere tijden. De muren om ons heen waren bedekt met omvallende stapels kranten en rafelige boeken; het zag eruit alsof er net iemand was verhuisd... of liever gezegd, vertrokken.

'Ze heeft zelfs de boekenkasten meegenomen, dat is toch onvoorstelbaar?' zei Telemachos toen hij ons de kamer toonde. 'Ik kan niets meer vinden!' Hij wierp Nick een verontschuldigende blik toe. 'Daarom raak ik in de war over dingen.'

Gedurende de hele verdere avond bleef onze gastheer zichzelf onderbreken om naar Nick te staren en te zeggen: 'Egypte?' of 'Libanon?', waarna Nick alleen zijn hoofd schudde. Pas toen Rebecca hem smekend aankeek – om ons verdere onderbrekingen te besparen – staakte hij eindelijk zijn verzet en zei: 'Iran.'

Telemachos sloeg met beide handpalmen op de schoolbordtafel, zodat er een kom olijven omkantelde. 'Maar dat heb ik al gezegd! Ik zei toch "Perzië"!'

Nick sloeg zijn armen over elkaar. 'Dat is de naam die júllie het hebben gegeven. Ónze naam is Iran.'

'Ha!' zei Telemachos. 'Raadsel opgelost. Ik wist het. Je hebt een Perzische neus, en dat zei ik ook. Maar vertel eens' – hij boog zich voorover om Nick met de doordringende blik van een rechter aan te kijken – 'wat moet een man uit Iran met een christelijke naam en een Braziliaans paspoort?'

Ik kromp in elkaar. Het was naïef van me geweest om Rebecca te vertellen over het paspoort – waarvan ik een glimp had opgevangen in het vliegtuig vanuit Djerba – en niet te bedenken dat ik daar later voor zou moeten boeten.

'Het spaart tijd,' zei Nick, onberoerd door het feit dat Telemachos dat wist. 'Brazilianen worden niet geterroriseerd door de douane. Iraniërs wel.'

'Maar heb je ooit echt in Brazilië gewoond?' wilde Rebecca weten.

'Natuurlijk. Mijn moeder komt uit Rio. Daar woonden we toen ik een klein jongetje was. Mijn vader was straatmuzikant.' Over de tafel heen ontmoette Nick mijn blik en voor het eerst sinds ik hem had ontmoet, had ik het gevoel dat hij de waarheid sprak. 'De beste. Hij wist altijd hoe hij een publiek moest aanpakken. En ik was het aapje dat met de pet rondging.' Nu keek hij ons allemaal om beurten aan, helemaal niet uit het veld geslagen door onze sombere stilte. 'Dus nu weten jullie waarom ik al dat gepraat over grenzen en kleuren en nationaliteiten lachwekkend vind. Iedereen probeert je op een kaart vast te prikken en je een bepaalde kleur te schilderen, om alles eenvoudig te maken. Maar de wereld is niet eenvoudig, en intelligente mensen houden er niet van om vastgeprikt en beschilderd te worden door een of andere hand uit de lucht, of die nu van een god, een priester of een politicus is.'

'Dus jij bent niet... godsdienstig?' vroeg Rebecca, nog steeds een beetje geschokt.

Nick dacht er even over na en zei toen: 'Volgens mij is er maar één God. Een naamloze aanwezigheid die we nooit zullen begrijpen. Al het andere is menselijke politiek. De heilige boeken zijn door mensen geschreven, en alle regels en rituelen zijn door mensen opgesteld. Met andere woorden, het zijn de mensen die het leven tot een hel maken. Dus ja' – hij pakte zijn wijnglas – 'ik probeer te leven naar de geest van God, maar niet naar de regels, want regels zijn gemaakt door mensen, en mensen zijn niets anders dan dodelijk zelfingenomen vlooien op de mammoet van de schepping.'

Rebecca deed niet eens moeite om te reageren. Al was ze er haar hele leven al voor op de vlucht, diep vanbinnen bleef ze de dochter van een dominee. Mooi, dacht ik, misschien zou ze nu een beetje minder enthousiast een wit voetje proberen te halen bij de Aqrab Foundation, en wat ontvankelijker zijn voor wat ik haar vertelde over Nicks verdorven gedrag.

Tegen de tijd dat Telemachos eindelijk het uitgeputte stompje bordkrijt in zijn broekzak propte en zijn vingers afveegde, stond de schoolbordtafel vol vrouwelijke stokpoppetjes en veeltalige krabbels, die hun best deden om alle broodkruimels en plasjes olijfolie te ontwijken.

'Daar heb je het,' besloot hij. 'Diodorus Siculus had gelijk toen hij zei dat de Amazones uit Noord-Afrika kwamen en aangevoerd werden door een koningin die Myrine heette. Pas later verhuisden ze naar de Zwarte Zee om de krijgshaftige kenaus te worden waar we in de boeken over lezen.'

'Diodorus Siculus was een Griekse historicus uit de oudheid,' legde ik Nick uit, 'die zijn werk baseerde op allerlei bronnen die voor ons verloren zijn gegaan. Hij bracht waarschijnlijk het grootste deel van zijn tijd door in de bibliotheek van Alexandria... je weet wel, de beroemde bibliotheek die later verwoest werd. Ik heb volwassen mannen zien huilen om de literaire en historische schatten die daar te vinden moeten zijn geweest.'

Mijn pathos leek Nick te amuseren. 'Laten we hopen dat veel Alexandriërs indertijd hun boeken te laat inleverden.'

'En nu jij, mijn half-Perzische vriend.' Telemachos boog zich over de tafel en keek Nick recht aan. 'Vertel eens wat je denkt. Ik zie dat je iets denkt. Dat doen Perzen namelijk altijd. Zelfs de halve. En deze Griek wil heel graag weten wat dat is.'

Nick glimlachte, nog steeds met zijn armen over elkaar. 'Ik denk dat u iets achter de hand houdt. Dat doen Grieken altijd.'

'Ha!' Telemachos stond op uit zijn stoel. 'Perzen zijn slim. Dat is het probleem.' Hij wenkte ons hem te volgen. 'Ik ga jullie een groot geheim laten zien. En dat mogen jullie aan niemand vertellen, begrepen?'

Nick was de eerste die opstond en achter onze gastheer aan een stel treden afliep naar het muffe duister onder het huis. Rebecca en ik aarzelden allebei voordat we hen achternagingen. 'Waarom moet alles toch altijd onder de grond zitten?' mompelde ik tegen haar terwijl we tastend langs de verraderlijke trap omlaag liepen. 'Ik heb de laatste tijd al veel te lang in het onderbewustzijn doorgebracht.'

Ook al maakte ik er een grapje van, inwendig bracht de bedompte stilte van de geheime plek van Telemachos een déjà vu teweeg, niet alleen van mijn recente angstaanjagende ervaring op Kreta, maar ook van de tempel in Algerije. Zou ik ooit nog in een kelder kunnen afdalen zonder te beven?

'Vele jaren geleden,' baste Telemachos van ergens in het donker, 'toen ik als jongetje in deze heuvels speelde, vond ik iets heel bijzonders.' Hij knipte een eenzame gloeilamp aan die aan het plafond hing, om te onthullen dat we midden in een klein commandocentrum stonden, met muren en tafels vol knipsels en krantenartikelen. Zoiets had ik nog nooit gezien... in elk geval niet sinds mijn vader met zijn emmer door het zolderappartement van mijn oma was gelopen om haar archief van veronderstelde Amazone-activiteiten van de schuine spanten te scheuren.

Telemachos liep naar een oude kluis in de hoek en begon een klikcode te draaien. 'Indertijd heb ik er niemand iets over verteld, omdat er dan een of andere vetklep van een bureaucraat in een busje gekomen zou zijn om alles af te voeren naar Athene. Tegenwoordig moet je daar zelfs heen om de artefacten uit Mykene te zien; die liggen allemaal in het Nationaal Archeologisch Museum. Of,' zei hij met een van afkeer vertrokken gezicht, 'in het Louvre in Parijs, natuurlijk.'

Toen de kluis eenmaal open was, scharrelde Telemachos er een poosje in rond voordat hij uiteindelijk een transparant plastic zakje tevoorschijn haalde. 'Kom maar kijken!' zei hij met een wenk naar ons. 'Hij bijt niet.'

In het zakje zat een jakhalsarmband.

'Hier.' Hij gaf me het zakje, stralend van het opzien dat hij baarde. 'Ik denk dat je zult merken dat hij overeenkomt met die aan je arm.'

Even was ik verrast over zijn plotselinge belangstelling voor oma's armband. Hij had hem de hele dag al kunnen zien, maar zelfs toen hij ons vergastte op verhalen over de Amazones had hij er niets over gezegd – hij had zelfs de indruk gemaakt dat hij hem amper had opgemerkt.

'Ik vond dit kleine Amazonesieraad op de heuvel naast de ruïnes van het paleis,' vervolgde Telemachos. 'Diep in een krater die waarschijnlijk door de bliksem was geslagen. Ik vermoed dat mensen daar kwamen om offers te brengen aan de hemelgoden.'

'Ik ben geschokt!' zei Rebecca, die het zakje weigerde aan te raken. 'Dit is een unieke vondst. Zou het niet... in een museum moeten liggen?'

De wollige wenkbrauwen van Telemachos vlogen onthutst omhoog. 'Als mijn werk af is, maak ik het openbaar. Maar voorlopig bescherm ik deze onvervangbare schatten tegen de stommiteit en de hebzucht van bureaucraten en andere dieven.'

'Helemaal mee eens,' zei Nick.

Ik legde een beverige hand tegen mijn voorhoofd en vroeg me af of je koorts kon krijgen van een flinke schok. 'Ik begrijp het niet,' zei ik. 'Hoe kunt u er zo zeker van zijn dat deze armbanden van Amazones waren? Kunnen het niet gewoon sieraden zijn die gewone mensen droegen? Zo onbekend is het jakhalsmotief niet.'

Telemachos liet het zakje voor mijn ogen heen en weer bungelen. 'Deze jakhals is bijzonder en dat weet je best. Maar laat me je vertellen wat er gebeurd is.' Hij ging op zijn tenen staan om het zakje weer in de kluis te leggen. 'Toen ik deze armband vond, heb ik hier en daar wat informatie ingewonnen. Ik was heel voorzichtig, maar toch hebben een paar mensen me gevonden. Bijvoorbeeld,' zei hij met een knikje naar Nick, 'jouw vriend Chris Hauser.'

'En wat wilde hij?' vroeg Nick. 'Mijn zogenaamde vriend Chris Hauser?'

Ineens keek Telemachos schuldbewust. 'Nou, eigenlijk was hij degene die me vertelde dat het een Amazone-armband was. En hij wilde weten of ik er nog meer had gezien. Wat, indertijd, niet het geval was.'

'Maar daarna,' drong ik aan, 'hebt u er nog meer gevonden?'

Zorgvuldig draaide Telemachos de kluis weer op slot. 'Ja.'

'Waar?'

'Dat is wat ik je wil laten zien.' Hij liep naar de trap. 'Morgen. Er is iemand met wie jullie kennis moeten maken...'

'Even voor de duidelijkheid,' zei Nick, met een laatste blik op de kluis. 'Waarom was Chris Hauser zo geïnteresseerd in die armband, denkt u?'

Telemachos stond even stil met het touwtje van het licht in zijn hand. 'Wat willen alle mannen? Veroverd worden door een Amazone, natuurlijk.'

Nick lachte niet echt, maar wel bijna. 'U misschien wel.'

Dit keer keek Telemachos niet geamuseerd. Daar in die kelder, omringd door de bewijzen van zijn levenslange toewijding aan een onderwerp dat in zijn ogen kennelijk niet aan het daglicht blootgesteld mocht worden, deed de oude Amazonejager me denken aan de verweerde Schotten die ik zo vaak op televisie had gezien, met hun hardnekkige geloof in het bestaan van het monster van Loch Ness, in weerwil van elk wetenschappelijk bewijs dat dat echt niet kon.

'Ik snap het nog steeds niet,' zei ik. 'Hoe wist Chris Hauser dan dat het een Amazone-armband was?'

Bij die vraag verdiepten de opstandige rimpels op het gezicht van Telemachos zich nog. 'Dat wilde hij niet zeggen.'

Ik keek naar Rebecca en zag dat zij onze gastheer al even ongelovig aanstaarde. Kon het levenswerk van de man die zij 'het Orakel' noemde, werkelijk gebaseerd zijn op zoiets lichtzinnigs als dit, de onnozele droom van een jongeman uit Baltimore? Ik keek even naar Nick, in de verwachting dat ik daar een hoofdschuddend scepticisme zou aantreffen dat het mijne evenaarde. Zijn ogen waren echter op mijn pols gevestigd, en op zijn gezicht was geen spoor van amusement meer te ontdekken. Voor ons allemaal, besefte ik ineens, stond er zoveel meer op het spel dan alleen het ontrafelen van een oude legende.

Telemachos rechtte zijn rug en keek ons om beurten aan. 'Jullie zijn jong,' zei hij. 'Jullie hebben nog alle tijd om te vinden wat je zoekt. Maar voor iemand zoals ik zitten er meer dagen in de vuilnisbak dan er nog op de muurkalender staan. Daarom ben ik ongeduldig' – met een knikje naar mijn armband – 'en daarom wil ik meer, meer, meer.'

'Meer wat?' vroeg Nick, die voorovergebogen een van de vele stukken papier aan de muur stond te bestuderen.

Telemachos liet een ongeduldig gesnuif horen. 'Ik heb drie decennia besteed aan pogingen om te bewijzen dat de Amazones niet alleen hebben bestaan' – hij gebaarde naar de rommel op tafel en aan alle muren – 'maar ook nog altijd bestaan. Elke week vind ik meer bewijs.'

'Waarvan?' vroeg Rebecca, met een voor haar doen ongewoon zwak stemmetje.

Telemachos liep naar een van de prikborden en haalde er een stuk papier van af. 'Een meisje wordt gemolesteerd door een voorwaardelijk vrijgelaten verkrachter. Twee vrouwen – onbekende vrouwen, geen kennissen van het meisje of haar familie – vinden de man, kloppen op zijn deur en snijden zijn testikels af.' Telemachos keek vragend op. 'Als daar niet met grote letters "Amazone" op geschreven staat, mag je mij in een isoleercel opsluiten.'

'Interessant,' zei Nick, met een verbazende verdraagzaamheid voor wat hem toch als volkomen wereldvreemd, om niet te zeggen krankzinnig in de oren moest klinken. 'Ik moet zeggen, het idee bevalt me wel, en ik hoop dat u gelijk hebt. Maar laat me u dit vragen...' Hij liep een paar stappen langs de muur en bekeek de krantenartikelen. 'Op welk moment wordt dit meer dan zomaar een gevoel? Waar is het bewijs? Waar is de ufo uit hangar 18?'

Telemachos brieste. 'Ik heb het niet over buitenaardse wezens! De Amazones, beste vriend, leven onder ons. Maar ze zijn slim, en ze willen niet gevonden worden. Er wordt beweerd dat ze geen telefoon of e-mail gebruiken om met elkaar te communiceren... dat ze een medium gebruiken dat niet op te sporen is – misschien een soort gedrukt pamflet.' Hij spreidde zijn armen alsof hij wilde zeggen dat hij weliswaar zeker was van zijn gelijk, maar jammer genoeg geen bewijzen had. 'Denk er maar eens over na. Ze overtreden de wet, ze zijn wat wij burgerwachten zouden noemen. Bedenk eens hoeveel mensen hen willen vinden en tegenhouden. Niet alleen misdadigers, maar ook regeringen. Vergeet niet dat de staat het monopolie heeft op de gerechtigheid. Zelfs als dat niet goed gebeurt – als de politieman wiens salaris met de belastingcenten van Telemachos wordt betaald, niets anders doet dan op zijn dikke billen zitten wachten tot Telemachos iets te hard over de snelweg rijdt – zelfs dan mogen wij niet doen wat zij zouden moeten doen, op echte misdadigers jagen. Daarom willen de Amazones niet ontdekt worden. Daarom zul je ze nooit op straat herkennen. En trouwens' – hij wees naar mij – 'hoe weet jij dat Diana niet een van hen is? Ze draagt die armband immers?'

Nick draaide zich om en keek naar mij met een uitdrukking die ik niet goed kon duiden. Ik zag Rebecca een gezicht trekken naar Telemachos om hem te laten weten dat we ons op verraderlijk terrein begaven, en gelukkig begreep hij de hint. 'Maar het wordt al laat!' vervolgde hij, abrupt in zijn handen klappend. 'En morgenochtend willen we vroeg aan de slag. Het avontuur wacht!'

Om de een of andere reden richtten alle ogen zich op mij, en ik zei, een beetje spijtig: 'Morgen is het dinsdag. Ik moet echt weg.'

Telemachos keek me een poosje aan. 'Je kunt niet al zo ver gekomen zijn en dan niet zien waar het eindigt. Toch?'

'Waar wat eindigt?' vroeg Nick. 'Het spoor van de Amazones?'

Onze gastheer nam ons op met een mystieke blik in zijn half toegeknepen ogen. 'Ik zal jullie hetzelfde zeggen als wat de wetenschap zegt over de kleine partikels in het universum: ik kan je niet laten zien waar ze zijn, ik kan je alleen laten zien waar ze zijn geweest. Als ik de afgelopen dertig jaar één ding heb geleerd, is het wel dit: hoe meer je de Amazones probeert te vinden, hoe minder ze gevonden willen worden.'

Mijn nieuwsgierigheid streed met mijn plichtsgevoel om de overhand. Ik wilde hartstochtelijk graag in Mykene blijven tot ik het allerlaatste snippertje informatie uit Telemachos had geperst, en ik smachtte ernaar om te zien waar hij ons heen zou brengen en waarom. Maar ik wist dat het niet kon. Het was al erg genoeg dat ik mijn studenten meer dan een week lang in de steek had gelaten; mijn terugkeer nog langer uitstellen zou onvergeeflijk zijn. 'Het spijt me, maar ik kan echt niet,' zei ik met een zucht. 'Ik moet absoluut morgenavond in Oxford zijn.'

De somberheid die even op het gezicht van Telemachos was verschenen, maakte plaats voor een verrukte glimlach. 'Morgenavond? Maar dat is uitstekend! We maken onze excursie in de ochtend, en 's middags vlieg je naar huis.'

'Maar ik moet echt...' begon ik.

'*Stamata!*' In een zeldzame uitbarsting van ergernis stak Telemachos zijn hand op om mij tot zwijgen te brengen. 'Ik weet wat jij moet, Diana Morgan. En dat komt goed, dat beloof ik je.'

23

MYKENE, GRIEKENLAND

MYRINES OPWINDING toen ze Lilli zag, in levenden lijve en schijnbaar ongeschonden, was zo heftig dat Aeneas een waarschuwende hand op haar schouder moest leggen. 'De koning zegt dat dit meisje het enige nuttige is dat zijn zoon heeft meegebracht van zijn reis,' fluisterde de Trojaan, de weerzinwekkende dialoog aan het koninklijke hof vertalend en Myrine intussen zo goed mogelijk stilhoudend. 'Ze spreekt met de stem van een geest, zegt de koning, en wat zij zegt wordt bewaarheid. Kennelijk heeft ze ons bezoek voorspeld; ze zei dat ze de komst van vrienden voorzag.'

Om een demonstratie te geven liet koning Agamemnon Lilli door een bediende het vertrek rondleiden, om de handpalmen van de gasten aan te raken en hun de toekomst te voorspellen. Scherp naar haar zuster kijkend, zag Myrine dat haar zusje niet helemaal zichzelf was; als er geen bediende was geweest om haar te ondersteunen, had Lilli niet zelf haar evenwicht kunnen bewaren. En toch glimlachte ze, alsof haar niets al te ernstigs was overkomen, en de voorspellingen die ze de Griekse stamhoofden rond het vuur van de koning gaf, waren kennelijk gunstig, want telkens wanneer de bediende ze vertaalde, keken de ontvangers gepast tevreden.

Toen ze de Trojanen bereikte, gaf Lilli de metgezel van Paris aan zijn linkerkant – die Dares heette en zo fors gebouwd was dat hij amper op de bank paste – dezelfde welwillende aandacht als ze alle anderen had geschonken. Haar gelaatsuitdrukking veranderde bij het betasten van de lijnen in zijn enorme hand en kwam uiteindelijk tot rust in een glimlach. 'U bent een bijzonder moedig mens,' zei Lilli, en nu hoorde Myrine dat haar zusje de taal sprak die ze in de tempel van de Maangodin hadden geleerd. 'Uw glorie zal eeuwig zijn. Over duizenden jaren zal uw naam nog altijd met bewondering worden uitgesproken.'

Dares grinnikte en antwoordde Lilli rechtstreeks, voordat de bediende iets kon vertalen: 'Ik had een gelukkig leven al mooi genoeg gevonden, maar toch bedankt.'

Lilli keek verrast en liet toen zijn hand los om zich tot Paris te wenden. 'En u, mijn heer,' zei ze, even wankelend, 'wilt u uw lot graag kennen?'

'Is het goed voor een man om zijn lotsbestemming te kennen?' Met tegenzin gaf Paris haar zijn hand. 'Daar ben ik niet zo zeker van.'

Net als ze bij Dares had gedaan liet Lilli haar vingers over zijn hand glijden, met op haar gezicht weer de geveinsde beminnelijkheid. Het duurde echter niet lang voordat haar gelaatsuitdrukking veranderde, eerst in een ongelovige frons, en toen in pure, allesomvattende verbijstering. 'Myrine!' riep ze uit, haar gezicht vol vreugde. 'Myrine?' Ze reikte naar de wang van Paris en betastte toen met groeiend afgrijzen zijn stoppelbaard, alsof ze zich afvroeg welke misvormende ziekte haar zuster had getroffen. Vervolgens rolden haar niets ziende ogen weg, en zonder een woord te zeggen zakte ze ineen aan de voeten van Paris, met haar hoofd in zijn schoot.

Het incident veroorzaakte een schaterend gelach van de mannen om hen heen. 'Zie je wel?' Agamemnon zag er heel vergenoegd uit toen hij uit het Grieks overschakelde om zijn gast in zijn eigen taal te plagen. 'Een lief klein orakeltje is dat. Kijkt dwars door een mannenhart heen.' Hij hief zijn kelk naar Paris. 'En nu weten wij wat er in het jouwe leeft!'

Paris verschoof ongemakkelijk op zijn bank, niet zeker hoe hij plaats moest bieden aan Lilli's slappe lichaam. 'Een intrigerend meisje,' zei hij instemmend. 'Ik zou haar graag eens aan het hof van mijn vader zien werken. Misschien kan zij hem helpen om de gedachten van zijn vrouwen te lezen.'

De koning lachte en leunde achterover in zijn stoel. 'Dat kunnen zelfs de goden niet. Maar als je vader ons weer eens bezoekt, zal ik haar zijn lot laten voelen.'

'Dat zou hij zeker waarderen,' zei Paris. 'Hij is een man met verreikende interesses. In feite' – hij wenkte Dares om iets uit een leren schoudertas te halen – 'ben ik zelfs naar het uiterste einde van de wereld gereisd om dit prachtige geschenk te vinden. Ik weet zeker dat zelfs hij ervan onder de indruk zal zijn. Hebt u ooit zoiets gezien?'

Het voorwerp werd eerbiedig doorgegeven in de kring van gasten om te eindigen in Agamemnons handen. Het was een gouden gezichtsmasker, gebosseleerd met de trekken van een bebaarde man, compleet met oren en een vooruitstekende neus.

'Magnifiek, vindt u niet?' Paris keek scherp toe terwijl de koning het masker bewonderde. 'Puur Egyptisch goud. Maar eigenlijk vraag ik me af of uw kleine waarzegster mijn vader niet nog meer zou amuseren.'

De koning trok zijn borstelige wenkbrauwen op. 'Zou u dít willen ruilen voor die kleine heks?'

Paris aarzelde. 'Misschien niet. En toch... ik had de opdracht om huisslaven te kopen, niet om thuis te komen met nutteloze opschik.' Hij gebaarde weer naar Dares om iets uit de tas te halen – deze keer een paar gouden oorbellen gesmeed in de vorm van libellen. 'Mijn moeder klaagt toch al dat ze meer goud heeft dan ze dragen kan... maar te weinig handen om het haar om te doen.'

'Een treurige situatie,' zei de koning instemmend, de oorbellen bespiedend vanaf de andere kant van het vertrek. 'Wat voor huisslaven zoekt u?'

Paris leunde nadenkend achterover, zijn hand nog steeds op Lilli's hoofd. 'Uw verhaal over deze vrouwen amuseert me. Ik vermoed dat mijn moeder zich wel graag zou omringen met zulke exotische schepsels. Vreesachtigheid en bescheidenheid heeft ze nooit kunnen waarderen...'

'Zeg maar niets meer!' De koning wierp zijn handen in de lucht, het gouden masker nog altijd op zijn knieën. 'Ze zijn van jou. Allemaal. Zeven plus het meisje. Ik zal blij zijn om verlost te worden van hun bokkige aanwezigheid...' Een plotseling misbaar bracht de koning tot zwijgen, en Myrine zag de schurkachtige prins naar zijn vader toe stappen en zich verontwaardigd tegen de ruil uitspreken.

Na een korte maar heftige woordenwisseling richtte Agamemnon zich opnieuw tot de Trojanen, zijn armen gespreid in een ontspannen gebaar van verontschuldiging. 'Zei ik zeven? Zes plus het meisje. Het blijkt dat een van hen mijn zoon heeft bekoord, en welke vader kan een zoon zijn speeltje ontzeggen?'

Zodra de overeenkomst gesloten was, wenkte Paris Myrine en Animone om Lilli van zijn schoot te nemen en naar buiten te dragen. Zijn gezicht stond volstrekt onaangedaan, alsof het hele geval slechts een tijdelijke afleiding was, al half vergeten. En toch was de blik in zijn ogen toen Myrine neerknielde om haar zusje op te pakken zo donker, zo vol onuitgesproken woorden, dat ze hem even bezorgd wist als zij was om iedereen te verzamelen en terug te keren naar de schepen, voordat Agamemnon van gedachten veranderde. Het protocol vereiste echter dat de mannen bleven zitten om te genieten van honingkoek en muziek, tot de koning hun gezelschap moe werd en afscheid nam.

Op de binnenplaats had de blozende avond inmiddels plaatsgemaakt voor de sombere nacht. Langzaam daalde Myrine de traptreden af; ze had Lilli per se zelf willen dragen en Animone liep voor haar uit. Geen van beiden durfden ze hun mond open te doen voordat ze veilig op het laagste terras aankwamen, waar ze Pitana nerveus naar hen zagen zwaaien. 'Egee is weggelopen om rond te kijken en ze is nog steeds niet terug,' siste ze. Toen pas zag ze het slappe lichaam in Myrines armen. 'Wie is dat?'

'Lilli.' Myrine knielde neer om haar zusje voorzichtig op de grond te leggen. 'Ik denk dat ze haar iets gegeven hebben. Maar ze wordt zo wel weer zichzelf, hoop ik.'

Toen ze Pitana zagen schrikken, vertelden Myrine en Animone haastig wat er zich had afgespeeld waardoor ze Lilli zomaar konden meebrengen, met instemming van de goud graaiende koning. En toen Egee ten slotte terugkeerde, warm en bezweet van geheimzinnigheid en opwinding, kon ze bevestigen dat het nieuws over de ruil van de geroofde vrouwen al in het paleis rondwaarde. 'Er heerst grote verwarring,' zei ze terwijl ze opgelucht de shawl om haar hoofd losmaakte. 'Voor zover ik het begreep, hebben ze al gehoord dat sommige van de slaven door nieuwe meesters meegenomen worden, en alle andere slaven zijn ziek van jaloezie.'

'Heb je toevallig de naam opgevangen van degene die de aandacht van de zoon van de koning heeft getrokken?' vroeg Myrine. 'Want zij alleen moet achterblijven.'

Egee schudde haar hoofd. 'Maar ik heb wel de kamer gezien waar hij haar vasthoudt. Dat wil zeggen, ik zag de deur en de bewaker die ervoor staat. Een oude vrouw die onze taal kent, maakte me duidelijk dat de prins komt en gaat naar het hem zint, overdag of 's nachts, en dat iedereen de geluiden vreest...' Zwaar liet ze zich zakken op een van de stenen treden. 'Ik realiseerde me niet dat een van mijn zusters achter die deur zat. Wat een afschuwelijk lot. Het schijnt dat de vrouwen die hij in dat vertrek opsluit, er nooit meer levend uitkomen.'

Hun verdriet werd even verdrongen toen de Trojanen terugkeerden, want tussen hen in liepen zes vrouwen met gebonden armen, maar met hoopvolle, stralende gezichten. En toen ze hun vier zusters herkenden – die allen hun vingers tegen hun lippen gedrukt hielden om uitroepen te smoren – holden ze elkaar tegemoet in een zwijgende omhelzing, een innige wirwar van armen die dichter werd bij elk touw dat de Trojanen doorsneden.

Pas toen ze ver buiten de paleispoort waren, durfden de bevrijde vrouwen te praten. Aan hun nerveuze blikken te zien verwachtten ze elk moment dat de mannen van Agamemnon hen met hun speren in de hand achterna zouden komen, om een einde te maken aan hun vrijheid. Ze liepen zo gehaast en geestdriftig van de heuvel en door de slaperige straten aan de voet ervan, dat ze de paarden bijna inhaalden.

Eenmaal weer veilig op de vlakte van Argos werden ze opgevangen door de ruiters die Paris daar had gepost voor het geval ze op de terugweg nodig zouden zijn. Lilli's slappe lichaam werd behoedzaam overgedragen aan de forse Dares, en de andere bevrijde vrouwen werden snel verdeeld over de ruiters. Er werd weinig gesproken, behalve de te verwachten uitroepen van dankbaarheid. Want wat was er te zeggen? Ze waren vrij, verrukkelijk vrij; maar één van hen had moeten achterblijven.

Kara.

Geen van de priesteressen deed die nacht een oog dicht. Na een late maaltijd en veel woorden van dank wensten de Trojanen de vrouwen goedenacht en trokken zich benedendeks terug om te rusten voor hun aanstaande vertrek, bij dageraad. 'Moeten we al zo snel weg?' vroeg Myrine aan Paris terwijl ze hem achternaliep, het dek op. 'Uw mannen zijn vast moe...'

'Mijn mannen,' zei hij, zijn lantaarn opstekend zodat ze zijn gezicht kon zien, 'willen deze plek even graag verlaten als jij. Dit ging allemaal veel te gemakkelijk. Dit geluk zullen hetzij de Grieken, hetzij hun jaloerse goden ons al snel kwalijk nemen.'

Myrine zette een stap dichterbij. 'Hoe kan ik je ooit bedanken?'

Paris stak zijn hand uit om haar wang aan te raken. 'Wat jij mij verschuldigd bent en ik jou, is een veel te weids onderwerp voor een kort welterusten. Vind je ook niet?'

Even vlijde ze haar wang tegen zijn hand. 'Na wat je voor mijn zusters hebt gedaan, ben ik vastbesloten om alles voor je te doen wat in mijn macht ligt.'

'Dat is heel onverstandig van je.' Paris streelde haar lippen. 'Want mijn deugdzaamheid is bijna uitgeput.' Daarmee keerde hij zich af en liep met ferme stappen naar het benedendek.

Bij haar terugkeer vond Myrine haar zusters dicht bijeen, fluisterend over het lot van de arme Neeta en de wreedheid waaraan ze haar hadden verloren, en over de heikele situatie van Kara, die nog in leven was. De bevrijde vrouwen waren gelukkig omdat ze het lot van slaven ontsnapt waren, maar hun opluchting werd gematigd door spijt, omdat ze de andere twee niet hadden kunnen redden.

'De prins raakte verbolgen door Kara's trots,' zei de bevrijde Klito, die er zo gezond en avontuurlijk had uitgezien, maar wier mooie gelaat nu door leed was getekend. 'De Grieken verdragen niet dat vrouwen hen afwijzen. Hij zou haar beslist op de eerste dag al overboord hebben gegooid, als de bemanning hem niet had uitgelachen. Daarom sloeg hij haar bewusteloos en...' Ze schudde haar hoofd en slikte de details weer in. 'Maar jullie kennen Kara. Eenmaal hersteld, wees ze hem weer af, ze spuugde hem zelfs in zijn gezicht. Sindsdien is hij bezeten van de wens om haar te onderwerpen.'

Daar roerde Lilli zich even op de bank naast Animone, maar ze zakte weer weg in bewusteloosheid.

'Het is een boosaardige maand geweest,' zei Myrine, terwijl ze op de grond ging zitten aan haar zusjes voeten, die even vies en verweerd waren als op die dag lang geleden, toen Lilli en zij voor het eerst bij de tempel van de Maangodin kwamen. 'En ik betwijfel of de goden al klaar met ons zijn.' Ze keek de vrouwen om haar heen om beurten aan. 'Laat me jullie dit vragen: als we zonder Kara wegvaren, zullen we dan ooit ergens kunnen aankomen?'

De enige die haar blik ontmoette was Egee. 'Wat bedoel je?' vroeg ze. Toen Myrine niet reageerde, leunde Egee abrupt voorover. 'Ben je gek geworden? Je hebt die plek gezien! Ik kan je één ding zeggen: Kara zou voor ons niet teruggaan. En zeker niet voor jou!'

Met een zucht boog Myrine even haar hoofd onder de last van al dit verdriet. Toen rechtte ze haar rug en zei tegen Egee: 'Als het je bedoeling was om mij te overtuigen, had je geen beter argument kunnen bedenken. Het enige wat mij tegenhoudt, is het gevaar, niet voor mij, of voor degenen die dapper genoeg zijn om met me mee te gaan, maar voor de mannen die ons hebben gered – de mannen die beneden slapen. Als wij falen en omkomen, was dat onze eigen keus. Maar zij zijn niet geraadpleegd en zouden geen gevaar moeten lopen door ons geluk of ons gebrek daaraan.'

'Zelfs nu,' zei een verbitterde stem, 'zijn je gedachten voor hém en niet voor ons.'

Verbaasd wendde Myrine haar gezicht naar Animone, die zich nog nooit eerder tegen haar had verzet waar de anderen bij waren. 'Als mijn gedachten niet voor mijn zusters waren,' zei ze, haar stem schor van teleurstelling, 'zou ik hier niet zitten en geen onmogelijk waagstuk voorstellen...'

'Waarom niet?' Animone hief haar kin, haar ogen rood van emotie en vermoeidheid. 'Is er een betere manier je van zijn bewondering te verzekeren, dan door opnieuw een krankzinnige jacht in te zetten?'

'Genoeg!' Myrine kwam met wankele benen van uitputting overeind. 'Laten we gaan slapen, allemaal, voordat we stikken in ons eigen gif.'

Zo geruisloos mogelijk verliet ze het vertrek, al kon ze het wel uitschreeuwen van frustratie. Toen ze eindelijk buiten was, ver van alle starende blikken, liep ze naar de reling en vulde haar longen met nachtlucht. Ze waren van zo ver gekomen, hadden al zoveel bereikt... en toch had ze de bittere smaak van een nederlaag in haar mond. Ergens in het duister, achter de vlakte van Argos, werd een vrouw wier gezicht zij kende langzaam maar zeker gedood, door een man die al lang geleden dood had moeten zijn, als de hemel ooit enige genade had gekend.

'Nou, wat is het plan?' vroeg Pitana, die naast haar tegen de reling kwam leunen. 'We hebben nog een paar uur voor zonsopgang.'

'Niemand hoeft het te weten,' vulde een andere stem aan. 'Er is een manier om de paleiswachten voorbij te komen.'

Myrine keek opzij en zag Klito staan, haar holle wangen in het donker nog scherper getekend. 'Zou jij dan teruggaan?' vroeg ze haar. 'Nu je eindelijk ontsnapt bent?'

Klito knikte. 'Als er paleisslaven in de buurt zijn, zal een bekend gezicht ze geruststellen. Ze hebben allemaal een hekel aan hun meesters.'

'Het is een lange wandeling.'

'Niet zo lang als de rest van mijn leven.' Klito probeerde te glimlachen, maar was vergeten hoe dat moest. 'Tenzij dat vannacht eindigt.'

Myrine beet op haar lip. 'Als er iets misgaat – als iemand ons ziet – kunnen we niet terug naar dit schip. We zullen van de anderen gescheiden worden, misschien wel voor altijd.'

'Kom op,' zei Pitana. 'Dan veronderstelt iedereen dat ze zelf is weggelopen. Niemand zou de Trojanen van zo'n daad van waanzin beschuldigen.'

'Misschien niet.' Myrine haalde diep adem. 'En je hebt gelijk, het is waanzin. Maar soms is waanzin de enige weg vooruit. Laten we...' Ze zweeg omdat de nachtwacht langsliep.

'Dat was Idaeus,' fluisterde Pitana. 'Ik zal Brianne vragen om hem af te leiden. Hij heeft een zwak voor haar, de stakkerd.'

Toen het besluit eenmaal genomen was, zetten de drie vrouwen al hun scrupules opzij en wijdden hun gedachten aan het waagstuk dat ze voor ogen hadden. Ze moesten natuurlijk gewapend zijn, en toch licht reizen. Na enige overleg koos Myrine ervoor om de tweekantige bijl uit Kreta te gebruiken, in plaats van haar lans. 'Het is een heel nuttig wapen,' legde ze aan Klito uit, 'en het biedt een voordeel voor minder sterke armen.' Ze vertelde niet waar de bijl vandaan kwam, noch dat ze vermoedde dat dit wellicht het wapen was waarmee Neeta was gedood.

'Maar jouw armen zijn niet zwak,' wierp Pitana tegen terwijl ze haar pijlkoker ombond. 'Toen jij en Paris op zee de kracht van je armen maten, zag ik het zweet op zijn voorhoofd staan.'

Myrine rommelde met haar sandalen. Voor de grap had Paris haar laten denken dat ze van hem won – hij had haar zijn hand omlaag laten drukken tot op een paar centimeter van de tafel... om vervolgens haar arm lachend terug te duwen en zachtjes op de houten planken te leggen, onder die van hem. En tot op dat moment was Myrine de enige geweest die zweette.

'Ja, nou ja.' Ze deed haar best om elke gedachte aan Paris uit haar hoofd te zetten. 'De paleiswachten zijn van een heel ander soort. De meeste mannen trouwens. Zelfs de dikke, luie mannen hebben meer kracht in hun armen dan wij. De natuur heeft ze zo gemaakt, veronderstel ik, opdat ze ons gemakkelijker kunnen overmeesteren. Hoe zou de mens zich anders moeten voortplanten? En daarom' – ze stak de bijl in haar riem, zodat hij aan de tweekantige kop hing – 'moet je altijd buiten handbereik van een man blijven, tenzij je weet hoe je de onbillijkheid van de natuur moet vereffenen.'

Klito keek jaloers naar de bijl. 'Die zou mij vaak van pas gekomen zijn. En dan te bedenken dat ik ooit naar de aanraking van een man verlangde.' Ze trok een gezicht. 'Het is zoals je zegt, de natuur tergt ons met onze zwakheden.'

Myrine pakte Klito bij haar schouders. 'Ze tergt ons niet, ze daagt ons uit.'

Toen ze eenmaal klaar waren, liepen de vrouwen de loopplank af naar de verlaten pier, af en toe een blik achteromwerpend om zich ervan te verzekeren dat Idaeus de nachtwaker nog steeds helemaal opging in Brianne. Maar net toen Myrine dacht dat ze veilig vertrokken waren, hoorde ze rennende voeten achter zich. Geschrokken draaide ze zich schuldbewust om, maar tot haar opluchting zag ze dat het Animone was.

'Alsjeblieft!' De vrouw haalde hen in, hijgend, haar handen gevouwen. 'Ik wil mee.'

Myrine knikte slechts en legde een vinger tegen haar lippen.

Over de vlakte van Argos rennend, deze keer zonder het voordeel van paarden, deed Myrine haar uiterste best om haar eigen twijfels achter te laten. Hier liepen ze en bespraken hoe ze het paleis moesten binnenkomen en, indien nodig, de wachters konden ombrengen. Nog geen jaar geleden waren deze vrouwen – Pitana, Klito en Animone – zo bedeesd dat ze amper met haar mee durfden naar de tempelkelder om de dode slang in de kuil te zien...

'Maak je geen zorgen,' zei Klito, alsof ze onder het rennen Myrines gedachten kon lezen. 'Geloof me, iedereen die heeft gezien en gevoeld wat ik heb meegemaakt, is meer dan bereid om met die bijl van jou te hakken.'

Achter hen hijgde Animone haar instemming. 'Al wekenlang stel ik me voor wat ik zou doen met het varken dat...' Met een grom brak ze af. 'Ik hoop voor hem dat hij ons niet probeert tegen te houden.'

Myrine trok een gezicht bij die woorden, maar zei niets om haar vriendinnen te ontmoedigen terwijl ze elkaar voortdreven met visioenen van wraak. Ze had hun leed niet doorstaan, en kon de diepte van hun haat slechts gissen.

Pas toen ze in Mykene aankwamen, vervielen Klito en Animone eindelijk weer in nerveus zwijgen. In het bleke licht van de afnemende maan leek de residentie van koning Agamemnon meer dan ooit op een spookachtige uitwas van giftige paddenstoelen, en bij de aanblik voelde Myrine haar maag omdraaien.

Haar moed verzamelend liep ze de weg naar de grote stenen poort op... maar werd tegengehouden door Klito, die een hand op haar arm legde en fluisterde: 'Hier nemen we de andere weg. Het altaar waar Lilli namens ons allemaal haar jakhals neerlegde, is daarboven, bij de top.' Klito wees naar de helling links van het paleis. 'Zoals ik al zei, er is een geheim pad van die heilige plek naar de paleiskeuken, door een gat in de tuinmuur. De meesters weten er niets van, maar de slavenvrouwen gebruiken het voortdurend om stiekem geschenken neer te leggen voor de goden, in de hoop om van deze plek verlost te worden.'

Toen ze achter Klito aan de helling op liepen, hoorde Myrine Pitana ongelovig fluisteren: 'Als je het paleis zo gemakkelijk kon verlaten, waarom liepen jullie dan niet weg?'

'Waarheen?' Klito spreidde haar armen alsof ze de verlatenheid van de heuvels om hen heen wilde benadrukken. 'In de wildernis leven, waar ze ons maar al te graag zouden opjagen?'

'Slechte, slechte, sléchte mensen,' spuwde Animone.

Weer bleef Myrine zwijgen, maar een lange blik van Pitana vertelde haar dat zij niet de enige was die de paradox opmerkte. Hun tot slaven gemaakte zusters waren brutaal genoeg geweest om het paleis uit te glippen en om verlossing te bidden, maar niet moedig genoeg om te vluchten. Maar, zoals Myrine maar al te goed wist, de prooi sterft door het verlies van elke hoop – het verlies van de wil om zich te blijven verzetten. Misschien was dat, meer dan wat ook, de reden waarom zij Kara niet wilde achterlaten; Kara was altijd blijven geloven dat ze vrij hoorde te zijn.

De geheime doorgang naar de paleiskeuken leidde door een kruidentuin met bijenkorven en sluimerende fruitbomen. Zelfs in deze tijd van het jaar, ver van het gegons van de zomer, was de tuin zo goed onderhouden en zo vervuld van zoete geuren, dat de lieflijkheid moeilijk te verzoenen leek met de brute grofheid van de Grieken.

'Hierlangs!' siste Klito, die door een doornige hek heen dook. 'Zachtjes!'

Een poosje bleven ze gehurkt in het struikgewas zitten luisteren of ze ergens bedienden hoorden werken in hun vertrekken. Boven hun hoofd liet een vogel in het duister een waarschuwend gesnerp klinken. Beneden zich hoorden ze een knaagdier rommelen in de mesthoop. Verder was alles stil.

Klito kroop op handen en voeten naar een hoek om een heimelijke blik te werpen op het gebouwtje aan de andere kant van het keukenerf, waar Kara gevangen werd gehouden. Hijgend van opwinding zakte ze weer op haar hurken en fluisterde: 'De wachter is weg. Dat betekent dat de prins bij haar is.'

'O nee!' Animone wiebelde nerveus heen en weer op de vochtige grond. 'Wat nu?'

'Wacht hier.' Klito kwam overeind en verdween sluipend door de schaduwen langs de heg uit het zicht. Toen ze terugkeerde, zagen de anderen aan haar geestdriftige gebaren dat ze goed nieuws had. 'Geen geluid,' siste ze. 'Ze zullen wel slapen.'

'O nee,' zei Animone weer.

'O ja,' weersprak Pitana haar terwijl ze haar mes uit haar riem trok. 'Die prins kon wel eens nooit meer wakker worden.'

'Wacht.' Myrine hield Pitana tegen. 'We kunnen niet allemaal naar binnen. Vier stille mensen maken heel veel lawaai. Klito en ik gaan, en jullie wachten hier.'

'Maar als de deur gebarricadeerd is...' protesteerde Pitana.

Klito knoopte haar shawl om haar gezicht. 'Er zit een raampje in. Het is klein, maar het staat altijd open. Omdat het gebouw half in de grond verzonken is, kan iemand die tenger is er waarschijnlijk wel naar binnen, maar niemand kan van binnen naar buiten: het raam zit te hoog boven de vloer.'

Myrine sloop geruisloos door de schaduwen naar de deur en duwde er zachtjes tegen met haar hand. Tot haar opluchting gaf hij bereidwillig mee. Ze keek Klito even aan en zag dat ze dezelfde hoop koesterden: moge dit kleine blijk van onzorgvuldigheid het teken zijn van een man in vergevorderde dronken vergetelheid.

Eerst kon Myrine niets onderscheiden in de kamer, maar na een paar keer knipperen wenden haar ogen aan de smalle straal maanlicht die door het open raam naar binnen lekte. Wat ze zag, bevestigde wat ze al had geroken: de aanwezigheid van twee vochtige lichamen, genesteld in hun eigen afscheiding.

Samen op het bed hadden ze een minnend paar kunnen zijn... behalve dat de prins, diep in slaap, comfortabel onder een schapenvel lag, terwijl Kara – hooggeboren Kara, dochter van een stamhoofd – naakt naast hem lag, haar armen met dikke touwen aan een bedstijl vastgebonden.

Met een knikje naar Klito om de deur te bewaken, maakte Myrine haar shawl los en liep op haar tenen om hun onfortuinlijke zuster te wekken. Tot haar verrassing stonden Kara's ogen al open; met een lege blik staarden ze naar het plafond. Even in paniek stak Myrine haar hand uit om de polsslag te vinden in een hals die kil en kleverig aanvoelde.

Ze leefde nog.

Toen pas, terwijl Myrine de rest van haar gezicht betastte, knipperde Kara met haar ogen en wendde haar gezicht. Maar hoewel ze Myrine recht aankeek, gaf ze geen teken van herkenning. Op haar gezicht stond zelfs geen enkele gedachte te lezen.

Myrine probeerde te glimlachen. 'Ik ben je zuster, Myrine. We komen je redden. Kom...' Maar zodra ze haar mes tevoorschijn haalde om de touwen door te snijden, deinsde Kara angstig achteruit en begon te snikken.

'Sst!' Myrine legde een hand op haar mond. 'Wees stil.'

Haar pleidooi had echter het tegenovergestelde effect: zodra Kara's handen vrij waren, gebruikte ze die om Myrine te slaan en weg te duwen, zo hard als ze kon. 'Ga weg! Ik wil jou hier niet zien! Verdwijn!'

'Stil!' siste Myrine en rukte aan de onwillige armen. 'Kom mee! Schiet op!'

'Nee!' Kara gilde het woord zo luid mogelijk, geknield op het bed dat al vele dagen haar thuis moest zijn. 'Laat me met rust!'

Eindelijk verroerde de prins zich.

Hij ging rechtop in bed zitten en tuurde het duister in tot hij de drie vrouwen in het oog kreeg, roerloos als stenen, en de omlijsting van licht bemerkte rond de half openstaande deur. Met een brullende schreeuw reikte hij omlaag naar zijn wapen. Myrine, handelend volgens haar instinct alsof ze voor een aanvallend roofdier stond, trok de bijl van haar riem en wierp die met alle kracht die haar angst haar verleende naar hem toe.

De slag trof de prins midden in zijn borst en wierp hem van het bed op de vloer, waar zijn dodelijke kreten uitmondden in een laatste, dierlijke jammerklacht.

'Dit is rampzalig!' Myrine wist niet of ze het woord hardop uitsprak of alleen maar dacht. Hun plan om zonder een spoor achter te laten te komen en te gaan was verijdeld. Elk ander lichaam hadden ze kunnen proberen te verbergen, maar dit was de zoon van koning Agamemnon. 'We moeten weg!' spoorde ze de anderen aan. 'Snel!'

'Wacht.' Klito stond met geheven lans naast haar. 'We moeten zeker weten dat hij dood is.' Ze leunde voorover om hun slachtoffer een duwtje te geven. 'Jij weerzinwekkende pest... weet jij wat de straf is voor het onteren van een priesteres?' Ineens kwam Kara vanuit haar versteende verstomming tot leven. 'Hou op!' riep ze, en ze probeerde de lans uit Klito's handen te wringen. Een beetje laat voegde ze nog toe: 'Doe hem alsjeblieft geen pijn...'

'Genoeg!' Myrine stapte over het lijk heen om haar bijl uit zijn borst te wrikken. Daarbij zag ze dat Klito's lans overbodig was: de man was al dood genoeg. 'We moeten hier weg zijn voordat hij gevonden wordt.'

Hun terugtocht, die zo geruisloos en vreugdevol had moeten zijn, was het tegendeel. Weeklagend over de dood van haar overweldiger weigerde Kara eerst het vertrek te verlaten en spuwde een stroom van vloeken naar haar zusters. Toen die echter aanstalten maakten om te vertrekken, rende ze hen met kreten van paniek achterna.

'Stil!' Radeloos greep Klito Kara's hoofd en mond tussen haar handen om haar tot zwijgen te brengen. 'Je maakt iedereen nog wakker...'

Het was echter al te laat. Bij de heg, waar Animone en Pitana zich verborgen hielden, werden ze ontvangen door een verzameling van ten minste een dozijn slaven – allemaal vrouwen – verwikkeld in een woedende woordenwisseling van gefluister en handgebaren.

'Ik denk dat ze met ons mee willen,' legde Pitana met een grimas uit.

'Vertel ze dat dat niet kan,' zei Myrine tegen Klito, die beweerde tijdens haar korte gevangenschap de rudimenten van het Grieks te hebben geleerd. 'Zeg maar dat we allemaal opgejaagd en levend afgeslacht zullen worden.' Zonder te wachten tot Klito de boodschap had doorgegeven, liep Myrine verder door de kruidentuin, de nog steeds snikkende en tegenstribbelende Kara met zich meesleurend.

Het was allemaal te verward, te luidruchtig, en Myrine vreesde dat er binnen enkele tellen mannen zouden komen om hen tegen te houden. 'Hou je gemak!' beet ze Kara toe terwijl ze haar shawl om haar naaktheid wikkelde. 'We zijn gekomen om jou te redden, en nu kan jouw hysterie onze dood worden.'

In de verwachting dat hun weg afgesneden zou worden door de paleiswachters, aarzelde Myrine voor het gat in de muur, zonder te begrijpen waarom daar niemand was. Omdat ze weinig keus had, duwde ze Kara door het gat en trok haar vervolgens zo snel als ze beiden konden lopen van de heuvel af.

Het duurde niet lang voordat ze achter zich steeds luidere stemmen hoorde. Toen ze stilstond en omkeek, zag ze dat de hele groep vrouwen nog steeds meeliep, ondanks Klito's vurige pogingen om hen daarvan te weerhouden. Kreunend van frustratie wachtte Myrine tot ze hen hadden ingehaald en zei toen zo luid als ze durfde: 'Het spijt me. Jullie kunnen niet met ons mee. Ontsnap als jullie dat willen, maar wij hebben geen plaats voor meer.'

'Alsjeblieft.' Klito stak haar gevouwen handen uit naar Myrine. 'Ik ken deze vrouwen. Het zijn allemaal goede mensen, en ze lijden. Kunnen we niet...'

Myrine greep naar haar hoofd. 'We kunnen het paleis niet alle slaven ontnemen. Wil je soms een oorlog ontketenen?'

Klito wendde zich weer tot de vrouwen, maar hun smeekbeden waren zo meelijwekkend dat zelfs Pitana weifelde. 'Moeten we ze hier echt achterlaten?' zei ze zachtjes. 'Hun gezichten zullen me altijd bijblijven...'

Myrine rechtte haar rug, boos omdat haar logica belegerd werd door emoties. 'Goed dan. Zij die dat willen, kunnen met ons mee. Maar vertel hun dat ze de regels van onze zusterschap moeten naleven. Ze mogen nooit meer omgang hebben met mannen, ze moeten leren doden in plaats van liefhebben, en' – ze zweeg even op zoek naar inspiratie, vastbesloten om nog een voorwaarde te verzinnen die hen beslist allemaal zou ontmoedigen – 'ze zullen verplicht worden om één van hun borsten te laten wegbranden, zodat ze hun boog beter kunnen spannen.' Ze knikte al de vrouwen ferm toe. 'Dat zijn de voorwaarden om zich bij ons te voegen. Dus, wie gaat er mee?'

Klito's vertaling veroorzaakte een gejammer van afgrijzen in de groep, en niemand kwam naar voren.

'Dat had ik wel gedacht.' Grimmig voldaan wilde Myrine zich afkeren om weg te lopen.

'Wacht!' Een veulen van een meisje, nauwelijks nog een vrouw, stapte op Myrine af, haar vuisten gebald van overtuiging. 'Ik ga mee.'

Myrine wierp een blik op Klito, die het jonge meisje onderzoekend aankeek, alsof ze haar probeerde te herkennen maar daar niet in slaagde.

'Goed.' Myrine keerde zich af om te gaan en trok intussen een gezicht tegen Pitana. 'Zo klein als zij is, zullen ze zich niet eens realiseren dat ze weg is.'

Ze kwamen in de haven terug, net toen de Zon aan de oostelijke hemel verscheen, waar hij zijn gouden strijdwagen door de rozevingerige dageraad stuurde. Zelfs op dit vroege uur gonsde de pier van activiteit. De Trojanen sleepten voor hun vertrek de laatste watertonnen aan boord, en mannen renden de loopplanken op en af onder het schreeuwen van aanwijzingen.

Het was geen moment bij Myrine opgekomen dat de schepen zonder hen zouden kunnen vertrekken; als ze zich hun terugkeer uit Mykene verbeeldde, had ze voor haar geestesoog zelfs een pier gezien die even verlaten was als toen ze zo heimelijk vertrokken, met de bemanning nog diep in slaap op het schip.

De Trojaanse zeelui liepen echter af en aan, te druk om aandacht te besteden aan de vrouwen. De enige op wie af en toe een blik werd geworpen was Kara, die strompelde van uitputting na de tocht over de vlakte van Argos, in een geïmproviseerd gewaad dat slechts bestond uit shawls.

Terwijl ze haar de loopplank op hesen – langzaam, om hun evenwicht niet te verliezen – ving Myrine een blik op van Paris op het dek, die hun kant op keek. Hij stond met over elkaar geslagen armen en leek met moeite zijn drift te beheersen, en toch sprak hij geen woord tegen zijn bemanning, of tegen haar. Hij keek slechts naar de naderende vrouwen, met ogen die Myrine ineens van wankelende twijfel vervulden. En op het moment dat ze eindelijk aan boord waren, wendde hij zich af en schreeuwde het bevel tot vertrek.

DEEL IV

ZENIT

24

Terwijl ik de frisse rozenbloemen
die ik plukte in mijn mantel borg
om naar Athene in Haar bronzen huis te gaan,
rukte hij mij weg
naar dit onzalige land
en maakte mij tot inzet van een oorlog.
– EURIPIDES, *Helena*

NAFPLION, GRIEKENLAND

NIET NA ZONSOPGANG reed Telemachos ons naar de haven. Voor dat ik in de auto stapte, herinnerde ik hem aan zijn belofte om mij die middag naar het vliegveld te brengen. 'Ja-ja-ja,' antwoordde hij terwijl hij bruusk het achterportier voor me opentrok. 'Ik weet dat je belangrijker dingen te doen hebt.' Door de gekwetste opstandigheid waarmee hij het zei, schaamde ik me dat ik het onderwerp ter sprake had gebracht.

Zijn boot – een tweemaster met de naam *Penelope* – lag aangemeerd in Nafplion, een paar kilometer ten zuiden van Mykene. Deze oude stad was ontstaan rond een rotsig schiereiland dat ver in de Egeïsche Zee stak, en met zijn aantrekkelijke halvemaanvormige bocht vol kleurrijke gevels was het een geliefde halteplaats voor jachten en cruiseschepen. Zelfs om zeven uur 's ochtends was de haven druk met zeelui die van de zon genoten en op zoek waren naar een ontbijt.

De *Penelope* zelf was een houten kits met roomkleurige zeilen. De boot werd duidelijk liefdevol onderhouden: elk stukje koper was glimmend gepoetst, elk zeil straalde smetteloos.

'Ze heeft mijn leven gered,' zei Telemachos met een klopje op de glanzende goudbruine reling, toen hij ons voorging aan boord. 'Ze is nog van mijn vader geweest. De laatste tien jaar van zijn leven heeft hij er praktisch op gewoond. Ik wist niet eens dat hij nog leefde, maar op een dag liep hij ineens mijn keuken binnen, net toen ik de brief aan het openmaken was.'

'Welke brief?' vroeg Rebecca, die hem hielp om mondvoorraad aan boord te brengen.

Telemachos gromde en zweeg even om een kolossaal blik olijfolie op zijn dij te laten rusten. 'De brief van de oligarchen van het schoolbestuur, om te zeggen dat ze me niet meer nodig hadden. Drink uw gevlekte scheerling, oud fossiel, zeiden ze. Pak je bekraste schoolbord op en wandel! De jeugd van tegenwoordig wil onderwijzers met afstandsbediening.'

Hij verdween benedendeks met de olijfolie, maar we konden zijn bulderende stem nog horen terwijl hij in de kombuis redderde. 'Dus ging ik met pensioen. En de dokter zei: hé, nu je zo'n oud fossiel bent, mag je geen vlees meer eten. Dus at ik geen vlees meer, en toen begon er van alles mis te gaan in de machinekamer. En voordat ik het wist... waren mijn boekenkasten verdwenen.'

Terwijl we hem hielpen om het een en ander aan boord te hijsen, moest ik mijn ongeduld inslikken. Waarom sloegen we genoeg proviand op voor een oversteek van de Atlantische Oceaan, als we alleen maar een stukje langs de kust omhoog gingen varen, en tegen de middag weer terug zouden zijn in Nafplion? Maar toen ik mijn ergernis uitsprak tegen Rebecca, sloeg ze haar ogen ten hemel en zei: 'Wil je je nu eindelijk eens een keertje ontspannen? Hij haalt alles uit de kast om ons te verwelkomen, het minste wat wij kunnen doen is hem een handje helpen.' Gemelijk haalde ze haar schouders op, nog steeds geïrriteerd omdat ik beslist naar huis wilde. 'Misschien blijven wij wel op de boot als jij vertrokken bent.'

Terwijl Nick en Telemachos benedendeks met zoetwaterflessen jongleerden, belde ik de loge van mijn universiteit in Oxford om de portier te verzekeren dat ik over een paar uurtjes weer in mijn werkkamer zou zijn, klaar om studenten te ontvangen. Ik had net opgehangen, toen mijn vader belde.

'Het spijt me dat ik het jullie zo lastig maak,' zei ik tegen hem. 'Het is allemaal een beetje hectisch geweest, maar ik kom vanavond thuis.'

'Ik kom je wel van het vliegveld halen,' antwoordde hij, op zijn eigen bruuske manier, zijn bezorgdheid verpakt in verbale maliën. 'Hoe laat kom je aan?'

Het oorverdovende lawaai van een boor benedendeks dwong me om van de boot af te gaan, de pier op. Daar zat Rebecca al op een rol touw een kaart van de kust te bestuderen. 'Dat weet ik niet precies,' bekende ik, steun zoekend bij een groot anker. Het metaal was aangenaam warm van de ochtendzon, maar het zou heel wat meer vergen voordat mijn geweten ontdooide, nu ik mijn arme ouders zo lang in het ongewisse had gelaten. Binnenkort, wist ik, zou ik ze moeten confronteren met mijn ontdekking dat oma's schrift niet werkelijk het werk van een krankzinnige was, zoals zij tot dusver hadden aangenomen. Wetend hoe geschokt ze zouden zijn, bedacht ik dat het misschien verstandig was om het onderwerp nu alvast aan te kaarten, op afstand, zodat ze alvast wat tijd kregen om te herstellen voordat we elkaar zagen.

'Het zit zo,' zei ik, met een hand voor mijn ogen om niet te worden afgeleid door de omgeving. 'Ik weet dat je er niet graag over praat, maar een paar weken geleden kwam ik een inscriptie tegen in een nog niet ontcijferd alfabet.' Ik kon mijn vader bijna horen zuchten van opluchting bij het idee dat het alleen maar over filologie ging. 'Behalve dat het niet echt onontcijferd is.' Ik schraapte mijn keel, worstelend om mijn moed niet te verliezen. 'Het ziet er namelijk naar uit dat oma het op zeker moment heeft ontcijferd. En opgeschreven heeft, in... dat schrift.' Ik klemde mijn tanden op elkaar en zette me schrap voor zijn reactie.

Die zou ik echter nooit te horen krijgen. Het enige wat ik wel hoorde, was een angstige kreet van Rebecca vlak achter me... En vervolgens werd de telefoon uit mijn vingers geplukt door een blonde bullenpees van een vrouw die me op skeelers voorbijvloog.

Het gebeurde zo snel, dat ik niet eens werkelijk begreep dat ik beroofd was tot ik mijn lege hand zag. Mijn lichaam reageerde echter onmiddellijk.

Zonder zelfs maar naar Rebecca te kijken rende ik achter de dief aan, die zich een weg baande over de pier met slagen die een olympisch skiër niet zouden hebben misstaan. Waarschijnlijk realiseerde ze zich niet dat ik haar achtervolgde; pas toen ze bij de boulevard aankwam en moest remmen voor overstekende voetgangers, keek ze over haar schouder en zag mij vlak achter zich.

Omdat ik zo hard rende als ik kon, was het gezicht van de vrouw wazig. Toch had ik de indruk dat ze me, na die eerste grimas van verbazing, een laatdunkende blik toewierp, die het voordeel had dat hij mijn woede nog verder deed oplaaien, zodat ik nog harder kon rennen.

'Stop!' schreeuwde ik, in de hoop dat iemand de situatie zou begrijpen en de dief de weg zou versperren. Maar de vrouw slalomde moeiteloos voorbij elke hindernis en kreeg steeds meer vaart. Uiteindelijk verloor ik haar uit het oog toen ze om een hoek verdween, tussen twee cafeetjes door.

Tegen de tijd dat ik de hoek bereikte, was zij allang uit het zicht. Ik was echter nog niet bereid om de jacht op te geven. Een smalle voetgangersstraat strekte zich voor me uit en ik holde op volle kracht verder, met een blik in elke zijstraat op mijn weg. Aangezien die allemaal doodliepen of op steile trappen uitkwamen, concludeerde ik dat de vrouw dwars door de verlaten straat naar een of andere hoofdweg aan de andere kant was gestoven.

Ik had gelijk. Toen ik eindelijk uitkwam op de zonovergoten openheid van een plein, duurde het niet lang voordat ik een zilveren Audi zag staan, waarvan de achterbak open was. Ernaast stond de vrouw die ik had gevolgd haar skeelers los te knopen. Ze was niet alleen. Aan de andere kant van de openstaande achterbak stond een vrouw met een tot op haar middel opengeritst duikerspak kalmpjes een T-shirt aan te trekken.

Wat moest ik doen? Kon ik die twee in mijn eentje aan? En de bestuurder van de auto, die hun gebaarde dat ze moesten opschieten? Boos op mezelf vanwege mijn besluiteloosheid liep ik toch maar op de auto af. Toen de twee vrouwen me opmerkten, klapte de skeelerdief de kofferbak meteen dicht en samen sprongen de vrouwen, nog half ontkleed, op de achterbank. Nog geen seconde later snelde de zilveren Audi met piepende banden weg en liet mij alleen achter op het slaperige plein.

Nog steeds buiten adem, mijn hoofd bonkend van verslagenheid, ging ik op een omgedraaide vuilnisbak zitten om tot mezelf te komen voordat ik uiteindelijk de weg terug naar de boot zocht, al mijn ledematen zo zwaar alsof ik een marathon had gelopen.

'Schiet op!' riep Rebecca, die me ongeduldig op de pier stond op te wachten. 'We moeten je abonnement annuleren voordat ze allerlei dure telefoontjes gaat plegen...'

'Becks!' Ik legde een hand op haar schouder, maar haalde hem meteen weer weg toen ik me realiseerde hoe bezweet ik was. 'Dat was geen willekeurige zakkenroller. Het was gepland. Door iemand hier ver vandaan.'

Rebecca fronste haar voorhoofd tot een weinig aantrekkelijke doorlopende wenkbrauw. 'Doe niet zo raar. Wie zou nou... Waarom zouden ze...?'

'Twee uitstekende toevoegingen aan 's werelds langste lijst van onopgeloste vragen,' zei ik, en ik klom aan boord van het schip net toen Nick uit de kajuit omhoogkwam.

Rebecca bleef op de pier staan en zei vasthoudend: 'We moeten een politiebureau zoeken.'

'Om wat te doen? Vijf uur lang rondhangen terwijl een knorrige agent mijn adres verkeerd spelt op een formulier van tien pagina's dat meteen het archief in gaat?' Ik schudde mijn hoofd, me ervan bewust dat Nick vol verwarring naar ons keek. 'Laten we nou in vredesnaam maar gewoon gaan.'

Rebecca was duidelijk nog niet bereid om het onderwerp los te laten, maar aarzelde vanwege Nicks aanwezigheid. Ik had haar die ochtend verteld over zijn clandestiene telefoongesprek en de schat van de Amazones, en hoewel haar eerste reactie een uitroep was: 'Wat spannend! We gaan schatzoeken. Jammer dat jij naar huis moet,' duurde het niet lang voordat ze toegaf dat er iets illegaals aan de gang was.

'Zakkenroller,' zei ik uiteindelijk in reactie op Nicks vragend opgetrokken wenkbrauwen. 'Op skeelers. Ze heeft mijn telefoon gejat. Ik had haar bijna.'

'Echt waar?' Zijn ogen maakten een ronde over mijn gehavende kleren en mijn rood aangelopen gezicht. 'Jij moet wel de snelste filoloog ter wereld zijn.'

'Niet zo snel als ik had willen zijn,' zei ik, strenger dan ik bedoelde. 'Vertel me alsjeblieft dat we klaar zijn om te gaan.'

Toen we het drukke havenverkeer eenmaal uit waren, zocht ik in onze stapel bagage naar het jack dat Rebecca me had geleend. De zonnige luwte van Nafplion bleek bedrieglijk; zodra we de beschutting van de baai verlieten, herinnerde de frisse noordenwind ons eraan dat het toch heus begin november was.

Op dat moment, toen ik verder zocht naar mijn lippenbalsem, ontdekte ik de volle reikwijdte van het skeelerincident. 'Becks?' Ik trok mijn met zout bespatte paardenstaart strak en ging staan. 'Heb jij mijn handtas gezien?' Eigenlijk was het niet echt míjn tas, maar een geleende suède van Rebecca, met franje, aangezien die van mij verdwenen was in het labyrint van Knossos. 'Ik was ervan overtuigd dat ik hem hier had neergelegd.'

Toen we aan boord gingen, had ik er een punt van gemaakt om de tas in het vliegeniersjack van Rebecca te wikkelen en hem onder Nicks plunjezak te leggen, zodat hij nog beter verborgen zou zijn. De plunjezak en het jack lagen er nog, maar het franjeding was nergens te bekennen. En Rebecca kon zich ook niet herinneren dat ze hem had gezien sinds we de haven uit waren. 'Nick,' zei ik, met toenemende paniek, 'heb jij soms dingen verplaatst?'

Maar Nick herinnerde zich niet dat hij 'de hippietas', zoals hij hem noemde, had aangeraakt. Terwijl Rebecca en ik op de pier rondhingen, zei hij fijntjes, was hij benedendeks hard aan het werk geweest.

Misschien was het de ruwe zee, of misschien de schokkende confrontatie met mijn eigen stommiteit, maar ineens werd ik duizelig. Tegen de giek geleund had ik de grootste moeite om het ontbijt van omelet met ham en worst binnen te houden, dat Telemachos nog voor het aanbreken van de dag had opgediend. Oma's schrift zat in die tas. En nu was hij weg.

'Diana?' Rebecca schudde even aan mijn arm. 'Gaat het wel?'

'Natuurlijk!' Ik probeerde te lachen. 'Nu moet iemand anders mijn creditcards afbetalen. En mijn paspoort was toch bijna verlopen.'

Mijn pogingen om de zaak luchthartig op te nemen konden Nick niet overtuigen. Hij keek telkens even naar me, alsof hij half verwachtte dat ik ineens iets vreselijks zou opbiechten over het meeslepen van gestolen gouden munten of iets van die strekking, ingenaaid in de voering van die onfortuinlijke tas.

Hij kon immers ook niet weten dat het verlies van oma's schrift voor mij zoveel erger was dan het verlies van geld ooit zou kunnen zijn. Het was al erg genoeg dat ik de lange lijst vertaalde woorden kwijt was, maar ik kon ook het gevoel niet van me afschudden dat er een raadsel in het schrift stond dat ik nog moest oplossen... een geheime boodschap die ik nog moest vinden. En nu kon dat niet meer.

Op mijn tiende verjaardag – een zonnige zondag in april – kwam Rebecca een uur te vroeg voor het partijtje, met haar gezicht vol vlekken van het huilen. 'Hij liep onder een auto,' jammerde ze terwijl we samen de trap oprenden, weg van de opblazende ballonnen en rijzende broodjes. 'Meneer Perkins zei dat er niets meer aan te doen was. Dus heeft mijn vader een gat gegraven in de tuin, achter de aardbeien.'

Het vergde wat kalme vermaningen van oma voordat Rebecca in de leunstoel wilde gaan zitten om het verhaal van Spencers dood samenhangend te vertellen. 'Ik mocht hem van vader niet eens vasthouden,' was het droevige slot van zijn haastige begrafenis, 'of met hem praten. Hij zei dat ik flink moest zijn, want' – ze kon de woorden nauwelijks over haar lippen krijgen – 'alles gebeurt met een reden.'

'Dat is verkeerd,' beaamde oma, die, moet ik haar nageven, haar minachting voor Spencer vergeten was of onderdrukte. 'De dood is een beproeving. Dit is een moment waarop wij moeten onthouden dat wij mensen zijn, geen dieren.'

Ondanks strenge instructies om het huis niet te verlaten zonder mijn ouders, trok oma haar ochtendjas aan en liep met ons naar de pastorie. We slopen over het houten bruggetje dat de tuin met het kerkhof verbond, waar Rebecca ons verzekerde dat we vanuit het huis niet gezien konden worden.

Oma stond stil bij een kleine cirkel pas omgespitte grond waar twee schoppen uitstaken en zei: 'Hier is het zeker?'

'Ja,' knikte Rebecca, nog steeds snikkend. 'Daar ligt hij onder. Helemaal alleen.'

'Nou,' zei oma terwijl ze de schoppen loswrikte. 'Laten we hem dan opgraven.'

Het kwam niet bij me op om te protesteren. Toen ik zag hoe vastberaden Rebecca haar taak omarmde, begon ik ook te graven; en oma bleef naast ons staan en hield toezicht. Toen we eindelijk een plukje witte vacht ontwaarden, nauwelijks dertig centimeter onder de grond, duwde oma ons allebei opzij en groef de rest van de hond met haar handen op. 'Hier,' zei ze, terwijl ze het slappe lijfje in Rebecca's armen legde, zo behoedzaam alsof het een slapende baby was. 'Nu kun je tegen hem praten.' Daarna ging ze op het kleine hoopje aarde zitten dat we hadden opgegraven en wachtte.

Ik heb geen idee hoelang we daar zijn gebleven, wachtend tot Rebecca zou ophouden met huilen. In het begin had ik ook gehuild, van de schrik over het hele geval, en later bij de aanblik van de dode hond die ik zo goed had gekend. Maar na een poosje kon ik alleen nog maar aan Rebecca denken, en of ze ooit nog mijn blije, grappige vriendinnetje zou worden.

We waren allemaal stijf van de kou tegen de tijd dat Rebecca eindelijk diep zuchtte en zei: 'Ik ben zo moe.' Ze had op de grond gelegen met Spencer in haar armen, maar nu kwam ze loom overeind, zo bleek en vaal dat ik bang was dat ze flauw zou vallen.

'Goed zo,' zei oma, die geen enkele last leek te hebben van de klamme, koude grond. 'Ga nu zijn spulletjes maar halen. Zijn bed, zijn liefste speeltje, iets te eten...'

'Zijn riem?' opperde Rebecca, die moeite had om oma aan te kijken met haar gezwollen ogen.

'Hield hij van zijn riem?'

'Hij werd altijd blij als hij hem zag,' zei Rebecca, met een opnieuw trillend kinnetje.

'Ga dan maar, allebei,' beval oma. 'Help elkaar, en kom zo snel mogelijk terug. *Chop-chop!*'

Toen Spencer eindelijk te ruste was gelegd op zijn blauwe kussen, met zijn favoriete spulletjes om hem heen – allemaal stiekem uit huis gehaald terwijl de dominee en zijn vrouw druk waren met een verstopte wc – begon Rebecca weer te huilen, en ik ook. Maar nu vanuit een ander soort verdriet.

'Onthoud dat je hier altijd terug kunt komen,' zei oma, 'wanneer je maar wilt, om met hem te praten. Maar nu moet hij een poosje slapen. Buig je hoofd.' Gehoorzaam deden we wat ze zei, en oma declameerde een lange reeks woorden in een andere taal. We verstonden er niets van, maar vreemd genoeg waren ze troostend. Daarop gaf ze ons ieder een schep terug en droeg ons op om het gat te vullen. Toen we klaar waren, pakte ze een handvol aarde en veegde het met haar handpalm over ons gezicht. 'Je bent in de rouw,' zei ze tegen Rebecca, haar handen om het besmeurde gezichtje. 'Maar je hebt gedaan wat goed was.'

Pas toen we via de voordeur mijn huis binnengingen, herinnerde ik me het partijtje. Er zweefden een paar doelloze ballonnen rond en er hing een warme geur van gemberkoek, maar het hele huis was vreemd stil. Op de tegels onder het jassenrek stond een kleine verzameling cadeautjes, maar de schenkers waren nergens te bekennen. Op dat moment hoorde ik de klok in de zitkamer vijf keer slaan. Op de uitnodigingen met de mooie gebosseleerde paardjes had drie uur gestaan.

Net toen we op onze tenen de trap op liepen, verschenen mijn ouders in de deuropening van de keuken. Ze keken ernstig en waren allebei bleek, maar ze zeiden niets, namen ons alleen maar op zoals we daar stonden, onder de modder, onzeker of we de trap op of af moesten lopen. 'Ik vrees dat het allemaal mijn schuld is,' zei Rebecca met zwakke maar vaste stem. 'En het spijt me. Ik weet dat het allemaal... onvergeeflijk is.'

'Goed,' zei mijn moeder, en ze trok haar shawl dichter om zich heen. 'Willen jullie soms een stukje verjaardagstaart?'

Na die dag klonken er geen nachtelijke discussies meer in de woonkamer, gingen er geen smekende blikken van mijn moeder naar mijn vader... er heerste slechts stilte. Een gepijnigde, uitgeputte stilte, zwaar van het gevallen besluit. En binnen een week begonnen mijn ouders naar afspraken op afgelegen plaatsen te rijden, om terug te komen met brochures en formulieren die ze zorgvuldig voor mij verborgen hielden.

Maar met het instinctieve inzicht dat een kind heeft in ouderlijke achterbaksheid, wist ik waar het heen ging. Ze troffen voorbereidingen om oma weg te sturen, naar een of ander ondoordringbaar gebouw met uitgestreken mannen en grote ijzeren sleutels, en dan zou ik haar nooit meer zien. Ze zouden haar aan een bed vastbinden en naalden in haar arm steken, en het zou mijn schuld zijn – omdat ik haar mijn vriendin had laten zijn.

De enige die niet van slag was door de diefstal was Telemachos, die koppig weigerde om mijn handtas als gestolen te beschouwen. 'Die komt wel terecht!' bleef hij zeggen, met een zwaai van zijn harige hand naar de wonderbaarlijke wegen van het lot. 'Ze komen altijd terecht.'

Om mijn verdriet te verbergen wierp ik me op elke beschikbare taak op de boot en probeerde zo min mogelijk te piekeren. Dat plan was zo effectief dat er meer dan een uur verstreek voordat ik opkeek van mijn noeste arbeid. Toen pas voelde ik een zweem van wantrouwen. Als we alleen maar langs de kust omhoog zouden varen, waarom zag ik dan aan alle kanten niets dan helderblauwe zee?

Ik liep naar Telemachos, die aan het roer zat te ginnegappen met Nick en Rebecca. 'Neem me niet kwalijk,' zei ik, plotseling met het gevoel dat ik een indringer was. 'Maar waar gaan we precies heen? Het is al tien uur...'

Telemachos grijnsde zelfvoldaan: 'Dat heb ik je toch verteld: we gaan naar de plaats waar het allemaal eindigt.' Toen ik hem vragend bleef aankijken vervolgde hij luider, alsof hij het tegen een slechthorende had: 'We gaan naar Troje. Ik heb je ontvoerd, Diana Morgan. De komende paar dagen zijn jullie drieën gegijzeld vanwege mijn obsessieve hunkering naar intelligent gezelschap.' Toen hij de schok zag die zijn pocherige bekentenis teweegbracht, barstte Telemachos in schaterlachen uit. 'Stel jezelf over tien jaar de vraag: was hij een piraat of een engel?'

'Maar u hebt beloofd...' begon ik, bijna stikkend in mijn eigen verontwaardiging.

'Ik heb beloofd je te brengen waar je wezen moet,' zei Telemachos, knikkend alsof we het eens waren. 'En dat doe ik ook. Bovendien, wat heeft het voor zin om je naar het vliegveld te brengen als je toch geen paspoort hebt?'

Zo razend dat ik de grote man wel overboord had kunnen duwen, richtte ik me tot Nick. 'Wil jij me helpen om de boot om te keren?' vroeg ik hem, met de expliciete bedoeling dat Telemachos me zou horen.

Na een seconde aarzelen sloeg Nick zijn armen over elkaar. 'Ik ben geen zeeman. Sorry.' Iets in zijn ogen – een vreemde, duivelse voldaanheid verscholen achter zijn verontschuldiging – vertelde me dat hij loog.

Ik keek naar Rebecca, die ongewoon stil was. 'Wil jij je vriend' – met een knikje naar Telemachos – 'vertellen dat dit volkomen onaanvaardbaar is?'

Rebecca's verstomde gelaatsuitdrukking veranderde in irritatie. 'Denk je nou echt dat hij dat niet weet?' Ze keek boos naar Telemachos, die als reactie monter glimlachte, alsof ons geruzie niet meer dan vogelgekwetter in zijn oren was.

'Becks,' zei ik, met moeite mijn radeloosheid onderdrukkend, 'voor elke dag dat ik mijn verplichtingen rond Oxford niet vervul, rukt een cycloop met de naam professor Vandenbosch weer een ledemaat uit mijn carrière.'

Rebecca keek weg, kennelijk al berustend in haar lot van ontvoerde. 'Jij hebt tenminste verplichtingen. Wat moet dat heerlijk zijn.'

Toen ik me realiseerde dat ik alleen stond in mijn woede en dat Rebecca noch Nick me zou helpen om Telemachos over te halen om terug te keren naar Nafplion, liet ik hen staan en beende naar de achtersteven van de boot. Ik had me zelden zo machteloos gevoeld, en ik wilde niet dat ze me zo zouden zien, bijna in tranen van frustratie.

Het was waar dat ik zonder mijn paspoort niet in een vliegtuig kon stappen, maar dat maakte mijn terugkeer naar de kust des te dringender. Ik zou ander vervoer moeten regelen, en zelfs als alles soepel verliep, kon ik onmogelijk hopen voor het weekend in Oxford te zijn. Mijn situatie was werkelijk al rampzalig genoeg zonder de extra complicatie dat ik nu gevangen zat op de *Penelope*.

En toch... zelfs in mijn beklagenswaardige omstandigheden voelde ik ongewild een verraderlijk kriebeltje van opwinding bij het vooruitzicht van een bezoek aan Troje. Was dat immers niet precies wat ik heimelijk wilde? Het spoor van de Amazones verder volgen? Ondanks al mijn vastbeslotenheid om zonder enig verder uitstel naar Oxford terug te keren, had ik sterk het gevoel dat ik daarmee mijn enige kans verspeelde om de ontbrekende schakel tussen oma en de Algerijnse priesteressen te vinden.

Op de boeg van het schip, uitkijkend over de Egeïsche Zee en de eilanden die nu in de verte vorm kregen, besloot ik dat ik me evengoed bij de situatie neer kon leggen. We gingen naar Troje en daar kon ik niets aan veranderen; mokken was zinloos. Zodra ik thuis was, zou ik alle afgezegde lesuren goedmaken en mijn studenten zoveel aandacht geven dat ze mijn afwezigheid als een zegen zouden gaan beschouwen. Wat Katherine Kent betrof, klemde ik me vast aan de hoop dat ze me zou vergeven als ik alles eenmaal had uitgelegd – dat had ze in het verleden altijd gedaan.

Toen ik eindelijk weer vertrouwen had in mijn zelfbeheersing keerde ik terug naar de anderen. Inmiddels bestuurde Rebecca de boot, helemaal opgetogen van spanning en avontuur, en Telemachos gaf haar instructies. De enige die aandacht aan mij besteedde was Nick, die me zijdelings aankeek en me toefluisterde: 'Ik denk dat je zojuist het wereldrecord mokken hebt verbroken. Minder dan tien minuten. Indrukwekkend hoor.'

Ik was nog niet klaar voor zoveel kameraadschap en antwoordde kortaf en afstandelijk: 'Ik mok niet. Ik bereken.'

Later die avond, na de hele dag een geduldig gezicht te hebben bewaard, liet ik Rebecca slapend achter in onze gedeelde hut en sloop omhoog naar het dek om alleen te zijn. Het diner was gezellig geweest – ik had zelfs gelachen – maar ik was nog niet over mijn boosheid heen. Telemachos was zo trots op zijn macht over ons, zo zelfvoldaan... Een kinderachtig deel van mij wilde hem een lesje leren.

We lagen voor anker in een kleine baai en het enige geluid dat ik hoorde, waren de golven die tegen de romp van het schip klotsten, en af en toe het fladderen van vleugels op het water. Eerder die avond, in de gouden gloed van de zonsondergang, had de baai onbewoond geleken, maar nu, lang na het vallen van de avond, schenen er duidelijk lichtjes uit ramen op de heuvels. Hoe ver weg waren die huizen, vroeg ik me af? Waren er mensen op dit eiland die me zouden kunnen helpen? Of waren die spatjes licht in feite sterren, die net opkwamen boven de beboste heuvelrug? Ondanks de maan, die wat structuur verleende aan het donker om me heen, kon ik niet onderscheiden waar de aarde eindigde en de hemel begon.

Terwijl ik op het dek met mijn armen om mijn knieën fantasierijke ontsnappingsplannen zat te verzinnen, verscheen Nick. Ik had hem niet horen naderen, want hij was blootsvoets en bewoog zich als altijd volkomen geruisloos. Na een moment van aarzeling kwam hij naast me zitten en knikte naar de wassende maan. 'Bijna vol.'

Toen ik geen antwoord gaf, ging hij verder: 'Een wijze bootsman heeft me ooit verteld dat er een beschermengel is die waakt over jongemannen. Voor mij was die engel altijd de Maan. Ze heeft mijn leven heel wat keertjes gered.'

'Echt waar?' vroeg ik. Ondanks het feit dat Nick eerder die dag helemaal niets had gedaan om mij te helpen Telemachos tot andere gedachten te brengen, gaf ik toch de voorkeur aan zijn gezelschap boven mijn eigen knorrige eenzaamheid. 'Heeft ze je ooit gered van een boot met een krankzinnige Griekse kapitein?'

In het donker voelde ik dat hij glimlachte. 'We kunnen het proberen. Misschien gunt ze je wel een wens. Wat wil je? Nu meteen terug zijn in Oxford?'

Om de een of andere reden stokte mijn bevestigende 'ja' in mijn keel.

'Maak je geen zorgen,' zei Nick, recht in mijn oor. 'Ik zal het niet doorbrieven.'

Een beetje boos omdat hij meende dat ik zo gemakkelijk over te halen was, week ik opzij en zei: 'Ik heb iedereen beloofd dat ik vandaag terug zou komen.'

'Hier.' Nick stak me zijn telefoon toe. 'Bel op en leg alles uit.'

'Dank je wel. Misschien morgen. Mijn ouders liggen nu al in bed.'

'En Vriendje dan? Neemt hij na tienen niet meer op?'

Omdat ik niet wist wat ik moest zeggen, schudde ik mijn hoofd en gaf hem de telefoon terug. Nick grinnikte. 'Rustig maar! Ze gaan je heus niet ontslaan. Ze hebben je nodig. Je bent slim. In mijn ervaring zijn mooie vrouwen alleen aantrekkelijk tot ze hun mond opendoen. Maar met jou, hoe meer je praat, hoe...' Hij zweeg abrupt en zei toen, zachter: 'Ik wou dat ik jouw concentratievermogen had. Om dagen... maanden in een bibliotheek te zitten, en alleen maar te lezen. Maar dat soort geduld heb ik nooit gehad. En dus ben ik nooit ergens echt goed in geworden.' Misschien beseffend dat hij zichzelf onrecht deed, gaf hij me plagerig een zetje met zijn elleboog. 'Nou ja, een paar dingen kan ik wel, zo is me althans verteld.'

Al werden die woorden schertsend uitgesproken, ze kropen mijn verbeelding in en veroorzaakten een stille storm van chaos. 'En waar ben je nog meer goed in?' hoorde ik mezelf vragen.

Nick rechtte zijn rug. 'Risico's nemen. Daar ben ik een kei in.'

'Geef eens een voorbeeld?'

Na even nadenken zei hij: 'Wat denk je van sportklimmen? Of kanoën op de Nahanni in november?'

Ik fronste mijn voorhoofd. 'Ik weet niet eens waar dat ís. Wat nog meer?'

'O.' Hij zakte een beetje in elkaar, alsof hij uiteindelijk toch niet zo'n hoge dunk van zichzelf had. 'Gewoon. Grenzen proberen te verleggen. Mijn vrienden imponeren.'

Ik haalde mijn armen van mijn knieën, niet meer zo koud als eerst. Een deel van de warmte, realiseerde ik me, kwam van Nicks lichaam en bleef in de smalle ruimte tussen ons in hangen, waar het mij naderbij lokte. 'Om de een of andere reden zag ik jou in dienst van de mensheid,' grapte ik, dankbaar voor het steeds humoristischer traject van ons gesprek. 'Voedselhulp naar doodhongerende dorpelingen brengen...'

'Heb ik ook gedaan.' Hij zei het rustig, schokschouderend, en nam niets eens de moeite om me aan te kijken om te zien of ik hem geloofde. 'Tot ik besefte dat de mensen die ik hielp nou juist de krijgsheren en de stijfkoppige politici waren die in feite de oorzaak waren van het probleem.'

'Dat snap ik.' Ik bekeek hem even van opzij en vroeg me af of ik Nick nu eindelijk zag zoals hij echt was, of dat dit ook weer een rol was uit zijn schier eindeloze repertoire. 'Je raakte gedemoraliseerd door de gebreken van de burgermaatschappij, dus heb je je maar op frivole genotzucht gestort?'

Daar moest hij even over nadenken. 'Eerder de zucht naar pijn. Maar, ja, dat is het wel zo ongeveer. Hé, als jij ooit gedemoraliseerd raakt door de gebreken van de academische wereld, zou je public relations moeten proberen.' Samenzweerderig dempte hij zijn stem: 'Ik huur je zo in als mijn woordvoerder.'

'Misschien begin ik met kanoën op de Nahanni,' was mijn weerwoord. 'In juli.'

'Dan word je opgevreten door de steekvliegen. Of de grizzlyberen.'

Ik duwde met een speelse vuist tegen zijn bovenbeen. 'Dan huur ik jou in als gids.'

Nick grinnikte. 'Daar kon je wel eens spijt van krijgen. Ik zou me niet scheren, en we zouden een slaapzak moeten delen.'

Dat beeld steeg rechtstreeks naar mijn wangen en ik was dankbaar dat hij me alleen in grijstinten kon zien. 'Waarom zouden we er niet allebei eentje hebben?'

Zijn schouder botste plagerig tegen de mijne. 'Waarom zou je überhaupt met mij gaan kamperen?'

'O, dat weet ik niet.' Ik schraapte mijn keel, verbijsterd over de flirterige wending die ons gesprek had genomen. 'Je bent nogal een onderhoudende prater.'

Ik kon er niets aan doen, iets in zijn ogen lokte me dichter naar hem toe, en een paar ademloze seconden lang wist ik zeker dat hij me zou kussen. En eigenlijk hoopte ik op dat moment – ondanks onze fundamentele verschillen – dat hij dat echt zou doen.

In plaats daarvan reikte hij in zijn zak en overhandigde me een plat, vertrouwd aanvoelend voorwerp. 'Hier. Ik ben zo vrij geweest om het uit je tas te halen vanmorgen, voordat we de deur uit gingen.'

Het was oma's schrift.

'Maar...' Ik was zo verbijsterd door de terugkeer van mijn kostbaarste bezit, dat ik begon te lachen. Ik klemde het tegen mijn borst en pas na een poosje wist ik de woorden uit te brengen om hem te bedanken, al was ik ook misnoegd over het feit dat hij mijn tas had doorzocht.

'Na die overval op Kreta,' begon Nick, op een toon die suggereerde dat hij niet erg trots was op zichzelf, 'had ik het gevoel dat jouw schimmige dief het nog eens zou proberen. Ik wilde er met je over praten, maar we waren nooit alleen.'

'Dat is allemaal een beetje... schokkend,' stamelde ik; mijn beeld van Nick draaide salto's in mijn hoofd. Als ik ook maar heel even had gedacht dat hij het had kunnen zijn, en niet de skeelerbende, die mijn franjetas had laten verdwijnen, dan was die mogelijkheid nu grondig begraven onder een nogal klamme lawine van schaamte.

'Wees nou maar gewoon blij,' vervolgde Nick, zijn toon weer plagerig, 'dat ik je nog niet betaald heb. Ik weet niet zeker of ik het tempo van jouw verliezen bij kan houden...'

'Aha,' zei ik. 'Weer dat geld.'

'Wat is er mis met geld? Is dat niet de reden dat je hier bent... met mij?'

Ik schudde mijn hoofd, nog te zeer van mijn stuk om mijn kaarten discreet uit te spelen. 'Er is niets mis met geld. Sterker nog, ik ben een grote fan van geld, maar het is niet de reden waarom ik hier ben.'

'Vertel eens waarom dan wel.'

Ik wierp een blik op zijn gezicht, dat door de schaduwen die de maan wierp nog ernstiger stond dan anders. Nu ik zo vlak naast hem zat, leek het niet juist om zoveel bedriegerij tussen ons in te hebben staan. Ja, hij had zijn eigen geheime agenda wat de Amazones betreft, maar die had ik ook. Eigenlijk, besefte ik ineens, kon Nicks beeld van mij wel eens net zomin vleiend zijn als mijn beeld van hem; misschien was ik in zijn ogen net zo goed niets meer dan een wezel die voor de verkeerde club werkte.

'Op Kreta,' zei ik, 'vroeg je hoe ik het gedaan had. Dat vertalen. Je veronderstelde dat er iets achter zat. Nou...' Ik stond op en liep bij hem weg. 'Je had gelijk.'

Ik ging bij de reling staan om naar de weerspiegeling van de maan op het inktzwarte water te kijken, en vertelde hem over oma en het schrift en de armband die ze voor me had achtergelaten. Waarschijnlijk was ze archeoloog geweest, legde ik uit, die het schrift van de Amazones had gezien op een andere opgraving en het had weten te ontcijferen. 'En toch heeft zelfs zij,' besloot ik, 'ook al was ze geobsedeerd door de Amazones, nooit geprobeerd me die vreemde taal te leren; ze heeft er zelfs nooit iets over gezegd. Ze heeft me alleen dit malle schrift nagelaten.'

Toen ik eindelijk ophield met praten kwam Nick naast me tegen de reling leunen. Ik was ervan overtuigd dat hij me zou berispen omdat ik hem het verhaal niet eerder had verteld, maar hij vroeg alleen: 'Hoe is je grootmoeder overleden?'

Ik verstrakte, bevroren in mijn oude schuldgevoel. 'Nou... ze is verdwenen. Mijn ouders wilden haar net naar een psychiatrisch ziekenhuis sturen, en ze...' Ik zweeg, niet in staat om verder te gaan zoals ik van plan was. De schaarse keren dat ik in het verleden gedwongen was geweest om het verhaal te vertellen, had ik verteld dat oma weggelopen was, zonder de nadruk te leggen op de gesloten deuren en het feit dat ze volkomen berooid was. 'Eerlijk gezegd,' hoorde ik mezelf nu opbiechten, tegen Nick nog wel, 'heb ik haar al het geld gegeven dat ik had, en ik ben met haar naar de grote weg gelopen en daar heb ik haar op een bus gezet.'

'Een bus waarheen?'

Ik slikte, onverhoeds aangevallen door ingegraven emoties. 'Dat weet ik niet. Ik was pas tien. Mijn hele kindertijd lang ben ik gekweld door gedachten aan de vreselijke dingen die haar overkomen konden zijn. Zodra er een onbekende envelop bij de post zat, of als de telefoon onverwacht ging, was ik bang dat het iets met oma te maken had. Dat ze dood gevonden was, ergens.' Ik huiverde bij de herinnering aan mijn oude angst. 'Pas later ontdekte ik dat mijn ouders twee jaar lang een privédetective hadden ingehuurd. Het enige wat die naar boven wist te halen, was een afgrijselijk hoge rekening.'

Zonder een woord te zeggen trok Nick zijn trui uit en legde hem om mijn schouders, waarna hij de mouwen om mijn hals knoopte.

'Sorry voor het lange verhaal,' zei ik, over het zwarte water uitkijkend. 'Dit heb ik nog nooit iemand verteld. Zelfs Becks niet.'

Toen Nick eindelijk iets zei, klonk zijn stem ongewoon mild. 'Weet je zeker dat ze echt gek was?'

'Dat... dat weet ik niet.' De gedachtegang achter zijn vraag voerde me weer terug naar twijfels waar ik al jaren mee worstelde. 'De artsen dachten van wel. Ze was zeker niet normaal in de gebruikelijke zin van het woord, wat dat dan ook mag zijn.'

'Weet je of ze vrienden had? Of ze met iemand communiceerde?'

Ik voelde een kleine steek van wantrouwen. 'Wat bedoel je? Ik hoop niet dat je dat geklets van Telemachos over hedendaagse Amazones serieus neemt.'

'Waarom niet? Wat wil jij liever geloven: dat het allemaal tussen haar oren zat, of dat er iets van waarheid in zat? Je hebt me net verteld dat ze een heel archief had van uitgeknipte krantenartikelen... dat ze telkens weer bewijzen vond van Amazone-activiteit in de hele wereld. Waarom ben jij er zo van overtuigd dat ze het mis had?' In het donker voelde ik dat Nick mijn profiel bekeek terwijl hij vergeefs op een antwoord wachtte. Daarop vervolgde hij: 'En behalve alle stoere praat, gedroeg je oma zich ooit echt als een Amazone? Verwondde ze mensen?'

'Nou...' Ik dacht terug aan die gestolen dag zoveel jaren geleden, toen ik op de grond zat met Rebecca en de papieren in het bureau van mijn vader doorzocht. Tussen de papieren zat een psychologisch evaluatierapport, waarin de tragische gebeurtenissen stonden die tot haar eerste ziekenhuisopname hadden geleid. 'Alleen in het begin, dat weet ik zeker, voordat ze beseften dat ze geestesziek was. Indertijd hadden ze er niet echt een naam voor, maar ik vermoed dat oma een postnatale depressie had, die uit de hand liep. Hoe dan ook, ze was ervan overtuigd dat ze was bevallen van een meisje en niet van mijn vader, en weigerde het tegendeel te aanvaarden. Ze sloot zich met de baby – mijn vader dus – in een kamer op en weigerde eruit te komen. Uiteindelijk moesten ze geweld gebruiken, en oma... oma verdedigde zich met een pook uit de haard. Het was allemaal heel erg. Er kwam een politieagent in het ziekenhuis terecht.' Ik huiverde, zoals ik zo vaak had gedaan, bij de gedachte dat oma een ander mens tot bloedens toe had verwond. Toen besefte ik hoe schokkend dit voor Nick moest klinken, en voegde er haastig aan toe: 'Ik weet zeker dat ze niemand wilde verwonden. Kennelijk had ze het waanidee dat het verkeerd was om een jongen te krijgen, en dat *zij* hem zouden weghalen, als ze erachter kwamen.'

Met zijn rug naar de maan was Nick weinig meer dan een donker silhouet, en ik voelde de intensiteit van zijn blik meer dan ik hem zag. 'Wie waren "zij"?'

'Haar mede-Amazones, natuurlijk. Je kunt geen jongen opvoeden, is het wel, als je een ware Amazone bent. Je hebt je Strabo toch wel goed gelezen?'

Nick gaf geen antwoord, maar stak zijn handen in zijn zakken en liep een rondje over het dek; misschien dacht hij dat ik tijd nodig had om me te herstellen. Toen hij terugkwam, haalde ik de trui van mijn schouders en gaf hem terug. 'Sorry dat ik zo doorzeurde. Ik had het je waarschijnlijk al eerder moeten vertellen, maar...'

De zin bleef een poosje tussen ons in hangen. Toen wierp Nick de trui over zijn schouder en zei: 'Je had gelijk dat je me niet vertrouwde. Ik weet niet eens of ik mezelf nog wel vertrouw.' Na een ongemakkelijke stilte voegde hij eraan toe: 'Bovendien heb je wel geprobeerd om me over de armband te vertellen. Maar ik wilde niet luisteren. Ik dacht dat je hem had gestolen. Het spijt me.'

'Wacht eens even.' De foto's op zijn laptop maakten een boosaardig dansje over de catwalk in mijn hoofd. 'Jíj hebt hem gestolen. Toch? Je hebt er zelfs een foto van gemaakt!'

De beschuldiging leidde niet tot de verhoopte bekentenis. Nick zei: 'Toen we de sarcofaag voor het eerst openmaakten, troffen we veertien armbanden aan.'

'Wat?' Ik staarde naar zijn ernstige profiel en begreep nauwelijks wat hij zei.

'Ze lagen daar gewoon. Ze waren allemaal' – hij knikte naar mijn arm – 'precies als die van jou. En ja, ik heb er foto's van gemaakt. Maar ik besloot die ene op het geraamte te laten zitten, omdat ik wilde dat een archeoloog het volgens de regels zou aanpakken.'

Ik was zo verbijsterd door dit nieuws dat ik een irrationele aandrang voelde om hem te omhelzen. 'Dus, als jij en ik die laatste armband niet gestolen hebben... wie dan wel?'

'Hoe weet jij dat hij gestolen is?' Nick tuurde naar me in het donker. 'Omdat de sarcofaag openstond?'

'Laat ik het anders zeggen,' zei ik. 'Wie heeft die sarcofaag opengemaakt, en waarom?'

Schokschouderend zei Nick: 'Dat moet je mij niet vragen.'

'Waarom niet?' Ik besloot ronduit te spreken. 'Jij bent immers op zoek naar een schat?'

Ik wachtte op zijn reactie, maar hij bleef volkomen stil. 'Kom op,' zei ik ten slotte terwijl ik dichter bij hem ging staan. 'Ik heb je aan de telefoon gehoord, je had het over de schat van de Amazones. Wat is het verhaal, Nick?'

Ten slotte kreunde hij en wreef over zijn gezicht. 'Ik wilde jou erbuiten laten...'

'Daar is het dan nu te laat voor.'

Zuchtend ging hij op het dek zitten, zijn rug tegen de grote mast. 'Weet je nog wat ik je vertelde in de auto, afgelopen zondag? Dat ik de x ben die de roos aangeeft? Nou, na wat er in Algerije is gebeurd, ben ik niet bepaald het populairste roosje op kantoor.'

'Maar dat was jouw schuld niet. Hoe kunnen ze dan...'

'O, het is niks persoonlijks. Zo werken we nu eenmaal. En nu ben ik een handicap. Een heleboel boeven op mijn hielen, zoals we beiden kunnen getuigen.' Nick stak even zijn handen op. 'Het spijt me. Maar de Aqrab Foundation heeft het deze maand te druk. Een nieuwe locatie in Jordanië. Wat problemen in Bulgarije. Dus dacht de baas dat het een goed idee zou zijn om' – hij zweeg even om diep adem te halen – 'mij een poosje weg te sturen. Uit de buurt van het vuur.'

Ik voelde mijn keel verstrakken. 'Maar... waar ga je dan heen?'

Zelfs in het donker kon ik de schaamte op zijn gezicht zien. 'Nee, je begrijpt het niet. Ze hebben me al weggestuurd. Daarom ben ik met jou meegegaan naar Kreta. Daarom ben ik juist hier.' Hij zweeg, kennelijk in afwachting van mijn reactie. Toen die niet kwam, zuchtte hij weer. 'Diana. We weten allebei, jij en ik, dat de schat van de Amazones onzin is. Maar dat weten zij niet.'

Het duurde een paar tellen voordat mijn lont ontstak. Toen het eenmaal zover was, wierp de schok me achterover, in de touwen aan de reling. 'Is dat het?' riep ik uit. 'Wacht, laat me even recapituleren... We worden achtervolgd, en in feite gebruik je mij als lokaas... om de boeven op een dwaalspoor te brengen? Is dat wat je bedoelt?'

Nick ging staan. 'Luister nou, ik ben er heus niet trots op...'

'Nee!' Ik stak mijn handen op om te verhinderen dat hij dichterbij kwam. 'Wat ben ik een oen geweest! Natuurlijk was jij niet geïnteresseerd in de Amazones – je wist amper wie ze waren! Maar dat weerhield jou er niet van om een armlastige filoloog te schaken en haar als lokaas te gebruiken!'

'Hoor nou even...' Nick zette een voorzichtige stap in mijn richting, en toen weer een. 'Dit was mijn idee niet. En ik wilde al helemaal niet dat jij gewond raakte. Al die ongelukken...'

'Dat zijn geen ongelukken, Nick, ze waren allemaal zorgvuldig gepland.' Ik voelde een absurde neiging om te lachen. 'Eindelijk begint er iets van te kloppen! O, man, ik dacht dat ik gek werd... Ik dacht dat er op me gejaagd werd door Amazones. Dit is fantastisch...' Ik probeerde hem in de ogen te kijken, maar dat stond de maan niet toe. 'Toe dan, lach maar! Je zou blij moeten zijn dat je plannetje zo goed werkt. Niet alleen hebben die hufters het aas gegrepen, ze hebben onderweg zelfs heel wat brokstukken van mij meegesleurd! Goed gedaan, Nicolaas! De x die de roos markeert, heeft zijn bonus verdiend.'

Nick keek verslagen. 'Hoe kan ik het goedmaken?' Maar voordat ik antwoord kon geven stak hij zijn hand op en legde een vinger op mijn lippen. 'Niet nu. Denk erover na. Ga naar bed en tel tot tien.'

Ik duwde zijn hand weg. 'Wat denk je van tot tienduizend?'

Hij knikte langzaam. 'Ik zal je morgen een cheque geven.'

'Doe maar contant,' wierp ik tegen terwijl ik uitweek naar de trap. 'En wat denk je van een flinke schadevergoeding omdat ik jou al die tijd om me heen heb moeten verduren?'

25

DE EGEÏSCHE ZEE

ZODRA ZE OP OPEN ZEE WAREN, kwam Lilli bij. Gapend kwam ze overeind, rekte zich uit en tastte met nieuwsgierige vingers om zich heen. De zachte bank met de geweven deken... de stoffen wand die naar binnen stulpte door de druk van de zeelucht: het vertrek in de achtersteven van het Trojaanse schip was duidelijk zo anders dan ze verwachtte, dat ze heel angstig werd. 'Klito?' riep ze. 'Ben je wakker?'

'Jazeker.' Klito drukte een kus op het hoofd van het meisje.

'Varen we weer?' vroeg Lilli met een frons. 'Er was een man... een man die naar Myrine rook...'

'Ik heb een verrassing voor je,' zei Klito; er stroomden tranen van geluk over haar wangen. 'Een verrassing waar je om zult lachen.'

Myrine kon niet langer wachten; ze drong naar voren en omhelsde Lilli stevig. De anderen hadden het nieuws voorzichtig willen vertellen, om het meisje geen schok te bezorgen, maar Myrine wist beter dan wie ook hoe sterk haar zusje was, en ze wist dat ze van deze schok alleen maar zou genieten.

'Onze gebeden zijn verhoord,' zei een van de bevrijde priesteressen, die Pylla heette. 'Het was natuurlijk Lilli's jakhalsarmband die onze vrijheid heeft gekocht. Laten we de goden bedanken...'

'Misschien moet je eerst Myrine maar eens bedanken,' zei Pitana. 'Zij heeft niet gerust, zelfs nauwelijks gezeten sinds jullie weggevoerd werden.'

'Mag ik voorstellen om ons allemaal te bedanken?' kwam Egee tussenbeide. 'Laat Myrine de last van jullie dankbaarheid niet in eenzaamheid hoeven dragen...'

Niemand anders had zin om er ruzie om te maken. Na de hele ochtend te hebben geworsteld met een hysterische Kara – die nu, gelukkig, in slaap was gevallen – hadden de vrouwen geen behoefte aan nog meer drama. Ze probeerden ook niet om het nieuwe meisje te ondervragen dat ze uit Mykene hadden meegenomen; ze had verteld dat ze Helena heette, en voorlopig was dat voor iedereen genoeg.

Nadat ze de ochtend in het vertrek in de achtersteven had doorgebracht, zonder haar ogen van Lilli af te kunnen wenden, ging Myrine ten slotte op zoek naar Paris. Ze vond hem op de boeg van het schip, diep in gesprek met Aeneas en Dares.

Geen van de drie gunde haar een glimlach; de twee andere mannen verontschuldigden zich met een grimmig knikje naar Paris en verdwenen. Paris leek ook niet bereid om een woord met haar te wisselen; hij keerde haar zijn rug toe en keek uit over zee, alsof hij zich niet van haar aanwezigheid bewust was.

Ondanks de vijandige ontvangst bleef Myrine waar ze was en zei: 'Mag ik me dan ten minste verontschuldigen?'

Toen Paris eindelijk antwoord gaf, klonk zijn stem strak van woede. 'Wat ik vind dat jij mag – of niet mag – lijkt heel weinig invloed op je te hebben.'

'Maar toch...'

Hij keerde zich naar haar om, rood van ergernis. 'Myrine, ik ben niet iemand die onder de indruk raakt van mooie woorden en bedoelingen – vooral niet als je daden die zo flagrant ondermijnen. Als je je zo nodig moet verontschuldigen, verontschuldig je dan tegenover mijn landgenoten. Zij zullen het slachtoffer worden van mijn maanzieke vertrouwen in jou. Nooit weer zal een Griek vertrouwen op het woord van een Trojaanse zeeman...' Te ontdaan om zijn gedachte af te maken keerde Paris haar opnieuw zijn rug toe. Hoofdschuddend vervolgde hij: 'Ik heb amper de wil om je te vragen wat er vannacht is gebeurd. En toch moet ik het weten. Het is je gelukt om je vriendin te bevrijden, dat zie ik, maar ik weet nog niet welke prijs ik voor haar zal moeten betalen.'

'Misschien zullen ze denken dat ze zelf is ontsnapt...' begon Myrine.

'Wil je me vertellen dat je het paleis in en uit bent gekomen zonder gezien te worden?'

Myrine aarzelde, hief toen haar kin en ontmoette zijn blik. 'De prins is dood. Dood op de vloer van zijn eigen gevangenis, doordrenkt van het bloed van mijn zusters. Maar wie ons gezien heeft, zal ons niet verraden. Niemand zwijgt zo diep als een vrouw die haat.'

Paris sloot zijn ogen. Toen hij ze weer opendeed, was hij tien jaar ouder geworden. 'Als ik een man was die volgens de regels leefde – nee, als ik een wijs man was – zou ik dit schip omkeren en jullie allemaal terugbrengen. Maar dat ben ik niet. Als ik een god in de hemel was, geloof me, ik zou het kwaadaardige Mykene afranselen met donderslagen en meermaals met bliksemschichten doorsteken; als mens ziet het er echter naar uit dat ik het zal moeten afranselen met beledigingen en dan zo snel mogelijk moet vluchten.'

Toen hij zag dat Myrine iets wilde zeggen, schudde Paris zijn hoofd. 'Het beste wat jij kunt doen, is ver bij mij vandaan blijven. Ga je verheugen met je zusters. Laat mij je niet meer op de boeg zien. Over twee dagen, bij gunstige wind, komen we aan in Efeze. Ik wilde jullie een thuis aanbieden in Troje, maar onder deze omstandigheden is dat onmogelijk. Waar jullie naartoe gaan, is aan jullie, maar in Efeze nemen wij afscheid.'

Na drie dagen pijnlijke stilte en vele beschuldigende blikken van de bemanning waren Myrines zusters natuurlijk opgelucht toen de schepen eindelijk de kust bereikten tegenover die van Mykene. De Trojaanse vloot werd voortgedreven door een opkomende storm en rechtstreeks de haven van Efeze in geblazen, zonder voor anker te kunnen gaan. De hele nacht slingerden en schraapten de schepen tegen de kade, en toen het ochtend werd, rende iedereen op en neer om de schade op te nemen.

'Er is geen haast bij,' zei Paris toen Myrine afscheid van hem kwam nemen. 'We gaan niet weg tot alles hersteld is.' Hij wierp haar een blik toe bij zijn woorden, en ze was opgelucht dat zijn woede, nu hij twee dagen koppig afstand had gehouden, in elk geval genoeg verdampt was om haar weer aan te willen kijken. 'Maar als jij en je zusters klaar zijn om te gaan – en ik zie dat je dat bent – laat me je dan bij de Vrouwe van Efeze brengen en je voorstellen. Zoals je straks zult begrijpen, is het geen toeval dat ik jullie hierheen heb gebracht.'

Paris verliet de haven te voet en begeleidde de vrouwen de stad in. Hij had kennelijk geen haast om zijn taak te volbrengen; hij gaf Lilli een arm en beschreef alles wat ze onderweg tegenkwamen: de fruitverkopers, de stoffenververs, en de oude mensen in de schaduw, klagend over de teloorgang van de wereld. Meer dan eens maakte hij het meisje aan het lachen met een opmerking die Myrine amper kon verstaan.

Intussen hadden Klito en Egee de grootste moeite om Kara met de groep mee te krijgen. Ze was weliswaar eindelijk opgehouden met huilen om de dood van de man die – zo bleef ze volhouden – ondanks alles om haar had gegeven, maar ze wilde nog steeds niet met Myrine praten of erkennen dat ze hulp nodig had gehad. 'Ik hield van hem!' riep ze meer dan eens uit, tegen iedereen die binnen gehoorsafstand was. 'En hij hield van mij!'

'Is dat de reden waarom hij je uithongerde, vastbond en sloeg?' vroeg Pitana ten slotte. Maar Kara was doof voor zulke geluiden; ze had al te lang haar toevlucht gezocht in een leven dat alleen in haar eigen hoofd bestond.

Tussen de glooiende heuvels en het weelderige, onbewoonde platteland trof de stad Efeze Myrine als een slaperige, onschuldige plaats. Hier zouden zij en haar zusters wonen tot ze de middelen hadden verzameld om te vertrekken... of tot ze allemaal samen oud werden en in de schaduw zaten zoals die milde oudjes, tandeloos kauwend op de herinnering aan vreedzame levens. Het was geen akelig vooruitzicht, vergeleken met de gruwelen die ze thuis hadden achtergelaten, of in Mykene hadden gezien, en toch merkte Myrine dat ze weinig plezier beleefde aan het beeld. Want hoe ze het ook omlijstte, het was een toekomst zonder Paris, en al had ze hem maar zo kort gekend, ze voelde dat haar wezen zich al aan hem had gehecht. Waar hij ook ging, verlangde zij hem te volgen. Als hij uit het zicht verdween, al was het maar even, voelde ze zich even wankel als een stoel waaraan een poot ontbrak.

Het was een vreemd en verontrustend gevoel voor iemand die had geleerd om op niemand anders te bouwen dan op zichzelf, en toch was Myrine het gaan koesteren – zozeer dat het vooruitzicht afscheid van Paris te moeten nemen haar met angst vervulde. Niet de acute, tijdelijke angst die door dappere daden overwonnen kan worden, maar een angst die zo diep was, zo dringend, dat het een donkere schaduw wierp over alles wat ze deed of zei, zelfs over haar vreugdevolle hereniging met Lilli.

Wat vreemd, dacht Myrine terwijl ze rondkeek naar de uitnodigende rust van het schilderachtige stadje en zijn bewoners, dat zij die zoveel gevaar had gezien, en zo vaak binnen handbereik van de dood was geweest... wat een streek van het noodlot dat juist zij na aankomst op zo'n gezegende plek het gevoel moest krijgen dat haar leven voorbij was.

Omdat ze half verwachtte dat de Vrouwe van Efeze in elegante afzondering op een heuvel met uitzicht op de stad zou wonen, was Myrine verbaasd toen Paris in een schijnbaar willekeurige straat halt hield en iedereen voorging door een openstaand hek. Zij kwam als laatste binnen en zag dat ze op een stille binnenplaats stonden, omsloten door gebouwen en een beschaduwde zuilengang, waar haar zusters ronddraaiden tussen zorgvuldig opgepotte exotische planten, met grote ogen van nieuwsgierigheid. Kennelijk stelde de Vrouwe van Efeze prijs op rust en elegantie – twee kwaliteiten die Myrine zich nog eigen moest maken.

Zich bewust van haar tekortkomingen – waaronder vuile voeten – trok Myrine zich terug in de schaduw van de zuilengang... en ineens waren al die kleine zorgen vergeten. Want daar, tussen de pilaren en de klimplanten, stond een gestalte die ze goed kende: de Maangodin.

Goed, ze was niet glad en zwart, maar uit hout gesneden, en haar lichaam was gekleed in een linnen tuniek met een veelheid van bruine vlekken – waarschijnlijk vocht uit de rottende brokken vlees die aan touwtjes om haar hals hingen.

'Ik zie dat jullie al vriendschap gesloten hebben.' Paris kwam naar Myrine toe lopen, Lilli nog steeds aan zijn arm. 'Ik wist dat, van alle steden aan de Trojaanse kust, deze jullie het beste zou bevallen. Hier heeft geen man iets te vertellen. De Vrouwe van Efeze is, zoals je ziet, beschermvrouw van jagers en maagden – een combinatie die ik altijd als uniek voor deze stad beschouwde' – hij schudde zijn hoofd – 'tot ik jullie leerde kennen.'

'Zijn dat...?' Myrine leunde voorover om de brokjes vlees om de hals van de godin van dichtbij te bekijken. Het leken dierlijke testikels te zijn – de delen die zij altijd wegsneed en voor de hyena's achterliet.

'Ik ben bang van wel.' Paris trok een gezicht. 'Dat is hier traditie. Wee de man die het pad van de jagende dochters van Otrera kruist. Hertenbokken, beren, mannen' – hij grijnsde, zichtbaar plagerig – 'niemand is veilig. Je zult je hier helemaal thuis voelen.'

'Wie is Otrera?' vroeg Myrine, maar net op dat moment verscheen er op een balkon boven de binnenplaats een oudere vrouw met een hooghartig gestrekte hals en gekleed in een lang grijs gewaad met wijde mouwen, die zich begrijpelijkerwijs verbaasde over de plotselinge toeloop van vreemdelingen.

'Hippolyta?' riep ze. 'Penthesilea?'

'Vrouwe Otrera,' verklaarde Paris tegen Myrine, stralend van bewondering, 'is de hogepriesteres en de zuster van mijn moeder. Maar ze heeft een hekel aan ceremonie, net als al haar dochters. Ze leven voor de jacht en zijn meesterlijke ruiters; in feite brengen de meeste het grootste deel van hun tijd door op een boerderij net buiten de stad, waar ze paarden fokken en africhten.' Hij keek Myrine aan met een – zeldzame – verlegen glimlach. 'Zo heeft mijn vader mijn moeder ontmoet: hij kwam hier paarden kopen.'

Ze staarde hem aan. 'Jouw vader... de koning van Troje?'

Paris fronste zijn voorhoofd. 'Je hebt intussen toch wel begrepen dat wij onze paarden heel serieus nemen.'

'Ja, maar...' Myrine keek op naar de vrouw op het balkon, nog steeds niet werkelijk begrijpend. 'Hoeveel dochters heeft Vrouwe Otrera?'

'Waarschijnlijk rond de dertig,' zei Paris. 'Plus de novicen.' Hij keek haar even zijdelings aan. 'Erg indrukwekkend voor een vrouw die nooit een man heeft gekend. Kom, laat me je aan haar voorstellen. Ik ben ervan overtuigd dat ze de taal die jij met je zusters spreekt, zal herkennen; mijn tante is heel geleerd en trots op haar vloeiende beheersing van de meeste vreemde talen.'

Het was al laat in de middag toen Vrouwe Otrera eindelijk opstond uit haar rieten stoel op de marmeren veranda tussen de zuilen. Intussen hadden de verre bergen zich voor de avond gekleed in een zachte gloed van vele schakeringen rood, en terwijl de zon eindelijk uitgeput en voldaan in de zee zakte, was er een diepe vrede neergedaald over de wereld.

'Dat is dan besloten,' zei de edele vrouw, wier gezicht nog altijd ernstig stond van mededogen met Myrine en haar zusters na alles wat ze had gehoord. 'Zolang jullie willen, zijn jullie onze gasten. En mocht het jullie hier bevallen, dan kunnen jullie de kost verdienen en dit je thuis noemen, want er is altijd werk op de boerderij en in de boomgaarden. En,' zei ze met een strenge blik op Hippolyta en Penthesilea, die midden in het verhaal van Myrine te paard waren aangekomen, zwetend en haveloos, 'aangezien mijn dochters zelden daar zijn waar ik ze verwacht, zijn extra handen meer dan welkom.'

Kort daarop nam Paris afscheid met een vage belofte om terug te keren, zoals hij het zei, vóór het einde van de wereld. Zonder een tijd te willen afspreken liep hij vastberaden weg, amper halt houdend om Myrine gedag te zeggen.

'Wacht...' Ze volgde hem de deur uit en liep een paar aarzelende stappen met hem mee de straat in. 'Zie ik je niet meer terug?'

Hij stond stil en draaide zich toen om, met een onaangenaam getroffen frons op zijn gezicht. 'Otrera heeft jullie opgenomen. Jullie zijn niet langer afhankelijk van mij. Ik verwacht dat dat voor ons allebei een opluchting is.' In de afhellende straat tekende de ondergaande zon een aura rond zijn hoofd; nooit had hij er knapper uitgezien, of eenzamer.

Myrine liep naar hem toe, maar de blik in zijn ogen bracht haar tot stilstand. 'Ik wou dat het anders was,' zei ze.

'Wat precies?' Paris hield zijn hoofd scheef. 'Wou je soms dat we elkaar nooit hadden ontmoet?'

'Nee! Maar... ik weet dat ik je veel verdriet heb bezorgd...'

Ondanks zijn klaarblijkelijke besluit om streng te zijn, barstte Paris in lachen uit. 'Dat mag je wel zeggen. Maar dat is mijn eigen schuld.' Hij keek over zijn schouder naar de masten in de haven. 'Ik had je overboord moeten zetten toen ik de kans had.' Toen hij Myrines gekwetste gezicht zag, verzachtte het zijne zich. 'Je wou dat het anders was, zeg je.' Hij kwam dichter naar haar toe, steeds dichterbij, tot ze bijna borst tegen borst stonden. 'Vertel eens, onverzadigbare Myrine, wat verlang je nog meer van mij?'

Ze stak haar kin naar voren en zette zich alvast schrap tegen zijn plagerige charme. 'Je hebt al te veel aan mij gespendeerd. Het gouden masker in Mykene...'

'Ik heb het niet over goud.'

Myrine aarzelde, omdat ze niet zeker wist hoe ze zich het beste kon uitdrukken. 'Nou...' zei ze ten slotte tegen zijn afwachtende gezicht. 'Als je een keertje niets anders te doen hebt, zou ik wel graag willen' – ze zocht in haar gedachten en reikte naar het enige wat ze kende – 'dat je me leerde vechten als een man.'

Paris zette grote ogen op van verbazing. 'Echt? Ik zou denken dat je meer dan genoeg ervaring hebt wat dat aangaat. In feite' – hij boog zijn hoofd om van dichtbij in haar oor te kunnen spreken – 'denk ik dat de enige les die jij te leren hebt, is hoe je je over moet geven als een vrouw.'

Myrine voelde zich warm worden. 'Waarom moet een vrouw zich altijd overgeven? Ik ben toch geen prooi...'

'Nee, dat ben ík. Jouw pijl heeft mij lang geleden al getroffen' – Paris pakte haar hand en legde hem tegen zijn borst – 'precies hier. En telkens wanneer ik hem eruit probeer te trekken' – weer gebruikte hij haar hand om te laten zien wat hij bedoelde – 'duw jij hem weer terug.'

Zo bleven ze even staan, haar hand zo strak tegen zijn borst gedrukt dat ze zijn hart kon voelen kloppen onder de geborduurde stof. Toen zei Myrine: 'Ga alsjeblieft niet weg. Ik kan de gedachte niet verdragen.'

'De gedachte waaraan?' Paris keek neer op haar hand. 'Aan niet alles en niets tegelijk hebben?' Met zichtbare afkeer tikte hij tegen de jakhalsarmband. 'Je geeft zo hoog op van die vrijheid van je, maar je laat je toch ketenen door een stuk metaal.' Daarop liet hij haar los en zette een paar stappen achteruit, een uitdagende blik in zijn amberkleurige ogen. 'Als je echt wilt dat het anders is, maak het dan anders. Jij bent de enige die daar de macht toe heeft.'

De volgende dag kwam Paris niet terug, evenmin als de dag daarna. En op de derde dag, toen Myrine het huis uit glipte om te kijken, zag ze de Trojaanse schepen niet meer in de haven liggen.

Hij was weg. Zonder nog een woord van afscheid.

Haar teleurstelling was zo groot dat ze bijna midden op straat was gaan zitten om te huilen. Drie dagen lang had ze gedroomd van het moment waarop ze hem weer zou zien, en ze had – zelfzuchtig en irrationeel, zonder acht te slaan op de plannen van Vrouwe Otrera – volgehouden dat haar zusters en zij in de stad moesten blijven, in plaats van meteen naar de boerderij te vertrekken, voor het geval hij terugkwam.

Toen ze thuiskwam, zwaarmoedig van verslagenheid, trof Myrine iedereen even druk bezig als ze al sinds hun aankomst waren: sommige zusters werkten in de keuken, maalden graan en roerden in pannen, andere kropen rond op de binnenplaats en spreidden wasgoed op de warme tegels. Iedereen – zelfs Egee – had die eenvoudige taken vreugdevol en dankbaar op zich genomen. Na alles wat ze hadden doorstaan was elke taak die niet door een woelige zee of een boosaardige slavendrijver werd onderbroken een zegen.

Zelfs Kara begon kleine tekenen van herstel te vertonen. Ze prevelde niet langer tegen zichzelf en sliep niet meer de hele dag, haar rug naar hen toegewend in hatelijk protest. Maar zelfs als ze uit bed was en meewerkte aan de taken in huis, dwaalde haar geest nu en dan weg. Terwijl ze een vloer veegde of een kleed uitklopte, kon ze af en toe stoppen en een hele tijd op haar bezem geleund blijven staan, haar gedachten waarschijnlijk terug in Mykene – niet het Mykene dat Myrine had gezien, maar een Mykene van eigen makelij, waar zij, Kara, koningin was.

Toen ze haar het probleem voorlegden, had Vrouwe Otrera Myrine en de anderen elke confrontatie of ongeduldige aansporing afgeraden. 'Kara komt terug als ze er klaar voor is,' had ze tijdens een wandeling in de schaduw van de zuilengang tegen Myrine gezegd. 'De geest is veranderlijk. Hij neemt elke vorm aan die hij wil; soms is dat een leeuw, dan weer een rat – en hoe feller je erop jaagt, hoe harder hij wegrent, hoe dieper hij graaft.'

Ze stonden stil voor het beeld van de Vrouwe van Efeze, en op verzoek van Otrera beschreef Myrine een aantal rituelen van de Maangodin. Waarop Vrouwe Otrera, met haar arm in die van Myrine op een nieuwe ronde over de stille loggia, antwoordde: 'Onze meesteressen zijn hetzelfde, dat weet ik zeker. Ook wij aanbidden de nacht wanneer mannen slapen, en onze hartstochten zijn zo zuiver als het hart van de reeën in het woud. Wij houden van dieren – vooral van paarden – en mijn dochters weten allemaal dat een man, hoe fascinerend hij ook kan zijn, niets dan misleiding en vernietiging met zich meebrengt. Het is de man, en de man alleen, die een vrouw haar natuurlijke waardigheid ontneemt en haar besmet met wanhoop en de dood.'

'Er zijn toch wel een paar goede mannen,' begon Myrine, niet alleen met Paris en de hoffelijke Trojanen in gedachten, maar ook haar vader, en de vader van Lilli, die in zorgzaamheid en geduld had kunnen wedijveren met elke vrouw van hun dorp.

Otrera keek Myrine aan, haar lichtbruine blik zo kalm als die van een rustende leeuwin. 'Ik zeg niet dat een man een vrouw opzettelijk bezoedelt, alleen dat het daar altijd op uitloopt. Ooit was dit' – ze gebaarde liefhebbend naar de gebouwen om hen heen – 'het huis van een vrouw die al haar dochters zag sterven in het kraambed. Drie had ze er, drie lieve meisjes die opgroeiden, verliefd werden en trouwden... alleen om op het hoogtepunt van hun geluk door de dood te worden gegrepen. Deze vrouw, zo gaat het verhaal, bracht menige slapeloze nacht hier door, aan de voeten van Vrouwe Artemis, diep in gesprek met de Godin, tot ze eindelijk begreep dat haar een les was geleerd. En daarom besloot ze haar huis open te stellen voor vreemden, en nodigde weesmeisjes van heinde en ver uit om hier een toevlucht te vinden, zolang ze een eed van kuisheid aflegden.' Otrera wees naar een fresco van dravende paarden op de muur van de loggia. 'Het was die arme, treurende moeder die de helende kracht van de jacht ontdekte, en ik moet zeggen, ik heb nog nooit een vrouw gekend die niet volkomen voldaan was na het inruilen van een man voor een paard en een halster.'

Naarmate de weken verstreken, begon Myrine te begrijpen wat Vrouwe Otrera bedoelde. Ook al was het winter en sluimerden de akkers, de boerderij zelf – een grillig dorpje aan de voet van een heuvel – krioelde voortdurend van activiteit.

In het begin stonden de dochters van Otrera sceptisch tegenover de nieuwkomers – niet omdat ze de instroom van nieuw bloed en buitenlandse eigenaardigheden niet omarmden, maar omdat het soort leven dat Myrine en haar heilige zusters hadden geleid in de tempel van de Maangodin hun zo overmatig gereguleerd, zo pijnlijk saai leek, dat ze zich nauwelijks konden voorstellen dat een gezond mens zo'n leven vrijwillig zou leiden.

'En jij,' zei de breedgeschouderde Penthesilea op een dag tegen Myrine, terwijl ze samen de kippen voerden. 'Hoe kun jij jezelf een jager noemen als je niet eens kunt paardrijden?'

Myrine had het verwijt opgevat als een product van taalverwarring en niet van kwade wil, en had haar nieuwe vriendin een glimlach geschonken met de woorden: 'Ik reken op mijn eigen benen en niet op die van een wispelturig dier. Bovendien is mijn wapen de boog, en ik zie niet hoe iemand tegelijkertijd boogschutter en ruiter kan zijn.'

'Doe dan zoals wij,' antwoordde Penthesilea. 'Vertrouw op de speer. Kom mee.' Ze veegde de laatste graantjes kippenvoer van haar pezige vingers en liep naar de stal. 'Ik zal het je laten zien!'

Als het aan haar had gelegen, was Myrine zonder twijfel nog heel lang uit de buurt van de paardenstallen gebleven, maar haar trots verbood haar om dat tegen de onverschrokken Penthesilea te zeggen. Eigenlijk was het vooral het besef dat de andere vrouwen – soms te tenger gebouwd om een zak graan op te tillen – volkomen op hun gemak waren bij de temperamentvolle beesten, waardoor Myrine besloot om de rijkunst meester te worden... al was het maar om hun geplaag te doen verstommen.

Ze was nauwelijks begonnen aan haar lessen of haar zusters kwamen ook naar voren, bemoedigd door het feit dat zij nog in leven was en – op een paar gekneusde ribben na – redelijk intact. Geholpen door Penthesilea en de wat meer meelevende Hippolyta leerden ze gedurende de wintermaanden hoe ze de paarden moesten berijden en bedwingen, en voordat de eerste voorjaarsbloemen opkwamen, scheurde zelfs Animone vol overgave door de weilanden.

Vanzelfsprekend wilde Lilli ook deelnemen aan de spelen. Myrine was echter afkerig van het idee om haar zusje alleen op een paard te laten rijden of zelfs maar op de grond bij de dieren in de buurt te laten, uit angst dat ze geschopt of omvergelopen zou worden. Vooral het paard van Penthesilea was een onvoorspelbaar, agressief dier, en zijn ruiter deed niets om dat temperament te beteugelen, integendeel. Dus reed Myrine elke dag minstens één keer op haar eigen paard naar het huis, zette het dier naast de veranda en liet Lilli vóór of vlak achter haar plaatsnemen en zich goed vasthouden. Zo draafden ze dan om een ongemaaid hooiveld heen, of ze reden langzaam naar het strand voor een galop over het zand. Toch bleef Lilli dromen van de dag dat ze zelf op een paard zou rijden, en Myrine wist niet of ze blij of bezorgd moest zijn dat haar zus – die nog nooit echt een paard had gezien – zoveel enthousiasme bleef houden voor spannende avonturen.

In het begin had Myrine geprobeerd om Lilli en Helena – het meisje dat ze uit Mykene hadden gered – vriendschap te laten sluiten. Ze waren ongeveer van dezelfde leeftijd en hadden soelaas kunnen vinden in elkaars gezelschap... maar de meisjes waren zo verschillend, dat Myrine net zo goed had kunnen proberen om een kat vriendschap te laten sluiten met een hond. Want waar Lilli het vrolijke, meegaande meisje was dat ze altijd was geweest, was Helena stil en broeierig, met ogen vol wrok. En telkens wanneer ze sprak – wat ze gelukkig zelden deed – waren haar woorden zo oorlogszuchtig, dat Myrine vaak de neiging had om Lilli's oren met haar handen te bedekken.

'Ik dacht dat jullie krijgers waren,' zei Helena een keertje, toen Myrine haar nogal botweg vroeg om haar wrevelige houding te verklaren. 'Jullie spraken grote woorden en ik ben met jullie meegegaan, omdat ik een krijger ben. Maar jullie niet. Jullie vechten niet.'

Zelfs de ontdekking dat ze uiteindelijk geen borst zou hoeven laten wegbranden, leek het meisje alleen maar bozer te maken. 'Jullie liegen over alles!' siste ze tegen Myrine, met een hatelijke vinger naar haar gezicht wijzend. 'Net als mijn vader.'

De uitroep verbaasde Myrine; om de een of andere reden had ze verondersteld dat Helena een weeskind was. 'Waar is je vader?' vroeg ze, al met het idee spelend om het onaangename kind terug te sturen naar haar ouders, waar die ook mochten zijn. 'Is hij ook door de Grieken gevangen genomen?'

Helena haalde vol weerzin haar neus op. 'Ik ben geen slaaf. En ik ga niet naar huis. Mijn vader zal me vermoorden. Echt waar. Hij heeft mijn moeder vermoord. En mijn zusje. Dat weet ik zeker.' Haar mond verstrakte. 'Ik wou dat ik hém kon doden.'

Meer dan eens betrapte Myrine Helena achter de schuur, waar ze in haar eentje met wapens oefende. Soms voegde ze zich bij haar om samen te oefenen met speren en messen werpen. En toch bekeek Helena, eenmaal weer thuis, Myrine met ogen die even koud waren als voorheen – alsof het samen sporten niets had gedaan om haar vijandigheid te verzachten.

In die overvloed van nieuwe uitdagingen – waaronder ook het leren van de taal van Efeze – had Myrine nauwelijks tijd om te dagdromen.

En 's nachts, als ze stil in het donker lag en naar de herinnering aan Paris reikte, was ze meestal al van uitputting in slaap gevallen voordat hij zich bij haar kon voegen. Toch was hij nooit ver weg, en de opwinding van zijn imaginaire aanwezigheid wankelde niet en nam niet af. Meestal maakte dat haar gelukkig, maar soms werd haar geluk vertrappeld door paniek bij de angst dat ze hem nooit meer zou zien. Want hij had haar oude wond wel genezen, maar hij had er een litteken voor in de plaats gelaten: een teken van verwantschap dat geen bad – warm of koud – kon wegwassen.

Ironisch genoeg was het juist aan die gevoelens te danken dat Myrine eindelijk een band kreeg met Kara. Op een avond, toen ze samen de keuken hadden schoongemaakt en zwijgend op de drempel zaten en de katten aaiden, zei Kara ineens, met een stem vol opstandige uitdaging: 'Ik draag zijn kind. Begrijp je dat?'

En op een vreemde manier begreep Myrine dat inderdaad. Ze had de anderen met vermoeide ergernis hun hoofd zien schudden over Kara's ingebeelde zwangerschap, maar ze was tot dusver niet om commentaar gevraagd. Klito en Egee, begreep ze, hadden het bewijs dat de zwangerschap een waanidee was, en hadden geprobeerd Kara daarmee te confronteren en zo beschaamd tot rede te brengen, maar het resultaat was een wekenlange terugkeer van tranen en hatelijk zwijgen geweest.

Samen op de drempel van de keuken, vermoeid van het dagelijks werk, kon Myrine Kara's pijn bijna voelen... kon zich de klont verworden emoties die ze bij zich droeg bijna voorstellen. En dus sloeg ze haar arm om de schouders van de vrouw die – al weken – weigerde om haar rechtstreeks aan te spreken, en zei zacht: 'Ja, dat begrijp ik.'

Al sinds haar eerste gesprek met de hooghartige Penthesilea koesterde Myrine een geheime ambitie. Hoe meer de dochters van Otrera de spot dreven met haar dierbare boog en de voordelen van de werpspeer ophemelden, hoe stelliger Myrine van plan was om de kunst van het boogschieten aan te passen aan het paardrijden. Dat was geen gemakkelijke taak, want hoe ze haar boog ook vasthield, het paard zat altijd in de weg. Aangezien er weinig te doen was aan de vorm van het dier, besloot ze uiteindelijk dat de oplossing in het verbeteren van de vorm van het wapen moest liggen.

'Wat is er aan de hand?' vroeg Lilli op een avond, toen ze Myrine hoorde knarsetanden van frustratie. De zusjes deelden een bed in een hoek van de slaapzaal, en terwijl iedereen sliep na een lange dag werken en oefenen, werkte Myrine koppig aan haar nieuwe boog bij het licht van een klein kleilampje. 'Je hebt pijn. Heb je je gesneden?'

'De pijn zit in mijn trots,' fluisterde Myrine. 'Want ik kan geen manier vinden...' Ze onderbrak zichzelf, worstelend met hout en touw. 'Ga maar weer slapen. Het spijt me dat ik je wakker heb gemaakt.'

'Laat me eens kijken.' Lilli stak haar hand uit om het wapen in wording te betasten. 'Ik dacht dat je zei dat het een boog was. Dit stuk hout is veel te kort...'

'Het moet kort zijn,' verzuchtte Myrine. 'Anders is het in volle galop niet te hanteren. Maar hoe korter ik hem maak, hoe zwakker hij wordt. Trek er maar aan! Nu is het een wapen voor kinderen. Het hout heeft al zijn kracht verloren.'

Lilli beproefde de boog en streelde bewonderend over het vlekkeloze staaltje vakmanschap. 'Hij is prachtig,' zei ze. 'Glad en gehoorzaam. Maar hoe kun je hem sterker maken?' Ze dacht even na. 'Misschien ontstaat kracht net als bij mensen door uitdaging... door dwang, uit verzet. Misschien' – ze gaf Myrine de boog terug – 'moet je het hout op een onverwachte manier dwingen. Probeer het te verrassen en de kracht die erin verborgen zit tevoorschijn te halen.' Na die woorden ging het meisje weer liggen en viel meteen in slaap, terwijl Myrine naar het probleem in haar handen bleef staren, wakkerder dan ooit.

De lente was zomer geworden voordat ze klaar was om haar uitvinding te demonstreren. Een boog maken was geen eenvoudige taak; eerst moest ze gereedschap maken, daarna moest het materiaal worden gevonden en gedroogd... en het moest vooral discreet gebeuren, zonder dat Penthesilea het ontdekte. Want als het resultaat een mislukking was, wist Myrine dat hoongelach de enige beloning voor al haar harde werken zou zijn.

Na weken heimelijk oefenen riep ze ten slotte iedereen naar de paardenweide. Aangezien alleen Lilli van haar plannen op de hoogte was, wist niemand anders wat hun te wachten stond, zelfs Myrines naaste vriendinnen niet. Het enige wat ze zagen, was dat een van de strooien hertenbokken, die gebruikt werden om het speerwerpen te oefenen, klaarstond voor een lege paddock. En vervolgens zagen ze, tot hun verbijstering, Myrine op haar paard zitten, zonder een werpspeer in zicht.

'Wat is dat voor misbaksel?' vroeg Penthesilea, met een knikje naar de curiositeit die Myrine in haar ene hand hield. Het was een boog die ongeveer half zo lang was als een gewone handboog, waarvan de uiteinden achterovergedwongen waren met behulp van hoorn en pees; voor het oog leek het nergens op, en Myrine kon het de anderen nauwelijks kwalijk nemen dat ze hoofdschuddend begonnen te lachen.

'Ik noem het een recurve-boog,' vertelde ze, met geduldige trots, 'en ik zeg dat hij beter is dan de werpspeer als wapen voor een ruiter. Wil iemand hem soms proberen?'

Met een spottend lachje klom Penthesilea op haar snuivende paard en reed naar het doelwit, haar speer in de aanslag voor een machtige worp. Van een afstand lanceerde ze haar wapen met een kreet van vreugde, en de punt raakte de strooien bok met zo'n kracht dat hij wankelde en met een dreun op de grond belandde.

'Zo dan!' riep ze uit terwijl ze in een korte galop met een boog triomfantelijk terugkeerde naar Myrine. 'En wat ga jij nu eens doden?'

Myrine knikte naar de lege paddock. 'Die daar.'

Iedereen draaide zich om en tuurde; het duurde even voordat Hippolyta begreep wat ze bedoelde en uitriep: 'Kijk! Op de palen!'

Inderdaad lag er op elke derde paal een strooien bal in evenwicht; rond de paddock stonden zo niet minder dan tien doelwitten.

Zonder een woord spoorde Myrine haar paard aan, zoveel snelheid makend als ze kon zonder haar doeltreffendheid op te offeren. Vervolgens trok ze de eerste pijl uit haar koker en legde hem op de boog... maar haar verlangen om Penthesilea op haar plaats te zetten zorgde dat ze hem te snel losliet, en de pijl vloog het doelwit voorbij zonder het te raken.

Woedend op zichzelf omdat ze haar concentratie had laten verslappen om zoiets onbeduidends, reed Myrine verder en schoot de volgende pijl heel zorgvuldig af... evenals de derde en de vierde. Allemaal troffen ze doel en stuk voor stuk vielen de stroballen in de wei, door haar pijlen doorboord. Bemoedigd door het succes reed Myrine nog harder, en ondanks haar snelheid troffen al haar pijlen doel. Tegen de tijd dat ze terugkeerde, vanaf de andere kant om de omheining heen nadat ze onderweg elk doelwit had geraakt, was haar snelheid zo furieus dat de vrouwen als kippen voor haar opzij stoven. Alleen Vrouwe Otrera bewoog niet; de voorname dame bleef roerloos staan tot het paard slippend en glijdend aan haar voeten tot stilstand kwam.

'Ik heb er eentje gemist,' zei Myrine, met een boze blik op de bal op de eerste paal.

Vrouwe Otrera wendde zich langzaam naar de paal, en keek toen met een ondoorgrondelijk gezicht naar de anderen. 'Wat zeg je ervan,

Penthesilea? Myrine heeft er eentje gemist. Zal ik jou dan maar tot winnaar uitroepen?'

Penthesilea hoefde niets te zeggen om te antwoorden; de rode vlekken op haar wangen spraken boekdelen. En al bleef iedereen om haar heen ook zwijgen, in haar hart hoorde Myrine hun luide gejuich.

Uiteindelijk gebeurde het op een zonnige zomerochtend. Alleen in de hooischuur joeg Myrine op een weggelopen kip, toen er een lange schaduw op de vloer viel. Toen ze opkeek en het warrige haar uit haar gezicht veegde, herkende ze hem niet meteen; het zonlicht dat door de deur achter hem straalde, was zo fel dat ze haar ogen moest beschermen.

'Nog altijd een jager, zie ik,' zei een stem die ze goed kende – de stem waar ze al maanden en maanden naar verlangde. 'Ben je klaar voor je les?'

26

En mijn liefde voor de stad van mijn Phrygiërs
is nooit verflauwd.
Nu is Troje verwoest door Argeeërs met hun speren,
een leeggeplunderde, rokende puinhoop.
– EURIPIDES, *Trojaanse vrouwen*

EGEÏSCHE ZEE – *Heden*

TOEN WE DE VOLGENDE DAG bij het eiland Delos aankwamen, wierp Telemachos één blik op de waterthermometer, gooide met een grom het anker overboord en verkondigde dat het tijd was voor een bad. 'Negentien graden!' verzekerde hij ons, zwaaiend met de thermometer voordat hij hem weer in het water liet zakken. 'Beter dan een douche.'

In de middagzon was het water doorzichtig zachtblauw, en erboven lag de zanderige kustlijn in stralende halve bogen. Ik wilde opmerken dat dit wat mij betrof geen vakantiereisje was, maar tegenover de aantrekkingskracht van de zonnige kreek dolf zelfs mijn kritische humeur het onderspit. Het enige wat mij ervan weerhield om me uit te kleden en erin te springen was mijn trots: ik wilde Telemachos niet laten denken dat ik me van ganser harte had overgegeven aan zijn kidnapplannetje.

'Kom op, Noordzee-vrouw!' daagde hij me uit, mijn aarzeling kennelijk opvattend als een uiting van watervrees. 'Je naamgenoot werd op dit eiland geboren! Niet Lady Di,' verklaarde hij vervolgens tegen Nick, 'maar de Griekse godin van de jacht, Artemis, of, zoals de Romeinen haar noemden, Diana.'

'Ja.' Ik wierp beiden een zijdelingse blik toe. 'Maar zoals jullie weten, is het voor sterfelijke mannen bepaald niet raadzaam om Diana te zien baden. Meestal gaan ze eraan dood.'

Ik wist zeker dat ik Nick zachtjes hoorde prevelen: 'Passende naam, dan.' We hadden elkaar de hele ochtend gemeden, en wanneer onze blikken elkaar kruisten, keek hij me aan met een soort ironische gelatenheid, wat de communicatie niet bevorderde. Ook keek ik niet uit naar ons volgende gesprek; ik had het grootste deel van de nacht met gekromde tenen teruggedacht aan sommige dingen die ik hem had gezegd, en toch had ik, na overweging, geen ervan ongezegd willen laten.

Voordat hij in het water sprong, gaf Nick zijn telefoon aan mij en zei: 'Ik weet zeker dat er in Oxford iemand op je verslag zit te wachten.'

Zoals hij daar voor me stond in al zijn getaande glorie, was het onmogelijk geen bewondering te voelen voor zijn lichaam, dat even gebeiteld en glanzend was als een Romeins beeld, en op dezelfde manier tot strelen uitnodigde. Ik zei tegen mezelf dat Nick ondanks al zijn lichamelijke aanwezigheid zo ver van mij af stond in alles, behalve tijd en ruimte, dat hij inderdaad net zo goed van marmer had kunnen zijn. Maar het hielp niet: hij bracht mijn noordelijke bloed nog steeds aan de kook.

'Dank je wel,' zei ik, mijn blik afwendend. 'Moet ik nog een boodschap doorgeven?'

'Zeg maar dat je elke cent waard was. Hier...' Hij duwde een rol bankbiljetten in mijn hand. 'Half om half in euro's en dollars.'

Ik woog de rol in mijn hand. 'Is dit alles?'

'Er zit nog geen fooi bij, dus je kunt maar beter aardig tegen me zijn.'

Een plons later bleef ik achter met het geld en zijn telefoon, en een beklijvend gevoel van spijt. Eerder die dag, toen Rebecca en ik het bed opmaakten in onze kleine hut, had ze me dwingend gevraagd wat er aan de hand was. Mijn boosheid op Telemachos was duidelijk slechts het topje van de ijsberg. Te moe om iets vleienders te verzinnen dan de waarheid, had ik haar een korte samenvatting gegeven van Nicks bekentenis van de vorige avond. 'Hij is dus duidelijk een leugenachtige, diefachtige charlatan,' had ik besloten terwijl ik mijn kussen in vorm bokste. 'Helaas is jouw sneue vriendin er, in haar peilloze onbenulligheid, in geslaagd om een heel klein beetje...'

'Ik wist het!' Rebecca ging rechtop staan; haar ochtendkapsel wees alle kanten op. 'Hij is de vierde ruiter! Ik wist het meteen toen ik hem zag. Daar is hij, zei ik tegen mezelf, daar is de man die eindelijk de degenvechtende hooizak gaat overtreffen in de kunst van Diana's hart breken.'

'O alsjeblieft!' protesteerde ik, alweer berouwend dat ik het haar had toevertrouwd.

Rebecca rukte de beddensprei bijna uit mijn handen. 'Was jij het niet die me zei dat hij weerzinwekkend was? Dat hij stonk?'

Ik trok een gezicht naar haar, bang dat Nick ons door de muur heen zou horen. 'Ja, maar het probleem is dat ik zijn stank juist lekker vind. Zelfs als hij weerzinwekkend is, wat hij dus niet is.' Ik schudde mijn hoofd in een poging om de vaagheid af te schudden. 'Het lijkt wel alsof ik gevangen zit in een soort ballon, waar natuurkundige wetten niet gelden...'

'Hier, ik zal je ballon even doorprikken.' Rebecca kwam om het bed heen lopen om me een tik te geven met de achterkant van haar borstel. 'Zo! Beter?'

'Au,' zei ik. 'Dat deed pijn.'

'Goed zo! En verman je nu. Dat is wat er gebeurt met mensen op een boot: ze vergeten wie ze zijn en wat er echt belangrijk is.'

Na het zwemmen belde ik mijn ouders, die gelukkig niet thuis waren. 'Sorry, hoor,' zei ik tegen hun antwoordapparaat, 'maar mijn telefoon hield er ineens mee op.' Vervolgens stuurde ik James een kort sms'je, met alleen: 'Amazonejacht duurt voort. Volgende halte Troje. Hopelijk maandag thuis.'

'Zo,' zei Nick terwijl hij zijn handdoek naast mij uitspreidde. 'Ik kan niet wachten om door te gaan waar we gebleven zijn.'

'En waar was dat precies?' Ik wierp een blik op Rebecca en zag dat ze met haar ogen rolde voordat ze benedendeks verdween om zich om te kleden.

Nick leunde achterover op zijn ellebogen, zijn ogen toegeknepen tegen de middagzon. 'Wat denk je van het schrift van je grootmoeder?'

'O.' Vanwege zijn speelse openingszet verwachtte ik half dat hij me weer zou wegvoeren naar de gedeelde slaapzak bij de Nahanni, en ik was een beetje verstoord dat ik als enige die kant op was gedwaald.

'Gisteravond,' vervolgde hij, en zijn frons bevestigde dat we duizenden kilometers van elkaar verwijderd waren, 'toen je over je grootmoeder vertelde, zei je dat ze – waarschijnlijk – opgeleid was tot archeoloog, en dat het schrift het resultaat moest zijn van haar inspanningen om een onbekende taal uit de oudheid te ontcijferen.'

'Dat,' zei ik, mezelf berispend omdat ik zijn gestrekte lichaam bewonderde en, belangrijker, omdat ik hem zoveel had verteld, 'lijkt de enige logische...'

'Hoe verklaar je de moderne woorden dan?' Abrupt keerde hij zijn gezicht naar me toe. 'Tomaat. Maïs. Cacao.' Toen ik niet meteen reageerde, glimlachte hij. 'Kom, dr. Morgan, stel me niet teleur. Al die planten kwamen pas in de zestiende eeuw uit Amerika. Leg me dus maar uit waarom een beschaving uit de bronstijd in Noord-Afrika daar woorden voor nodig had.'

Ik deed mijn mond open om antwoord te geven, maar de waarheid was dat ik, ook al kende ik het schrift nu aardig goed, nooit aandacht had besteed aan die zogeheten moderne woorden. Ik was altijd van de onbekende symbolen uitgegaan, niet van het Engelse glossarium. Met andere woorden, de reden dat ik het woord 'tomaat' nog nooit was tegengekomen, was dat het nooit verschenen was in de tekst die ik aan het vertalen was. Evenmin, wist ik, als 'maïs' of 'cacao'.

'Dus je hebt het schrift bekeken?' zei ik ten slotte.

Afwezig liet Nick zijn telefoon op het gelakte hout van het dek rondtollen. 'Natuurlijk.'

'Waarom? Om sporen te vinden van hedendaagse Amazones?'

Eindelijk ontmoette hij mijn blik, en onder alle plagerij ontdekte ik het diepe duister dat ik me zo goed herinnerde uit Algerije. 'Er staan ook woorden in voor hotel, trein en envelop. Dat lijkt me wel een beetje meer dan een spoor, Diana.'

Geschokt dat hij zoveel had ontdekt in oma's schrift steunde ik op mijn elleboog, in een spiegelbeeld van zijn houding. 'Wat bedoel je?'

'Moet ik het echt voor je uittekenen?'

Ik schudde mijn hoofd, weigerend om hem serieus te nemen. Hier zat ik, een levenslange Amazone-aanhanger met alle reden van de wereld om het idee van hedendaagse Amazones te omarmen... en toch verstard van twijfel op het moment dat ik er echt in moest gaan geloven. En daar zat Nick, die uit het niets kwam en meteen in het diepe sprong. 'Wat kan het je eigenlijk schelen?' zei ik. 'Is dit niet allemaal één grote illusie, verzonnen om de vijand van de wijs te brengen?'

Nick rolde van mij weg en legde een arm over zijn gezicht. 'Het gaat erom wat zíj geloven. Je laptop ligt trouwens in Genève.'

'Hoe weet jij dat nou weer?'

'Er is een groepering in Zwitserland die wij al een tijdje op onze radar hebben. Het is een gehaaid netwerk van smokkelaars en handelaren met een hoofdkantoor in de vrijhaven van Genève. Ze hebben op alle grote internationale markten een vinger in de pap.' Hij verschoof zijn arm om mij een veelbetekenende blik toe te werpen. 'Ik weet vrij zeker dat ze samenspannen met die vrienden van jou, de Moselanes.'

Het was nog warm in de zon, maar ik voelde me ineens verkillen. 'Nou ja, Nick...'

Hij vouwde zijn handen op zijn borst en vervolgde: 'Heb jij je vriendje ooit gevraagd hoe zijn voorouder eigenlijk aan zijn titel kwam? Dan zal ik je dat even vertellen. Het was een beloning van de koning omdat hij zo enorm veel klassieke kostbaarheden had binnengehaald. Lord Moselane heeft een trotse familiegeschiedenis die hij eer aan moet doen, en het Geneefse netwerk is zijn trouwe leverancier. Die mensen zijn experts in het verwijderen van vuile vingerafdrukken en het aanmaken van valse herkomstbewijzen. Mijn favoriet is "gift van een anonieme Zwitserse verzamelaar".'

Meer dan wat ook was het Nicks arrogante geschimp over James waardoor mijn woede van de vorige avond eindelijk weer oplaaide. Ongeacht of hij loog – wat ik sterk vermoedde – wist ik dat zijn schimpscheuten over de Moselanes geen ander doel hadden dan mij op de kast te jagen.

'Hoe weet jij dat mijn laptop in Zwitserland is?' vroeg ik, zijn gezicht bestuderend. 'En mijn mobiel, hoe zit het daarmee? Laat me raden, je volgt mijn persoonlijke eigendommen met een of ander apparaatje?' Toen hij me niet tegensprak, schudde ik mijn hoofd en zei: 'En jij hebt de euvele moed om iemand anders achterbaks te noemen!'

Nick keek beschaamd, maar dat duurde niet lang. 'Dat is het spel nu eenmaal,' zei hij met een grimmig schouderophalen. 'Ik dacht dat jij omgekocht was door Grigor Reznik.' Na een blik op mijn geschokte gezicht voegde hij er snel aan toe: 'Waarom zou je anders doen alsof je op een vliegtuig naar Engeland stapt, maar ineens naar Kreta gaan? Dat snapte ik niet. Maar ik weet dat Reznik geobsedeerd is door die jakhalsarmbanden.' Hij knikte naar mijn pols. 'Geloof me, daar zou hij goed geld voor betalen. Het verbaast me niets dat hij wil zien wat er op je laptop staat. Je telefoon, daarentegen,' zei hij, vrijblijvend zijn schouders ophalend, 'lijkt op een rondreis door Spanje te zijn. Vraag me niet waarom.'

Ik was zo van mijn stuk gebracht dat ik me amper kon herinneren waar we het over hadden gehad, toen we de beruchte kunsthandelaar uit Istanboel en zijn omgekomen zoon bespraken in de auto op de terugweg vanuit Algerije. 'Ik wist niet eens dat de armbanden deel uitmaakten van de Amazone-obsessie van Reznik,' zei ik. 'En hoe weet je dat juist hij achter mijn laptop aan zat? Ik dacht dat we het erover eens waren dat hij niet het brein achter de explosies in de tempel was – dat iemand anders hem erin probeerde te luizen...'

Nick keek verbaasd. 'Kennelijk ben ik het belangrijkste vergeten te vertellen: Reznik is de grijze eminentie achter het Geneefse netwerk waar ik je net over vertelde. Of zij de tempel nu wel of niet hebben opgeblazen, zijn mensen zitten ons achterna, al vanaf het begin. Daar durf ik mijn leven om verwedden.'

'Maar waarom dan?' Ik aarzelde om zijn lukrake theorie te aanvaarden zonder er iets tegen in te brengen. 'Gelooft Reznik echt in de schat van de Amazones? Als dat zo is, moet zijn schatzoekerij ver vóór onze deelname begonnen zijn.'

'Hij weet duidelijk iets wat wij niet weten,' beaamde Nick. 'Maar wat? Misschien staat het antwoord in die *Historia Amazonum* van je... wat zou verklaren waarom hij zo in je geïnteresseerd is. Jij hebt hem immers geschreven, om te vragen of je die mocht zien?'

'Maar hij heeft nooit gereageerd.'

'O, jawel.' Nick knikte naar de buil op mijn slaap. 'Ik wed dat hij je sindsdien in de gaten houdt. Hij heeft waarschijnlijk je mobiel afgetapt. Zo wist hij dat je naar Kreta ging.'

'Maar waarom zou hij hem dan door zijn mensen laten stelen?' wierp ik tegen. 'Dat is niet logisch. Nu kan hij mijn gesprekken niet meer afluisteren.'

Nick zweeg een poosje. Met toegeknepen ogen tuurde hij naar de horizon en zei toen: 'Het ziet ernaar uit dat we twee opties hebben. Of we gaan uit elkaar, terug naar huis, en doen wat we kunnen om Reznik ervan te overtuigen dat we het opgegeven hebben. Of...' – met een brutale glimlach – 'we gaan samen door en vinden de schat voordat hij hem vindt.'

Op vrijdagmiddag bereikten we de Dardanellen. De Dardanellen, of de Hellespont, zoals de oude Grieken zeiden, is de extreem smalle zeestraat tussen de Egeïsche Zee en de Zee van Marmara. Alleen de Bosporus, die een paar honderd kilometer verder naar het oosten de Zee van Marmara met de Zwarte Zee verbindt, en van nature een winderige en potentieel gevaarlijke plek is om te bevaren, kan qua smalheid met de Hellespont wedijveren.

Na de vrijheid van de open zee was het angstaanjagend om die gevaarlijke zeestraat in te varen; al snel sloot hij ons van beide zijden steeds verder in, tot de waterweg nauwelijks breder was dan een flinke rivier. Tijdens het laatste uur had Telemachos onze vaart langs de kust voorzien van commentaar: 'Tenedos! Dit is de plek waar de Grieken naar verluidt de vloot verborgen, terwijl ze wachtten tot de Trojanen het aas grepen,' en 'Zie je die kustlijn daar? Dat was vroeger een open baai, net als Homerus beschreef.'

Tegen de tijd dat we eindelijk aanlegden in het drukke Çanakkale – de stad die het dichtste bij de ruïnes van het Troje uit de oudheid ligt – lag Rebecca diep in slaap op een matras op het dek, zonder iets te horen van het pandemonium aan de havenkant. Gedurende onze tijd op zee was ze op de vreemdste momenten even in slaap gevallen, en ik vermoedde dat ze, ondanks haar schijnbaar vrolijke humeur, de hele situatie deprimerend vond. Verbannen van haar dierbare Kreta, op reis met een vriendin die anders altijd een meelevend oor had, maar nu doof was vanwege allerlei tegenstrijdige zorgen; zelfs Telemachos genoot te veel van de onverwachte toevloed van jongelui om veel aandacht te besteden aan Rebecca's lastige parket.

Wat Nick betrof, die was tot dusver onbeleefd weinig onder de indruk gebleken van haar inspanningen om onze cruise op te sieren met inzichtelijke lezingen, en het gehoopte aanbod van een baan bij de Aqrab Foundation bleef schitteren door afwezigheid. Zijn enige aanbod had hij mij gedaan: of hun schat nu bestond of niet, Nick was bereid om me nog eens tienduizend dollar te betalen om samen met hem het spoor van de Amazones te blijven volgen.

Ik had gezegd dat ik erover na zou denken. Niet dat ik hem wilde straffen voor de twijfel die hij me had opgedrongen, maar omdat ik zelf niet zeker wist wat mijn volgende stap moest zijn. Ondanks de frustraties van ons gedwongen verblijf op de *Penelope*, en ondanks zijn onderhandse gedrag, kon ik me moeilijk voorstellen dat ik Nick zou verlaten; hij was alles gaan vertegenwoordigen waarvan oma had voorspeld dat het mijn leven zou omvatten – avontuur, gevaar en ontdekkingen.

De werkelijkheid die mij thuis wachtte, had daarentegen vrijwel al zijn luister verloren. Na bijna twee weken weg had ik moeite om me te herinneren wat er ook alweer zo aantrekkelijk was aan een carrière in Oxford – waarom het zo onontkoombaar was dat ik er haastig naar terugkeerde. Hoe meer ik vertrouwd raakte met de onbekende wereld hier om me heen, hoe meer het oude Avalon, met zijn gescheurde, bemoste muren en zijn strenge gotische lijnen, in de mist verdween...

'Aha!' Telemachos keerde de drukke haven zijn rug toe en knikte naar de kustlijn aan de overkant van de zeestraat, minder dan anderhalve kilometer van ons verwijderd. 'Waar zijn we nu?'

'Turkije?' opperde Nick.

'En daar?'

'Ook Turkije.'

'Ja-ja-ja.' Telemachos keek een beetje geërgerd. 'Maar in het grote, algemene geheel der dingen?'

'Dit is de beroemde Hellespont,' legde ik Nick uit, met klapperende tanden in de felle novemberwind die over de Zee van Marmara joeg, helemaal – verbeeldde ik me – vanaf de Russische steppen. 'Het raakpunt van twee continenten. Hier kust Europa de Oriënt.'

Met zijn handen in zijn zakken keek Nick van de ene kust naar de andere. 'Meer een luchtkus, vind je niet?'

'Gebruik je fantasie,' wierp ik tegen. 'Laat je meeslepen door de romantiek. Dat deed Lord Byron ook. Hij is hier overheen gezwommen, net als vele anderen.'

'Hero en Leander!' riep Telemachos, met evenveel hoofdschuddende tristesse als waren het zijn familieleden geweest. 'Zij was een priesteres van Aphrodite en woonde daar in een toren. Helaas werd ze verliefd op Leander, die aan die kant woonde. Dus zwom hij heen en weer, tot... nou ja, tot hij verdronk.' Telemachos haalde zijn schouders op, zijn gedachten alweer elders. 'Wie gaat haar wakker maken?'

Terwijl Telemachos nerveus omtrekkende bewegingen rond de slapende Rebecca maakte, mompelde Nick: 'Waarom is het altijd de man die moet zwemmen?'

'Naar het schijnt,' zei ik, ongewild mijn moeder citerend uit een van haar vele pogingen om mijn vader te verleiden tot een weekend aan zee, 'doet zwemmen wonderen voor de bloedsomloop.'

'Maak je geen zorgen, Noordzee-vrouw' – Nick nam mijn ijskoude handen en wreef ze tussen de zijne – 'aan mijn bloedsomloop mankeert helemaal niets.'

Ik was nog steeds van slag door die onverwachte intimiteit toen we opgehaald werden door dr. Özlem, een oude vriend van Telemachos en curator van een nabijgelegen museum. Hoewel ze elkaar met even vrolijke uitbundigheid begroetten, zag ik meteen dat Özlem een sussende noot yin toevoegde aan het meedogenloze yang van onze energieke kapitein.

Klein van bouw, en gekromd – vermoedde ik – onder een levenslange last van ondankbaar werk, verwelkomde dr. Özlem ons met gebogen handdrukken en behoedzame blikken. We waren nauwelijks in zijn stoffige oude Volkswagen minibus geklauterd, of hij keek ons aan via de achteruitkijkspiegel en verzuchtte met gelaten zwaarmoedigheid: 'Jullie willen de armbanden zien?', op een toon die suggereerde dat we onderweg waren naar een begrafenis in de familie. 'Goed, ik zal ze laten zien.'

De Amazone-armbanden lagen in een glazen vitrinekast op de voornaamste verdieping van het museum dat Özlem beheerde – een nederige verzameling barakken gewijd aan de archeologische vondsten in de omgeving van Çanakkale. 'Daar,' zei hij, met een laatdunkend knikje naar de twee spiraalvormige bronzen jakhalzen, die, op het eerste gezicht, volmaakt identiek leken aan die van mij. 'Knap werk, nietwaar?'

Rebecca was de eerste die de verbijsterde stilte verbrak. 'Beweert u nou dat ze namaak zijn?' vroeg ze. 'Reproducties?'

Dr. Özlem stak zijn kin vooruit. 'Ik vrees van wel.'

'Maar...' Ik kon maar moeilijk bevatten dat er twee replica's van Amazone-armbanden in een willekeurige Turkse glazen vitrine lagen. 'Hoe dan?'

'Ze werden meer dan honderd jaar geleden hier in Troje gevonden,' legde dr. Özlem uit, 'maar indertijd was de archeologie nog erg primitief, en we weten niet in welke laag ze zich bevonden hebben. De ene werd aangetroffen in een graf in de omgeving waar in de oudheid de kustlijn lag; de andere lag bedolven onder de ruïnes van het koninklijk paleis.' Hij keek omlaag naar de tegelvloer, die duidelijk al weken niet was schoongemaakt. 'Het verleden ligt in lagen onder ons, zoals u weet, met de meest recente tijden boven, en het verre verleden onderop. Toen onze dierbare Heinrich Schliemann in de late negentiende eeuw ging zoeken naar het Troje van Homerus, wist hij zeker dat het onderop moest liggen, en de lagen waar hij doorheen groef om erbij te komen, konden hem weinig schelen. Dus u begrijpt' – Özlem rechtte zijn rug om een diepe, louterende hap lucht in te ademen en die vervolgens weer langzaam te laten ontsnappen, mogelijk op aanbeveling van een arts – 'sindsdien is alles hier een beetje rommelig.'

Discreet rondkijkend zag ik wat hij bedoelde. De opstelling van het vertrek was niet logisch in mijn ogen; in één kast lagen voorwerpen uit verschillende perioden, en een rij sokkels toonde borstbeelden die bijna geen gelaatstrekken meer hadden en – begrijpelijkerwijs – niet eens identificatiekaartjes droegen.

'Ik weet het,' verzuchtte Özlem, die mijn blik volgde. 'Maar slechts enkele van onze kasten kunnen op slot, dus we moeten veiligheid voorrang geven boven chronologie.'

'Meestal zeggen we dat Troje negen lagen heeft,' bracht Rebecca te berde, voornamelijk tegen Nick. 'Schliemann was ervan overtuigd dat de Trojaanse Oorlog plaatsvond in de heel vroege, diepe laag die Troje 2 wordt genoemd, maar tegenwoordig is men geneigd om het veel latere Troje 7A als het ware Troje te beschouwen. Helaas is er heel wat van Troje 7A op de vuilnisbelt van Schliemann beland, zoals je je kunt voorstellen. Hij vond echter wel goud,' voegde ze toe met een grimas van weerspannige waardering, 'en daarmee kwam er wel gemakkelijker geld vrij voor verdere opgravingen.'

'Dus,' zei Nick, 'laag 7A was het Troje van Homerus.'

Rebecca's ogen fonkelden. 'Breek me de bek niet open.'

'Jawel,' zei ik dringend. 'Breek haar de bek open. Alsjeblieft.'

'Het zit zo,' zei Rebecca met een bescheiden, eerbiedige blik op Özlem. 'We neigden allemaal naar 7A omdat het de minst onwaarschijnlijke theorie leek. Maar ik kan je beloven dat niemand zijn hoofd erom zou verwedden. Toch?' Na het knikje en de glimlach van dr. Özlem vervolgde ze met meer overtuiging: 'Als we op zoek zijn naar een Troje dat werkelijk spectaculair was, met hoge muren die de beschrijving van Homerus waardig zijn, dan steekt Troje 6 huizenhoog boven de competitie uit. Maar het probleem is dat iedereen op zoek is geweest naar een door oorlog verwoest Troje... opnieuw met het oog op trouw aan Homerus. En dat lijkt te gelden voor laag 7A. Maar, naar mijn bescheiden mening, was de feitelijke nederzetting van Troje 7A slechts een treurig overblijfsel van de spectaculaire stad die er ooit stond – en nauwelijks een belegering van tien jaar waard. Bovendien werd Troje 7A waarschijnlijk verwoest rond 1190 v.Chr., wat volgens velen veel te laat is. Hoe konden de Grieken met duizend schepen ten oorlog varen, terwijl de uitroeiing hen al boven het hoofd hing? Dat is niet logisch. Eigenlijk lijkt het erop dat dit de nadagen waren van de beschaving zoals zij die kenden; ongeletterde barbaren vielen de mediterrane kusten aan in vlagen van verwoestend geweld, en het hele gebied verzonk in een donkere periode die honderden jaren duurde, tot de Grieken rond

800 v.Chr. in wezen opnieuw het alfabet uitvonden.'

Ik klapte in mijn handen. 'Zie je? Becks heeft het helemaal op een rijtje.'

'Echt niet.' Rebecca schokschouderde een nerveuze verontschuldiging naar dr. Özlem. 'Ik raad maar wat, net als iedereen.'

'Dus,' zei Nick, 'als het niet laag 7A was, welke was het dan wel?'

'Aha!' Met glimmende oogjes stak Rebecca een vinger op. 'Zoals ik al zei, als je kijkt naar de feitelijke opzet van de stad, valt Troje 6 op als de meest indrukwekkende van allemaal. Dit is waar de hoge muren staan, en waar de burgers een redelijke mate van comfort kenden. Bovendien werd Troje 6 ongeveer honderd jaar vóór Troje 7A verwoest, dus rond 1275 v.Chr., wat mij veel logischer voorkomt. Het enige probleem is dat wij geloven dat Troje 6 door een aardbeving werd vernietigd, en niet door een oorlog. Maar stel je voor dat het niet echt een aardbeving was' – ze bloosde charmant nu ze de climax van haar theorie bereikte – 'stel je voor dat het een stormram was. Of moet ik zeggen, een stormpaard?' Ze legde een hand voor haar mond alsof ze haar eigen geestdrift wilde smoren en keek ons allemaal gretig aan om te zien of we haar theorie konden aanvaarden.

Nick knikte traag en zei: 'Ik snap wat je bedoelt – jij denkt dat het beroemde paard van Troje in feite een reusachtige stormram was?'

'Ga maar na!' vervolgde Rebecca, in een nieuwe vlaag van enthousiasme. 'Het kan onmogelijk gewoon een groot, hol paard van hout zijn geweest. Welke Trojaan zou er zo ongelooflijk stom zijn geweest om te denken: Aloha, hé! Wat een sympathiek afscheidscadeau van die verrekte Grieken, en vervolgens de stadspoorten te openen om het naar binnen te slepen? Serieus?'

'Ik vind het een goed verhaal.' Telemachos knikte. 'Maar ik ben altijd al dol geweest op krankzinnige theorieën. Wat vind jij ervan, Murat? Kan Troje 6 verwoest zijn door een enorme stormram, in plaats van door een aardbeving?'

'Daar zou ik over na moeten denken.' Özlem trok zijn schouders een beetje op. 'Na meer dan een eeuw graven hebben we heel veel theorieën, en ik heb ze allemaal al eens gehoord.' Hij liep naar het raam, dat vuil was van stof en condens, en staarde naar buiten. 'Soms zou ik willen dat dit allemaal gewoon akkerland was. Waarom moeten wij zo nodig een prachtige mythe tot werkelijkheid maken? Ik begrijp het niet.'

Pas toen hij wegliep om een van zijn medewerkers te berispen omdat hij een glazen vitrinekast niet had afgesloten, kreeg Telemachos de kans om de omstandigheden uit te leggen die de relatie van zijn oude vriend met de archeologie hadden verzuurd. 'Twintig jaar lang heeft hij mensen in heel Europa aangeschreven, in een poging om alle Trojaanse artefacten terug te laten sturen naar deze streek en in dit nieuwe, speciaal daarvoor bestemde museum tentoon te stellen.' Hij gebaarde naar het bescheiden gebouwencomplex waarin we ons bevonden. 'En hij was daarin heel succesvol. Er werden veel dingen hierheen gezonden, waaronder deze twee armbanden. Maar helaas werd binnen een paar maanden na de opening van het museum ontdekt dat sommige van de meest waardevolle voorwerpen waren gestolen en vervangen door kopieën... en de verdenking viel op Özlem. Acht jaar lang heeft hij gevochten om zijn naam te zuiveren, voortdurend onder de dreiging van gevangenisstraf. De plaatselijke autoriteiten trokken de aanklacht tegen hem pas in toen hij ziek werd, drie jaar geleden. Ook nu nog heeft hij vijanden die hem een dief noemen, en de meeste waardevolle voorwerpen die nog hier waren, zijn naar andere musea gestuurd, waar ze betere alarmsystemen hebben.' Telemachos boog zich dichter naar hen toe, uit bezorgdheid dat zijn oude vriend hem zou horen. 'Ik ben bang dat ze het museum gaan sluiten. Dat zou zijn gifbeker zijn.'

Ik keerde me om naar Nick, die vlak achter me stond, met zijn armen over elkaar en een gepast ernstige gezichtsuitdrukking. 'Kostbaarheden gestolen door ons, slechte westerlingen,' zei ik tegen hem. 'Teruggebracht naar hun thuisland, om vervolgens voor altijd verloren te gaan. Zeg het nog eens, is dat echt wat jij wilt?'

'O, ze zijn niet voorgoed verloren,' zei dr. Özlem, die terugkwam met een blad vol kleine theeglaasjes. 'We weten waar ze zijn. Muntthee, beste vrienden? Ik vrees dat we niet over stoelen beschikken.'

'Hebt u ooit overwogen om de Aqrab Foundation om financiering te vragen?' vroeg Nick terwijl hij een glaasje pakte.

Dr. Özlem zwaaide met het lege dienblad door de lucht. 'O nee. Dat zijn bullebakken. Als zij geld geven, willen ze de baas spelen en je vertellen wat je moet doen.' Hij huiverde. 'Ik hou er niet van als mensen me vertellen wat ik moet doen. En zeker niet als het bullebakken zijn.'

Nick leek niet bepaald gekwetst door de beschuldiging; zijn laconieke glimlach deed vermoeden dat hij dit bezwaar al vaker had gehoord. 'Misschien is dat net wat u nodig hebt,' zei hij terwijl hij zijn thee ronddraaide in het glaasje, dat er in zijn hand idioot klein uitzag. 'Een paar bullebakken in uw team.'

Dieper gebogen dan ooit keek dr. Özlem nijdig naar Nick, alsof hij hem eerder niet werkelijk had opgemerkt en zich nu afvroeg of hem soms een nieuwe plaag gezonden was. 'Misschien. Maar ik ben een oude man...'

'Neem me niet kwalijk,' zei ik, om dr. Özlem te redden en om terug te keren naar ons onderwerp, 'maar hoe weet u dat deze armbanden inderdaad nagemaakt zijn?'

Dr. Özlem zette het dienblad weg en maakte met een sleutel de vitrinekast open. 'Hier,' zei hij terwijl hij me een van de spiraalvormige jakhalzen overhandigde. 'Normaal gesproken is er een deskundige voor nodig om dat te bepalen, maar kijk eens aan de binnenkant, onder het hoofd. Wat ziet u daar?'

Ik liep naar het raam en bestudeerde het brons. 'Niets.'

'Precies.' Dr. Özlem stak zijn hand uit en wachtte tot ik hem de armband zou teruggeven. 'In de originelen zaten kleine gravures. Drie kleine symbolen in deze, twee in de andere.'

Ik was zo opgewonden dat ik de jakhals niet los kon laten. 'Wat voor symbolen?'

Dr. Özlem knikte even naar Telemachos alsof ze dit moment van tevoren hadden gepland. 'Jouw beurt. Doe je kunstje maar.'

Telemachos liep naar het beslagen raam en tekende met zijn wijsvinger twee symbolen in de condens. Ze waren me beide vertrouwd – ze stonden allebei in oma's Amazone-alfabet – maar het woord zelf was nieuw. 'Dit stond in de eerste armband gegraveerd,' zei hij.

Stomverbaasd tuurde ik naar de twee symbolen. Hier was het dan eindelijk, naar het scheen, het bewijs dat de armbanden en de symbolen inderdaad bij elkaar hoorden. Hadden alle jakhalzen die inscripties? De mijne ook? Het was nooit bij me opgekomen om te kijken. 'Twee lettergrepen,' zei ik, ademloos van opwinding. 'De naam van de eigenaar? Dat moet haast wel.'

'Het wordt nog beter.' Telemachos tekende nog drie symbolen, en keerde zich verwachtingsvol naar mij. 'Dit was de naam in de andere armband...'

Nick zei als eerste: 'Onze drielettergrepige priesteres-koningin.' Hij klonk vreemd teleurgesteld. 'Myrine. Ze heeft Troje inderdaad bereikt.'

'Dit is ongelooflijk!' Ik had zin om Nick bij zijn schouders te grijpen en door elkaar te rammelen. 'We hebben echt hun spoor gevolgd!'

'Ja,' zei hij spijtig. 'En hier eindigt het. Arme Myrine, van zo ver gekomen om te sterven.'

In de zonsondergang liepen we samen door de ruïnes van Troje en verwonderden ons over het idee dat deze afgelegen heuvel tussen de graanvelden, met zijn verwarrende rudimenten van eeuwenoud metselwerk, ooit een baken van beschaving was geweest.

Wellicht in een poging om Özlem een lezing te besparen die hij vast al honderden keren had gegeven, nam Rebecca de taak op zich om ons door de ruïnes te gidsen. 'Zoals jullie kunnen zien,' legde ze uit terwijl ze ons voorging door een doolhof van oude muren en funderingen – sommige nog verrassend hoog – 'groeide de stad met de jaren, en de stadswallen groeiden mee, als kringen in het water, om de groei op te vangen.'

'En welk Troje is dit dan precies?' vroeg Nick, opkijkend naar de overblijfselen van een enorme toren.

'Troje 6,' zei Rebecca, met haar handen op haar heupen, de houding van een eigenaar. 'Het ware Troje, naar mijn mening. Dat was de tijd waarin deze hele buitenste muur werd neergezet, samen met verschillende enorme gebouwen. Denk jij ook niet' – ze keek naar mij om steun – 'dat deze muren het Troje van Homerus waardig zijn?'

'Het probleem,' zei dr. Özlem, 'is dat er in die laag niets belangrijks is gevonden. In ieder geval niet voor zover ik weet.'

'Behalve dan een gigaton bakstenen,' mompelde Nick, voornamelijk tegen mij.

'Het kan zijn,' vervolgde dr. Özlem, terwijl hij wat onkruid uit een van de muren trok en afwezig in zijn jaszak stopte, 'dat de Grieken hier meerdere malen zijn geweest. En wie weet, misschien was het de aardbeving die hen uiteindelijk hielp om Troje in te nemen.' Hij keek naar Rebecca, langzaam maar zeker wat opgewekter door de gelegenheid om te speculeren. 'Misschien hebt u gelijk. Misschien was het Troje 6. Het was zeker van groot belang, strategisch gezien.'

Telemachos knikte. 'Jullie hebben gezien hoe smal de zeestraat is. Dit is de plek waar alle schepen langs moesten, op weg naar de Zwarte Zee. Soms zouden ze hier wekenlang vastzitten, wachtend tot de noordenwind afnam. Een perfecte plaats om handel te drijven: je klanten kunnen geen kant op.' Hij liep voorzichtig tussen het onkruid door en sprong op een grazige, door puin omringde terp. 'Geen wonder dat ze populair waren, die Trojanen. Trotse, paardentemmende Trojanen, heersers van de oostelijke zee. Denk eens aan de koninklijke schatkist' – hij spreidde zijn armen bij de glorie die hem voor ogen stond – 'de rijkdommen die daarin moeten hebben gezeten. Geen wonder dat de koning van Troje zijn hoge muren nodig had.'

Ik keek naar Nick en merkte dat hij naar mijn jakhalsarmband staarde. Op de boot had ik zijn ogen vele malen op mij voelen rusten, tot ik van dat gevoel even ademloos werd alsof hij me werkelijk had aangeraakt. Maar nu we weer vaste grond onder onze voeten hadden en opnieuw door een met gras begroeide erfenis van menselijke inspanningen liepen, stond er op zijn gezicht niets anders te lezen dan onverschilligheid. Was het ooit bij hem opgekomen, vroeg ik me af, dat het balletje-balletjespel dat hij met zijn vijanden speelde gigantische gevolgen zou kunnen hebben in het echte leven – niet alleen voor Rebecca en mij, maar mogelijk ook voor Telemachos en dr. Özlem, van wie de oprechtheid en toewijding zo scherp afstaken tegen de slinksheid van al-Aqrab?

'Je moet weten,' vertelde ik Nick, 'dat dit de geboorteplek was van de Amazoneschat. Volgens de overlevering bestond die uit goud uit de Trojaanse schatkist.'

'Niet zomaar goud,' vulde Telemachos aan, die mijn opmerking had opgevangen, 'de belangrijkste stukken van de Trojaanse beschaving. Gered door de Amazones, voordat de stad viel.' Hij glimlachte erbij alsof zelfs hij, als Amazone-aanhanger, het idee van een dergelijke schat nooit echt had aanvaard.

'Maar mijn punt,' zei ik, terwijl ik me opnieuw tot Nick wendde en mijn stem dempte, 'is dat iedereen die krankzinnig genoeg is om te denken dat de schat van de Amazones ooit heeft bestaan – en nog bestaat – binnenkort op Özlems deur kan komen kloppen. En zij zullen misschien niet zo welwillend zijn. Niet als het dezelfde mensen zijn die graag vrouwen overvallen in donkere labyrinten.'

Nick keek me met opgetrokken wenkbrauwen aan. 'Waarom vertel je dat niet aan de wetenschapper uit Oxford die als eerste brieven ging schrijven aan Reznik?'

Nog niet bereid om mijn eigen schuld in de zaak te aanvaarden, liep ik vastberaden naar de anderen en zei: 'Dus, zijn we het er allemaal over eens dat het verhaal over de mooie Helena pure fictie was? Dat voor Achilles en al die Griekse helden die er het leven bij lieten, de Trojaanse Oorlog alleen maar over goud ging?'

Dr. Özlem haalde zijn schouders op. 'Wie weet wat hun aanvoerders hun wijsmaakten. Mannen geven vrouwen altijd graag de schuld van alles wat er misgaat. Kijk maar naar Adam en Eva.' Hij zuchtte. 'Als we maar historische gegevens hadden... maar die hebben we niet. We hebben een paar eeuwenoude verdragen, gesloten met andere landen, maar die zeggen ons niet veel, en de namen zijn verwarrend. Kan de Alaksandu die genoemd wordt de historische Paris zijn? Is de "Grote Koning" van Ahhiyawa wellicht de Agamemnon van Homerus? Maar waar is Hector? Waar is Achilles? Waren ze hier ooit, of waren zij deel van een ander verhaal, dat zich later vermengd heeft met de legende van Troje?'

'Ik zou Achilles bepaald niet missen,' bracht Rebecca te berde, terwijl we samen een modderig pad afliepen naar de oudere ruïnes. 'Ik bedoel, wat voor held verkracht het lichaam van een dode tegenstander midden op een slagveld?' Toen ze Nick een gezicht zag trekken, lachte ze en vervolgde: 'Ik heb het over de koningin van de Amazones in die tijd, Penthesilea. Volgens de overlevering kozen de Amazones in de oorlog de kant van Troje, om tegen de Grieken te vechten. In de Ilias van Homerus worden de Amazones *antianeirai* genoemd, wat betekent: "zij die vechten als mannen". Het verhaal gaat dat Achilles niet eens besefte dat hij met een vrouw duelleerde, tot ze dood was en hij onder haar harnas keek.'

Nick keerde zich met gefronste wenkbrauwen naar mij. 'Kan Penthesilea een andere naam zijn voor Myrine? Of hadden de Amazones indertijd twee koninginnen?'

Het was een uitstekende vraag, maar zijn hypocrisie vond ik tenenkrommend. Wat zijn reden ook was om hier te zijn – en ons met zijn aanwezigheid allemaal in gevaar te brengen – ik was ervan overtuigd dat hij weinig gaf om de feitelijke geschiedenis van de Amazones. Net als bij de binnenvallende Grieken ging het allemaal om het goud. Nick bleef schertsend praten over de schat van de Amazones alsof het een verzinsel was, maar mij hield hij niet langer voor de gek. Hij zat er de hele tijd al achteraan. Zijn recente aanbod van een extra tienduizend om hem te helpen de schat eerder te vinden dan Reznik, suggereerde dat in ieder geval wel.

'Diana!' baste Telemachos. 'Hier staan we, voor de vraag der vragen: zijn onze Algerijnse Amazones helemaal naar Troje gekomen, en heette hun koningin inderdaad Myrine? Waarop Homerus antwoordt: ...' Hij gebaarde dat ik zijn zin moest aanvullen, maar ik was te verontrust om te begrijpen wat hij van me wilde.

Telemachos stak een pedagogisch vingertje op. 'Vergeet nooit je Homerus. Hij komt ons te hulp. Hij noemt onze koningin specifiek bij de beschrijving van een kleine heuvel in het dal van de Skamandros.' Terwijl hij voor ons uit een overwoekerde trap beklom, zijn armen wijd, citeerde Telemachos de passage met veel zwier: '"Deze nu wordt Batieia genoemd door de mensen; de goden hebben haar echter vernoemd naar het graf van de vlugge Myrine."'

Ik was zo overdonderd dat ik als aan de grond genageld stilstond. 'U gelooft dat die versregels naar onze Myrine verwijzen?'

Telemachos keek met half toegeknepen ogen uit over het oude slagveld, alsof hij als overlevende officier terugkeerde naar de plaats van een verwoestende nederlaag om te begrijpen wat hij verkeerd had gedaan. 'Wat geloof ik? Ik geloof dat de Ilias van Homerus een code is, versleuteld voor de goede verstaander...'

'En de Trojaanse Oorlog?' vroeg Nick. 'Heeft die echt plaatsgevonden?'

'Er is hier zeker iets gebeurd.' Dr. Özlem ritste zijn regenjas dicht tegen de kilte van de namiddag. 'We weten alleen niet zeker wat. Maar ik betwijfel sterk dat de aanleiding een vrouw was.' Hij keek op zijn horloge. 'Het wordt al laat. Mijn vrouw heeft gekookt. Eten jullie mee?'

Onderweg terug naar de parkeerplaats en het grote houten paard dat de toegang tot de vindplaats aangaf, doemde uit de ondergaande zon het silhouet op van een man, die met vastberaden tred op ons afliep. Lang en atletisch, met zijn handen in zijn zakken, zag hij eruit als een weerspannige Apollo of een andere slecht vermomde godheid, vanaf de Olympus uitgezonden om nog een laatste keer zijn plicht te doen en weer een van het rechte pad geweken sterveling te corrigeren.

'O jee,' zei Rebecca, terwijl al haar ledematen – inclusief haar hoofd – zich terugtrokken in haar vliegeniersjasje. 'Nu krijgen we narigheid.'

'Wat dan?' begon ik, maar toen herkende ik hem ook.

Het was James.

27

EFEZE

Myrine was zo geschokt toen ze Paris zag, dat ze vergat om de kip vast te houden die ze eindelijk had weten te vangen, en met een verontwaardigd gekakel vloog het diertje uit haar greep.

'Hier...' Hij wierp haar een houten speelgoeddolk toe, maar ze was niet snel genoeg om hem te vangen voordat hij aan haar voeten op de vloer viel, waar hij wat stof deed opwaaien. 'Ik ga je niet leren vechten als een man, want je bent geen man. Je bent een vrouw, of je dat nu leuk vindt of niet, en als zodanig heb je een aantal natuurlijke beperkingen. Vergeet dat nooit.'

Nog steeds te onthutst om iets te zeggen keek Myrine naar Paris terwijl hij een eigen houten speelgoedzwaard omhoogstak – twee keer zo lang als de dolk die hij haar had gegeven – en een lange paal met aan het ene eind een bal van stof. Zijn gezicht stond volkomen ernstig, volkomen sereen; het leek alsof hun lange scheiding met succes elke zwakheid had genezen die hij ooit voor haar had gehad.

En toch, zodra Myrine omhoogreikte om haar haren bijeen te binden met een stukje touw, zag ze hem worstelen om zijn blik van haar lichaam los te maken... en de strijd met een grimas verliezen. 'Doe dat nooit,' zei hij met korzelige stem, 'voor de ogen van een man. Anders zal hij je zeker op de een of andere manier willen doorboren.'

Myrine liet haar haar voor wat het was, raapte de speelgoeddolk op en stak hem voor zich uit. 'En hiermee wil jij dat ik me verdedig? Een keukenmes tegenover dát' – ze knikte naar zijn twee wapens – 'en dát?'

'Als dit echt was,' zei Paris, haar het houten zwaard voorhoudend, 'was het waarschijnlijk even gevaarlijk voor de eigenaar als voor het slachtoffer. Er zijn heel wat mannen die, in hun verlangen om onoverwinnelijk te lijken, een zwaard dragen dat te lang is voor hun kracht en een ontijdige dood sterven wanneer ze het achteruitzwaaien. Laat vrouwen, slimme vrouwen, hun fout niet herhalen. En dit' – nu ging de namaakspeer de lucht in – 'is ook een wapen dat je vijand graag voor je zal dragen. Een werpspeer vliegt natuurlijk één keer en is dan weg; een lans zal dat lot vaker wel dan niet delen. Want geloof me: die punt midden in de strijd uit een dood lichaam met een leren harnas trekken, op tijd om de volgende aanval af te slaan, is geen aangename exercitie.'

'En toch,' zei Myrine, 'zou jij er wel mee ten strijde trekken.'

Paris knikte. 'Als man moet ik doen wat eerbaar is, zelfs als ik weet dat het mijn ondergang zal worden. Als vrouw mag jij vrijelijk weglopen, en niemand zal je ooit bespotten en beweren dat je anders had moeten handelen. Maar daar is koningin Myrine niet tevreden mee. Dus kom' – eindelijk glimlachte hij en hij spreidde zijn armen – 'en sla me dood.'

Ze cirkelden een paar keer om elkaar heen, Paris glimlachend, Myrine nog steeds niet zeker van wat ze van zijn aanwezigheid moest denken. Toen stopte ze en liet het mes zakken. 'Je speelt met me. Ik ken die lach van jou. Zodra ik dichterbij kom met mijn kleine houten klauw, sla jij me met die stokken en lach je me uit.'

Paris knikte. 'Onthoud wat je nu doet, de manier waarop je nu kijkt. Zo moet je altijd de strijd aangaan – door eruit te zien alsof je het al opgegeven hebt. Een van de belangrijkste regels voor een vrouw is: zorg altijd dat ze je onderschatten. Ze zullen van nature geneigd zijn om je voor een zwakkeling te houden, en dat is je grootste troef.'

'Een zwakkeling?' Myrine stormde vooruit, eindelijk in de aanval. Maar zodra ze dat deed, daalde het houten zwaard tussen hen in, dwars over haar keel.

'Dat was regel nummer twee,' zei Paris, nog steeds met een glimlach. 'Hier komt de eerste regel: onderschat de ander nooit.' Daarop duwde hij haar van zich af; Myrine struikelde achteruit en viel bijna over een hooivork.

Op dat moment, terwijl ze haar volgende zet overwoog, verscheen er een derde persoon in de deuropening. Het was Vrouwe Otrera, die er veel te elegant uitzag voor de schuur en zich duidelijk verbaasde over het geluid van gehijg en rennende voeten. 'Neef?' vroeg ze, in de stoffige schaduwen turend. 'Ik hoorde dat je gearriveerd was. Wat een aangename verrassing.'

'Ik was net...' Paris schraapte zijn keel in een ongewone aanval van verlegenheid. 'Ik dacht alleen...'

'Ja.' Vrouwe Otrera stak hem haar hand toe. 'Dat zie ik.'

De rest van de dag werd Myrine beziggehouden met eindeloze taken, die moesten worden uitgevoerd binnen gehoorsafstand van Vrouwe Otrera. Tegen de tijd dat Paris eindelijk de boerderij verliet om terug te keren naar zijn schip, kon Myrine zich de haren wel uit het hoofd trekken omdat ze geen woord meer met hem had kunnen wisselen.

Maar toen hij over de flauwverlichte binnenplaats van Otrera's eigen huis naar de poort liep, stond Paris even stil om zijn sandaal te bekijken naast een pilaar begroeid met jasmijn. Op de een of andere manier wist hij dat Myrine daar was, verborgen voor alle spiedende blikken, in de hoop nog een laatste glimp van hem op te vangen voordat hij weer verdween.

'Kom bij zonsopgang naar het strand,' zei hij met zachte stem, zonder zelfs maar haar kant op te kijken. 'En wees gewapend.'

De rest van die nacht kon Myrine geen rust vinden. Het enige wat ze met haar gewoel en gezucht bereikte, was dat Penthesilea haar toesnauwde om stil te zijn en dat Lilli huilend wakker werd, gebroken zinnen mompelend over schepen en brand op het strand.

'Zij is het!' siste Lilli, toen Myrine haar weer in slaap probeerde te sussen. 'Ze komen voor háár.'

'Voor wie dan, liefje?' fluisterde Myrine; ze drukte Lilli dicht tegen zich aan, in de hoop dat het lawaai niemand anders zou wekken.

'Zij!' antwoordde Lilli, als altijd overstuur omdat Myrine haar niet begreep. 'De prinses. Ze is verhuld, maar ze is hier.'

Na de hele nacht geen oog dicht te hebben gedaan, sloop Myrine ten slotte de slaapzaal uit om achter de schuur haar paard te zadelen. Ze wist dat het nog ruim voor de dageraad was, maar ze was te gespannen om nog langer te wachten. Stel dat haar plannetje ontdekt werd – stel dat Vrouwe Otrera haar probeerde tegen te houden? Het gevaar lag niet zozeer in de schande, als wel in het risico Paris niet te kunnen ontmoeten zoals gepland.

Het paard, een grijze ruin, snoof blij toen hij haar zag, maar Myrine maande hem met nerveuze smeekbeden tot stilte. En in plaats van weg te draven met een vrolijke kreet, zoals ze anders altijd deed, leidde ze hem aan de teugel langs het huis, in de hoop dat niemand haar zou horen of zien. Niet dat er iets zondigs was aan haar uitstapje, maar... uit de manier waarop Vrouwe Otrera de vorige avond naar haar had gekeken, maakte ze op dat de anderen daar wel eens anders over zouden kunnen denken. Paris was immers een man.

Toen ze door de velden naar de zee reed en de kalmerende koele lucht inademde, zag Myrine de ochtendnevel met elegante terughoudendheid van het land trekken. Hoewel het al zomer was, had de Aarde geen haast om haar schoonheid vóór de komst van de Zon te onthullen – pas toen hij zijn gouden vingers uitstak en haar herinnerde aan de gloed van zijn streling, liet ze de laatste nevelbank los en begroette hem met luidkeels vogelgezang.

Het was ook de Zon die Myrine voortdreef, haar aanspoorde met een warme hand in haar rug en het glanzende ochtendlicht voor haar uitspreidde, toen ze van de duinen omlaag reed naar het zand. Met enkele liefdevolle ademtochten werd de verlaten uitgestrektheid van het strand uit zijn slaap gewekt en veranderde van kleur, van paarsig-grijs tot saliehoninggeel.

En daar, midden in dat alles, zag ze Paris op zich af rijden, met de namaakspeer in zijn hand. Hij hield zijn paard echter niet in toen hij haar bereikte; hij grijnsde alleen breed en reed verder langs het strand alsof hij helemaal naar de rotsige kaap aan het einde wilde.

Myrine joeg achter hem aan en deed haar best om hem in te halen, en tegen de tijd dat ze eindelijk een kleine, beschermde kreek bereikten waarvan zij het bestaan nooit had geweten, rolden ze allebei lachend van hun paard.

'Kijk nou eens!' riep Paris uit, zogenaamd teleurgesteld. 'Ik keek ernaar uit om je te leren rijden... maar ik zie dat de dochters van Otrera me voor zijn geweest.'

'Ongetwijfeld,' zei Myrine terwijl ze haar sandalen uittrok, 'zie je vele gebreken in mijn stijl. Hippolyta vit altijd op me vanwege mijn knieën...'

Paris glimlachte. 'Ik zou jouw knieën niet eens durven opmerken. Het enige wat ik zie, is het gezicht van een zelfbewuste vrouw die van de rit geniet. Dat,' zei hij terwijl hij opstond om zijn paard af te zadelen, 'is meer dan genoeg.'

'Vertel eens,' zei Myrine, die hun wapenspelen graag wilde uitstellen tot ze antwoord had gekregen op haar dringendste vraag, 'hebben mijn ondoordachte daden je thuis problemen bezorgd?'

Over zijn schouder wierp Paris haar een blik toe. 'Als dat zo was, stond ik hier niet.'

'Dan... heb je me vergeven?'

Hij nam het zadel van zijn paard en legde het op een rots met de woorden: 'Ik weet niet zeker wat dat woord betekent. Mijn gevoelens zijn hierin zo verward, dat ik het ontrafelen ervan allang heb opgegeven. Ik heb geprobeerd ze weg te snijden' – met een schouderophalen trok hij zijn speelgoedzwaard – 'maar ze groeien meteen weer aan. Ben je zover?'

Myrine aarzelde; ze smachtte om te weten wat hij bedoelde, maar begreep dat verder vragen alleen maar meer raadsels zou opleveren. Dus haalde ze haar eigen houten messen tevoorschijn en kruiste haar armen voor haar lichaam, in een angstvallige houding. 'Zo, is dat hopeloos genoeg voor je?'

Paris knikte. 'Niet slecht. Maar ik ken je te goed om erin te lopen. Het is iets in je blik – we moeten iets aan die blik doen. Maar laten we eerst over je sterke punten praten, want dat zijn je echte wapens.' Hij knikte naar haar benen. 'Allereerst, je vlugheid. Snelle en behendige voeten. Een man loop je er gemakkelijk uit; trouwens,' lachte hij, 'je hebt mij er al eerder uitgelopen.'

Myrine fronste haar voorhoofd. 'Ik heb je gevraagd me te leren vechten. Niemand heeft les nodig om te leren weglopen.'

Paris stak een waarschuwende hand op. 'Je bent te ongeduldig. Dat is een zwakte van jou. Sla als eerste toe... en je kunt net zo goed het mes in je eigen borst zetten. Wachten, wachten, wachten... en dan nog eens wachten, dat is de sleutel.'

'Wachten' – Myrine trok een gezicht – 'terwijl mijn tegenstander me tot stoofvlees hakt?'

Paris knikte. 'Dat zal hij proberen. Maar jij weet hoe je die slagen moet ontwijken. En dan, net als hij wel ongeduldig wordt, en onzorgvuldig en moe, precies op dat moment sla jij toe. Maar eerst' – Paris sloeg het houten zwaard tegen de palm van zijn hand – 'zal ik je leren hoe je het zwaard moet voorspellen en ontwijken.'

Tegen de tijd dat hij haar eindelijk wat rust gunde, had Myrine overal pijn van de builen en schaafwonden. Ze was beter geworden in het blokkeren en ontwijken van zijn slagen, ja, maar pas nadat ze telkens weer gepord en geprikt was, voornamelijk in haar armen en benen, maar af en toe ook in haar ribben. Zelfs wanneer ze struikelde en viel, gaf hij geen kwartier maar sloeg met het houten lemmet op haar billen tot ze weer op haar beide voeten stond.

Toen hij ten langen leste bedaarde, stortte Myrine kreunend in het zand, niet zeker of ze ooit de kracht zou vinden om weer op te staan.

'Hier.' Paris bood haar water aan, maar ze was te uitgeput om het aan te nemen.

'En ik dacht nog wel dat jij zo nobel was,' prevelde ze, met een hand om haar elleboog. 'Maar je bent wreed. Wanneer krijg ik een schild?'

'Heb ik nog ergens een stukje gemist?' Hij knielde naast haar neer en pakte haar arm. 'Hm...' Hij betastte de kneuzing met zijn vingers. 'Wat denk je hiervan?' Hij boog zich voorover om zijn lippen op de plek te drukken. 'Zo beter?'

Ze staarde hem aan, een woordenstrijd tussen ja en nee in haar keel.

'Ja? Nou dan...' Paris ging weer staan en veegde zijn knieën schoon. 'Overeind, vlugge Myrine. We zijn pas net begonnen.'

En inderdaad, verscheidene weken lang ontmoetten Paris en Myrine elkaar op het strand om haar training voort te zetten – soms vroeg en soms laat, om te zorgen dat niemand op de boerderij een patroon zou ontdekken in haar afwezigheid.

Trouw aan zijn woord leerde hij haar de wapens beheersen die ze had – vooral haar vlugheid, haar lenigheid en haar evenwicht – en al snel was ze in staat om al bukkend en springend de meeste van zijn slagen te ontwijken, tot haar toenemende vermaak en zijn groeiende consternatie.

'Ik heb je te goed onderwezen!' riep hij op een dag uit, net toen de zon onderging op een lange, hete namiddag. 'Nu deel jij de klappen uit... op mijn waardigheid. Wacht. Wat doe je?' De speer en het zwaard terzijde werpend besprong hij haar, net toen ze ging zitten om uit te rusten, en drukte haar grondig in het zand. 'Wat heb ik je gezegd?

Denk nooit dat het voorbij is tot ze allemaal dood zijn. Zelfs zonder wapens, zelfs op zijn knieën, zal je vijand nog steeds proberen je bij de keel te grijpen.' Hij pinde haar armen en haar benen tegen de grond, zette al zijn gewicht op haar. 'Duw me nu maar van je af.'

Met op elkaar geklemde tanden probeerde Myrine uit alle macht om hem weg te duwen, maar hij was te zwaar. 'Kom op,' spoorde hij haar aan. 'Er is altijd een zwakke plek. Een onbewaakt moment. Vind het en maak er gebruik van.'

Ze probeerde het opnieuw, en nog eens, maar er was geen zwakke plek te vinden. Kreunend van inspanning keek ze in zijn ogen en probeerde zijn gedachten te raden. Dat was niet moeilijk, want ze waren vervlochten met de hare.

Nog steeds zwaar ademend staakte ze haar strijd.

En toen kuste hij haar eindelijk: de kus waar ze beiden al zo lang naar hunkerden, een ademloze, koortsachtige overgave die wel eeuwig had kunnen doorgaan... als de hiel van Myrine niet toevallig een perfecte grip had gevonden in een heuveltje van zacht zand, waardoor ze hen samen om kon rollen en Paris op zijn rug kon werpen, met een van haar speelgoeddolken tegen zijn keel gedrukt.

'En dan noem jij mij wreed?' gromde hij hees, zijn gezicht vertrokken van vernedering. 'Jij moet de koningin van eeuwige pijniging zijn.'

Myrine drukte de dolk nog iets verder in zijn keel. 'Ik heb je nog niet vermoord. Toch?'

Paris fronste zijn wenkbrauwen. 'Waarom niet?'

In plaats van antwoord te geven boog ze omlaag om hem opnieuw te kussen, gretig haar genot van zojuist nogmaals opeisend. En toen hij – een paar ademtochten later – weer boven lag, vond ze dat niet erg, want het voelde niet langer als een nederlaag.

Eenmaal ontketend was hun hartstocht als twee stoeiende leeuwenwelpen – speels en meedogenloos tegelijk. Paris kon geen genoeg krijgen van haar lippen... de lippen die hem zo vaak hadden geplaagd en geweigerd, en Myrine kon haar verrukking dat ze hem eindelijk voelde nauwelijks bevatten... het machtige lichaam dat ze al zo vaak had bewonderd, al zo vaak tegen het hare had willen voelen.

'Mijn mooie Myrine,' fluisterde hij, met een warme hand langs haar arm strelend om zich te sluiten om de jakhalsarmband. 'Laten we deze nu meteen afdoen...'

'Nee.' Ze haalde haar arm weg.

'Maak je geen zorgen.' Hij kuste haar nog steeds, en reikte nog steeds naar de armband. 'Ik doe het wel voor je.'

'Nee!' Ze deinsde achteruit, wrong haar arm achter haar rug. 'Dat mag niet!'

'Wat mag niet?' Hij trok haar weer naar zich toe en pinde haar opnieuw onder zijn lichaam. 'Het hondje beledigen? Hij leek het toch niet erg te vinden dat ik je kuste? Eigenlijk heb ik zo'n vermoeden dat hij zich heel goed vermaakt.'

Maar het kwaad was al geschied.

'Alsjeblieft.' Myrine drukte een vuist tegen haar gezicht om haar tranen te bedwingen. 'Ik wil je geen pijn doen...'

Paris ging rechtop zitten, rood aangelopen en geïrriteerd. 'Waarom moet alles wat jij doet onveranderlijk uitlopen op de gruwelijkste pijn?' Met een kreun stond hij op en beende het strand af, zijn nepzwaard zwaaiend naar onzichtbare tegenstanders.

Later, toen hij zijn paard aan het zadelen was, liep Myrine naar hem toe om zijn rug te omarmen. 'Ik heb je gewaarschuwd,' fluisterde ze, met een verdriet zo diep, dat ze nauwelijks kon spreken. 'Ik bijt gemeen.'

Paris liet zijn armen zakken. 'Was dat maar waar. Maar de goden hebben je, in hun oneindige hilariteit, de zoetste smaak gegeven.' Hij keerde zich om, nam haar gezicht in zijn handen en kuste haar nog een keer, zijn gezicht vol smart. 'Ik zou moeten weggaan om nooit terug te keren, maar ik kan het niet. Kom je morgen?'

Nog drie dagen worstelden ze, tot Paris uiteindelijk zijn zwaard en zijn speer in het zand zette en hoofdschuddend op zijn knieën viel. 'Je... geef je je over?' vroeg Myrine, die onbeholpen voor hem stond, haar dolken nog geheven.

'Myrine.' Hij greep naar zijn hoofd. 'Mijn mooie Myrine. Zul je dan nooit de mijne zijn? Ben ik voorbestemd om te verliezen van een *hond*?'

Ze knielde voor hem neer, radeloos omdat ze zijn verdriet wilde verlichten, maar bang voor wat er zou gebeuren als ze dat probeerde.

'Ik moet terug naar Troje,' zei Paris ten slotte. 'Bij het aanbreken van de dag.'

'Nee!' Myrine sloeg haar armen om zijn hals. 'Verlaat me niet weer. Alsjeblieft! Beloof me dat je meteen weer terugkomt...'

Hij sloeg zijn ogen neer. 'Dat kan ik niet.'

'Maar...' Ze drukte haar wang tegen de zijne. 'Ben je dan... ben ik je dan niet... lief?'

Paris keek op, zijn blik vol verwijt. 'Lief? Myrine, je bent mijn koningin – ik heb je liever dan het leven zelf.' Hij slikte, en vervolgde toen plotseling vastberaden: 'Kom met me mee. Kom naar Troje en wees mijn vrouw.' Hij raakte haar kin aan, zijn ogen donker van plechtigheid. 'Of blijf voor altijd hier, als slaaf van je imaginaire meesteres.'

Myrine staarde hem aan, duwde haar verwarde haar uit haar gezicht. 'Zou je met mij trouwen?'

Paris schudde zijn hoofd. 'Denk je dat ik zomaar iedereen zou leren om mij tot de dood te bevechten? Ik wil dat jij mijn vrouw wordt. Mijn enige echtgenote.' Hij legde een hand in haar nek en kuste haar stevig op de lippen. 'Net buiten Troje ligt een heuvel die Batieia heet; daar zal ik dag en nacht een man posteren, tot je komt. Ik zal de heuvel zelfs een andere naam geven: Myrines Heuvel, ter ere van jou.' Hij keek haar recht aan, nam haar hand en drukte die tegen zijn wang. 'Een koude metalen hond... of een man wiens hart voor jou klopt in al zijn leden? Die keuze moet jij maken, maar ik smeek je: doe het snel.'

Het was al donker toen Myrine terugkwam op de boerderij. Nog nooit had ze de aantrekkingskracht ervan zo sterk gevoeld – de wijd openstaande deuren en ramen, glanzend van vertrouwde warmte, en de vele stemmen die zich verhieven in een chaotisch koor van vrolijkheid.

Door de tuindeur binnenlopend zag ze dat iedereen druk bezig was met het dekken van de tafel, lachend om niets bijzonders, en opging in allerlei onbelangrijke dingen, en ineens voelde ze zich een vreemde, een indringer, die een gestolen vorm had aangenomen om binnengelaten te worden.

Pas op dat moment merkte Myrine hoe meesterlijk ze was geworden in het negeren van haar eigen verlangens – verlangens die ooit simpel waren geweest, maar dat geleidelijk aan veel minder waren geworden. Een jaar geleden, toen ze samen met Lilli door de woestijn liep, had ze niets liever gewild dan een eettafel te vinden die door vrienden gedekt was. En nadat ze de tempel van de Maangodin had verlaten op zoek naar haar gestolen zusters, zou ze beslist op haar knieën zijn gevallen van dankbaarheid als ze had geweten dat ze op een dag allemaal – op één na – weer in gelukkige afzondering zouden leven, op een boerderij dicht bij zee, omringd door vriendelijke mensen en vruchtbaar land.

Maar toen haar taak eenmaal was volbracht en haar zusters veilig waren, waren haar eigen wensen slap en overtollig op de grond gevallen, als de touwen die mannen gebruiken om machtige muren op te trekken. En ze was ten prooi gevallen aan het kwaad dat elke architect bedreigt: als zijn gebouw eenmaal compleet is, kan hij het niet rustig gaan bewonen om te genieten van de vruchten van zijn werk, maar moet hij weer plannen maken voor een nieuw project, en dan nog eens... tot hij eindelijk in de schaduw van de oude-mensen-boom gaat zitten, en zijn leven niets anders is geweest dan een voortdurend bouwen, zonder tijd om te wonen.

Of misschien was ze daarmee onrechtvaardig. Er waren zeker momenten geweest dat Myrine oprecht had genoten van de uitdagingen van de boerderij, en van het gezelschap van nieuwe vrienden die even geestdriftig waren over de jacht als zij. En ook Lilli leek hier gelukkig. Weliswaar werden de nachten van het meisje opnieuw geteisterd door boze dromen, maar haar dagen waren vrolijk en vol katten en eendjes en vreugdevolle werkzaamheden. Vrouwe Otrera zorgde er speciaal voor dat de dochters die niet ten volle konden deelnemen aan de bedrijvigheid – en er waren verschillende van dergelijke meisjes, want de plaatselijke bevolking wilde ze niet grootbrengen – altijd genoeg te doen hadden en nooit zonder eigen verantwoordelijkheden zaten. Dat deed ze zo goed, dat Lilli zelfs het idee had ontwikkeld dat ze onmisbaar was voor het functioneren van de keuken en haar rijk met steeds toenemend eigenaarschap bewaakte.

'Ik moet er niet aan denken,' had ze pas een paar weken geleden tegen Myrine gezegd, 'wat ze aten voordat wij hier kwamen. Wil jij me helpen om de provisiekelder leeg te halen? Niemand lijkt hier iets om zulke dingen te geven.'

Aangezien ze weinig anders te doen had, had Myrine ingestemd met het project. Samen hadden de twee zusjes de kelder leeggeruimd, van alles gevonden, geproefd en uitgespuwd... maar het belangrijkste was dat ze eindelijk de gelegenheid kregen om samen te praten over hun hoop voor de toekomst. Tegen zonsondergang die avond, toen de voorraadkelder eindelijk netjes was, had Myrine er alle vertrouwen in dat ze beiden evenzeer gesteld waren op hun nieuwe leven, en geen andere plaats konden bedenken waar ze liever zouden zijn.

Maar toen kwam Paris terug. En met hem kwam een hele zwerm emoties en ambities die Myrine opjoegen waar ze maar ging, en haar voortdurend steken toebrachten, ongeacht het aantal keren dat ze in de koele vijver achter de schuur dook en zich bijna verdronk om eraan te ontsnappen.

Die avond aan de eettafel, na afscheid te hebben genomen van Paris en hem te hebben zien wegrijden in de schemering, voelde Myrine het bijna door de open ramen klinken: de roep van Troje. Ze had Troje vaak genoeg horen beschrijven als een magnifieke stad met trotse muren en torens, maar vanavond had de naam een nieuwe glans gekregen; het was de stad van de man die haar niets zou ontzeggen, en wiens nabijheid zo bekoorlijk was, dat ze aan weinig anders kon denken.

Haar oren doof voor het gebruikelijke keukengebabbel, bracht Myrine het uur na het eten door met het zetten van muizenvallen. Het was misschien niet de meest nobele bezigheid, maar het gaf haar een vreemde voldoening om te doen wat er gedaan moest worden met zo min mogelijk pijn voor de slachtoffers. Zo geconcentreerd was ze op het strikken van haar listige mechanieken, dat ze niet eens merkte dat ze publiek had, totdat Vrouwe Otrera een hand op haar hoofd legde en zei: 'Ik vroeg me al af waarom ik niet langer gestoord wordt door het krijsen van stervende muizen. Het enige wat ik nu hoor, is een klik, en dan stilte.'

Worstelend met een knoop murmelde Myrine: 'Waren mensenharten maar even gemakkelijk te strikken.'

'Kom.' Vrouwe Otrera wenkte haar om op te staan. 'Laten we een eindje wandelen. Het is zo'n mooie rustige avond.'

Meteen wist Myrine wat er achter haar verzoek school. De alziende moeder van het huis had haar heimelijke tochten naar het strand bemerkt, hetzij dankzij een ooggetuige, hetzij door eenvoudige deductie. Het Trojaanse schip had drie weken lang in de haven gelegen, maar Paris was maar één keer komen eten. Waarom? Wat had hij te verbergen?

Op haar hoede voor de schrobbering die ze verdiende, volgde Myrine Otrera door de moestuin naar de weide erachter. Daar, badend in het licht van de opkomende maan en een verwrongen schaduw werpend op het wilde graan, stond de Klokkenboom – een oude loofboom met windklokken aan zijn takken. Niemand had Myrine de logica van deze boom en zijn treurige zuchten nog uitgelegd, maar ze had al geraden dat hij dienstdeed als een wachter voor de doden, wier as – veronderstelde ze – in de grond eronder begraven lag.

Verward door hun bestemming stond Myrine naast Otrera stil en wachtte tot ze zou spreken. Ze vreesde dat schuld en boete het onderwerp zouden zijn en bereidde zich al voor op het betuigen van haar onschuld, toen Otrera een hand uitstak om de schors van de boom te strelen, en zei: 'Jij hebt Sisyrbe nooit gekend. Zij was de beste dochter die ik ooit heb gehad. Overtrad nooit een regel, weigerde geen enkele taak. Een briljante ruiter. Ze werd echter door een koorts geveld voordat ze volwassen was. En Barkida' – Otrera zweeg even om haar stem te bedwingen – 'viel van een paard en brak haar nek. Zij en zoveel anderen stierven veel te jong. Dus je ziet, het noodlot is de verdienstelijken niet altijd goed gezind. Het enige wat wij kunnen doen is eerlijk zijn tegenover onszelf, en er het beste van hopen. Een ongelukkig leven, beknot door een oneerlijke dood... dat moet toch wel de grootste tragedie zijn.'

Ze stonden een tijdje zwijgend naar de stille windklokken te kijken. Toen zei Myrine, die geen kritiek kon vinden in wat ze zojuist had gehoord: 'U zegt dus dat ik... gelukkig moet zijn?'

Otrera pakte haar rokken bijeen en liep een eindje verder het weiland in, langs een paadje naar een stenen bank die uitkeek op de glooiende helling waar de omheinde paardenweiden lagen. 'Wie ben ik om te raden wat het lot voor jou in petto heeft?' zei ze ten slotte terwijl ze op de bank ging zitten. 'Ik vertel je alleen wat ik op mijn hart heb.' Ze klopte op de bank om Myrine aan te sporen naast haar te komen zitten. 'Kom, en laat me je vertellen over de man die ik beminde.'

Met een geschokte uitroep liet Myrine zich op de bank vallen, en haar gezichtsuitdrukking maakte Otrera aan het lachen. 'Schrik niet. Het was heel lang geleden, en onze liefde werd nooit meer dan slechts bewonderende blikken. Want ik deed niets om hem aan te moedigen. Ik was immers toegewijd aan de Godin.' Ze zweeg even om Myrine streng aan te kijken, en vervolgde toen: 'En dus joeg die ontrouwe man op mijn zuster, en haalde haar over om haar geloften te verbreken en zijn vrouw te worden.' Met haar beide handen streek Otrera haar rok glad, wellicht het verdriet uit het verleden opnieuw belevend. Toen zuchtte ze en zei: 'Dwaas genoeg vierden ze hun bruiloft hier, onder het dak van de Godin, en trouw aan haar jaloerse aard gaf ze hun een afschuwelijk voorteken in ruil. Want op hun huwelijksnacht brak er een brand uit, en het dak van hun kamer stortte in en doodde hen bijna allebei.' Otrera schudde haar hoofd. 'Je kunt je voorstellen dat de zieners daarop dood en eeuwige verdoemenis voorspelden en adviseerden om het kind te doden dat uit die nacht geboren zou worden. Maar natuurlijk weigerde mijn zuster om zo'n wrede en bijgelovige maatregel te nemen, en de jongen werd met veel liefde grootgebracht, om een lieveling van zijn volk te worden.'

Myrine verschoof ongemakkelijk op de bank. Ineens herinnerde ze zich wat Paris haar bij hun aankomst in Efeze had verteld, dat Vrouwe Otrera zijn moeders zuster was, en dat zijn ouders elkaar hier hadden ontmoet, op de boerderij. Kon het zijn, vroeg ze zich af, dat Paris het kind was dat verwekt werd tijdens de brand? Kon zo'n capabele, vrolijke jongen – die nu een man was – onder zulke boze voortekenen geboren zijn?

'Dus je ziet' – Otrera hief even haar handen, om ze vervolgens weer in haar schoot te laten vallen – 'als ik echt van die man had gehouden, zou ik een bittere oude vrouw zijn. Ik zou zeggen dat de Godin míj had gestraft, en haar niet.' Ze zweeg even, en rechtte toen haar rug. 'Maar alleen de onverstandige spreekt voortijdig een oordeel uit. Het noodlot is geduldig. Vroeg of laat weet het je te vinden.'

'De eed die ik gezworen heb,' begon Myrine, 'was aan de Maangodin...'

'En aan je zusters.'

'Dat is waar.' Myrine leunde voorover met haar ellebogen op haar knieën. 'Maar ik geloof dat ik mijn schuld aan hen al heb afbetaald. En wat de Godin betreft... zij heeft niets gedaan om ons te beschermen. Als iemand onze heilige eed heeft verraden, is zíj het wel.'

'Voorzichtig.' Otrera stak een hand op. 'Zelfs de goden moeten gehoorzamen aan het noodlot. Misschien heeft de hemel een groots plan... misschien niet. Maar laat ons de machten die wij niet begrijpen niet bespotten.'

'Het spijt me,' fluisterde Myrine en ze boog haar hoofd. 'Ik heb nooit mijn mond kunnen houden in het aanzicht van onrecht.'

Otrera gaf een klopje op haar hand. 'En daarom alleen al zullen wij je verschrikkelijk missen.'

28

Iemand wiens roem op waarheid is gestoeld,
Kan ik bewonderen, maar als het leugens zijn,
Verdient hij niets. Hij is bij toeval wijs.
– EURIPIDES, *Andromache*

TROJE, TURKIJE

ZOLANG ZE BIJ ONS WOONDE, had oma niet verhuld dat ze een hekel had aan mannen, of, waar het mij betrof, jongens. Niet omdat ze noodzakelijkerwijs boosaardig waren, maar omdat ze hen als tijdverlies beschouwde. 'Laat je niet van je training afhouden door een of ander donsharig puppy-jongetje,' zei ze altijd, zonder het herhalen ooit moe te worden. 'Later, als je groot bent en je waarde hebt bewezen, kun je van het gezelschap van een gezonde man genieten zoals van een goede maaltijd. Eten, slapen en vergeten.'

Het was wellicht nooit bij oma opgekomen dat ik een dergelijk expliciet advies nodig zou hebben, als Rebecca – in een kenmerkend moment van overstromende geheimhouding – het verhaal achter de aanwezigheid van de golfbal uit Manor Park in ons verborgen blikje verzamelobjecten niet had verklapt. 'We denken dat hij van James Moselane is,' fluisterde ze, het balletje in haar handen koesterend alsof het een jong vogeltje was.

'Hm,' zei oma, terwijl ze met afkeer het kleine hotelzeepje besnuffelde. 'Wie is James Moselane, en waarom verdienen zijn ballen een plaats in dit blik?'

Toen Rebecca eindelijk klaar was met uitleggen, schudde oma haar hoofd en zei: 'Jullie moeten je geest bevrijden van zulke nutteloze gedachten. Jullie allebei. En harder trainen! Jullie armen zijn nog steeds te slap.' Ze stak een hand uit om Rebecca's schouder te betasten. 'Als jullie sterk genoeg zijn om jezelf op te trekken, en als jullie een man in de strijd verslagen hebben, dán mogen jullie met James Moselane spelen. Maar niet eerder. En vergeet niet te delen. Begrepen?'

Nu we hier samen tussen de Trojaanse ruïnes stonden en James zagen naderen, zag Rebecca er net zo doodsbang uit als die dag, lang geleden, luisterend naar oma's instructies. En ik net zo goed, vreesde ik.

'James!' riep ik uit, mijn hart in alle staten terwijl ik probeerde te beslissen hoe ik hem moest begroeten. Normaal gesproken raakten we elkaar nooit aan, behalve soms een korte maar waarschijnlijk onbedoelde streling als hij me in of uit mijn jas hielp. Maar deze keer kwam hij recht op me af lopen en kuste me op mijn wang.

'Morg,' zei hij met een warme glimlach. 'Het spijt dat het zo lang heeft geduurd om je in te halen.' Toen wendde hij zich tot Telemachos en dr. Özlem, die hij begroette alsof het oude vrienden waren.

Intussen zag ik Rebecca achter zijn rug nerveus naar Nick kijken, en daarna naar mij, alsof ze zich ervan wilde verzekeren dat de gevoelens die ik haar op de boot had bekend op geen enkele manier zo vergevorderd waren dat we in zoiets verachtelijks als een driehoeksverhouding zouden belanden. Maar van Nick hadden we niets te vrezen: hij keek naar me alsof ik er niet eens was, of, nauwkeuriger misschien, alsof ik een vreemde voor hem was, nauwelijks een verandering van gezichtsuitdrukking waard. Ik kon slechts hopen dat ik er even blasé uitzag als hij.

In tegenstelling tot de rest van ons leek Nick helemaal niet verrast door de plotselinge komst van James. 'Ik vroeg me al af wanneer jij zou opduiken,' zei hij, de aangeboden hand met afgemeten enthousiasme schuddend, 'sinds je naam op mijn telefoon verscheen.'

'Ach, nou ja' – James wrong een kortaangebonden glimlach tevoorschijn – 'ik had al eerder willen komen. Oxford houdt zijn activa graag in de gaten. Nick, zei je?'

'Je weet best wie ik ben.'

Je moest James goed kennen om de zweem van ergernis over zijn gezicht te zien trekken, anders had je er een glimlach in kunnen zien. 'Ik hoor dat onze advocaten het geweldig met elkaar kunnen vinden,' zei hij. 'Er gaan enorm geestige brieven heen en weer.'

Nick beantwoordde de glimlach niet. 'Ik vrees dat ik mijn gevoel voor humor kwijt ben.'

Er viel even een stilte, waarin de twee mannen elkaar doordringend aanstaarden alsof ze duellisten waren die wachtten tot de zakdoek viel. Uiteindelijk liep Nick weg en James richtte zich hoofdschuddend tot mij. 'Sommige mensen,' zei hij, net hard genoeg zodat Nick hem zou horen, 'kunnen niet gewoon blij zijn met wat ze hebben, maar moeten per se proberen andermans bezittingen in handen te krijgen.'

Ik wist niet of hij mij bedoelde of de Moselane Manor Collectie, maar zocht tijdelijk toevlucht in de onzekerheid. Het was me echter wel duidelijk dat James naar Troje was gekomen om mij van de Aqrab Foundation te redden; mijn laatste sms aan hem had ik met Nicks mobiel verstuurd. Zijn aanwezigheid hier leek in elk geval te suggereren dat hij onze vriendschap een treetje wilde opvoeren. Waarom zou hij anders de moeite nemen om me op te sporen in Turkije, als hij wist dat ik over een paar dagen weer in Oxford zou zijn?

'Vertel eens,' zei ik, terwijl iedereen in de richting van de parkeerplaats liep en wij de kans kregen om een eindje achter te blijven. 'Hoe wist je dat we vandaag hier zouden zijn?'

James stopte en pakte mijn hand. 'Morg,' zei hij, en hij keek me aan met die hypnotiserende, bodemloze ogen van hem, 'ik heb gebeld en gebeld...'

Zijn oprechtheid vertederde me. 'Mijn telefoon is gestolen,' vertelde ik. 'Ik wilde drie dagen geleden al naar huis vliegen, maar... het werd ingewikkeld. Mijn studenten zijn vast enorm boos op me.'

'Hoe kom je aan die blauwe plek?' Met ongewone tederheid legde James zijn vingers tegen mijn slaap. Ik had me niet eens gerealiseerd dat de bult nog zichtbaar was. 'Maak je geen zorgen, meisje.' Hij sloeg een arm om mijn schouders en trok me even tegen zich aan. 'Ik ben er nu, en alles is onder controle. Toen ik je bericht kreeg, dacht ik: Weet je wat, ik ben ook nog nooit in Troje geweest. Misschien is dit wel een goed moment.' Hij keek even naar Nick, die naast het busje van Özlem op ons stond te wachten en met zijn vingers op het verkleurde metaal trommelde. 'Bovendien heeft mijn oom een huis aan de Zwarte Zee. Elk excuus is goed genoeg om in zijn auto's te rijden' – James knikte naar het enige andere voertuig op de parkeerplaats, een Aston Martin in typisch Brits groen – 'en schone jonkvrouwen te redden.'

De Özlems bewoonden een kleine boerderij midden in een koeienweide. Hoe meer ik rondkeek in het nederige huisje, hoe sterker ik ervan overtuigd raakte dat het oorspronkelijk gebouwd was om vee te herbergen, geen mensen.

'Ik ga het vuur niet aansteken,' verkondigde Özlem op zeker moment, wat mijn vermoedens over het gebouw aanwakkerde, 'omdat mijn vrouw vindt dat het te veel naar koeien ruikt als de muren warm worden. Wat mij aangaat' – hij wees droevig naar zijn neus – 'ik ruik helemaal niets meer. Dat kan soms gebeuren, zeggen ze.'

Hoewel ze geen Engels sprak, begreep mevrouw Özlem de essentie van het gesprek en ik voelde een steek van medelijden toen ik de opgejaagde blik op haar vriendelijke gezicht zag. Fijngebouwd en gehuld in versleten grijstinten bewoog ze zich met de gepijnigde gratie van een ouder wordende ballerina, elke stap en elk gebaar gewijd aan het welzijn van haar echtgenoot. Als Telemachos niet al meer dan eens een wenk had gegeven over de ziekte van dr. Özlem, zou de diepgewortelde bezorgdheid op het gezicht van mevrouw Özlem ons alles hebben verteld over de kwetsbaarheid van haar man.

'Wat een charmant huisje,' zei James, die de uitnodiging om mee te eten graag had aangenomen en nu zijn best deed om onze gastheer te compenseren met vrolijke opmerkingen. 'Ik neem aan dat dit als traditionele Turkse bouwkunst zou worden beschouwd?'

'Ja,' zei dr. Özlem, die voor iedereen troebel water inschonk uit een driepotige koperen karaf. 'Turkse bouwkunst voor koeien. Dat was ons huis, daarboven.' Hij knikte naar een ingelijste foto aan de muur. 'We hebben het verkocht om de advocaten te kunnen betalen. Onze zoon studeert rechten, maar te laat.' Hij begon de waterglazen uit te delen, met gebaren die even waardig waren alsof hij ze gevuld had met de fijnste champagne. 'Nu zou ik liever willen dat hij dokter werd. Of loodgieter. Loodgieter zou fijn zijn.'

Later, tijdens het avondeten aan twee tegen elkaar geschoven tafeltjes, glimlachte James naar de goegemeente en zei: 'En, hoe is het met de Amazonejacht? Het verbaast me dat het zo lang duurde voordat jullie hier kwamen. Wordt Turkije niet als echt Amazonegrondgebied beschouwd? Werd de tempel van Artemis in Efeze, net ten zuiden van hier, niet naar verluidt door de Amazones gebouwd? Een van de zeven wereldwonderen, als ik me niet vergis?' Hij keek even naar dr. Özlem voor bevestiging.

'Sommige wetenschappers,' knikte onze gastheer, die gelukkig niets merkte van de tandenknarsende spanning rond de tafel, 'geloven dat er een groter aantal matriarchale gemeenschappen bestond in de klassieke mediterrane wereld – bijvoorbeeld op het eiland Lemnos – maar dat de verspreiding van de door mannen gedomineerde Griekse cultuur deze gemeenschappen steeds verder naar het oosten verdreef, tot ze uiteindelijk als koloniën aan de kust van de Zwarte Zee eindigden. Het kan zijn dat Efeze ook een matriarchale maatschappij was, en de vele legenden en namen verbonden met de Amazones in deze streek suggereren dat ook hier ooit een matriarchale traditie bestond.'

'En dat is de reden, stel ik me voor' – James wierp mij een glimlach toe, erkennend dat hij mijn uitleg hanteerde over het onderwerp – 'dat helden zoals Herakles het hun plicht achtten om af en toe een preventieve campagne uit te voeren en hun gordels te stelen.' Nog steeds glimlachend keek James over de tafel naar Nick. 'Ben je bekend met de twaalf werken van Herakles? Dat was er een van, weet je, het stelen van de gordel van de koningin van de Amazones. Heb je daar tot dusver al succes mee geboekt?'

Nick keek naar James met een heel vreemde uitdrukking op zijn gezicht, alsof hij mijlenver weg was met zijn gedachten. Toen kwam hij ineens weer bij en zei: 'Ik ben niet zo geletterd als jij, wat damesondergoed betreft.'

Een donderend gelach van Telemachos verjoeg eindelijk de onheilspellende sfeer. Zelfs Rebecca vrolijkte genoeg op om in mijn oor te fluisteren: 'Laten we het alsjeblieft bij de mythen houden en niet persoonlijk worden.'

Hoewel ik niet in de stemming was om opgewekt te converseren, wist ik dat ze gelijk had. 'Laat mij dit even ophelderen,' zei ik tegen Nick en James, 'aangezien ík degene ben met een graad in de mode van de Amazones. Een gordel is, ietwat teleurstellend, alleen maar een brede riem die het onderlichaam beschermt. De bronstijdversie van de kogelwerende grote onderbroek. Een man zou zijn riem gebruiken om wapens aan te dragen, zoals een zwaard of een dolk, terwijl een vrouw – in ieder geval in de literatuur – de gordel droeg als een symbool van bescherming en maagdelijkheid. In het geval van de Amazonekoningin gold dat vanzelfsprekend allebei. Door haar gordel te stelen, ontnam Herakles haar in zekere zin zowel haar mannelijke kracht als haar vrouwelijke waardigheid. Of, minder filosofisch uitgedrukt: hij verkrachtte haar én hij stal haar pepperspray. Wat een held...'

Na het doorgeven van verschillende kommen en schalen zei Telemachos tegen Nick: 'Als je wilt, kunnen we verder varen langs de kust en het thuisland van de Amazones op de zuidelijke oever van de Zwarte Zee bezoeken.' Hij knikte naar dr. Özlem. 'Murat hier kent alle archeologen die in Karpu Kale en Ikiztepe werken...'

Daarmee wist hij eindelijk Rebecca te laten opleven: 'Ja, graag!' riep ze uit, met een blik op de twee oudere mannen alsof ze haar een plaats in een reddingsboot hadden aangeboden. Toen schoot haar iets te binnen en ze keek nerveus naar mij. 'Wat vind jij, Diana? Nog een paar daagjes...?'

Voordat ik zelfs maar kon beginnen met het opsommen van alle redenen om geen zeemijl langer door te brengen op de drijvende gevangenis van Telemachos, leunde James voorover om zich in de conversatie te mengen: 'Eigenlijk kom ik Diana stelen om haar mee te nemen naar een feest in Istanboel, morgenavond.'

Ik was niet de enige die hem ongelovig aankeek. 'Dank je wel voor de uitnodiging,' zei ik, 'maar ik heb al een feest, een feestje van vijf dagen, om terug te liften naar Engeland.' Bij het zien van zijn verwarring voegde ik er haastig aan toe: 'Ik ben mijn paspoort kwijt.'

'O, is dat alles!' riep hij uit. 'Mijn oom werkt in Istanboel bij het Britse consulaat. Ik kan binnen een uur een nieuw paspoort voor je regelen. Na het feest ligt het klaar.'

'Wélk feest?' vroeg Rebecca, namens alle anderen.

James glimlachte, maar vooral naar mij. 'Herinner je je Reznik, de verzamelaar die je aangeschreven hebt over de *Historia Amazonum*? Hij geeft morgen een fuif – een soort gemaskerd bal. Ik ben zo vrij geweest om een plekje op de gastenlijst op te eisen. Het leek me voor jou een fantastische gelegenheid om de man te ontmoeten.'

Over de tafel heen keek ik naar Nick. Hij had beweerd dat de Moselanes samenspanden met Grigor Reznik en zijn Geneefse smokkelaars... Was dat echt waar? Maanden geleden, toen ik James voor het eerst had verteld over mijn brieven aan Reznik, had hij me niet verteld dat hij de man persoonlijk kende.

Nick ontmoette mijn blik met ongewone ernst en schudde discreet zijn hoofd, alsof hij wilde zeggen: niet doen.

'Reznik!' flapte Telemachos eruit, niet in staat om zijn afgrijzen nog een seconde langer in te houden. 'Die ezel heeft een groot huis in Istanboel vol gestolen antiek. Hij schept er zelfs over op tegen buitenlanders en beroemdheden, om ze te laten denken dat hij een hele piet is. Waar denk je dat de twee gestolen Amazone-armbanden van Murat tegenwoordig zijn? Hè?' Boos keek hij naar James, alsof hij hem ook verantwoordelijk hield.

'Ze zeggen dat hij in zijn kelder een kluis heeft' – Özlem legde een hand tegen zijn borst, alsof hij zijn hart tot rust moest brengen – 'vol goud uit Troje waarvan niemand het bestaan vermoedde. Onze zoon zat op de universiteit bij de zoon van Reznik en vertelde dat hij openlijk opschepte over de misdaden van zijn vader. Zo vader, zo zoon. Arme duivel. Uiteindelijk heeft hij zijn trekken thuis gekregen.'

'Duivel, ja,' zei Nick, met half toegeknepen ogen. 'Arm, nee.'

'Nou,' zei James, die een beetje geïrriteerd keek vanwege mijn gebrek aan enthousiasme, 'ik ga in ieder geval naar het bal, en jullie zijn van harte welkom om mee te gaan.'

'Wij allemaal?' Plotseling geïnspireerd ging Rebecca overeind zitten, keek me aan en riep uit: 'Dat is fantastisch! Dan kunnen James en ik Reznik afleiden terwijl jij een blik werpt op de *Historia Amazonum*!'

'Geweldig plan,' zei ik. 'Kom je me daarna ook uit de bak halen?'

James sloeg zijn ogen ten hemel. 'Het manuscript ligt tentoongesteld in de bibliotheek van Reznik, waar iedereen het kan zien. Het is niet eens verbonden met een alarm.'

'Hoe weet jij dat?' vroeg ik, maar hij leek me niet te horen.

'Ooo!' baste Telemachos met een smachtend hoofdschudden. 'Wat zou ik dat manuscript graag in handen krijgen. Ze zeggen dat het essentiële informatie bevat over het lot van de laatste Amazones.'

'Laatste?' Ik keek hem verbaasd aan. Als hij oprecht geloofde dat er nog altijd Amazones waren, hoe kon hij dan over de laatste spreken?

Telemachos haalde zijn schouders op, en de hele tafel wiebelde. 'Ik herhaal alleen maar wat ik heb gehoord. Dat is het nou juist met de *Historia Amazonum*: we zullen het nooit weten, tot het echt vertaald en uitgegeven wordt.' Vanaf de andere kant van de tafel knikte hij me toe. 'Eeuwige roem, goudharig filoloogje van me, zal het lot zijn van de wetenschapper die die taak volbrengt.'

'U bedoelt, die het van Reznik steelt?'

'Steelt... leent... uit zijn zakken kletst...' Telemachos leek niet al te bezorgd over de legale aspecten van de zaak. 'Waar het die man betreft, zou ik zeggen dat alles mogelijk is.'

Ik kon de waarschuwende blik van Nick voelen, maar negeerde hem. 'Het enige wat ik wil, is even snel kijken...'

James knikte om me te laten weten dat ik de verstandige keuze had gemaakt. 'Een snelle blik en een paspoort. Beschouw het maar als geregeld.'

De volgende morgen vertrokken we vroeg naar Istanboel. Ondanks de nogal tenenkrommende pogingen van James om hun uitnodiging in te trekken, stond zowel Rebecca als Nick erop om mee te gaan.

'Ben je nou helemaal gek geworden?' had Rebecca gevraagd, toen ik haar aanspoorde om op de boot te blijven met Telemachos en meteen aan haar jacht op een baan aan de Zwarte Zee te beginnen. 'Denk je nou echt dat ik je alleen naar dat feest laat gaan? Nee. We duiken erin en we worden samen tot haaienvlees gehakt. Jij en ik gaan mee als snoepje van de week aan de arm van James, en Nick kan voor lijfwacht spelen – gespierd en eenlettergrepig zijn is helemaal zijn ding. Toch, Nick?'

Op papier was het een rit van zeven uur; voor Rebecca en mij, opeengeperst op de achterbank terwijl James en Nick voorin heel andere dingen aan hun hoofd hadden, had het evengoed levenslang kunnen zijn. Het deed er niet toe dat we vrijwillig hadden aangeboden om achterin te gaan zitten; de fysieke benardheid was niets vergeleken met het onheilspellende voorgevoel dat me beving op het moment dat we Çanakkale verlieten, en dat door mijn ingewanden bleef weergalmen terwijl we langs de kust naar het noorden reden. Mijn impulsieve besluit om James te vergezellen naar Rezniks gemaskerde bal was zinvol geweest, zolang alleen wij tweeën erbij betrokken waren. Maar was het wel eerlijk om Rebecca mee te blijven slepen? Wat Nick betrof, ik was ervan overtuigd dat hij wel voor zichzelf kon zorgen, en toch maakte ik me ook zorgen over hem. Stel dat Reznik hem herkende?

'En wat een tragedie zou het zijn,' hoorde ik Nick vanaf de passagiersstoel tegen James zeggen, één espadrille op het dashboard geplant, 'als al die schoolkindertjes die zo graag naar musea gaan, weer boeken moeten gaan lezen om over de oude beschavingen te lezen. Stel je eens een wereld voor waarin alle artefacten uit het oude Egypte ook echt in Egypte zijn, en het hele klassieke Griekenland werd teruggebracht naar Griekenland. Wat? Bedoel je dat we op reis moeten om die dingen te zien? Kunnen we ze niet meer gewoon stelen?'

'Maar als je zo begint,' weerlegde James, zoals hij en zijn familie duidelijk al vele keren eerder hadden gedaan, 'waar hou je dan op? Als de musea leeg zijn? Het is gevaarlijk om zomaar draden uit het grote weefsel van de beschaving te trekken; het kan wel helemaal uit elkaar vallen.'

'Weet je,' zei Nick, 'er zijn heel veel mensen die de waterlelies van Monet boven de bank hebben hangen. Maar ik kan je verzekeren dat niemand zich de haren uit het hoofd trekt omdat hij of zij het origineel niet bezit. Waarom is dat, vraag je? Omdat normale, verstandige mensen – socialisten en bankrovers daargelaten – zich niet gerechtigd voelen om iets te bezitten wat hun niet toebehoort.' Hij verschoof op zijn stoel, duidelijk snakkend naar afstand van James. 'En trouwens, we proberen het grote weefsel van de beschaving niet te ontrafelen, we willen alleen het patroon corrigeren.'

James schudde zijn hoofd. 'Veel succes. Was de wereld maar zo beheersbaar. Iedereen die probeert te bepalen welk land de wettige eigenaar is van welk voorwerp, heeft een levenslange migraine aan zijn broek.'

'Vertel dat maar aan het Nationale Museum van Denemarken,' zei Nick, tegen het raampje geleund. 'Die hebben al vijfendertigduizend artefacten van de Inuit gerepatrieerd naar Groenland. Ik denk dat zij het als een maatregel ter voorkoming van migraine zien.'

'De Denen. Altijd weer de Denen.' James keek amper over zijn schouder voordat hij invoegde in een dichte rij passerende voertuigen. 'Geschiedenis bestaat nergens, behalve in boeken. Boeken die *wíj* schrijven. Ga maar na. De meeste artefacten hebben onderweg vele wettige eigenaren gehad – aan wie zouden we ze terug moeten geven? Moet een bepaald standbeeld terug naar Griekenland, waar het oorspronkelijk werd gemaakt, of naar Rome, waar het werd verkocht door de vertegenwoordiger van de kunstenaar, of naar Frankrijk, waar de Romeinse koper als proconsul naartoe ging, of naar Spanje, waar zijn erfgenamen na zijn dood zijn gaan wonen?' Hij wierp Nick even een verrassend sympathieke blik toe. 'In je verlangen naar rechtvaardigheid is het waarschijnlijker dat je een heel nieuw wespennest van onrechtvaardigheid oproept.'

Op de achterbank naast Rebecca vroeg ik me opnieuw af waarom Nick had besloten om met ons mee te gaan naar Istanboel. James mocht dan misschien gedreven worden door een romantische impuls om mijn reddende ridder te zijn, ik betwijfelde of Nicks beweegredenen zo welwillend waren. Er stond iets anders op het spel – misschien wel ingewikkelder dan een schat.

'Ik vroeg me al af wanneer jij zou komen,' had Nick gezegd toen

James zich in Troje bij ons voegde. Waren die woorden de sleutel voor mijn rol in het geheel? Was dat de ware bedoeling van mijn aanwezigheid, om de Moselanes uit hun schemerige tent te lokken, de schijnwerpers in? Als dat zo was, was het niet meer zo vreemd dat Nick James voortdurend mijn vriendje bleef noemen. Misschien was dat het woord dat in de memo stond van de Aqrab Foundation over Diana Morgan.

En als het uiteindelijk toch niet om de Moselanes ging, dan... was ik weer terug bij af en begreep ik nog steeds niet waarom Nick de kwelling onderging van een hele dag in de Aston Martin geperst zitten, zonder duidelijke reden behalve de twijfelachtige gelegenheid om zich later op de avond voor te doen als de lijfwacht van James op het feestje van Reznik.

Telkens wanneer ik mijn ogen sloot, zag ik een diavoorstelling van tegenstrijdigheden, onderbroken door beelden van oma, die me aankeek vanachter een zanderig busraampje en iets zei wat ik niet kon verstaan, voordat de chauffeur de deur tussen onze werelden sloot en haar meevoerde naar het onbekende.

James reed helemaal naar het historische stadscentrum van Istanboel en parkeerde recht voor een openbaar badhuis dat de Cağaloğlu Hamam heette. 'Ik weet niet hoe het met jullie zit,' zei hij met een blik op Rebecca en mij in de achteruitkijkspiegel, 'maar ik ben klaar voor een Turks bad.'

Terwijl wij op de stoep stonden te bespreken wat we aan moesten naar Rezniks feest en waar we dat konden kopen, slingerde Nick zijn plunjezak over zijn schouder en zei: 'Nou, bedankt voor het meerijden. Hier' – hij wierp me een klein, strak opgerold bundeltje bankbiljetten toe – 'ik dacht dat jij je fooi misschien wel graag in Turkse lira's zou willen hebben. Veel plezier vanavond.'

'Maar... wacht!' Ik liep naar hem toe, bijna struikelend over de stoeprand. 'Ga je dan niet met ons mee?'

Nick keek op zijn horloge. 'Ik weet niet of ik dat wel red.'

Toen realiseerde ik me pas dat ik de afgelopen paar minuten in een vreemd gewichtloze toestand had verkeerd; plotseling keerde de zwaartekracht met een klap terug. 'Dus dit was het?'

Hij flitste me een volkomen onbezorgde glimlach toe en schudde mijn hand met professionele kortaangebondenheid. 'Veel succes met je verdere werk. En denk erom.' Hij knikte naar mijn jakhalsarmband. 'Zorg dat Reznik die niet ziet.'

James lachte, zichtbaar opgelucht door deze ontwikkeling. 'Ik dacht dat je mijn lijfwacht was! Betekent dit dat je geen kogel voor me gaat opvangen?'

Nick zette een stap achteruit, en toen nog één. 'Dat heb ik al gedaan.'

Ondanks de discrete, om niet te zeggen nederige ingang, bleek het Turkse badhuis een zeldzaam magische plek te zijn. Aan het einde van een lange gang, diep verborgen in een complex van hedendaagse gebouwen, lag een magnifieke oude hamam, als een in de rots genesteld kristal – een spelonk van tijdloze schoonheid, volmaakt beschut tegen de buitenwereld.

Pas toen we languit op een marmeren plateau lagen in de verder lege vrouwenstoomruimte, gekleed in bijna niets, mompelde Rebecca eindelijk, al loom van de hitte: 'Wat bedoelde hij met die opmerking over een kogel?'

'Geen idee.' Ik keek naar het gewelf boven ons hoofd, waar een patroon van kleine ronde gaatjes een fascinerende sterrenslag van daglicht creëerde. 'Kom, jij nacht bij dag... of is het dag bij nacht?'

'Zo is dat,' zei Rebecca, die er verbazend comfortabel bij lag op het natte marmer, met een arm over haar ogen. 'Ik maakte me zorgen over je, weet je dat. Ik wist zeker dat Nick de vierde ruiter van de Apocalyps ging worden.'

'Nou, berg je zorgen maar op.' Ik ging abrupt overeind zitten, niet in de stemming om het onderwerp te bespreken. 'Zoals je gezien hebt, galoppeerde hij dwars over me heen.' Voordat Rebecca nog iets kon zeggen liep ik over de stenen vloer naar een van de marmeren wasbakken aan de muur, waar ik met behulp van de koperen kroes koud water over me heen goot.

Het had geen zin. In plaats van mijn kloppende hoofd te kalmeren, waste het ijskoude stroompje alleen mijn haastig aangebrachte laag schone schijn weg. Het was niet zozeer het water dat me de adem benam, maar het verscherpte beeld van Nick die bij de hamam wegslenterde en uit mijn leven verdween.

Als Telemachos bij ons was geweest – en het was niet moeilijk om me hem voor te stellen, volkomen op zijn gemak op het marmeren plateau van het badhuis, waar hij met een homerische lendendoek om zijn middel druiven naar binnen zou werken, bij trossen tegelijk – had hij me ongetwijfeld verteld dat Nick vroeg of laat wel weer zou komen opdagen, net als verloren handtassen. Maar tot dusver had hij ongelijk gehad wat mijn handtas betrof, en ik vreesde dat hij dat wat Nick betrof ook zou krijgen.

De man die een uur geleden mijn hand had geschud en weggelopen was, achteloos zijn berichten checkend op zijn mobiel, had er volgens mij niet uitgezien als iemand die zou komen opdagen op het feest van Reznik of waar dan ook. Na een dag te hebben doorgebracht met drie Britten en meedogenloos te zijn bestookt met het gevatte commentaar van James Moselane, had Nick er eerder uitgezien alsof hij bereid was om de Hellespont over te zwemmen om aan ons te ontsnappen.

Natuurlijk kon ik hem bereiken via de Aqrab Foundation; hij was heus niet spoorloos verdwenen. Het zou alleen maar een telefoontje naar Dubai vergen. Maar wat zou ik moeten zeggen? Waarom was het zo verschrikkelijk belangrijk dat ik Nicholas Barrán te pakken kreeg?

Ik zuchtte en vulde de gietkroes nog eens. Toen ik vooroverleunde, schraapte oma's armband tegen de marmeren wasbak, en ik werd overmand door een irrationele woede tegen het kronkelende brons omdat het me niet wilde loslaten, zelfs hier niet. Het was absurd, natuurlijk, maar ik had bijna het gevoel dat de jakhals had meegewerkt aan het afschrikken van Nick... alsof het beest had gevoeld dat hij James de afgelopen vierentwintig uur gestaag aan het inhalen was geweest in een geheime wedren om mijn hart.

Het vergde een proactieve modezaak in het warenhuis Kanyon om het kleine kreng eindelijk te muilkorven. Om mijn armband te bedekken zonder de benodigde elegante look te compromitteren, stond de verkoopster erop dat ik satijnen handschoenen met ruches zou dragen bij een lange avondjurk met blote schouders. En om helemaal zeker te zijn dat niemand het geheel voor iets anders dan een modestatement zou aanzien, moest Rebecca hetzelfde aan. Met bijpassende schoenen, uiteraard.

'Oma zou het niks vinden,' was het enige wat ik kon verzinnen toen we naast elkaar voor de vergulde winkelspiegel stonden – Rebecca in het groen om haar rode haar goed uit te laten komen, en ik in het blauw van mijn ogen.

'Daar ben ik het niet mee eens,' zei Rebecca, wier stemming aanzienlijk verbeterd was toen ik tijdens onze taxirit naar het winkelcentrum mijn tienduizend dollar plus fooi met haar had gedeeld. 'Jouw oma zei altijd dat de grootste kracht van een vrouw ligt in haar vermogen om de vijand wijs te maken dat ze zwak en simpel is, toch?'

Een pieptoon onderbrak ons gesprek. Het was Rebecca's mobiel, die een sms-bericht aankondigde. 'Ik denk zomaar,' zei ze, met een fronsend knikje naar het scherm voordat ze me de telefoon gaf, 'dat deze voor jou is.'

Ik herkende het nummer niet, maar ik wist meteen dat het bericht van Nick kwam. *Je laptop is in Istanboel*, stond er. *Blijf uit de buurt van GR.*

'Het ziet ernaar uit dat Reznik inderdaad mijn laptop gestolen heeft,' vertelde ik Rebecca; ik deed mijn best om geamuseerd te klinken. 'Wat vind jij, krabbelen we nu terug?'

'O nee, helemaal niet!' Met haar handen in haar zij keek Rebecca nijdig naar ons spiegelbeeld. 'We zijn toch niet van plan om dat ding terug te stelen. Reznik kan niet eens weten dat jij het bent.'

Ik bestudeerde mijn eigen spiegelbeeld. Rebecca had waarschijnlijk gelijk, het zou niet bij Reznik opkomen dat ik vrijwillig naar hem toe kwam, door niets anders gedreven dan de nederige hoop om de *Historia Amazonum* met eigen ogen te kunnen zien en wellicht, als het feest goed op gang kwam, snel even door te bladeren...

Te laat, schreef ik in mijn antwoord aan Nick. *Maar bedankt.*

Later, bij een kebab aan de toonbank in een van de restaurants van het warenhuis haalde ik het briefje tevoorschijn dat Telemachos bij het afscheid in mijn hand had gedrukt. 'Hier,' had hij gefluisterd, ongewoon discreet. 'Er is nóg een jakhalsarmband. Ik dacht dat je dat wel zou willen weten.'

Op het briefje stond alleen MUSEUM UND PARK KALKRIESE. DR. JÄGER.

'Duitsland?' vroeg ik, omdat ik niet helemaal begreep wat hij van me wilde.

Telemachos knikte. 'Bij Osnabrück. Die vrouw, dr. Jäger, weet veel meer dan ze loslaat. Zij zou best eens de antwoorden kunnen hebben waar jij naar op zoek bent.'

'Wat is dat?' Rebecca richtte haar kebab op het briefje. 'Een liefdesbrief?'

'In zekere zin wel.' Ik liet haar het briefje lezen. 'Het Orakel wil dat ik wat veldwerk voor hem doe. Kennelijk is hij erin geslaagd om persona non grata te worden in de Duitse museumwereld, en als ik er ooit heen ga, mag ik zijn naam niet noemen.'

'Echt?' Rebecca keek gekrenkt, en ik begreep dat ze het vervelend vond dat Telemachos míj dat had toevertrouwd zonder er tegen haar ooit iets over te zeggen.

'Maak je geen zorgen.' Bij gebrek aan een handtas stopte ik het briefje in mijn nieuwe blauwsatijnen avondtasje. 'Ik ga natuurlijk helemaal niet naar Duitsland.'

'Nee.' Rebecca had het druk met de druipende kebab. 'Jij gaat een romantisch weekendje weg met James. Eindelijk!'

Bij het idee kromp ik in elkaar. 'Beslist niet. Zodra ik dat paspoort heb, ben ik hier weg.'

Rebecca keek me een poosje aan, maar sprak haar irritatie gelukkig niet uit. Jarenlang had ik haar verveeld met mijn dromen over James, en nu hij binnen bereik was, moest ik hem niet.

Hoewel James nog steeds James was, was hij niet langer de man die ik in Oxford had gekend. Vanuit de positie van voorkomende vriend had hij zichzelf tot onuitgesproken verloofde gebombardeerd, en in zijn duikvlucht alle traditionele ouvertures overgeslagen. Schijnbaar was het in zijn ogen overbodig om zelfs maar naar mijn gevoelens te vragen... alsof hij zo overtuigd was van mijn toewijding, dat hij geen moeite meer hoefde te doen om die te verdienen. En dus behandelde hij me alsof het allemaal al rond was. In elke blik die hij me schonk, elk woord dat hij tegen me sprak, klonk het idee dat ik hem toebehoorde. Het bezorgde me allemaal een vreemd hol gevoel.

Grigor Reznik woonde in een grandioze, moderne monstruositeit in de exclusieve wijk Ulus. We kwamen te voet de oprijlaan op, door een hoog hek waar beveiligers elkaar verdrongen. Onderweg naar het huis, over een tuinpad geflankeerd door brandende fakkels, hadden we een weids uitzicht op de donkere Bosporus beneden ons met zijn verlichte bruggen en de kriskras lopende rijen straatlantaarns op de oostelijke oevers.

'Ik dacht dat hij zo dol was op alles wat antiek is,' prevelde Rebecca, haar blauw met groene schmink samenknijpend bij de aanblik van het hoekige, volkomen strakke huis dat voor ons opdoemde. Licht stroomde op ons af vanuit drie verdiepingen vol panoramaramen, maar het had een koele, fluorescerende tint – een berekenende gloed, eerder afwerend dan gastvrij.

'Zo te zien,' zei James, pauwenglitter van zijn Aladdin-mouwen vegend, 'gelooft Reznik dat minimalistische architectuur de optimale omlijsting is voor kunst. En voor foltering. Zie je de samoerai?' Hij wees op de twee grimmige mannen in Japanse kledij aan weerszijden van de deur, die de uitnodigingen controleerden. 'Vroeger had Reznik zijn eigen geheime politie, en deze heren – zijn hoogste officieren – zijn met hem mee gepensioneerd, zogezegd.'

'Vertel nog eens waarom we deze engerd ook alweer opzoeken?' mompelde Rebecca, huiverend in haar satijnen shawl.

Op dat moment, toen James naast ons de treden naar de voordeur van het huis beklom, begreep ik ineens dat hij niet naar Turkije was gekomen om mijn ridder te zijn. Hij was hier vanwege Nick. Net als de mythe van de mooie Helena van Troje was de mythe van de onweerstaanbare Diana Morgan niet meer dan een begoochelende illusie, gedrapeerd over prozaïsche feiten. De Aqrab Foundation had de Moselanes de oorlog verklaard door hun antiekverzameling te willen afpakken, en nu wilden ze kennelijk ook mensen afpakken. Het was allemaal beschamend simpel: wat zijn ware gevoelens voor mij ook waren, James was veel te hoogmoedig om Nick ongestraft ook maar één van zijn zogenaamde bezittingen te laten meenemen.

29

TROJE

OP DE AKKERS waren de boeren druk met wieden en water geven toen Myrine en haar kleine entourage eindelijk de wildernis achter zich lieten. Toen ze nogal plotseling de bossen uit kwamen, stonden ze aan de rand van de vlakte van de Skamandros, met een weids uitzicht over het dal van de rivier tot aan de hoofdstad waarvoor ze zo ver hadden gereisd.

Glanzend in de middagzon lag de stad op het landschap als een gracieuze, kostbare kroon die een vergeetachtige koning in een weide had achtergelaten. Ondanks de versterkingen van kolossale muren en hoge torens – of misschien juist daardoor – had de stad iets dappers en onbevreesds, alsof de bewoners zo zeker waren van hun veiligheid dat ze zelfs amper de tijd namen om hun gereedschap te laten rusten en uit te kijken over de rivierdelta naar de zee erachter.

'Goed,' zei Animone, een van de vijf zusters die Myrine had uitgekozen om haar te vergezellen op haar reis, 'laten we nu de man vinden die er niet is, en meteen weer omkeren.'

Pas diezelfde ochtend, na een lange week rijden vanuit Efeze naar het noorden, had Myrine haar reisgenoten verteld over de woorden van Paris bij zijn vertrek en over de man die vermoedelijk op wacht stond op de heuvel die Batieia heette. 'Als er niemand is,' had ze uitgelegd, eindelijk haar grootste angst in woorden vattend, 'betekent het dat Paris niet langer op mij wacht; in dat geval gaan we terug naar huis. Het zou mij niet verbazen. Het is immers al een maand geleden.'

'Wat is een maand,' zei Kara, die, om redenen die alleen zij kende, had gesmeekt om mee te mogen op de tocht, 'voor een paar dat door het lot verbonden is?' Ze sprak de woorden met oprechtheid en toch vroeg Myrine zich onwillekeurig af – zoals zo vaak – of het echt waar kon zijn dat haar voormalige rivale nu haar vriendin was. Kara verkeerde nog steeds in de waan dat ze zwanger was; ze had ervoor gekozen om in haar imaginaire wereld te blijven. In die wereld was Myrine misschien wel de enige die haar begreep. Dat hield Kara in ieder geval steeds vol toen Myrine haar probeerde te overreden om thuis te blijven in Efeze.

Naast Animone en Kara was Lilli er natuurlijk, nog steeds met tegenzin bij Myrine op het paard gezeten. Achter hen reden Kyme en Hippolyta, die zichzelf duidelijk beschouwden als diplomaten van een zekere standing – Kyme vanwege haar leeftijd en haar kennis van het schrift, en Hippolyta omdat ze als enige in de groep de Trojaanse taal sprak.

'Laat het maar aan mij over,' had ze bij het plannen van de tocht verklaard. 'Ik kan met de bewoners praten, en ik ken de weg... helemaal naar de koninklijke troonzaal.' Ze had gelachen toen ze haar met ontzag aangaapten. 'Ik ben vaak genoeg met Moeder Otrera mee geweest. De koningin is haar zus, dat weet je, en vroeger was ze een van ons. Maar toen werd ze getroffen door die giftige pijl, in honing gedoopt' – schertsend greep Hippolyta naar haar hart – 'en in plaats van een vrij over de velden vliedende hinde, werd ze na het afwerpen van haar eed als een koe, gebonden in een stierenstal.'

Maar behalve de spotternij van Hippolyta en een paar bittere opmerkingen van anderen trok het nieuws van Myrines vertrek veel minder aandacht dan ze had gevreesd. Behalve Vrouwe Otrera was Lilli de enige die wist hoeveel pijn en verwarring Myrine had doorstaan voordat ze uiteindelijk besloot te vertrekken. Hoe zorgvuldig Myrine zich ook verborg om rustig na te kunnen denken, Lilli wist haar altijd te vinden. Of ze nu in de hooiberg, de graankelder of de huistempel was, Myrine kon er zeker van zijn dat ze vroeg of laat Lilli's zachte handen op haar armen zou voelen om in een warme omhelzing te worden getrokken.

Niet dat ze veel praatten over Myrines dilemma: Lilli begreep wel wat haar zusje voelde en ze wist dat woorden een situatie die op zichzelf relatief simpel was, alleen maar zouden vertroebelen. Er lagen voor Myrine twee wegen open: een weg van tijdelijke opluchting en levenslang berouw, en een weg van tijdelijke pijn gevolgd door groot geluk. Het feit dat Lilli ermee volstond haar stilte te delen, vertelde Myrine dat het meisje al wist wat haar keuze moest zijn.

Toen ze haar besluit om Efeze te verlaten ten slotte aankondigde, merkte Myrine dat Vrouwe Otrera vreemd onbewogen op het nieuws reageerde. 'Hoe minder we er op aarde over spreken, hoe minder oren het in de hemel zal bereiken,' zei Otrera streng terwijl ze haar mand neerzette. 'Maar je armband moeten we wel afnemen. Laat mij eens kijken...'

En zo werd Myrines jakhals midden in de moestuin van haar arm gehaald, zonder ceremonieel. 'Aangezien we morgen geen maan hebben,' vervolgde Otrera, die zo hard aan het metaal trok dat ze de pols eronder bijna brak, 'merkt de Godin misschien niet eens wat er gebeurd is. Hier' – ze stak Myrine de armband toe, trots dat ze hem naar haar wil had gebogen – 'je bent vrij om ermee te doen wat je wilt, zolang je het maar discreet doet.'

Maar Myrine kon zich er niet toe brengen om het beladen sieraad weg te gooien, en ze durfde het ook niet te houden, uit angst dat het haar toch nog zou bijten. Uiteindelijk schonk ze het aan Helena, het Griekse meisje, om het afscheid te verlichten. 'Ik wil deze aan jou geven,' zei ze terwijl ze de jakhals rond Helena's pols bevestigde, 'want jij bent de waardigste krijger die de Godin ooit kan krijgen. En misschien zal ze het niet erg vinden om mij te verliezen, als ze jou gewonnen heeft.'

Met eerbiedige vingers streelde het meisje het glanzende brons. 'Hoe vaak haat ik mezelf niet om de dingen die ik zeg,' zei ze zacht. 'Van iedereen hier ben jij de enige die zich nooit van me heeft afgekeerd. Sinds de nacht dat ik met jullie mee mocht, ben je mijn standvastige zuster geweest. Ik bid dat ik je die vriendelijkheid op een dag zal kunnen vergoeden.'

Eindelijk brak toen de dag van hun vertrek aan, met betraande omhelzingen en verlate woorden van dankbaarheid. Myrine beloofde plechtig om vaak op bezoek te komen, maar dat veranderde niets aan het feit dat ze de zusterschap verliet. Zij, die alles op het spel had gezet om hen allemaal weer bij elkaar te brengen, ging door naar nieuwe, verboden avonturen, en liet hen achter. Ondanks de tranen en de zegenwensen van haar zusters, zag Myrine in hun ogen dat ze het haar kwalijk namen.

De kleine heuvel die Batieia heette, stak opvallend uit de lage vlakte van de Skamandros, alsof een reusachtige mol een hoop grond had opgeduwd. Nu ze erheen reed, voor haar zusters uit, door een veld vol rijpend graan, tuurde Myrine met toegeknepen ogen strak naar die hoger gelegen contouren, omdat ze als eerste wilde kunnen verkondigen dat de man er niet was.

Maar hij was er wel.

De man die in kleermakerszit op de grond zat met zijn speer dwars over zijn schoot, rechtte eerst zijn rug en kwam toen verwachtingsvol overeind. En toen hij zijn arm opstak en zwaaide ter begroeting, zag Myrine dat het de langbenige Aeneas was, de meest vertrouwde gezel van Paris.

Duizelig van opluchting sprong ze van het paard en rende naar voren... om onhandig tot stilstand te komen aan de voet van de heuvel. 'Wacht je meester nog op mij?' vroeg ze, haar ogen beschuttend tegen de zon, 'of ben je hier om ons naar huis te sturen?'

Aeneas schudde zijn hoofd en boog zich voorover om zijn tas op te rapen. 'Als ik hem vertelde dat je hier geweest was maar omgekeerd bent door mijn schuld, zou deze heuvel weer anders genoemd moeten worden, naar mijn dode botten.'

Nadat hij aan de andere kant van de heuvel was verdwenen, verscheen Aeneas al snel op zijn paard. 'Kom mee,' zei hij, en hij begon stroomopwaarts te rijden, zich verwijderend van de stad. 'We gaan naar mijn huis in de heuvels. Daar komt hij naar ons toe.'

De blik die Kyme en Hippolyta wisselden, ontging Myrine niet. Evenmin als het teleurgestelde gezicht van Animone. Ze hadden allemaal, zo wist ze, gehoopt op een waardige ontvangst aan het koninklijke hof, zoals de dochters van Vrouwe Otrera dat gewend waren. Dat ze nu meegevoerd werden naar een hut op het platteland was een teleurstellende tegenvaller.

De rustieke charme van hun bestemming verzachtte de schande niet werkelijk. Hoog op een dicht beboste helling bleek het huis van Aeneas weinig meer te zijn dan een verzameling bescheiden houten huisjes... waarvan de stal verreweg het indrukwekkendst was.

'Dit is mijn zoon,' zei Aeneas over de jongen die aan kwam rennen om hen te begroeten en met de paarden te helpen. 'En daar' – hij wees over het modderige erf naar de kleinste hut van allemaal – 'logeert mijn meester wanneer hij hier is.'

Toen pas, toen hij om zich heen keek naar de vrouwen, leek Aeneas hun ongemak te bevatten. 'Ik weet,' vervolgde hij, met een vluchtige gekwetste frons op zijn voorhoofd, 'dat we een beetje ver van de stad zijn, maar daarom komt hij hier juist graag. Hij zegt altijd' – Aeneas keek even naar Myrine, duidelijk hopend op haar goedkeuring – 'dat dit zijn ware thuis is.' Enigszins verzoend met het idee om de nacht in de eenzame bergen door te brengen, volgden de vrouwen Aeneas naar zijn eigen huis en werden beloond met de verrukkelijke geur van stoofvlees. 'Dit is mijn vrouw, Creüsa.' Aeneas glimlachte naar de jonge vrouw die bij de haard in een koperen kookpot roerde. 'Ze spreekt jullie taal niet, maar ze begrijpt alles en weet wat ze moet doen. Ik laat jullie bij haar achter en kom straks terug.'

Na een paar woorden en een kus te hebben gewisseld met zijn vrouw, verliet Aeneas de hut. Een paar tellen later hoorde Myrine het geluid van een paard dat over het bospad galoppeerde en voelde een vlaag van opwinding bij de gedachte dat Aeneas naar Troje was vertrokken om Paris van haar komst op de hoogte te stellen.

De onmiddellijke zorg van hun gastvrouw was de maaltijd, maar een snelle tocht van Creüsa over het erf – wellicht naar een voorraadkamer – bracht een welkome toevoeging van kaas, brood en wijn. En al snel was de jonge vrouw klaar om iedereen aan tafel van eten en drinken te voorzien, terwijl ze zelf weer naar de andere kant van het erf verdween.

'Deze stoofpot is helemaal niet slecht,' gaf Animone toe, zodra ze alleen waren. 'Maar vanavond zou alles mij wel goed smaken.'

'Geef mij een zacht nest,' zei Kyme, gapend in haar wijn, 'en deze oude hen geeft geen kik van klacht meer.'

Een tijdlang aten ze in stilte. Zelfs Lilli was zwijgzamer dan anders en gedroeg zich alsof ze iets wist wat ze niet durfde te verwoorden.

Later kwam Creüsa terug met armen vol wollen dekens. Toen ze zag dat ze klaar waren met eten, wenkte ze haar gasten een andere kamer in en wees op een groot bed waar ze gemakkelijk allemaal in pasten. Maar toen Myrine haar sandalen begon los te maken, tikte Creüsa haar dringend op haar schouder om haar tegen te houden.

'Wat is er?' vroeg Lilli, die al midden in het bed onder de dekens gekropen was.

'Dat weet ik niet zeker,' zei Myrine. 'Ik geloof dat ze vraagt of ik haar wil helpen.'

'Nou.' Kyme gaapte weer terwijl ze haar gordel losmaakte en op de vloer liet vallen. 'Wat het ook is, jij bent de vrouw om het aan te pakken.'

Half in de verwachting dat Creüsa haar hulp nodig had met de grote ketel, was Myrine verrast toen de vrouw opnieuw naar buiten ging en haar mee wenkte. Buiten op het erf zag Myrine dat de zomerzon allang in de zee was gezonken, en toch hing er overal een dauwachtige frisheid die haar eraan herinnerde dat deze nacht nog maar pas begon.

Met veel bemoedigende glimlachjes voerde Creüsa Myrine mee naar de hut die Aeneas als die van Paris aangewezen had, en zette de deur wijd open om haar naar binnen te noden. Een beetje huiverig door de onverwachte koelte van de berglucht stapte Myrine een kleine keuken in waar in de haard een vriendelijk vuurtje brandde. Het vertrek was bepaald niet weelderig – er lag zelfs nauwelijks een mat om op te zitten – en toch stond er voor de haard een grote, nogal verbazende, met water gevulde houten teil.

Myrine liep er nieuwsgierig naartoe en zag toen ze zich voorover-boog haar eigen schimmige spiegelbeeld tussen de bloemblaadjes die in het water dreven. Er leek niets anders in de teil te zitten; pas toen ze opkeek en Creüsa's bemoedigende gebaren zag, besefte Myrine dat zij geacht werd in het water te stappen – een onverdiende eer voor iemand die geen hogepriesteres was, en zelfs geen heilige vrouw meer.

Ze schudde haar hoofd en liep achteruit... maar Creüsa hield haar tegen. Kennelijk gewend aan weerspannige schepsels ontkleedde de vrouw Myrine eigenhandig, behendig her en der dingen losknopend tot er niets meer was om uit te trekken. Toen pas, gedreven door haar kuisheid, zette Myrine een voet in het water – en vond het zo aangenaam warm dat ze niet langer aarzelde om erin te stappen en te gaan zitten.

Daarbij steeg het water om haar heen en Myrine zag opgelucht dat ze bijna geheel bedekt was, met bloemblaadjes die zachtjes tegen de oever van haar schouders spoelden. Achterovergeleund tegen de houten zijkant vroeg ze zich af hoe zoiets magnifieks gemaakt werd, en terwijl Creüsa haar kleren opzijlegde – waarbij ze haar neus een beetje vertrok – betastte Myrine de teil, vanbinnen en vanbuiten, om zijn geheimen te doorgronden.

Creüsa pakte echter glimlachend haar handen en legde ze terug in het water. Vervolgens gebaarde ze Myrine om haar hoofd te laten rusten, nam een koperkleurige gietkroes en begon water over haar haar te gieten tot het helemaal nat was. En daarna kwam de zeep – een plakkerige, zoet ruikende substantie, een heerlijke geur die Myrine niet herkende.

Stil zittend, haar ogen dicht tegen het zeepsop, geneerde Myrine zich dat ze zo genoot van het bad: van het warme water, de woordeloze rust in het vertrek, en de zachtaardige vingers waarmee haar hals en haren bewerkt werden. Misschien kwam het omdat Creüsa een vreemde was... of misschien was zij het, Myrine, wier gedachten en gevoelens niet langer beheerst werden door de jakhals. Als dat het geval was, zou ze de verandering verwelkomen. Want was ze niet precies om die reden uit Efeze vertrokken en naar Troje gekomen? Had ze deze afgelopen maand niet in razend ongeduld doorgebracht, met het gevoel dat er nog zoveel geluk te vinden was in het leven, zoveel genot?

Toen het bad eindelijk voorbij was en Myrine in zachte dekens was gewikkeld, voelde ze zich zo zwak dat ze nauwelijks overeind kon staan. Creüsa legde een hand in haar rug en leidde haar door een deuropening met een gordijn ervoor in de verste muur naar het naastgelegen vertrek – een kamer die groter was dan ze verwachtte, maar slechts twee dingen bevatte: een haard vol knapperende, brandende houtblokken, en een laag bed, bedekt met dierenhuiden.

Met een gebaar naar het bed gaf Creüsa Myrine te verstaan dat ze daar zou slapen die nacht – apart van de anderen, apart van Lilli. En zodra Myrine tussen dierenhuiden kroop, ging de vrouw terug naar de keuken om een paar tellen later terug te keren met een kommetje hete thee.

Toen ze had gezien dat Myrine ervan proefde en waarderend knikte, boog Creüsa zich impulsief voorover en kuste haar natte haar, waarna ze het vertrek met neergeslagen ogen ontvluchtte.

Kort daarop hoorde Myrine Creüsa de hut verlaten en de deur zachtjes sluiten. Verdeeld tussen haar bezorgdheid om de anderen en haar verplichtingen jegens Creüsa, die duidelijk wilde dat ze hier bleef, besloot Myrine geduld te oefenen en haar thee op te drinken voordat ze naar buiten glipte om te kijken hoe het met Lilli was.

Maar tegen de tijd dat ze haar kom leeg had – die een vreemd mengsel bevatte van pepermunt en nog iets – was ze zo ontspannen dat het vooruitzicht om haar kleren weer te moeten aantrekken, die in een bundel ergens op de keukenvloer lagen, een ware marteling leek. Met een diepe zucht ging ze op het bed liggen om even te rusten...

En werd wakker van het geluid van water.

Myrine ging rechtop zitten en had geen idee hoelang ze had geslapen. Haar haar was bijna droog; het vuur was bedaard tot een stapel smeulende kolen.

Ze klom uit het bed en liep op haar tenen naar het gordijn om een heimelijke blik in de keuken te werpen, in de verwachting dat Creüsa –

de onvermoeibare Creüsa – de badkuip aan het legen was. Maar wat ze zag, deed haar geschrokken terugdeinzen. Want het was Paris, die spiernaakt in het water stond na zijn eigen bad, en zijn natte huid weerspiegelde de gloed van de as in de keukenhaard terwijl hij zijn haar droogde.

Onzeker bleef Myrine staan, gewikkeld in haar dekens. En toen Paris eindelijk het gordijn opzijschoof en de slaapkamer binnenliep, amper gekleed, werd ze zo door schuwheid bevangen dat ze zich afwendde. Maar... haar verlangen om hem te zien was groter dan haar verlegenheid, en ze sloeg haar ogen op om zijn blik te ontmoeten.

Hoelang ze daar zo stonden, onuitgesproken woorden wisselend, wist ze niet. Daarna pas, alsof hij op instemming had gewacht, liep Paris het vertrek door en nam haar hoofd tussen zijn handen, kuste haar met alle onderdrukte passie die ze in zijn ogen had gezien – kussen van tedere beloften en onbuigzame verlangens die met haar weggaloppeerden over velden, eindeloze, bloeiende velden...

Maar toen hij de deken van haar schouders probeerde te schuiven, schoot haar hand in een reflex uit om zich strak om zijn pols te sluiten. Waarop Paris glimlachte en fluisterde: 'Vecht niet tegen me. Niet vannacht.'

Langzaam liet Myrine zijn arm los. 'Ik doe slechts wat jij me zo goed hebt geleerd.'

Hij kuste haar hals, net onder haar oor. 'Ja, maar er is meer.'

Ze sloot haar ogen, nauwelijks in staat om te denken. 'En wat zou je me vannacht willen leren?'

'De belangrijkste les van allemaal.' Hij trok haar dicht tegen zich aan. 'Genadige overgave.'

Verrast hapte ze naar lucht. 'Alweer ben jij gewapend en ik niet!'

Hij grinnikte, maar liet haar niet los. 'Meestal is dat een reden om je over te geven.'

'Als ik een man was, zou je me nooit zeggen dat ik me moest overgeven.'

'Nee.' Hij legde een hand om haar hals en kuste haar weer, genietend van haar zachtheid. 'Maar jij bent geen man. Jij bent veel te mooi, veel te mysterieus...'

Myrine hapte opnieuw naar adem bij zijn vaardige strelingen. 'Ik vraag me af of ik wel weet hoe ik een vrouw moet zijn. Dat heb ik nog nooit geprobeerd.'

Paris glimlachte. 'Als je jezelf kon zien, zou je er anders over denken.'

'Wil jij me helpen?'

Zijn ogen werden donkerder. 'Moet de Aarde de Zon vragen om op te komen?'

Myrine schudde haar hoofd; ze wilde dat hij haar echt begreep. 'De Aarde is nieuw voor mij. Al zo lang heeft de Maan mijn wereld geregeerd.'

'Dat weet ik.' Paris nam haar hand en kuste haar pols – die lichter was waar ooit de jakhalsarmband hem had omringd. 'De Maan kan geen leven geven. Daarom is zij zo jaloers op ons genot.' Hij klemde haar hand in de zijne, herinnerde zich iets en liet weer los. 'Maar eerst...'

Verward keek Myrine hoe hij achter het gordijn verdween en even later terugkeerde met iets in zijn handen gewikkeld in lappen. Nadat hij een paar blokken hout op het vuur had gegooid, knielde hij neer bij de haardsteen om de lappen los te maken en twee voorwerpen te onthullen die erin zaten. Het ene was een nederige fles, gebakken van klei en verzegeld met was, het andere een gouden beker bezet met edelstenen. Toen ze de aarzelende eerbied zag waarmee hij die laatstgenoemde aanraakte, vermoedde Myrine dat dit geen gewone koninklijke drinkbeker was, maar één waar een zekere magie in vervat was.

'Hier.' Paris overhandigde haar de beker en pelde het zegel van de fles voordat hij de donkerste, stroperigste vloeistof uitschonk die Myrine ooit had gezien. Toen zei hij plechtig: 'Jij bent de beker, en ik ben de wijn.' En toen Myrine haar mond opendeed om te vragen waarom het niet andersom kon zijn, drukte hij met een waarschuwende blik zijn vingers tegen haar lippen. 'Drink.'

En dat deed ze, maar ze nam slechts een klein slokje en liet de rest aan Paris, die de beker met een grimas leegdronk.

'Neem me niet kwalijk,' zei ze. 'Ik wist niet dat we hem leeg moesten drinken.'

'Nee.' Hij knielde neer om alles weer in de lap te wikkelen. 'Omdat ik je dat niet heb verteld. De smaak hiervan moet heel wat bruiden op hun huwelijksnacht van streek hebben gemaakt – alsof ze niet al genoeg hadden om bang voor te zijn.'

Myrine keek verbaasd op. 'Betekent dit dat ik jouw vrouw ben?'

Langzaam kwam Paris overeind om haar eerbiedig te kussen. Toen pakte hij de deken die ze nog steeds om zich heen hield en nam hem zachtjes weg. 'Bijna,' fluisterde hij terwijl hij haar aanblik indronk. Hij tilde haar in zijn armen en liep rechtstreeks naar het bed, waar hij zei: 'Voordat de nacht om is, zul je dat zijn.'

30

Myrine werd wakker in een kamer vol zonneschijn. Knipperend tegen het felle licht keek ze rond om de oorsprong ervan te vinden en zag een paar luiken, geopend terwijl zij sliep. Naast haar lag Paris, glimlachend om haar verwarring. Bij zijn aanblik vloog er een flits van verrukking door haar lichaam, die een spoor van smeulende verlegenheid achterliet, omdat al haar herinneringen aan de voorgaande nacht tegelijkertijd werden bevrijd en op bevende vleugels weg fladderden.

Weer onder het gedeelde berenvel duikend verborg Myrine haar gezicht tegen de hals van Paris en voelde hem grinniken. 'Ik dacht,' zei hij terwijl hij haar voorhoofd kuste, 'dat we die verlegenheid van jou wel kwijtgespeeld hadden.' Hij liet zijn handen over haar rug glijden en trok haar dichterbij. 'Misschien moeten we haar weer zoeken? Kennelijk zit er nog ergens iets verstopt...'

Myrine giechelde toen ze zijn zoekende handen voelde. 'Je hebt zonder twijfel heel wat dingen kwijtgespeeld,' prevelde ze tegen zijn oor, 'en grondig ook, maar laat mij mijn zedigheid nog even behouden, zodat ik geen volkomen vreemde voor mezelf word.'

'Heel goed,' gromde Paris terwijl hij zich op haar liet rollen. 'Hou je zedigheid maar als dat moet, zolang je die inhalige echtgenoot van je de rest maar geeft.'

Later, toen ze weer rust hadden gevonden, legde Myrine een hand op zijn hart en zei: 'Te bedenken dat ik zo ver heb moeten reizen van alles wat ik ken vandaan... en dan ontdek dat mijn thuis altijd al hier was, en op mij wachtte.'

Paris keek haar aan. 'Vertel me over de mensen uit je verleden. Je ouders, je vrienden...'

Myrine reikte naar de deken om die over hen allebei heen te trekken. 'Die zijn allemaal verdwenen. Mijn zusje Lilli' – ze zweeg even om een vlaag verdriet te stelpen – 'is de enige bloedverwant die ik nog heb.'

Paris kuste haar voorhoofd en ging toen weer liggen om naar het plafond te staren. 'Je hebt geluk,' zei hij, zijn stem zwaar van een last die alleen hij kon zien. 'Er zit niemand op je te wachten, er is niemand die eisen aan je stelt, er is niemand die over je oordeelt. Jij bent vrij.'

Om zijn plotselinge zwaarmoedigheid te verjagen streelde Myrine hem onder de dekens. 'Niet meer.'

'Jawel.' Hij pakte haar hand, nog niet klaar om te spelen. 'Dit huis...

jij en ik... dat is vrijheid. We hebben beiden onze banden afgelegd om samen te zijn, en ik wou' – hij bracht haar hand naar zijn lippen en kuste die teder – 'ik wou dat we hier zo konden blijven liggen, precies zo, tot het einde der tijden.'

Ze bleven drie nachten in de hut op de heuvel. Overdag deed Myrine wat ze kon om haar zusters bezig te houden, maar ondanks hun goede wil en hun grappige opmerkingen was het duidelijk dat ze allemaal – zelfs Lilli – ongeduldig werden in hun bergachtige afzondering.

Toen Aeneas op de vierde dag terugkwam met de opdracht prins Paris terug te brengen naar het hof, was zelfs Myrine heimelijk opgelucht dat hun rustieke verblijf ten einde was. Ze vermoedde dat de pracht en praal van een koninklijke ontvangst een verzachtend effect zou hebben op de onvrede van haar zusters, en haar weer zou bevrijden om lange, verrukkelijke uren alleen met haar man door te brengen.

Maar terwijl ze terugreden langs de Skamandros en de muren van Troje in de verte oprezen, was Paris zo stil dat ze zich afvroeg of er iets was wat hij haar niet had verteld – een afschuwelijke werkelijkheid die haar blijde verwachtingen weldra zou ondermijnen. Myrine kon zich niet voorstellen wat het kon zijn, behalve het evidente risico dat de koning en koningin misnoegd zouden zijn over de keuze van hun zoon. Telkens als ze dat ter sprake bracht, had Paris het echter weggelachen en haar verzekerd dat niemand iets op háár aan te merken zou hebben... implicerend dat, wat het ook was, het probleem bij hem alleen lag.

Uiteindelijk zuiverde Myrine haar geest van al die zinloze gissingen en zoog de schoonheid op van het landschap om haar heen. Ze was op de dag dat ze aankwamen al getroffen door de weelderigheid en de rijkdom van de vlakte van de Skamandros, en sindsdien was haar waardering slechts toegenomen. Want dit was nu haar thuis: deze gouden korenaren, wiegend in de wind, droegen het graan dat zij zou eten, en die kolossale muren, gebouwd voor de eeuwigheid, zouden de wieg zijn die haar toekomst omsloot. En die van Lilli, mocht ze besluiten om in Troje te blijven.

Bij hun aankomst voor de stadspoort moest Myrine met haar hoofd ver achterover omhoogkijken in verwondering. Nooit had ze zulke hoge muren gezien, of poortdeuren gemaakt van zulke reusachtige balken hout. Nergens in de stad van de Maangodin had ze architectuur gekend die hiermee kon wedijveren; zelfs de indrukwekkende versterkingen van Mykene waren nietig in vergelijking.

De poort stond wijd open, zodat er een voortdurend komen en gaan kon zijn van boeren en kooplui, van wie de laatstgenoemden ofwel op weg waren naar de haven – fonkelend in de verte – of terugkeerden naar de stad met wagenladingen vol buitenlandse goederen. De stad had iets aangenaam doelbewusts. Myrine was graag van haar paard geklommen om de hele dag naast de grootvaders op hun bankjes te zitten, dobberend in de levendige mensenstroom.

'Als we aankomen,' zei Paris, terwijl hij hen door de drukte voerde, 'kan er wat... commotie ontstaan. Maar vertrouw me alsjeblieft en maak je geen zorgen.' Hij schonk Myrine een geruststellende glimlach. 'Niemand zal ons ervan weerhouden om samen te zijn, en voordat je het weet' – hij boog zich naar haar toe en dempte zijn stem – 'jaag ik je rond een bed dat zo groot is, dat je eindelijk een kans hebt om aan mijn saterlijke wellust te ontsnappen.'

Myrine liet zich niet van de wijs brengen door zijn luchthartigheid. Uit een ooghoek zag ze de strijdende spieren in zijn kaak en de loopgraven die zijn voorhoofd tekenden. Het deed haar verdriet hem te zien lijden, des te meer omdat hij zijn zorgen niet met haar deelde, noch haar de aard ervan vertelde. Maar... ze kende hem ook goed genoeg om te begrijpen dat zijn stilzwijgen, meer dan wat ook, een uitdrukking was van zijn liefde voor haar. Wat er ook gedragen moest worden, hij was van plan om het alleen te doen. Twijfelen aan zijn besluit en beweren dat hij haar kwetste, zou hem tot in zijn hart verwonden.

In tegenstelling tot de stadspoort werd de toegang tot de burcht van Troje afgesloten en geblokkeerd door gewapende wachters. Er ging een steile, smalle helling naartoe, met hoge muren aan weerszijden; Myrine had nog nooit zoiets gezien.

'Wij zijn erg op onszelf,' legde Paris uit. 'In de zomermaanden leggen hier zoveel buitenlandse schepen aan...' Hij onderbrak zichzelf om de wachters in het Trojaans aan te spreken, en ze sprongen onmiddellijk in de houding en openden een klein luik in de deur om opdracht te geven het hele ding van binnenuit te ontsluiten.

Toen de poort openzwaaide, zag Myrine dat de toegang door een tunnel liep van enorme, aaneengesloten keien die eruitzagen alsof ze alleen door de goden verplaatst konden zijn. Vanuit de tunnel voerde Paris hun gezelschap aan naar een enorm, hellend erf, omringd door magnifieke huizen. De burcht van Troje, residentie van koning Priamos en zijn hofhouding, was een kleine stad op zich, beheerst – op de top – door één bijzonder groot gebouw, met een zuilengalerij ervoor.

'Dat is de tempel van de Aardschokker,' legde Paris uit, Myrines blik volgend. 'De almachtige oom van de Zonnegod. Dit is waar hij woont' – met een weids gebaar wees Paris naar de grote blauwe zee die buiten de muren van de citadel zichtbaar was – 'als hij niet door de zeeën zwerft. Maar kom, ik zie dat mijn vader buiten is. We hebben een kans om met hem te praten zonder een enorme echo en het jankende koor van verdoemenisprekers...'

Toen pas merkte Myrine de groep mannen op aan de andere kant van de binnenplaats en de fraaie rosbruine hengst in hun midden. Terwijl Paris en zij op de groep toe reden met Aeneas en haar zusters achter zich aan, zag ze een oude man met een wandelstok de tanden van de hengst bekijken en vermoedde dat er een aankoop op stapel stond.

Paris steeg af en liep naar een andere man die zich afzijdig hield, en begon na een eerbiedige knik tegen hem te praten. Omdat de man zo onopvallend gekleed was, kwam het niet eens bij Myrine op dat hij de illustere koning Priamos kon zijn, tot hij zijn hand naar Paris uitstak. Nadat hij plichtsgetrouw zijn vaders ring had gekust, vervolgde Paris – vermoedde Myrine – met een verklaring voor de vrouwen die hij naar het hof had gebracht. Hij kwam niet ver voordat zijn vaders serene blik zich vernauwde.

Ze had haar best gedaan om zich op dit moment voor te bereiden, en toch voelde Myrine zich ineenkrimpen onder de vorsende blik van koning Priamos toen hij eerst haar bekeek, en toen haar zusters. Hoewel vader en zoon in bouw op elkaar leken, en het haar van de koning pas begon te grijzen, konden zijn ogen aan de oudste man ter wereld hebben behoord.

'Kom, mijn lief.' Paris hielp haar van haar paard en voerde haar mee om voor de koning met zijn strakke gezicht tot stilstand te komen. Daar haalde hij diep adem en rechtte zijn schouders. 'Vader, dit is mijn vrouw. Haar naam is Myrine.'

Het gezicht van koning Priamos had uit steen gehouwen kunnen zijn, want het bleef absoluut onbewogen en drukte boosheid noch blijdschap uit. Gedurende een kort moment vroeg Myrine zich af of Paris zich had vergist toen hij veronderstelde dat zijn vader het gemakkelijk zou vinden om over te schakelen naar de taal van Efeze – misschien had hij niet werkelijk begrepen wat zijn zoon hem had verteld. Maar al voordat ze de gedachte had afgemaakt, antwoordde de koning in diezelfde taal, zonder zelfs maar een zweem van een accent: 'Is dat zo?'

Myrine voelde dat de hand van Paris zich stevig rond de hare sloot. 'Ja.'

'En wat zeg jij ervan?' Koning Priamos wendde zich tot Myrine. 'Ben jij zijn vrouw?'

Ze knikte, te kortademig om een woord uit te kunnen brengen.

'Hardop!' De koning was niet in de stemming voor deemoedigheid. 'Ben je zijn vrouw?'

Myrine slikte haar zenuwen weg. 'Ja.'

Toen knikte koning Priamos eindelijk tegen Paris. 'Het zij zo. Moge de Aardschokker – en je moeder! – deze vereniging welwillend beschouwen. Ik zal haar nu gaan waarschuwen.' En daarmee keerde de koning zich af en beende weg, niet alleen Myrine, maar ook haar zusters en Aeneas zwijgend en gekrenkt achterlatend.

'Zo,' zei Paris, tegen alle vrouwen samen, met zijn glimlach hun schuifelende onbehagen tartend. 'Welkom in het huis van mijn vader. Aeneas zal zorgen dat jullie je comfortabel kunnen installeren, terwijl Myrine en ik doen wat er gedaan moet worden – een taak die jullie ons beslist niet hoeven te benijden.'

De koningin was niet op haar binnenhof, omringd door hofdames en musici, noch had zij zich teruggetrokken in haar vertrekken om te baden en alleen te zijn. Toen Myrine en Paris haar eindelijk vonden, zat ze geknield in een raamloze huistempel voor een klein altaar, dat vol stond met waskaarsen en kleine beeldjes.

Na even te hebben gewacht om haar niet te onderbreken, boog Paris zich voorover en legde een hand op haar bedekte schouder. 'Mama...'

Myrine hoorde een zucht, toen een snik... voordat de koningin opstond van haar bidstoeltje om haar armen om haar zoon heen te slaan met een stroom van betraande weeklachten. Zijn haar strelend met hectische, trillende gebaren kuste ze hem keer op keer, onwillig om hem los te laten, en alles wat hij tegen haar fluisterde – kalm en geduldig als zijn aard was – leek haar alleen maar meer overstuur te maken.

Myrine zette een paar stappen achteruit; ze wilde weglopen en zich verstoppen. Ze had woede en beschuldigingen verwacht, maar geen tranen. Het leek niet juist dat zij getuige moest zijn van deze intieme emoties; hoe kon ze de koningin hierna ooit nog in de ogen kijken? Ze voelde boosheid jegens Paris omdat hij haar bij zo'n kritiek moment had betrokken, en toch kon ze zien dat ook hij geschokt was door de omvang van zijn moeders verdriet.

'Alsjeblieft, moeder,' zei hij in de taal van Efeze. 'Als je Myrine beter kent, zul je begrijpen...'

'Myrine? Moet ik je moordenaar daarmee aanspreken?' De koningin draaide zich met tegenzin om naar haar nieuwe schoondochter. 'Weet je wel wat je hebt gedaan?' fluisterde ze, alsof ze een pleidooi hield tegen een meedogenloze beul. 'Weet jij wat je mijn zoon hebt aangedaan, de enige gezonde jongen die ooit in mijn armen heeft gelegen?' Al pratend werd haar stem steeds krachtiger, en toen ze Myrines angst zag, wierp ze haar de laatste woorden bijna met geweld in haar gezicht. 'Jij denkt dat je je verzekerd hebt van een leven in rijkdom, maar dat heb je mis! Gulzig varken! Als hij sterft, zal ik zorgen dat jij op dezelfde dag verbrandt, maar op een heel ander soort brandstapel!'

'Moeder!' riep Paris uit terwijl hij haar ferm bij de schouders greep. 'Beheers je! Myrine weet niets van al die onzin.' Hij trok zijn moeder in een innige omhelzing, in een poging om haar beven tot bedaren te brengen. 'Kijk nou toch! Wat moet ze wel niet van je denken? Myrine houdt van mij, dat beloof ik je, en ze zou liever sterven dan mij pijn te doen. Net als jij.'

Even bleef het stil. Toen mompelde de koningin, haar stem gesmoord tegen zijn schouder, 'Zij kan nooit van je houden zoals ik dat doe.'

'Dat weet ik, moeder.' Weer kuste hij haar. 'Maar ze doet haar best. Ze is een dochter van Otrera en daarmee jouw nichtje. Net als jij heeft ze haar eed afgezworen om een echtgenote te worden. Jij alleen kunt weten wat zij heeft doorstaan.'

Dit leek eindelijk effect te hebben. Haar ogen afvegend met een punt van haar gebedsshawl stapte de koningin achteruit en keek opnieuw naar Myrine, haar haat voorlopig beteugeld. 'Nog een vrouw met verbroken beloften onder dit dak? Dan zijn wij dubbel vervloekt. Maar ik moet mijn schuld aanvaarden, dat zie ik nu wel in. De Godin heeft het me nooit laten vergeten... en nu is mijn oordeel nabij.' Ze drukte een vuist tegen haar borst, een nieuwe uitbarsting van smart onderdrukkend. 'Ik zou geen hekel aan je moeten hebben, kind. Het was verkeerd van mij om je te veroordelen. Want jij bent slechts een instrument van de Godin. Jij was het niet die mijn zoon doodde. Ik was het. In mijn onwetendheid en mijn verdorvenheid schonk ik hem al de dood voordat de goden hem het leven gaven.'

Paris had zijn domein op de bovenste verdieping van het koninklijke paleis – een weidse kamer met een balkon dat over de stad en de haven uitkeek. Achter de haven, die in een beschermde baai lag, deinde de zee stilzwijgend in de middagzon, hier en daar bespikkeld met een schip dat uit de nauwe zeestraat van de Dardanellen kwam om de kaap van Troje te ronden.

Het was een magnifiek, zelfs weelderig uitzicht, en toch kon Myrine er niet van genieten. De kennismaking met de koningin had haar erg van streek gemaakt, en ze kon de onuitgesproken vloek die zo'n formidabele schaduw had geworpen over moeder en zoon niet van zich afzetten.

'Van nu af aan is dit je uitzicht,' zei Paris, die achter haar kwam staan. 'En dit het mijne.' Hij kuste haar nek, duwde toen de jurk van haar schouders en liet zijn handen over haar huid dwalen. 'Het fraaiste uitzicht van Troje... nee, van de hele wereld...'

'Toe.' Zo goed en zo kwaad als ze kon hield Myrine haar jurk vast.

'Net als de zon opgaat aan de ene kant van de aarde,' prevelde Paris, terwijl hij elke heuvel, elke vallei van haar ruggengraat streelde, 'en de hele dag naar de andere reist... zo zou ik al mijn dagen over jou kunnen reizen, van voor naar achter, van top tot teen. En nooit' – hij drukte zich plagerig tegen haar aan – 'zou je vergeefs wachten tot ik opkom.'

Maar Myrine kon zich er niet toe zetten om te stoeien, zo snel na het drama waarvan ze getuige was geweest. 'Vertel me alsjeblieft,' fluisterde ze, met een blik over haar schouder, 'wat je moeder bedoelde met wat ze zei. Ik kan haar verdriet niet vergeten.'

Paris zuchtte en liet haar los. 'Ik had je moeten waarschuwen dat mijn moeder bijgelovig is. Geloof je me als ik je vertel dat het niets is om je zorgen over te maken?'

'Nee.'

'Verdomme!' Paris liep naar buiten, het balkon op. 'Dat is een mooi begin van ons huwelijk. Maar ik veronderstel dat ik niet met je getrouwd ben omdat ik een deemoedige slavin in mijn kielzog wilde hebben.' Hij keek even naar haar om zich ervan te verzekeren dat ze luisterde. 'Wat je moet begrijpen is dat mijn moeder twaalf kinderen heeft gedragen, maar er negen heeft verloren. Sommige bij de geboorte, andere later, vanwege' – hij schokschouderde even – 'het ijverzuchtige noodlot? Ik ga niet voorwenden dat ik zulke dingen begrijp.'

Myrine schudde haar hoofd. 'Arme vrouw. Zoveel verdriet te hebben gehad...'

'Intussen' – Paris keerde de stad zijn rug toe, zijn armen over elkaar – 'blijft mijn wonderbaarlijke vader kinderen maken bij zijn andere vrouwen en concubines en is zelden verstoken van een baby – of een vrouw – op zijn schoot.' Toen hij zag dat Myrine geschokt was, glimlachte hij wrang. 'Het spijt me. Maar je wilde het zelf graag weten.'

'En ik waardeer je openhartigheid.' Ze kwam dichter bij hem staan, nog niet bereid om het onderwerp te laten varen. 'Maar waarom zou je moeder mij ervan beschuldigen dat ik je vermoord?'

Paris sloeg zijn ogen ten hemel. 'Religieuze onzin.'

Myrine keek hem doordringend aan om hem te dwingen verder te praten. Toen hij dat niet deed, legde ze haar handen om zijn gezicht en zei: 'Laat me alsjeblieft meer delen dan alleen je bed. Er is iets wat je terneerslaat, en het doet me verdriet dat ik je niet kan helpen om die last te dragen. Vergeet niet wat je me hebt geleerd... en laat me samen met jou vechten, rug aan rug, tot we het veilig verdreven hebben...'

Paris nam haar beide handen in de zijne en kuste ze een voor een. 'Toen ik werd geboren,' zei hij ten slotte, terwijl hij zich opnieuw naar de zee keerde, 'was er aan boze voortekenen geen gebrek. De priesters wendden al hun kunsten aan om mijn ouders ervan te overtuigen dat ik een ongewenst kind was – verfoeilijk in de ogen van de goden en daarmee een bedreiging voor Troje.' Hij schonk haar een treurige glimlach. 'Zie je, wij hebben altijd de angst dat de Aardschokker op een dag opstaat en in woede vertrekt uit onze stad, verwoesting brengend waar hij gaat. Af en toe voel je dat hij zich roert' – Paris streelde over een scheurtje in de stenen balustrade – 'maar wees niet bang, mijn liefste, hij is nooit rustiger geweest dan nu.'

Myrine bekeek zijn profiel, zich inspannend om hem te begrijpen. 'Wat hadden die priesters dan in vredesnaam tegen een boreling?'

'Ze keurden de vrouw die mijn vader had gekozen niet goed. Ze vreesden dat het Trojaanse volk onder een koningin die in Efeze grootgebracht was – een koningin gewend aan wapens en onafhankelijkheid – in opstand zou komen tegen de nieuwe goden en zou terugkeren naar zijn oude gewoonten.' Paris aarzelde, en vervolgde toen met tegenzin: 'Ik kan je evengoed vertellen dat voordat mijn overgrootvader de troon besteeg, Troje generaties lang door vrouwen werd bestuurd. Otrera en mijn moeder stammen af van de vroegere koninginnen van Troje, en dat was de reden dat mijn vader zich door een huwelijk met hen wilde verenigen. De priesters zijn echter altijd bezorgd geweest dat mijn moeder het gezag van mijn vader als koning zou tarten, en daarom begonnen ze vanaf het moment dat ze voor het eerst een voet in Troje zette haar hoofd te vullen met bijgelovige onzin.'

Meelevend met het verdriet van Paris sloeg Myrine haar armen om hem heen, en zo keken ze een poos uit over de stad die in vrolijke onwetendheid leek te verkeren over zijn eigen verborgen verleden. 'Ik weet zeker dat je met mijn moeder mee kunt voelen,' zei Paris ten slotte, zijn hoofd tegen dat van Myrine geleund. 'Opgelucht als ze was dat ze haar baby had mogen behouden, raakte ze van streek door al het gepraat over boze voortekenen. En zodra er weer een koor van uitgekookte priesters werd aangesteld, die in ingewanden groeven en uit eigenbelang flauwekul debiteerden, raadpleegde ze die opnieuw, om mijn lotsbestemming beter te begrijpen.'

Paris viel weer stil, zijn blik heen en weer dwalend over de drukke stad, hier een ossenwagen volgend, daar een groepje feestende zeelui. Toen keerde hij zich af en liep de kamer in om zijn plunjezak te pakken en er de lap met de gouden beker uit te halen. Hij wikkelde de lap niet af, maar zette de voorwerpen zorgvuldig op een tafel voordat hij naar het bed liep – een enorme divan op een marmeren podium tussen vier roodstenen pilaren – en zich erop wierp, met zijn gezicht in de kussens.

Toen hij eindelijk sprak, werd zijn stem gesmoord door het zachte beddengoed, maar Myrine klom naast hem op het bed en verstond elk woord, al had ze dat wellicht liever niet gedaan. 'Om mijn ouders tevreden te stellen,' begon Paris, 'besloten de nieuwe priesters dat mijn lotsbestemming nog niet zo kwaad was als eerst was gedacht... als ik maar nooit zou trouwen. Mijn huwelijk, beweerden ze, zou de Aardschokker razend maken en dan zou hij me doodslaan. Maar hier ben ik' – Paris rolde op zijn rug en spreidde zijn armen – 'getrouwd en nog steeds in leven.'

Geschokt door wat ze had gehoord sloeg Myrine haar armen om hem heen. 'Je had niet met me hoeven trouwen, weet je. Ik had ook graag met je samen willen leven...'

'Leugenaar!' Paris rolde op zijn zij en drukte haar tegen het bed. 'Vanaf het moment dat ik je koningin Myrine noemde en een kroon op je hoofd zette, wisten we allebei dat er geen andere manier kon zijn. Ik moest je bezitten' – hij keek omlaag naar haar lichaam en de jurk die nog steeds openhing – 'helemaal.'

'Je praat alsof ik je eigendom ben,' protesteerde Myrine, deels opgelucht om het sinistere onderwerp achter zich te laten, maar ook gepikeerd door de neerbuigende toon waarmee Paris haar toesprak sinds hun aankomst in het paleis.

'Doe ik dat dan niet?' Hij glimlachte om haar frons, begon haar toen te strelen alsof hij zijn eigendomsrechten wilde bekrachtigen. 'Ik denk van wel.'

'Vergeef me als ik het daar niet mee eens ben.' Myrine schoof een hand onder zijn tuniek en vond al snel wat ze zocht. 'Hoe opstandig je ook bent, het lot van de man is door vrouwen bezeten te worden, en niet andersom.' Bij haar aanraking leunde Paris met een kreun van verwachtingsvol genot achterover op het bed, en triomfantelijk klom Myrine schrijlings boven op hem. 'Nu ik de technische kant ervan begrijp,' zei ze, boven hem hangend, 'wed ik dat er voor elke roofzuchtige verkrachter die onder bedreiging met een mes zijn genot neemt, honderden echtgenoten zijn die worden gebonden door de grillen van hun vrouw.' Myrine bewoog zich plagerig tegen hem aan, genietend van het ongeduldige kreunen van Paris. 'Nee, mijn lief. Ja, mijn lief. Niet nu, mijn lief.' Ze boog zich voorover om hem in de ogen te kijken, om zich ervan te verzekeren dat hij haar macht over hem erkende. 'Wij nemen júllie in bezit, prins van mij. Zo heeft de Natuur het gewild. Vergeet dat nooit.'

Myrines eerste week in het paleis was een verwarrend web van intens, bijna euforisch geluk, vervlochten met complicaties en frustraties waardoor zij – die meermonsters had gedood en haar zusters uit slavernij had gered – aan het einde van elke dag heimelijke tranen plengde.

Haar eerste zorg was Lilli. Helaas gingen Myrines wensen voor het comfort van haar zusje veel verder dan Paris bereid was in te willigen. 'Wát?' riep hij uit, toen ze het onderwerp de eerste keer voorzichtig aankaartte. 'Je wilt je onschuldige zusje bij ons in de kamer laten slapen, waar ze alles kan horen wat wij zeggen en doen?' Ongelovig schudde hij zijn hoofd. 'Waarom wil je ons genot verstikken? Je weet dat we nooit vrij zouden zijn met haar zo dichtbij.'

Myrine begreep natuurlijk wel dat hij een punt had, en herhaalde haar verzoek niet. Maar ze kon het hartzeer dat in het vooruitzicht lag niet negeren. Weldra zou Hippolyta terug willen naar Efeze, en Kara, Animone en Kyme zouden ongetwijfeld met haar meegaan. Als zij vertrokken, zou Lilli helemaal alleen moeten slapen tussen onbekenden in een slaapzaal in dit vreemde land. Hoeveel Myrine ook van haar zusje hield en hoezeer het idee van een leven zonder haar haar ook tegenstond, er waren momenten waarop ze dacht dat Lilli gelukkiger zou zijn in Efeze, omringd door haar vriendinnen.

Het feit dat Paris, die zijn broederlijke liefde graag op een aangenamere manier wilde demonstreren, aanbood om Lilli zelf te leren paardrijden, op een eigen paard, hielp ook al niet. Toen ze zag dat de opwinding over zijn voorstel zich als kringen in een vijver verbreidde – niet alleen bij Lilli, maar bij iedereen die om het meisje gaf – kon Myrine het niet over haar hart verkrijgen om het plan af te keuren. En dus kwam Paris hen elke avond opzoeken in de binnentuin van de koningin, als hij klaar was met zijn werk voor die dag, om Myrine snel een kus op haar wang te geven en Lilli te ontvoeren voor een uurtje wilde pret achter de paardenstallen.

Een andere slag voor Myrines tevredenheid was de wijdverbreide verwachting dat zij zich in alle opzichten als een prinses zou gedragen en geen jager meer zou zijn. Voordat ze in Troje aankwamen, was het niet eens bij haar opgekomen dat Paris haar misschien zou willen veranderen, maar zodra ze in zijn kamer waren genesteld, smeekte hij haar – onder ontelbare aanbiddende zoenen – om hem haar wapens voorlopig te laten wegleggen, en alleen de kleren te dragen die hij haar gaf.

'Begrijp het alsjeblieft,' had hij gezegd, nadat hij haar had laten zien hoe ze de gouden sierspelden moest gebruiken die haar nieuwe, dunne gewaden bij elkaar hielden, 'ik hou van je jagershart en zou je niet anders willen. Maar de mensen hier zijn ouderwets en ik wil niet uitgelachen worden...'

'Je bedoelt zeker dat ze nieuwerwets zijn,' corrigeerde Myrine hem. 'Heb je me niet verteld dat vroeger, voordat de Aardschokker kwam...'

'Sst!' Paris keek nerveus om zich heen, al waren ze helemaal alleen. 'We moeten ze gewoon even de tijd geven om zich aan de veranderingen aan te passen...'

'Welke veranderingen?' Geringschattend stak Myrine de prullige jurk omhoog. 'Kijk nou eens naar deze waardeloze stof, nu al gescheurd! Ik kan net zo goed in mijn blootje rondlopen.'

Daar was hun discussie, wellicht voorspelbaar, geëindigd, maar de strijd was zeker niet voorbij, in ieder geval niet voor Myrine. Ze had niet overdreven toen ze Paris in hun huwelijksnacht vertelde dat ze niet wist hoe ze een vrouw moest zijn. En hoewel hij uitermate vaardig was gebleken in het introduceren van bepaalde aspecten van het vrouw zijn, had hij haar niet voorbereid op de vele dagelijkse uren waarin ze als een vrouw zou moeten lopen en zitten en praten, noch op de eindeloze verveling van vrouwelijk fatsoen.

Terwijl Paris zijn dagen doorbracht met de koning, hetzij in de troonzaal of in de buitenwereld, had Myrine geen andere keus dan met haar zusters op de binnenplaats van de koningin te verblijven. Eerst had ze het er heel mooi gevonden: er stond een zuilengang om een kleine rechthoekige tuin, met in het midden een sprankelend waterbekken – drie keer zo groot als het bekken in de tempel van de Maangodin. Maar nadat ze een paar keer over de labyrintachtige, met schelpen bestrooide tuinpaden had gewandeld en zich had gerealiseerd dat ze allemaal precies eindigden waar ze begonnen, begon ze te vermoeden dat hun zwaarbewaakte afzondering evenzeer bedoeld was om de vrouwen binnen te houden, als vreemdelingen buiten.

Comfortabel achterovergeleund in de schaduw van de zuilengang bracht de koningin het grootste deel van de dag door met gesloten ogen, knikkend op het ritme van zachte muziek, gespeeld door bejaarde leden van de hofhouding, en de thee drinkend die zwijgende dienstmeisjes haar brachten. Ze ging zelden een gesprek aan, maar verwachtte dat al haar hofdames trouw bij haar bleven zitten, en deelden in haar elegante loomheid.

Myrine kon nauwelijks geloven dat dit de vrouw was die zij op de eerste dag had leren kennen, haar gal spuwend voor het huisaltaar. Niet één keer had de koningin naar het incident verwezen; toen Myrine en haar zusters voor het eerst naar de binnenplaats kwamen om formeel aan haar te worden voorgesteld, leek het zelfs alsof de vrouw die eerste ontmoeting volkomen vergeten was – alsof ze een elixer had geslikt dat haar geheugen vertroebelde en haar wereld aangenamer maakte.

'Ach, ja,' zei ze, toen Hippolyta de uitgebreide groeten had overgebracht zoals Vrouwe Otrera haar had opgedragen. 'Mijn lieve zuster. Wat lief. Bedank haar vooral en verzin iets aardigs om terug te zeggen.'

En dat was alles. Hippolyta werd weggewuifd om plaats te maken voor een schaal vol fruit, en niemand anders sprak een woord van welkom. Begrijpelijkerwijs teleurgesteld begonnen Myrines metgezellen al snel verlangend te praten over de taken die hun thuis wachtten, en het vergde al haar welsprekendheid om hen over te halen tot een hele week van dergelijke pompeuze verveling.

'Ik kan niet geloven dat jij dit leven hebt gekozen,' fluisterde Animone op een dag, met een blik naar de overkant van de tuin op de concubines van de koning en hun kinderen, die nogal luidruchtig rond renden onder de zuilengang. Het was niet aan Myrines aandacht ontsnapt dat verscheidene van de vrouwen in verwachting waren; wat haar werkelijk stoorde, was de medelijdende blik in de ogen van Animone, die suggereerde dat zij, Myrine, op een dag de oude koningin zou zijn die lag te dommelen in haar stoel, uitgeput na vele nachten van slapeloze eenzaamheid.

Die avond keerde ze terug naar haar vertrekken met een stapel speelgoedwapens en wachtte op Paris met een nieuw soort opwinding, klaar om hem te bespringen zoals ze zo vaak had gedaan op het strand van Efeze. Maar toen hij de kamer binnenkwam en neerkeek op het houten zwaard dat over de vloer schoof en aan zijn voeten tot stilstand kwam, lachte Paris slechts en schudde zijn hoofd. 'Waar heb je die vandaan?' vroeg hij, zonder aandacht te besteden aan de houding die Myrine innam, klaar voor een duel.

'Ik heb ze van de jongens gestolen,' antwoordde ze, ontmoedigd en teleurgesteld.

'Van mijn halfbroertjes?' Paris fronste zijn voorhoofd. 'Arme jongens. Ik kan beter even gaan uitleggen...'

Toen hij eindelijk terugkeerde, lag Myrine op het bed te staren naar de patronen waarmee het plafond beschilderd was. Wijnranken, eieren, fruit... allemaal vruchtbaarheidssymbolen. 'We zijn niet meer dan merries, hè?' zei ze. 'Elegant dartelend binnen onze kleine omheining, in afwachting van de fokker.'

Paris was te onthutst om meteen te antwoorden, en voordat hij kon bukken om haar te kussen, sprong Myrine van het bed. 'Hippolyta mag haar wapens houden,' ging ze verder, 'maar Myrine niet. En Lilli mag rijden, maar Myrine niet...'

'Natuurlijk mag ze dat!' Paris kwam met een glimlach om het bed heen lopen, maar ze keerde hem haar rug toe. 'Op een paard!' zei ze met over elkaar geslagen armen. 'Ik wil mijn páárd berijden.'

Hij lachte en greep haar bij haar middel. 'Mijn jagende prinsesje. Nu al beu van weelde. Nu al wenst ze dat ze weer op Kreta was, bedelend om voedselresten.'

Myrine schoot bijna uit zijn omhelzing.

'Wacht.' Paris probeerde haar te beteugelen. 'Ik bedoelde het goed.'

'Dat weet ik.' Ze draaide zich om en keek hem aan, met moeite haar verdriet wegslikkend. 'En je bent ook alleen maar goed voor me geweest. Ik ben een ondankbare rat...'

Paris glimlachte en pakte haar kin vast. 'Maar wel een hele mooie.'

Myrine slikte weer. 'Kunnen we alsjeblieft teruggaan naar je huisje in de bergen? Een paar dagen maar?'

Hij knikte. 'Zodra je zusters vertrokken zijn, gaan we. Dan jaag jij op ons eten, en ik' – weer trok hij haar in zijn armen – 'ik jaag op jou.'

Net toen ze het plan met een kus bezegelden, werd er op de deur geklopt.

'De koning verzoekt uw aanwezigheid in de tempel,' zei een stem.

Toen hij Myrines teleurstelling zag, zei Paris: 'Waarom ga je niet mee? Ze kunnen maar beter vast aan je aanwezigheid wennen. Waar is de kroon die ik je heb gegeven? Die kun je het best opzetten. De tempel is de plaats waar wij onze vijanden ontvangen.'

De tempel van de Aardschokker was een strenge, grimmige plek. Gebouwd van dezelfde reusachtige keien als Myrine bij de ingang van de citadel had opgemerkt, leek hij inderdaad op de woonplaats van een onsterfelijk wezen dat geen genoegen schepte in menselijke gerieflijkheden. Er was geen meubilair, geen enkele opsmuk; zelfs de zuilen waar het hoge plafond op rustte, waren eenvoudig en onversierd, alleen indrukwekkend door hun enorme omvang.

De enige die schijnbaar op zijn gemak was in dit stenen gewelf was de godheid zelf: een vergulde kolos die, alsof hij sliep, op een verhoogde stenen terrasrand lag die de hele achterwand van de tempel besloeg. Er was geen voedsel voor hem neergezet, er lagen geen bladerkransen of offergaven onder zijn rustbank; zijn enige vermaak waren vier smetteloze jaarlingen die vrij door de tempel liepen en hooi aten van de vloer.

Bij haar binnenkomst aan de zijde van Paris zag Myrine koning Priamos op een verhoogd podium in het midden van de tempelzaal zitten, omringd door een verzameling bewapende wachters en sombere edellieden.

Toen ze de koning voor het eerst ontmoette, had hij haar een gewone man geleken; vandaag echter droeg hij een gehoornde kroon en een met bont gevoerde mantel en zag er bijzonder majestueus uit. 'Vader,' zei Paris, toen hij zich met Myrine in zijn kielzog bij de koning op het podium voegde, 'wat is er aan de hand?'

'Het is goed dat jullie beiden gekomen zijn,' zei koning Priamos, met een gebaar naar een heraut, 'want jullie eerste gelukzeggers staan aan de poort: de altijd loerende leeuwen van Mykene.'

Myrine voelde dat Paris verstrakte, en ze bespeurde de donderende branding van de oceaan buiten de stadsmuren. Ze had haar best gedaan om de gruwelijke gebeurtenissen in Mykene te vergeten, maar nu kwam het allemaal terug in een vlaag van ademloze paniek: de dode prins op de vloer, de stank van het bloed, de jammerende slaven die ze hadden achtergelaten...

Er was niets wat zij kon doen om de loop van het lot te vertragen. Bij de tempelingang klonk tumult en toen Myrine zich omdraaide, zag ze een groep mannen die moeite hadden om een wit paard in toom te houden. Toen ze het dier eindelijk in bedwang hadden, kwamen er twee mannen – een oude en een jonge – naar voren om koning Priamos aan te spreken, waarbij de oudste zwaar op de jongere leunde.

Toen pas herkende Myrine de oude man als Agamemnon, Heer van Mykene. Het was minder dan een jaar geleden dat ze hem op zijn troon voor de grote vuurkuil in zijn ontvangstzaal had gezien, maar die paar maanden hadden aan hem geknaagd als de honger van decennia.

'Mijn vriend,' zei koning Priamos en hij liep met gespreide armen naar voren. 'Je zegent mijn land met je komst.'

Waarop Agamemnon, gebogen van ouderdom, opkeek en zei: 'Wilde iemand mij maar zegenen. Want het laatste bezoek van jouw zoon was het begin van een kwade tijd.'

'Het betreurt me dat te horen.' Koning Priamos toonde een bezorgde frons. 'Ik ben verdrietig en verbaasd. Mijn zoon' – hij stak een hand uit om Agamemnon op de aanwezigheid van Paris te wijzen – 'heeft mij verteld dat Mykene goed gedijde.'

'Ja, wel' – Agamemnon zweeg even om te hoesten; het geluid weergalmde door de hele tempel – 'je zoon heeft mijn land verlaten voordat de tragedie aan het licht kwam. Daarom weet hij niets van mijn rampspoed.'

'Dat heb ik inderdaad,' zei Paris, die iets voor Myrine ging staan, wellicht in de hoop de mannen het zicht op haar te benemen.

'Dat masker dat je mij gegeven hebt...' Agamemnon onderdrukte een nieuwe hoestbui. 'Dat heeft mij voor het graf getekend. Maar dat neem ik je niet kwalijk. Nee, ik ben hier om hulp te vragen.' Met een gebaar naar de mannen achter hem liet Agamemnon hen het witte paard naar voren brengen. 'En om eer te bewijzen aan de Aardschokker. Maandenlang hebben wij ongunstige winden en hoge zeeën gehad, anders waren we al eerder gekomen.'

'Een fraai geschenk,' zei koning Priamos. 'Nu, vertel me wie je bij je hebt. Ik zie dat het niet je zoon is.'

Agamemnon trok een somber gezicht en klopte zijn jonge metgezel op zijn arm. 'Dit is mijn neef, de erfgenaam van Sparta. Menelaos is zijn naam, en hij was verloofd met mijn dochter. Maar' – de oude koning zweeg even om op adem te komen – 'mijn dochter is ontvoerd uit mijn huis; niemand weet waar zij is. En mijn zoon...' Niet meer in staat om te spreken gebaarde de Heer van Mykene zijn neef om namens hem het woord te voeren.

De jonge Menelaos van Sparta was geen onaantrekkelijke man, maar zodra hij begon te praten, voelde Myrine dat hier iemand stond die grootgebracht was om zonder voorbehoud te doden, en voor wie gezag synoniem was aan waarheid. 'Een smerige aanval,' begon hij, met kortaangebonden gehoorzaamheid, 'werd uitgevoerd tegen vreedzaam Mykene. De vijand was een stam van vrouwen die vechten als mannen en een van hun borsten wegbranden om de werpspeer beter te kunnen hanteren. Wij noemen hen "Amazones" – vrouwen zonder borsten. Er wordt gezegd dat ze hier in Troje een toevlucht hebben gevonden.'

'Dat is ongehoord!' riep koning Priamos uit. 'Ik heb nog nooit iets van zulke vrouwen vernomen. Jij wel?' Hij keek naar Paris, die al even geschokt zijn hoofd schudde. Gelukkig voor Myrine nam niemand de moeite om haar iets te vragen over de kwestie; ze had vast geen onwetendheid kunnen veinzen.

'Geef je me je woord?' vroeg Agamemnon, zijn rug rechtend. 'Want ik heb gezworen ze te vuur en te zwaard te bevechten.'

Koning Priamos sprak zonder aarzelen. 'Mijn woord heb je. Als ik ooit zulke tegennatuurlijke schepselen zie, zou ik ze zelf waarschijnlijk vermoorden.'

'Ze hebben mijn zoon vermoord,' vervolgde Agamemnon, die nieuwe kracht putte uit zijn woede, 'en mijn dochter Helena gestolen, de enige vrucht van mijn lendenen die mij wellicht zal overleven. Ik heb weinig leven meer in me, maar de adem die ik nog heb, zal ik aanwenden om haar terug te krijgen. Wil jij de handen met mij ineenslaan?'

Myrine keek vol afgrijzen hoe de twee koningen elkaar de hand schudden. Kon het werkelijk waar zijn dat de snibbige Helena – die nu in Efeze was en Myrines jakhalsarmband droeg – de dochter was van koning Agamemnon? 'Ik ga niet terug naar huis,' herinnerde ze zich dat het meisje had gezegd, haar gezicht bleek van aandoening. 'Mijn vader zal me vermoorden. Echt. Hij heeft mijn moeder vermoord. En mijn zuster. Ik weet dat hij dat heeft gedaan.' Als die vader inderdaad Agamemnon was, kon Myrine dat wel geloven. Ze zou het meisje zelfs kunnen vergeven dat ze weggelopen was – als ze haar wrok niet zo rancuneus had verheimelijkt.

Wat stond haar te doen? Myrine wist het niet. Ze keek even naar Paris en vroeg zich af of hij wist dat de ontvoerde prinses Mykene op zijn eigen schip had verlaten. Paris luisterde echter niet meer naar zijn vader en Agamemnon; hij staarde naar een tengere gestalte die met verwarde haren in de tempeldeur stond. Kara.

Bevangen door angstige voorgevoelens greep Myrine Paris bij de arm om hem de wachters te laten roepen. Maar het was al te laat: Kara was niet meer te stuiten. Ze holde over het middenpad naar Agamemnon en wierp zich aan zijn voeten, zijn knieën zo ruw omklemmend dat hij steun moest zoeken met een hand op de schouder van zijn neef om zijn evenwicht te bewaren. 'Lieve vader!' riep ze, ondanks de bewakers die haar wegsleurden. 'Ik ben hier!'

'Wacht!' Agamemnon wenkte de wachters om haar met rust te laten. 'Ik ben geen man die een smekende vrouw van zich af schopt. Spreek!'

'Ze hebben me tegen mijn wil meegenomen.' Door tranen van angst en opluchting heen keek Kara op naar Agamemnon. 'Ik wilde helemaal niet weg.'

Sprakeloos keek de vorst van Mykene op haar neer. Toen vernauwden zijn ogen zich. 'Ik heb deze waanzinnige al eerder gezien...'

'Genoeg!' riep Paris uit en hij zette een stap naar voren. Maar het was al te laat: Kara was herkend.

'Hoe is dit maanzieke schepsel hier terechtgekomen?' vroeg Agamemnon, zijn stem verheffend in woede. 'Zij was het die...' Hij groef een hand in Kara's haar en sleurde haar met al zijn kracht overeind, wat het meisje een panische kreet ontlokte. 'Wie heeft mijn zoon vermoord, jij ellendige hoer? Heb jij het gedaan?'

Kara probeerde zich te bevrijden en gilde: 'Nee! Ik zei dat ze het niet moesten...'

'Waar zijn ze?' Agamemnon rukte weer aan haar haar en slingerde haar dwars over de vloer. 'Zeg het! Waar zijn ze?'

'Hou op! Hou alstublieft op!' Kara legde een beschermende hand op haar buik. 'Ik draag uw kleinkind...'

Agamemnon beende naar haar toe om haar een harde klap in haar gezicht te geven. 'Dan dood ik er twee in één klap. Spreek, krankzinnige vrouw! Waar is de moordenaar van mijn zoon?'

Onbeheerst snikkend, haar gezicht besmeurd met tranen, hief Kara haar bevende hand en wees met een vinger naar Myrine.

31

Veel is wonderbaar op aarde, maar niets is wonderbaarder dan de mens... Behendig strikt hij de vrolijke vogels, en alle wilde dieren van het veld heeft hij geleerd te vangen.
– SOPHOCLES, *Antigone*

ISTANBOEL, TURKIJE

TEN MINSTE DRIEHONDERD *GLITTERATI* hadden de uitnodiging voor de maskerade van Reznik aanvaard, en in het hele huis weerklonken de geluiden van een roerige menigte en galmend gelach. Er was geen meubilair of decor om het lawaai te dempen – geen banken, geen kleden, geen gordijnen: het was een en al beton, staal en glas, met in elke hoek een zelfbewust poserend marmeren beeld, kunstig door spotjes belicht. Als iemand me had gezegd dat er nog steeds aan het huis gebouwd werd, had ik het kunnen geloven; alleen een bepaald type mensen voelde zich thuis in een etagère van kaal beton, ook al omspande het uitzicht twee continenten.

De gasten daarentegen waren allesbehalve monochroom. Niet alleen de vrouwen, maar ook verschillende mannelijke gasten waren opgedoft in groteske, theatrale kleding, vergeleken met wie James er geruststellend knap en normaal uitzag, zelfs in zijn Aladdin-kostuum. Er waren halfnaakte supermodellen in schaarse kledij die direct op hun huid was geplakt, en designer-weerwolven met halsbanden vol diamanten; de glanzende, sierlijke pauwenschmink die Rebecca en ik hadden laten aanbrengen in het Kanyon bleek belachelijk ingetogen.

'Daar heb je hem,' zei James, wijzend naar een man in de kledij van een Spaanse stierenvechter tussen het flamboyante gezelschap.

Lang en stram, zijn witte haar getemd met een tondeuse, viel Grigor Reznik tussen zijn verblindende entourage op als een man van feilloze smaak en militaire discipline, wiens glimlach nooit verder reikte dan zijn lippen.

Plotseling verkild door een akelig voorgevoel zei ik: 'Misschien moesten we dat manuscript maar vergeten...'

'Doe niet zo flauw, Morg!' Behendig greep James drie champagneflûtes van een voorbijkomend dienblad. 'Hier, drink dit en ontspan je een beetje. Jullie allebei. We willen beslist niet dat hij argwaan krijgt.'

Tussen de slokjes champagne door vroeg ik me af hoeveel van Rezniks gasten wisten wie hij echt was en wat hij had gedaan voordat hij naar Turkije verhuisde. Wisten ze van zijn geheime politie en de van ratten vergeven inrichtingen waar hij, als baas van de communistische partij, politieke gevangenen heen stuurde? Wisten ze dat Reznik zelfs nu, na zijn zogenaamde pensioen, in zijn kielzog mannen als dr. Özlem gebroken achterliet, en dat hij de herhaalde waarschuwingen van de Turkse regering over zijn criminele activiteiten in de antiekhandel negeerde? Ieder moment, dacht ik onwillekeurig, kon een SWAT-team van Interpol de designerdeur intrappen en iedereen in een wolk van traangas meesleuren naar de gevangenis. En toch stonden we hier, als zijn zogenaamde vrienden – alle driehonderd – Reznicks champagne te drinken en zijn daden met onze aanwezigheid te rechtvaardigen.

Door de menigte slenterend zag ik een vaag bekende gestalte zich een weg in en uit het zicht banen alvorens door een deur te verdwijnen. Ik trok Rebecca aan haar arm en fluisterde: 'Zag je die lange blonde vrouw in dat zilveren muizenpak?'

'Wie?' Ze rekte zich en keek naar links en naar rechts, maar kon de vrouw niet vinden.

'Ze is nu weg,' zei ik. 'Maar ik weet zeker dat het de vrouw was die mijn telefoon heeft gestolen in Nafplion. Ze werkt duidelijk voor Reznik.'

Rebecca zette grote ogen op, maar ik kon niet zien of dat was omdat ze me echt geloofde of omdat ze twijfelde aan mijn geestelijke vermogens.

James keerde zich om en keek ons beurtelings met opgetrokken wenkbrauwen aan. 'Wat is er aan de hand?'

'O, niets,' prevelde ik, en ik verzekerde me ervan dat mijn avondtasje veilig gesloten was – de satijnen envelop met oma's schrift erin, dat ik nu altijd dicht bij me hield. 'Excuseer me even.'

Ik trok me terug in een toiletgelegenheid met stroboscooplampen, leunde tegen de marmeren wastafel en probeerde mijn zenuwen tot bedaren te brengen. Het gevoel dat me had bevangen toen we pas aankwamen – een voorgevoel van een aanstaande ramp – was op volle kracht teruggekeerd. In een optimistisch hoekje van mijn hart had ik de vage hoop gekoesterd dat Nick het feest uiteindelijk toch zou bijwonen en had me dienovereenkomstig opgetut. Maar... als hij hier echt was, hoe zou ik hem dan ooit herkennen tussen zoveel gemaskerde mensen?

Terwijl ik daar voor de spiegel stond, kwam er een mooie, Spaans ogende vrouw in een nauwsluitende bodystocking uit een van de toiletten. Door haar korte zilveren haar zag ze er tegelijkertijd jong en oud uit, en even raakte ik gehypnotiseerd door de bijna tastbare kracht die haar lichaam uitstraalde. Toen onze ogen elkaar in de spiegel ontmoetten, wierp de vrouw me echter een blik toe die niets minder dan giftig was. Pas toen de deur achter haar was dichtgevallen, kwam het bij me op dat ik haar misschien al eerder had gezien, ergens anders. Haar ogen hadden iets vreemd bekends...

Toen ik uit de toiletruimte kwam, was Reznik zijn gasten aan het toespreken in vloeiend Frans. Ik ving alleen het staartje van zijn speech op, maar die besloot met een sombere toost. 'Op Alex,' zei Reznik, zijn champagneglas heffend, 'die vandaag een jaar geleden stierf. En op gerechtigheid.'

'Wat is er?' vroeg Rebecca, toen de muziek en de gesprekken hervat werden. 'Je kijkt alsof...'

'Genoeg getreuzeld!' zei James. 'Dit is onze kans.'

Het vergde vastberaden elleboogwerk om onze gastheer te naderen, maar toen we daar eenmaal in geslaagd waren, werd James beloond met een stevige omhelzing. 'Moselane!' riep Reznik uit met een afgemeten Slavisch accent. 'Ik ben blij dat je er bent. Ik wil met je praten.' Hij schonk James een betekenisvolle blik en zou waarschijnlijk meer hebben gezegd, als hij niet was afgeleid door mijn nabijheid. Na een blik op mij keek hij eerst geïrriteerd, maar toen sperden zijn ogen zich waarderend open. Een paar ademloze seconden lang dacht ik dat hij me op de een of andere manier had herkend, maar zijn volgende woorden suggereerden iets anders. 'Heel mooi,' zei hij, van mij naar Rebecca kijkend. 'Ik zie dat je mijn waardering voor zeldzame schoonheden deelt.'

'Dat doe ik inderdaad,' zei James bewonderenswaardig kalm. Na ons onder valse namen te hebben voorgesteld aan Reznik, vervolgde hij met: 'Ik heb deze twee lieflijke dames verteld dat je nogal wat... ongewone artefacten bezit. Ze zijn allebei heel erg opgewonden bij het idee om je bibliotheek te mogen zien.' De manier waarom James 'bibliotheek' zei, suggereerde dat hij de slaapkamer bedoelde. 'Ik hoop dat je ze niet teleur zult stellen.'

Ik kon zien dat Rezniks vingers zich, heel even maar, verstrakten rond de steel van zijn glas. Toen grinnikte hij en zei, eerst naar Rebecca kijkend en toen naar mij: 'Ik kan de belangstelling van één mooie vrouw al niet weerstaan, laat staan twee. Als je wilt, zal ik jullie mijn kleine... museum laten zien.' Hij keek even achteloos door het vertrek. 'Maar laten we wachten tot de ambassadeur vertrokken is. Ik zoek jullie wel op.'

Het volgende uur brachten we door met onbenullige conversatie, voorwendend dat we ons vermaakten. James was een natuurtalent: hij had over elk beeld en elke andere gast iets te zeggen, en zorgde dat we nooit zonder champagne kwamen te staan. 'Dat is de zoon van Reznik, Alex,' zei hij op een gegeven moment, met een knikje naar een groot marmeren beeld van een jongeman, gemodelleerd naar de *David* van Michelangelo.

'Prachtig,' zei Rebecca. 'Hij moet heel jong zijn geweest. Hoe is hij gestorven?'

James keek om zich heen om er zeker van te zijn dat we niet afgeluisterd konden worden. 'De politie zei dat het een auto-ongeluk was, maar Reznik geloofde ze niet. Hij is ervan overtuigd dat Alex vermoord is, en dat het ongeluk alleen maar een dekmantel was. Wie weet? Op een gegeven moment zal Reznik moeten ophouden met het najagen van spoken. Dit feest is een goed teken. Hij heeft in elk geval voor een avond het geweer uit zijn mond gehaald.'

We bekeken nog een paar beelden voordat Rebecca zich verontschuldigde om naar het toilet te gaan. Ze was nog niet verdwenen of James boog zich naar me toe en zei, met opgewekte nonchalance: 'Ik vrees dat Becks de afwezigheid van onze lijfwacht betreurt.'

Ik leunde voorover om drie kleine busten te bestuderen die – alweer – Alex Reznik bleken te verbeelden, respectievelijk vijf, tien en vijftien jaar oud. 'Ik kan je verzekeren dat ze even opgelucht was om Nick te zien vertrekken als jij.'

'Echt waar?' James probeerde mijn blik te vangen. 'Ze lijkt een beetje... bedachtzaam.'

Ik vermoedde dat hij naar mijn eigen gevoelens viste, maar ik was niet in de stemming om hem zijn zin te geven. Na twee dagen in het volle licht van zijn sprankelende zelfzuchtigheid was mijn geduld met James allang op. 'Becks heeft de afgelopen dagen veel stress gehad, en dat is helemaal mijn schuld.'

'Doe niet zo absurd.' Hij legde een hand op mijn blote schouder. 'Niemand kan zich een betere vriendin wensen.' Toen ik niet reageerde, kwam James voor me staan en blokkeerde mijn zicht op de busten. 'Ik meen het, Morg. Ik vind je heel bijzonder.'

Met zijn afzakkende Aladdin-tulband zag James er even uit alsof hij het echt meende – alsof hij werkelijk verliefd op mij wilde zijn. Toen ik niet reageerde, glimlachte hij onzeker en zei: 'Wij hebben allebei op de lange termijn gespeeld, is het niet?'

Zijn gezicht stond zo hoopvol dat ik onwillekeurig medelijden met hem had, niet alleen omdat ik niet meer verliefd op hem was, maar omdat hij zich volkomen onbewust leek te zijn van het feit dat hij ook niet verliefd was op mij. In zijn haast om Nick te verslaan had hij de rol van beschermer op zich genomen, en nu – als de regelneef die hij was – voelde James zich verplicht om de zinnen uit te spreken die bij de rol hoorden, en vergat zich daarbij af te vragen of hij ze werkelijk meende.

'Ik heb altijd geweten dat jij een blijvertje was,' vervolgde hij terwijl hij mijn hand pakte. 'Koninklijk materiaal. Ik wilde alleen niet ergens aan beginnen en het dan... verknoeien.' Toen ik nog steeds niet reageerde, ging hij bijna boos verder: 'Ik hou van je, Morg. Dat weet je. Waarom zou ik je anders komen redden?'

'Redden!?' Ik trok mijn hand terug. 'Wie zegt dat ik gered moest worden?'

James schrok even terug, realiseerde zich misschien nu pas hoe overstuur ik was. 'Katherine Kent. En waarom zou zij dat zeggen als het niet waar was? Wat heb je haar verteld?'

Ik was zo verbijsterd dat het even duurde voordat ik een antwoord kon produceren. 'Niets,' zei ik ten slotte. 'Ik heb haar vanuit Algerije een bericht gestuurd, maar ik heb haar niet gesproken sinds ik uit Oxford ben vertrokken. Geen woord.'

James fronste zijn voorhoofd, zichtbaar geërgerd dat ons gesprek door zo'n onbeduidend probleem op een zijspoor was beland. 'Je moet haar toch wel iets hebben verteld. Hoe kon ze anders weten dat je vrijdag of zaterdag in Troje zou zijn?'

Op dat moment zag ik Rebecca weer op ons afkomen; ze zag er ongewoon verward uit. Ik werd echter zo in beslag genomen door de onthullingen van James over de bemoeienis van Katherine Kent, dat het me even tijd kostte om mijn zinnen te verzamelen en aandacht te schenken aan het dramatische relaas van mijn vriendin, over een zakkenroller die kennelijk in de menigte aan het werk was en een vrouw die na een allergische reactie afgevoerd werd in een ambulance.

Half luisterend, half niet, werd ik me ervan bewust dat er iemand naar me keek vanaf de andere kant van het vertrek. Toen ik opkeek, zag ik een man in een donker pak, zonder das, in zijn eentje tegen de verste muur staan. Toen onze blikken elkaar ontmoetten, vloog er een schok van warme opwinding door me heen, van top tot teen.

Het was Nick.

Maar in plaats van me te groeten of naar ons toe te komen, keerde hij zich om en liep de trap op naar de eerste verdieping.

'Neem me niet kwalijk.' Ik drukte Rebecca mijn glas in handen. 'Ik ben zo terug.'

Mijn rokken om me heen verzamelend haastte ik me het vertrek door en liep achter Nick aan naar boven, om hem – alweer – te zien verdwijnen, via glazen traptreden naar de volgende etage. Enigszins buiten adem liep ik ook door naar de bovenste verdieping van het huis, waarvan de helft als daktuin was ingericht. Toen ik Nick binnen nergens zag, liep ik behoedzaam door de openstaande brede schuifdeur, om te kijken of ik hem zag tussen de opgepotte bomen en planten.

Slechts enkele andere gasten hadden hun weg naar het donkere terras gevonden – voornamelijk mannen – die allemaal zwijgend stonden te roken en het schitterende nachtlandschap bewonderden van de enige stad ter wereld met zijn ene voet in het Westen en de andere in het Oosten. Het kostte weinig tijd om vast te stellen dat Nick er niet was, en ik voelde mezelf verwelken van teleurstelling. Hij had me wel gezien, maar om de een of andere reden wilde hij niet met me praten.

Ik keerde me om en wilde weer naar binnen gaan... en daar stond hij, vlak achter me.

'Jij!' riep ik uit, van schrik en opluchting tegelijk. 'Waarom liep je zo weg?'

Zonder antwoord te geven trok Nick me de schaduwen in. Een ferme hand achter mijn nek, een andere om mijn middel... en toen vielen zijn lippen op de mijne aan met onstuitbare gulzigheid. Verdwenen was al zijn evenwichtige loomheid of enig voorwendsel; wat hij wilde, was volkomen duidelijk. En ik wilde het ook. Zodra hij me losliet, greep ik hem bij zijn revers en trok hem meteen weer naar me toe.

We leefden al te lang te dicht bij elkaar, en iets moest er bevrijd worden, te beginnen met de kuisheidsgordel die mijn hartstocht beteugelde sinds een zekere schermleraar me tot op het bot had gekwetst en op een drafje teruggekeerd was naar Barcelona. Als Nick inderdaad, zoals Rebecca voorspeld had, de vierde ruiter was, dan... dan besloot ik op dat moment, in een verzengende vlaag van vervoering, dat ik meer dan klaar was om de Apocalyps te berijden.

'Mooi verkleed ben je,' fluisterde ik na een poosje terwijl ik zijn revers rechttrok.

Waarop Nick antwoordde, met hese stem: 'Ik ben niet verkleed.'

'Jij bent altijd verkleed.' Ik keek hem aan, probeerde zijn spel te raden. 'Wat is er aan de hand?'

Hij duwde een opstandige lok haar achter mijn oor. 'Je dacht toch niet echt dat ik je zomaar zou achterlaten?'

'Ik wist het niet zeker...'

'Moedige, mooie Diana.' Nick leunde met zijn voorhoofd tegen het mijne. 'Godin van de jacht. Ga je me nu aan flarden scheuren? Is dat niet wat sterfelijke mannen overkomt als ze te dicht bij je komen?'

De vraag maakte me onwillekeurig aan het lachen. 'Alleen als ze de godin naakt zien. En dat is niet zo. Nog niet.' Die kleine woordjes extra sprongen er zomaar uit, helemaal zelf, voordat ik ze kon tegenhouden, en zorgde dat Nick me weer aan zijn borst trok en zijn gezicht begroef in mijn hals, alsof hij er een hap uit wilde nemen.

'Ik denk dat ik dat net wel heb gedaan.'

We zouden ongetwijfeld een kleine eeuwigheid op dat dak zijn gebleven, niet in staat om een van onze kussen de laatste te noemen, als James en Rebecca me op zeker moment niet waren komen zoeken.

Nick zag ze eerder dan ik door de glazen deur het terras op stappen, en wist me verder de schaduwen in te trekken voordat James riep: 'Morg? Ben je hier ergens?' Toen er geen antwoord kwam, gaven ze het algauw op en vertrokken weer, hun stemmen verward babbelend onderweg naar beneden.

'O jee,' fluisterde ik, mijn gehandschoende vingers tegen mijn mond gedrukt. 'Dit is allemaal zo erg.'

'Waarom?' Nick liet me los. 'Je bent niet verliefd op James. Is het geen tijd om hem uit zijn lijden te verlossen?' Toen ik geen antwoord gaf, reikte hij in zijn binnenzak en haalde een chequeboek tevoorschijn. 'Als je weet wat je wilt,' zei hij, intussen een adres op de achterkant van een blanco cheque krabbelend, 'kun je me daar vinden.' Hij scheurde de cheque doormidden en gaf hem aan mij.

'Hoelang nog?'

'Tot morgenochtend.' Hij stopte de pen en het chequeboek terug in zijn zak. 'Dan krijg ik mijn nieuwe orders.' Hij glimlachte weemoedig. 'De baas vindt dat ik de laatste tijd een beetje te veel plezier heb gehad. Tijd om me weer voor het team in te zetten.'

Ik staarde naar het geschreven adres zonder het werkelijk te zien. 'Kan ik je bereiken via de Aqrab Foundation...? Als ik je voor je vertrek niet te pakken krijg?'

Nicks glimlach verdween. 'Dit is het, Diana.' Hij sloeg een arm om me heen en wees in de richting van een van de verlichte bruggen over de Bosporus. 'Het smalste punt tussen onze werelden.'

'Dat weet ik wel,' zei ik. 'Maar...'

Zachtjes kuste hij me op mijn jukbeen, precies waar de oude kneuzing zich verborg onder de kronkelige glitterschmink. 'Ga weer naar binnen, zoek je vrienden op, en haal ze hier weg.'

'Wacht!' Ik probeerde hem vast te houden, maar hij ontweek mijn omhelzing. 'Ik meen het,' zei hij. 'Vertrek nu. Er komt echt narigheid.'

Ik trof James en Rebecca op de eerste verdieping, wachtend voor één van de gastentoiletten. 'Daar is ze!' riep James, die een stap achteruitdeinsde toen hij me zag. 'We maakten ons ongerust over je.'

'Dit is een heel verwarrend huis,' antwoordde ik, in de hoop dat mijn gezicht er minder verhit uitzag dan het aanvoelde. 'Ik heb jullie tweeën overal gezocht.'

'Nou, hier zijn we dan,' zei Rebecca, zonder mijn blik te ontmoeten. Een trekje rond haar strakke lippen en haar ene opgetrokken wenkbrauw lieten me weten dat ze precies wist wat ik aan het doen was geweest en met wie. Vanwaar zij had gestaan, besefte ik, genoot ze een volkomen ongehinderd uitzicht op Nick toen hij de trap afliep... hooguit een halve minuut eerder dan ik.

'Geweldig,' zei ik, en ik nam beiden bij de arm. 'Kom, laten we hier weggaan. We verspillen duidelijk onze...'

Een hand op mijn blote schouder bracht me tot zwijgen. 'James, dames.' Reznik keek ons aan met de speelse ernst van een spookhuisgids. 'De ambassadeur is vertrokken. Zijn jullie er klaar voor?'

Het kleine museum van Reznik bleek precies aan de andere kant van de betonnen muur te liggen. Een nederige en eminent negeerbare metalen deur diende als poort tussen de twee werelden – openbaar en privé. Gedurende de avond, besefte ik, was ik verschillende keren langs die deur gelopen met het idee dat het zomaar een nooduitgang was.

'Normaal gesproken staat deze ingang onder stroom,' verklaarde Reznik, die zijn hand in zijn broekzak stak. 'Maar natuurlijk' – hij produceerde een kleine sleutelbos, bijeengehouden door een gouden schakelketting – 'wil ik mijn gasten niet elektrocuteren.' Hij beproefde de deur met een vingernagel voordat hij hem opendraaide. 'Neem me niet kwalijk dat ik eerst ga.'

We liepen achter hem aan het donker in en hoorden achter ons een deur dichtslaan met een onheilspellende klik. Vervolgens ging er een groen lichtje aan, nadat onze gastheer een code ingetoetst had op een muurpaneel. Met toenemend ongeduld deed hij het drie keer voordat hij uitriep: '*Chyort voz'mi*! Ik heb het alarmsysteem net laten upgraden. Idioten!' Met een abrupt gebaar knipte hij de plafondverlichting aan in wat een smal vertrek bleek te zijn – kennelijk een soort luchtsluis tussen de twee kanten van het huis. 'Vreemd,' vervolgde hij, zijn hand heen en weer zwaaiend voor een sensor aan de muur. 'Hij zegt dat hij aanstaat, maar dat is niet zo. Afijn.' Wellicht omdat hij zich ineens herinnerde dat hij publiek had, wendde Reznik zich met een geforceerde glimlach tot ons. 'Vroeger wérkte alles gewoon. Begrijpen jullie wat ik bedoel?'

We knikten allemaal. Uit Rebecca's bleekheid leidde ik af dat zij zich ook zojuist had herinnerd dat kunst en cultuur voor deze marxist hand in hand gingen met diefstal en dwang.

Met een bezorgde frons maakte Reznik een andere deur open en betrad voor ons uit een perfecte replica van een ouderwets Londens herenhuis, compleet met koperen kroonluchters en een beklede trap die, veronderstelde ik, helemaal naar de bovenste verdieping leidde.

Elk onderdeel van de inrichting suggereerde dat we, via die twee versterkte deuren, honderd jaar terug in de tijd waren gestapt. Het vertrek waar we stonden, met zijn donkere lambriseringen en de glazen vitrinekasten vol antiquiteiten, had de sfeer van een herensociëteit; het enige wat ontbrak, was een butler in pandjesjas en witte das, die ons met een uitgestreken gezicht vroeg of we de thee zoals gewoonlijk in de bibliotheek wilden gebruiken.

Alert vanwege het slecht functionerende alarmsysteem draafde Reznik voor ons uit, en gaf ons onderweg een snelle rondleiding van alle artefacten die op deze verdieping tentoongesteld werden. Eén vitrine bevatte een verguld samoeraikostuum omringd door vier zwaarden, en toen hij erlangs liep, hield Reznik halt om er eentje uit te halen. 'Voor de zekerheid,' zei hij tegen ons, waarbij hij de indruk maakte dat hij maar al te zeer gewend was om zo rond te lopen, bewapend tegen eventuele vijanden. 'Tot dusver ontbreekt er niets. Ik denk dat alles in orde is. Kom mee.'

Achter hem aan beklommen we de eerste trap, en onderweg zei Reznik tegen James: 'Nu ik eraan denk, ik wil met je praten over die vriendin van je, Diana Morgan.'

Ik was niet de enige die schrok bij het horen van mijn naam; Rebecca wierp me een grijns van pure paniek toe en struikelde bijna over haar lange rok. Gelukkig liep Reznik voorop en merkte niets. James herstelde zich als eerste en vroeg: 'Wat is er met haar? Ik heb al een tijd niets van haar gehoord.'

'Hm,' zei Reznik, alsof hij aanvoelde dat James loog. 'Weet jij waar ze is?'

Boven aan de trap belandden we in een bibliotheek die de hele tweede verdieping besloeg en het grote trappenhuis omlijstte met een galerij van ingebouwde boekenkasten. 'Wat een magnifieke ruimte!' riep James uit, in een dappere poging om van onderwerp te veranderen. 'Hoeveel boeken hebt u hier wel niet staan?'

Maar Reznik hoorde de vraag niet eens. Met een schreeuw van woede stoof hij dwars over een groot Perzisch kleed naar een lessenaar. 'Nee! De vuile krengen!'

Onder een groen fluwelen kussen, verlicht door spotjes, lag een koperen plaatje met daarop P. EXULATUS: HISTORIA AMAZONUM. Maar het kussen zelf was leeg.

Ook al was het alarmsysteem uitgeschakeld, het tiental strategisch geplaatste bewakingscamera's werkte nog wel. Ze werden allemaal bediend vanaf een computer op de raamloze bovenste verdieping, waar zich een Lodewijk XVI-slaapkamer bleek te bevinden, compleet met een kolossaal schilderij van Marie-Antoinette en een miniatuurguillotine om sigaren te knippen.

Te oordelen naar de bedompte, nogal zure geur was deze donkere grot de slaapplaats van Reznik, en ik vond onwillekeurig dat we daar niet zouden moeten zijn – dat we in hoog tempo veel te intiem werden met een onvoorspelbare tiran.

'Ik heb jullie te pakken,' mompelde onze gastheer, terwijl hij een muis onder een stapel papier vandaan haalde. 'Eindelijk heb ik jullie. Krengen van Satan. Heel slim – mijn jongens afleiden met die zakkenroller en de ambulance. Maar ha! Ik heb jullie op film!'

Terwijl we achter Reznik stonden en niet zeker wisten wat we moesten doen, stootte Rebecca me aan en knikte nerveus naar twee etalagepoppen in de hoek. De ene had een bikini van maliën aan, de andere een korte tuniek van slangenhuid – aan hun wapens en bontlaarzen te zien was dit hoe Reznik zich de Amazones voorstelde.

Behalve... dat beide poppen hun rechterhand kwijt waren. En dat moest onlangs gebeurd zijn, want de twee griezelig realistische stukken plastic lagen nog op de vloer. Toen ik Rebecca aankeek, besefte ik dat we hetzelfde dachten. Die etalagepoppen waren hun jakhalsarmbanden kwijt.

Op dat moment maakte Reznik een geluid dat grote consternatie verried, en we werden allemaal naar het computerscherm getrokken. 'Wie is dat verdomme?' riep hij uit. Hij zette het beeld stil, zoomde in op de persoon die de camera had gefilmd, en zei toen, nog harder: 'Kan iemand me alsjeblieft vertellen wie dat is?!'

We bogen ons voorover om het vage zwart-witbeeld te bestuderen van een man die voor de lessenaar stond met een boek in zijn handen dat de *Historia Amazonum* moest zijn. Ondanks de lage resolutie en het feit dat de dief een masker droeg, herkende ik hem onmiddellijk. Ik had immers nog geen kwartier geleden in zijn armen gelegen.

'Wat denk jij?' James keek me aan met een buitengemeen onaantrekkelijke mengeling van boosheid en triomf. 'Kennen wij dat waardeloze stuk vreten?'

Ik was zo geschokt dat ik het niet kon verbergen. Zonder enige twijfel was ik het blindste, meest lichtgelovige slachtoffer waar de Aqrab Foundation ooit zijn verraderlijke tanden in had gezet.

'Niks waardeloos!' Reznik keek naar het scherm alsof hij het aan gort wilde slaan. 'Dat manuscript heeft me een fortuin gekost. En nu is het weg.'

Ik voelde de blik van James op me rusten toen hij zijn keel schraapte en zei: 'Niet noodzakelijkerwijs. Misschien zou een telefoontje naar Dubai de zaak ophelderen?'

Ook al hoorde ik hem de woorden zeggen, ik was nog zo verlamd door de aanblik van Nick op het scherm dat ik niet werkelijk besefte wat James aan het doen was tot Reznik gromde van verrassing. 'Denk je dat al-Aqrab hierachter zit?'

James haalde zijn schouders op, het afgrijzen op mijn vertrokken gezicht negerend. 'We weten allebei dat zijn mensen nooit volgens de regels spelen. Wie zou je dit anders hebben durven aandoen?'

Naarmate het nieuws over de inbraak zich door de andere helft van het huis verspreidde, verzonk het modieuze samenzijn in chaos. Beveiligingsmensen renden heen en weer, verlate bevelen blaffend, maar de wanorde zonk in het niets vergeleken bij het kabaal in mijn hoofd terwijl ik me met mijn ellebogen een weg baande door de gasten, wanhopig om naar buiten te komen en te verdwijnen.

'Morg!' zei James achter me, zoals hij al verschillende keren had gedaan. 'Doe niet zo flauw. Waar is je gevoel voor humor?'

Ik nam de moeite niet om te reageren. Wat ik ook tegen hem zei, en wat hij ook als antwoord verzon, het kale feit dat James Nick op een presenteerblaadje aan zo'n notoire sadist had overhandigd, maakte me zo ongelooflijk woedend dat ik hem graag een van de enge borstbeelden van Alex Reznik naar zijn hoofd had gesmeten.

'Goed dan!' zei James, die eindelijk genoeg van me had. 'Ik ga onze spullen halen bij de garderobe. We zien elkaar over vijf minuten bij de auto. Wie er niet is, gaat zelf maar naar huis.' Daarmee liep hij weg.

'Ik moet plassen,' zei Rebecca. 'Geef me een minuut...'

Terwijl ik wachtte tot Rebecca terugkwam, merkte ik weer dat er iemand naar me staarde, deze keer vanuit de openstaande deur naar het terras. Het was de jonge vrouw in het zilveren muizenpak – mijn skeelerende wraakgodin.

Dwars door het pandemonium heen keken we elkaar aan. Toen haalde ze met een spottende halve glimlach een tas tevoorschijn en slingerde die losjes over haar schouder, waarmee ze het mij onmogelijk maakte om niet te zien wat zo overduidelijk was.

Het was mijn tas, de tas die ik in het labyrint van Knossos was kwijtgeraakt.

'Hé!' riep ik uit en instinctief zette ik een stap in haar richting. Maar zodra ik dat deed, draaide ze zich om en schoot de tuin in.

Ik vloog haar achterna. Het zilveren pak stak duidelijk af tegen het groen van de struiken, en hoewel de vrouw er uitermate fit uitzag, kon ik haar helemaal tot aan de grens van het landgoed bijhouden ondanks mijn schoenen en de dauw waardoor het gras verraderlijk glad was. Eenmaal daar aangekomen perste ze zich door een spleet in het hoge rasterhek, keek even achterom of ik haar nog op de hielen zat en holde de weg af, met de bungelende tas.

Het zag er niet goed uit, maar ik was niet van plan om die vrouw weer te laten wegkomen – niet zonder strijd. Vloeken prevelend waarvan ik niet eens wist dat ik ze kende, perste ik me door het hek, mijn kapsel, mijn schoenen en mijn gezonde verstand allemaal tegelijk opofferend, om de langbenige dievegge achterna te rennen van de steile berg af in de richting van het water.

Het was vreemd bevrijdend om blootsvoets over het ruwe betonnen plaveisel te rennen; ik hield mijn lange rok in een prop rond mijn heupen vast en verbaasde me over mijn snelheid. De ene lantaarnpaal na de andere vloog voorbij, maar de afstand tot mijn prooi nam geen moment toe, en de vrouw bleef achteromkijken tot ze op zeker moment een hoek omsloeg en uit het zicht verdween.

Het duurde niet lang voordat ik de bocht bereikte, maar toen ik er was, zag ik haar nergens meer. Ik stond in een rustige woonwijk waar overal auto's geparkeerd stonden. Overal verstopplaatsen. Ik stond stil en spitste mijn oren of ik voetstappen hoorde of andere geluiden waaruit bleek dat ze nog in de buurt was... en toen zag ik het liggen.

Een Brits paspoort. Op het plaveisel, aan mijn voeten.

Verrast bukte ik me om het op te rapen. Het was mijn paspoort.

Met het absurde gevoel dat ik iets gepresteerd had, liep ik de stille straat door en bespeurde een eindje verder op de stoep weer een voorwerp, recht onder een straatlantaarn.

Mijn portefeuille.

Misschien had ik het toen al moeten doorzien, maar pas toen ik ook mijn agenda vond – in het oog lopend onder alweer een lantaarn, net om de hoek van alweer een zijstraat – begreep ik wat er gaande was.

Ze lokte me mee. Eerst de tas, toen het paspoort, toen de portefeuille... en ik, sukkel die ik was, speelde mee en vleide mezelf dat ík de jager was.

Voor me uit kijkend zag ik op het plaveisel iets liggen wat heel veel leek op de sleutelbos waar al mijn kostbare Oxford-sleutels aan hingen. Maar deze keer rende ik er niet op af. In plaats daarvan liep ik heel behoedzaam achteruit, half in de verwachting dat er een bende krachtpatsers uit een busje zou stappen om me te knevelen en mee te sleuren.

Ik liep tot de hoek achteruit voordat ik me durfde om te draaien. Met een tollend hoofd van verwarde vragen en onzinnige antwoorden rende ik de hellende straat weer op, terug zoals ik gekomen was, tot ik uiteindelijk het huis van Reznik bereikte. Opgelucht herkende ik het kippengaashek waar ik me zojuist doorheen had geperst en liep erlangs tot ik bij het hoge toegangshek kwam waar nog steeds gasten in kostuum rondliepen en ruzieden over taxi's.

Op pijnlijke blote voeten liep ik door de menigte naar de straat, nog steeds zo druk zoekend naar de zin van het gebeurde dat ik de lege parkeerplek twee keer voorbijliep voordat de waarheid tot me doordrong...

De Aston Martin van James stond er niet meer.

Zonder het te willen geloven keek ik verschillende keren de straat af, mijn polsslag een nerveuze galop, maar dat veranderde niets. Het vliegende tapijt was zonder mij vertrokken.

32

TROJE

DRIE WEKEN LANG blies onophoudelijk de noordenwind. Voor Myrine waren het drie weken van afschuwelijk huisarrest en van kijken vanaf haar balkon hoe de Egeïsche kust zich vulde met schepen die de kaap niet konden ronden tot de wind draaide. Paris verzekerde haar dat het allemaal koopvaardijschepen waren onder bevel van vreedzame kapiteins, en toch was hun groeiende aanwezigheid dreigend. Hadden alle zeelui niet voortdurend voedsel en vermaak nodig? En had zij niet met eigen ogen gezien hoe gemakkelijk zulke mannen bereid waren hun plezier met getrokken zwaarden te stelen?

'Ik had nooit gedacht dat er zoveel schepen op de wereld waren,' zei ze op een dag tegen Paris toen ze samen op het balkon stonden.

'Als de wind eenmaal draait,' stelde hij haar gerust, zijn handen op haar schouders, 'gaan ze allemaal weer weg.'

Myrine leunde tegen hem aan. 'Behalve de Griekse schepen.'

'Ik wed,' zei Paris met een kus in haar nek, 'dat zelfs zíj er genoeg van zullen krijgen.'

Agamemnon, Heer van Mykene, had koning Priamos een maand gegeven om de Amazones te straffen die zich naar verluidde achter zijn hoge muren verscholen, en om de onschuldige Helena over te dragen, die zo wreed ontvoerd was uit zijn huis. Wat het lot van de mannen-dodende Myrine betrof, er kon vanzelfsprekend geen sprake van zijn dat Mykene het bestraffen van een prinses van Troje zou eisen, in ieder geval niet zolang ze nog jong genoeg was om van belang te zijn voor haar man. Maar wellicht kon de boetedoening voor haar zonden de vorm krijgen van een bevestiging van de goede relaties tussen Mykene en Troje – relaties die de vrije doorgang van schepen en goederen door de Hellespont garandeerden.

Myrine had de oorzaken van de onmin tussen Agamemnon en koning Priamos nooit begrepen, maar ze wist wel dat een Griekse piraat met de naam Achilles al tien jaar lang aanvallen uitvoerde op de Trojaanse kust. 'Zijn mannen voeren onze oogsten af als een leger mieren,' had Paris haar verteld, 'en het ergste is dat ze vrijgeboren burgers stelen en als slaven verkopen. Natuurlijk beweert Agamemnon dat die aanvallen buiten zijn bemoeienis vallen, maar het is algemeen bekend dat hij er enorm van profiteert.' Paris had vol afkeer zijn hoofd geschud. 'Uiteindelijk besloot mijn vader druk uit te oefenen op Agamemnon om Achilles aan banden te leggen, door een belasting te heffen op alle Griekse schepen die de Hellespont in en uit gingen. Je begrijpt dat alle Griekse zeekapiteins die hun brood verdienen in deze wateren woedend waren over die vaarbeperkingen. Geloof me, ik heb heel wat discussies gehad met mijn vader over de wijsheid van zijn beleid, want ik vrees dat ze alleen maar tot verdere onmin zullen leiden.'

Gezien dat verleden van wederzijdse grieven zou het wellicht niemand moeten verbazen dat Agamemnon besloten had de kwestie van zijn ontvoerde dochter te gebruiken om koning Priamos te dwingen de Hellespont-belasting op te heffen. Maar het verzoek had een verhardend effect op het meelevende oor van Priamos; uit afkeer van de rouwende vader en sluwe bestuurder in één, stuurde de koning van Troje Agamemnon en zijn delegatie weg zonder enige belofte te doen van welke aard dan ook. Maar in dezelfde ademtocht richtte hij zich tot Myrine en eiste dat zij onmiddellijk zowel Helena als de Amazones liet komen, om te zorgen dat de Grieken geen excuus hadden om een vete te beginnen.

En zo gebeurde het dat Hippolyta en Animone naar Efeze werden gezonden om de situatie aan Vrouwe Otrera uit te leggen en Helena over te halen naar Troje te reizen en haar vader onder ogen te komen. Toen die twee eenmaal waren vertrokken, kon Myrine niets anders meer doen dan wachten. Opgesloten in haar kamer volgens het decreet van koning Priamos, ontving ze al haar nieuws van Paris. De zelfmoordpoging van de arme Kara, Lilli's zachtmoedige tussenkomst... ze hoorde het allemaal uit de tweede hand, en hoewel ze begreep waarom de koning zich gedwongen voelde haar te straffen voor de problemen die zij zijn huis had bezorgd, verfoeide Myrine haar eigen hulpeloze opsluiting.

'Wees geduldig,' had Paris haar vele malen gesmeekt. 'Hoe meer lawaai je maakt, hoe langer zijn woede zal aanhouden. Mijn vader is een man die zijn zin moet hebben; de enige doeltreffende reactie is zwijgende onderwerping.'

Wat de koningin betrof, die was slechts één keer bij Myrine gekomen, om haar wang te strelen met koude, bloedeloze vingers. 'Mijn arme kind,' had ze gefluisterd, haar betraande ogen vol verdriet. 'Ik wist dat het zo zou gaan. Ik wist het vanaf de dag dat je binnenkwam. Mijn arme meisje. Mijn arme jongen.'

Myrine kon zich slechts vastklampen aan de hoop dat haar zusters in Efeze zouden weten wat er gedaan moest worden en haar haastig te hulp zouden komen. De komst naar Troje van Helena – na zoveel maanden even gezond en maagdelijk als ze ooit was geweest – zou Agamemnon toch vast kalmeren en zijn vergeving bewerkstelligen ten bate van hen allen.

Toen er eindelijk een groep terugkeerde uit Efeze, keek Myrine gespannen toe vanaf haar balkon en probeerde de gezichten van haar zusters te onderscheiden. Ze telde alles bij elkaar twaalf vrouwen, maar wist geen van hen te herkennen voordat ze in de stallen verdwenen om hun paarden te verzorgen.

Niet in staat om haar opwinding te bedwingen rende ze naar de deur en bonsde op de houten planken. Er kwam echter geen reactie tot Paris haar eindelijk kwam halen om haar naar de troonzaal te brengen. 'Realiseer je je wel,' zei hij, met een frons op zijn gezicht, 'dat die herrie van jou in het hele gebouw te horen is?'

'Waarom reageert er dan niemand?' Myrine haastte zich voor hem uit door de gang. 'Wat moeten mijn zusters wel niet denken? Dat ik een slavin ben?'

Paris greep haar elleboog en bracht haar abrupt tot stilstand. 'Er kon wel eens een dag aanbreken waarop je je deze slavernij herinnert en ernaar terugverlangt.'

Myrine keek hem aan, ineens verkillend. 'Zeg zulke dingen niet...'

'Laten we dan allebei zwijgen,' zei Paris terwijl hij zijn armen om haar heen legde, 'en deze uren niet bederven met boze woorden.'

Waar koning Priamos zijn vijanden ontving in de tempel van de Aardschokker, verwelkomde hij zijn vrienden in de troonzaal. Op een verhoogde marmeren zetel tegen de verste muur – een zetel met als vogelklauwen gebeeldhouwde armleuningen en een rugleuning die uitwaaierde in brede vleugels – ging hij al op in het nieuws uit Efeze toen Myrine en Paris aankwamen.

Als Myrine van het groepje een zusterlijke begroeting had verwacht, werd ze pijnlijk teleurgesteld. Strak rechtop, midden op de vloer, met brede gebaren de koning aansprekend, veroorloofde de breedgeschouderde Penthesilea zich nauwelijks de moeite om haar aanwezigheid te erkennen, op een streng knikje na dat duidelijk zei: dit is jouw schuld. En om Penthesilea heen stonden voornamelijk vrouwen die Myrine maar zelden had gesproken op de boerderij van Vrouwe Otrera: geharde ruiters en jagers die zichzelf ver boven de nieuwkomers vonden staan, en geen tijd verspilden aan een nadere kennismaking. De enige werkelijk vertrouwde gezichten waren die van Pitana en Helena, waarbij de laatste even wrokkig keek als Myrine zich van haar herinnerde. Maar ze was in elk geval gekomen.

'Het verbaast mij niets,' zei koning Priamos, verschuivend in zijn marmeren zetel, 'te horen van die nieuwe plundertochten langs de kust; de Grieken worden met de dag brutaler. Als Agamemnon ooit al heeft geprobeerd om die piraat van een Achilles aan banden te leggen, heeft hij hem nu duidelijk de vrije hand gegeven. Het is verstandig van Vrouwe Otrera om de boerderij op te geven voordat ze aangevallen wordt. Waar is ze van plan heen te gaan?'

Penthesilea rechtte haar rug. 'We zullen naar het oosten reizen, om ons te vestigen tussen de paardenfokkende Kaskiërs aan de rotsige kust van de Zwarte Zee. Het is een streek die zich leent voor onafhankelijkheid; zoals u waarschijnlijk weet, noemen de Grieken het gebied de Ongastvrije Zee, en het is nooit door iemand veroverd. Zelfs u' – ze keek brutaal naar koning Priamos, zoals altijd niet in staat tot nederigheid – 'zou geen leger door die smalle dalen durven sturen.'

'Waarom overweegt Vrouwe Otrera niet om zich hier in Troje te vestigen?' opperde de koning, wiens toon suggereerde dat de provocatie hem eerder intrigeerde dan irriteerde. 'Het is veel dichterbij, en onze muren zijn ondoordringbaar.'

Myrine kende Penthesilea goed genoeg om zoiets zeldzaams als schaamte in haar ogen te bespeuren. Plaatsvervangende schaamte, vermoedde ze, voor de koning wiens stad niet goed genoeg was voor Vrouwe Otrera. 'Dat is bijzonder hartelijk van het Trojaanse volk,' zei Penthesilea met neergeslagen ogen. 'Maar... Vrouwe Otrera is vastbesloten om ons ver van de kust te verwijderen.'

'Dat begrijp ik.' Koning Priamos trommelde met zijn vingers op de marmeren armleuning. 'Dat begrijp ik.'

Er viel een nerveuze stilte vol tersluikse blikken, tot Myrine een stap naar voren zette, omdat ze niet langer kon zwijgen. 'Wat is het nieuws over mijn zusters?' vroeg ze. 'Waar zijn ze nu?'

Met tegenzin richtte Penthesilea zich tot haar. 'We hebben ons kamp opgeslagen aan de rivier de Simoeis, ten noordoosten van hier. Degenen die liever in Efeze achter wilden blijven waren vrij om dat te doen. Niemand wilde. Het is te gevaarlijk geworden. En degenen die halt wilden houden in Troje om die kleine stokebrand af te leveren bij haar liefhebbende vader' – Penthesilea wierp een blik vol afkeer op Helena en gebaarde toen waardig naar de groep – 'zie je voor je. Niemand anders vond dat ze hier iets te zoeken had.'

Bij de onverzoenlijke blik in Penthesilea's ogen kromp Myrine in elkaar. Natuurlijk kon ze het de dochters van Otrera niet kwalijk nemen dat ze vertoornd waren over de situatie die hen had gedwongen hun thuis te verlaten, maar ze had gehoopt dat ze haar in ieder geval nog als vriendin zouden beschouwen, al was ze hun zuster niet meer.

'En nu,' vervolgde Penthesilea, 'zullen wij, met uw welnemen, koning, naar het strand rijden en dit meisje terugbezorgen aan Agamemnon, zodat wij ons zo snel mogelijk weer bij Vrouwe Otrera kunnen voegen...'

'Wacht!' zei Myrine, verbolgen over Penthesilea's aanmatigende houding. 'Moeten we niet met Helena overleggen over de verstandigste handelwijze in deze kwestie? Zij kent haar vader beter dan wie ook.'

Penthesilea haalde haar neus op. 'Praat me niet van verstandigheid! Jij hebt haar weggehaald, en jij zult haar formeel teruggeven.'

'Dat ben ik ook zeker van plan,' zei Myrine, 'maar...'

'Absoluut niet!' riep Paris uit. 'Ik verbied het.'

Zodra koning Priamos het plan van Penthesilea had goedgekeurd om de vrouwen Helena aan de Grieken te laten uitleveren, beval hij de paleiswachters om Paris gevangen te nemen en in zijn vertrekken op te sluiten. Te geschokt om zelfs maar een poging te doen om tussenbeide te komen, liep Myrine achter de mannen aan door de gang en luisterde naar de woedende woordenwisseling tussen vader en zoon terwijl Paris werd weggevoerd.

'Ik doe wat er gedaan moet worden,' zei koning Priamos, de wachters gebarend resoluut te zijn. 'Als je weer bij zinnen bent, zul je me dankbaar zijn.'

'Je bent een moordenaar!' schreeuwde Paris, die zich zo verzette dat het vier sterke mannen vergde om hem in bedwang te houden. 'Je offert deze vrouwen op – en mijn vrouw ook! Geef ze dan ten minste een detachement paleiswachters mee...'

'Om ze te laten denken dat wij nog meer agressie in gedachten hebben?' Grimmig schudde koning Priamos zijn hoofd. 'Hebben deze vrouwen de Grieken nog niet kwaad genoeg gemaakt? Als koning moet ik mijn handen wel van ze aftrekken. Als vader...'

'Neem dat woord niet in je mond!' riep Paris terwijl de wachters de deur in zijn gezicht dichtsloegen. 'Ik zweer bij de goden, nooit weer zal ik een maaltijd met je delen!'

Met de afschuwelijke woordenwisseling nog steeds in haar oren schallend keerde Myrine terug naar de troonzaal waar Penthesilea en haar metgezellen ongeduldig stonden te wachten om te vertrekken.

Op hun rug hingen korte bogen naar het model dat zij had gemaakt en pijlkokers met pijlen die zij had ontworpen – en toch zagen ze haar als een verrader die geen verzoenend woord verdiende. Zelfs het feit dat ze tegen de wens van Paris met hen meeging, leverde haar nog geen goedkeurend knikje op.

Eenmaal op hun paarden, tegen hun zin uitgerust met de kuifhelmen en halvemaanschilden die koning Priamos hun op het laatste moment had opgedrongen, verlieten de vrouwen de citadel in galop. Stadsbewoners en fladderende kippen sprongen voor hen opzij toen ze door de straten van Troje snelden; de vrouwen hadden enkel oog voor een snel besluit van hun weerzinwekkende missie.

De vier schepen die Agamemnon en Menelaos naar Troje hadden gebracht, waren aan land getrokken tussen honderden andere buitenlandse vaartuigen in de beschermde, westelijk gerichte baai tegenover het eiland Tenedos. Om daar te komen moesten de vrouwen de vlakte van de Skamandros oversteken met de ondergaande zon in hun ogen, en Myrine was niet de enige die met opgeheven schild reed tegen het verblindende licht.

Bij het naderen van de kust verbaasde ze zich over het uitgestrekte tentendorp dat rond de gestrande schepen opgetrokken was. Als ze niet beter had geweten, zou ze vermoed hebben dat vele duizenden soldaten zich op deze langgerekte kust hadden verzameld om feest te vieren, want boven elke brandstapel hing een halve koe aan het spit, en er was geen ongelukkig gezicht te bekennen.

Maar toen ze het Griekse kamp bereikten, kwamen er een paar wachters naar voren, met speren in hun hand, om hun besogne aan te horen en zich ervan te vergewissen dat ze geen andere wapens droegen dan de verwaarloosbare bogen op hun rug. Zodra de mannen zich echter realiseerden dat ze met vrouwen van doen hadden, groeide hun verbijstering uit tot een storm van honend gejouw en zedeloze voorstellen.

'Zet je helm af,' zei Penthesilea tegen Helena, 'zodat ze je herkennen en dit onverdraaglijke spotten staken.'

Maar Helena zette haar helm niet af. Ze had geen woord gezegd sinds ze in Troje waren aangekomen en was duidelijk beledigd dat ze met zo weinig plichtplegingen uit de zusterschap werd gezet. Ondanks haar vastberaden besluit om zich niet door medeleven van haar stuk te laten brengen, voelde Myrine een steek van medelijden voor het meisje nu het tijd was voor de overdracht.

Toen ze Agamemnons tent naderden, kwam de knappe Menelaos eerst naar buiten, met een speer in zijn hand. Na hem verscheen de Heer van Mykene, leunend op een zilveren staf. 'Daar is hij!' riep Penthesilea uit, en bracht haar paard tot stilstand. 'Zet nu die verrekte helm af...'

Langzaam voor hen uit rijdend reikte Helena omhoog... om het schild opzij te werpen en haar boog te bevrijden. Voordat er iemand tussenbeide kon komen, had ze een pijl op haar boog, recht op Agamemnon gericht. 'Vader!' gilde ze, met een stem die te zwak was om ver te dragen. 'Op één voorwaarde ga ik met je mee...'

Maar wat ze had willen zeggen werd abrupt afgebroken door de hardvochtige kling van het noodlot. Want een speer, met geweld geworpen door Menelaos om de koning te beschermen, raakte Helena midden in haar borst en wierp haar van het paard met een geluid dat te gruwelijk was om als een schreeuw te beschrijven. Het meisje smakte op haar rug in het zand, schopte nog een keer, en werd toen slap; woordeloos zakte haar hoofd opzij.

Te geschokt om voorzichtig te zijn sprong Myrine van haar paard en stortte zich op Helena, radeloos op zoek naar een teken van leven. Maar de speer die uit die smalle borst stak, was een onverzoenlijk teken dat de dood haar voor was geweest.

In een uitbarsting van spijt omarmde Myrine de krachteloze schouders waar ze zo vaak een klopje op had gegeven tijdens hun wapentraining en drukte talloze kussen op Helena's roerloze gezicht, zich nauwelijks bewust van wat ze deed. Pas toen ze eindelijk overeind ging zitten en de niets ziende ogen van het meisje sloot, hoorde Myrine het woedende bevel van Penthesilea. 'Spring op je paard, imbeciel! Moeten we soms allemaal als vissen aan een speer geregen worden?'

De vrouwen hadden zich nog niet van Helena's lichaam afgewend of de Grieken dromden eromheen, benieuwd wie een pijl had durven richten op hun koning. Zelfs Agamemnon kwam naar voren, steunend op de arm van Menelaos.

'Kom mee!' schreeuwde Penthesilea en ze gebaarde de vrouwen om zich meteen terug te trekken. 'Het zal niet lang duren voor ze haar herkennen.'

Maar zelfs Agamemnon herkende zijn dochter niet, totdat de mannen haar een poosje heen en weer hadden getrapt. Toen ineens klonk er een schrille kreet, en in het Griekse kamp laaiden de woede en het afgrijzen op. Paarden werden geroepen, wapens gevonden... Binnen een paar tellen reden de vrouwen voor hun leven, in galop over de vlakte van de Skamandros om aan een spervuur van speren en vloekend gebrul te ontsnappen.

Toen ze de rivier bereikten, vormden Myrine en Penthesilea als vanzelfsprekend de achterhoede om te zorgen dat al hun metgezellen veilig over de brug kwamen. Daar vloog een speer zo vlak langs Myrines oor dat ze het sissende zoeven ervan kon horen. Instinctief draaide ze zich om in haar zadel en stak haar schild op, waarop ze de donderende impact van nog twee projectielen voelde – speren die met zoveel geweld geworpen waren, dat ze haar bijna uit het zadel stootten. Toen ze zag dat de speerpunten zich diep in de ossenhuid hadden gedrongen, zodat het schild te zwaar en te onhandig werd om het nog te gebruiken, wierp ze het van zich af en reikte naar de boog op haar rug.

Eén... twee... drie mannen waren niet alert genoeg om haar pijlen te ontwijken; een vierde wist te bukken en naast Penthesilea te gaan rijden; zijn bronzen zwaard ving de laatste stralen van de ondergaande zon toen hij haar schild opzij dwong met zijn vrije hand.

Te druk met het kalmeren van haar panische paard zag Myrine de slag niet; het enige wat zij zag, was het lichaam van Penthesilea, dat gutsend van het bloed in de Skamander viel en ontzield werd meegesleurd door de stroom.

En toen werd Myrine klemgezet. Twee mannen versperden de brug, en andere kwamen naderbij en sloten haar van achteren in. Myrine trok de Minoïsche bijl uit haar riem – een wapen dat Paris al vroeg in beslag had genomen, maar dat door Lilli was opgespoord middels schijnbaar onschuldige vragen – en keek om zich heen om te zien wie haar het eerst zou aanvallen... en ontweek ternauwernood een zwaaiende uithaal van de man die Penthesilea had gedood. Het was puur instinct waardoor ze precies op het moment dat hij toesloeg opzij leunde, maar de schok verstoorde haar evenwicht zodanig dat ze van haar paard gleed en halsoverkop van de rivieroever rolde.

Grijnzend om haar pech volgde de man haar te voet omlaag naar de rand van het water, klaarblijkelijk in de verwachting dat hij haar met één zwaardslag achter Penthesilea aan zou sturen. Maar net toen hij dacht dat hij haar te pakken had, omdat ze daar ineengedoken in de modder lag, vloog Myrine hem aan en ramde haar bijl recht in zijn buik, die hij bij zijn uithaal zo onbezonnen blootgegeven had.

Misschien vanwege de hoek van haar slag drong de bijl niet door in zijn vlees, maar de schok alleen volstond om hem met een kreun voorover te laten klappen en zijn evenwicht te laten verliezen. Zonder ook maar even na te denken greep Myrine hem bij zijn schouderriem en gaf er een machtige ruk aan... en toen was ook hij verdwenen, net als de vrouw die hij had gedood; hij rolde rechtstreeks de rivier in.

Hijgend van de inspanning en duizelig van paniek wist Myrine nauwelijks of ze moest blijven waar ze was, gevaarlijk dicht bij het water, of moest proberen om de modderige oever weer op te klimmen. Hoe dan ook, ze zou een dozijn mannen het hoofd moeten bieden... geen veelbelovende situatie. Ze was in de verleiding om gewoon in de rivier te springen en het lot de teugels in handen te geven...

Maar daar hoorde ze de schrille, joelende jachtkreten van de dochters van Otrera. En de mannen hoorden ze ook. Ongelovig opkijkend begonnen ze zich terug te trekken van de helling, op zoek naar hun paarden... maar het was al te laat. Toen ze zich omdraaide, zag Myrine de groep zusters van Penthesilea in volle galop terugkeren naar de brug, met geheven bogen. Binnen een enkele ademtocht hadden hun pijlen elke man doorboord.

Er kwamen echter nog meer Grieken aan, sommige te paard, andere te voet, allemaal vervuld van wraakzucht. En onder hen bevond zich Menelaos, gewapend met verscheidene speren en ongetwijfeld, na de ontdekking van zijn gruwelijke vergissing, haat genoeg om een hele stad met de grond gelijk te maken.

Myrine greep de leidsels van haar paard en rende naar de brug nu het nog kon, vol vrees voor de projectielen waarvan ze wist dat ze al snel zouden volgen. Over de brug stoof ze, haar waardering uitschreeuwend tegen de dochters van Otrera, terwijl ze zich afvroeg hoe ver ze zouden komen voordat ze opnieuw tegengehouden werden.

De mannen zaten zo zwaar in het zadel, gewapend als ze waren met speren en zwaarden, dat de vrouwen buiten hun bereik wisten te blijven en hun voorsprong zelfs konden vergroten terwijl ze hun paarden aanspoorden en over de vlakte raceten naar de veiligheid van Troje. 'Sluit de poort!' riep Myrine toen ze eindelijk allemaal binnen waren. 'Nu meteen!'

Toen de enorme houten poorten dichtvielen en afgesloten waren met een kolossale, versterkte dwarsbalk, hoorde ze de razernij van de buitengesloten Grieken aan de andere kant. 'Doe die poort open, stelletje stinkende lafaards!' brulde iemand terwijl hij op de balken dreunde. 'Is dat nou die beroemde Trojaanse moed? Dat jullie vrouwen voor je laten vechten?'

Later die avond, toen Myrine met haar diepbedroefde metgezellen terugkeerde naar het paleis, stond Paris haar bij de stallen op te wachten. Hij zei niets, keek haar alleen maar aan met een gelaatsuitdrukking waar ze al eerder sporen van had gezien, maar die ze nooit werkelijk had begrepen, tot op dit moment. Eerder verontschuldigend dan beschuldigend: een donkere blik van erkenning die haar liet weten dat hij zijn eigen lot allang had gezien in haar daden, en haar allang niet meer verantwoordelijk hield.

Nog voor de dageraad ontwaakte Myrine uit afschuwelijke dromen, en ze tastte in het donker verwoed om zich heen tot ze hem vond. Hij was er nog; hij lag vlak naast haar te slapen.

Ze waren drie dagen in de hut op de heuvel geweest. Drie dagen van rouw om een Griekse prinses, drie dagen van voorbereiding op het nobele proces dat zou bepalen wie er schuldig was aan haar dood. Het was Menelaos die een duel tussen hemzelf en Paris had voorgesteld. Agamemnon, had hij aan koning Priamos uitgelegd, was te overstuur om zonder gerechtigheid terug te keren naar Mykene, en hij had de jongere man zelf verzocht om de kwestie op de traditionele manier op te lossen.

Voordat zijn vader zelfs maar kon reageren, had Paris de uitdaging aanvaard. En Menelaos vertrok even stil als hij gekomen was, zijn hoofd gebogen in rouw om een aanstaande bruid wier gezicht hij nooit had gezien totdat ze voor hem lag, doorboord door zijn speer.

Die avond nam Paris Myrine mee terug naar de hut in het bos, om hun drie nachten samen te gunnen voordat de gevreesde dag aanbrak. Maar geen van beiden putten ze werkelijk veel genoegen uit de rustieke ontsnapping waar ze al zo lang naar snakten. Want hoewel Paris zich gedroeg alsof er niets aan de hand was, was Myrine zo ziek van ongerustheid dat ze niet zonder tranen kon genieten van zijn strelingen.

Op die laatste ochtend, toen ze wakker werd voordat de zon opging, wenste ze oprecht dat ze hem nooit had ontmoet – dat zijn leven nooit besmet was door haar tegenspoed. Als hij daarmee vreedzaam oud had kunnen worden, had ze hem graag gehuwd gezien met iemand anders, een of ander lief, gehoorzaam meisje.

'Wat is er?' fluisterde hij, haar verdriet aanvoelend, en hij trok haar in zijn armen. 'Heb je weer akelig gedroomd?'

Myrine probeerde haar tranen weg te slikken, maar het waren er te veel. 'Waarom moet het zo zijn?' Ze drukte haar gezicht tegen zijn borst. 'Waarom kunnen we niet hier blijven, in het bos?'

Paris zuchtte. 'Zo is de wereld nu eenmaal, liefje. Mannen vechten, en vrouwen huilen. Sommige dingen veranderen nooit.'

'Ik zou graag in jouw plaats vechten,' prevelde Myrine. 'Hij zou me doden, maar dan zou jij tenminste blijven leven...'

'Sst...' Paris haalde zijn vingers door haar haar. 'Je praat alsof ik al dood ben. Heb je geen vertrouwen in mijn vechtkunst?'

Abrupt ging Myrine overeind zitten. 'Je weet dat ik het allergrootste respect voor je heb. Niemand zou volmaakter kunnen zijn dan jij, in welke zin dan ook. Maar de Grieken zijn grillig en sluw, dat heb je zelf gezegd. En die Menelaos...' Ze huiverde. 'In zijn ogen ligt een kilte, alsof leven en dood hem onverschillig laten.'

'Kom hier,' zei Paris terwijl hij haar weer naar zich toe trok, 'en vertel me eens wat meer over die volmaaktheid van mij.'

'Ach, alsjeblieft,' fluisterde Myrine; ze kuste zijn stoppelige wang en snoof zijn geur op – die geur die alleen van hem was, en die geen bad ooit had kunnen verjagen – 'kunnen wij ook niet weggaan en bij de Kaskiërs gaan wonen? We hebben onze paarden en onze wapens. We kunnen jagen...'

'Dat zouden we kunnen doen,' zei Paris, terwijl hij zijn handen over haar huid liet glijden. 'We zouden in een hut in de wildernis kunnen leven, waar niemand spreekt van eer en oneer. En als we ons eerste kind krijgen, zal ik alleen moeten jagen, en jou achterlaten met een zuigeling in je armen.' Hij zuchtte. 'Zie je dan niet, mijn lief, dat zo'n leven geen leven is? De stad heeft zijn wetten en tradities omdat die noodzakelijk zijn voor het overleven van de mensen.'

'Maar...'

'Myrine.' Paris nam haar kin in zijn hand. 'Ik heb hiervoor gekozen. Niemand dwingt me. Ik ben vrij om te gaan, maar dat kan ik niet. Jij mag denken dat dat bewijst dat ik meer van Troje hou dan van jou, maar het tegendeel is waar. De man met wie jij bent getrouwd, is een man van eer. En in jouw belang is hij vast van plan om dat te blijven tot het einde, wanneer dat ook mag zijn. Ik wil liever dat men medelijden met je heeft omdat je een dappere echtgenoot verloren hebt, dan dat je wordt bespot omdat je van een lafaard hield.'

'Ze zullen geen medelijden met me hebben,' fluisterde Myrine, tegen zijn hand leunend, 'omdat er niemand meer zal zijn om medelijden mee te hebben. Zonder jou zou ik niet willen leven.'

Paris gromde. 'Is dat wat het huwelijk met je gedaan heeft? Trotse Myrine... waar is die gebleven?' Hij klopte tegen haar wang, alsof hij haar uit een slaap wilde wekken. 'Hoe kan ik dapper zijn als jij ons allebei al hebt begraven? Wat zal er met Paris gebeuren, als er niemand meer is om zijn volmaaktheden te onthouden? Wie zal de rouwzangers corrigeren wanneer zij al hun rijmende leugens spuwen?' Hij glimlachte en bracht het puntje van zijn neus dicht bij de hare. 'Jij, mijn koningin, moet leven en onthouden. Dat is mijn zegen, en jouw vloek.'

Het duel tussen de prins van Troje en de prins van Sparta zou op het middaguur worden uitgevochten, wanneer de verblindende zon op zijn hoogste punt stond. Bovendien zou het plaatsvinden buiten de Skaeïsche Poort ten noorden van de stad, zodat de Trojaanse edelen vanaf hun grote toren op de citadel konden toekijken.

Zoals wellicht te verwachten was, had de moeder van Paris die ochtend niet de kracht kunnen vinden om uit haar stoel op de binnenhof te komen en de treden te beklimmen om zich bij haar man te voegen. Niet één, maar drie bedienden stonden sinds de dag dat het duel was afgesproken op hun tenen om hun meesteres met palmbladen koelte toe te wuiven, en het was algemeen bekend dat de koningin van Troje al kaarsen had aangestoken voor de goden van de onderwereld, om haar zoon een hartelijk welkom te verzekeren.

Wat Myrine betrof, het maakte niet uit hoe fel ze Paris smeekte om haar dicht bij hem te laten blijven tijdens zijn beproeving. Ze had voorgesteld om zich te verbergen tussen de wachters die tot zijn escorte waren benoemd - een idee dat hij onmiddellijk afwees. Boven op de toren was haar plaats, turend om haar man te zien vechten in het stof van de weg, ten bate van de mensen die op de muren zouden staan juichen.

Geen van haar zusters had toestemming gekregen om naar boven te komen en haar te steunen. Sinds de dood van Helena en het gevecht bij de Skamander had koning Priamos er alles aan gedaan om zijn onrust stokende Amazones uit het zicht van de Grieken te houden.

De dochters van Vrouwe Otrera - die nog rouwden om de dood van Penthesilea - zouden al vertrokken zijn, als koning Priamos niet had gezegd dat het wellicht verstandiger was als zij in Troje bleven tot de uitkomst van het duel bekend was. Menelaos had gezworen dat als hij verloor, Agamemnon de nederlaag als een daad van goddelijke gerechtigheid zou beschouwen en naar huis zou terugkeren zonder verdere klachten. In dat geval zou Vrouwe Otrera misschien haar besluit willen herzien om als een haas te vluchten voor de vossen om zich te vestigen tussen de wolven.

Maar al waren ze niet bij haar in de toren, Myrine wist dat Lilli, Kyme en Pitana voor Paris baden in het paleis beneden. Ook Kara was in tranen geweest toen Myrine hen zo treurig bij de keukenhaard had achtergelaten, en had zich telkens weer verontschuldigd voor de ellende die zij had veroorzaakt.

Myrine moest echter nog zien of Kara werkelijk spijt had. 'Waarom heb je de moeite genomen om haar te redden door haar polsen te verbinden?' had ze Lilli gevraagd, na Kara's zelfmoordpoging. 'Daarmee heb je haar geen dienst bewezen. Ze wilde sterven.'

Lilli schudde haar hoofd. 'Ze wilde helemaal niet sterven. Ze wilde een nieuw leven. En dat probeer ik haar te geven.' Toen Myrine haar mond opende om te protesteren, legde Lilli een hand tegen haar lippen. 'Je was niet bij ons op het schip naar Mykene. Er is iets wat jij niet weet. Toen de mannen ontdekten dat ik blind was, wilden ze me overboord gooien. Maar Kara stond dat niet toe. Ze wist de prins ervan te overtuigen dat ik heilige krachten had. Zo heeft ze zijn blik gevangen. Vanaf dat moment werd zij het enige slachtoffer van zijn perversiteit.' Lilli's gezicht vertrok van smart. 'Mij redden werd haar ondergang.'

Zoals overeengekomen arriveerden de twee strijders op het middaguur.

Menelaos kwam vanaf het strand aanrazen in zijn strijdwagen, toegejuicht door een rennende menigte gillende supporters. Paris, die de Skaeïsche Poort uit kwam, stapte bijna onmiddellijk uit zijn eigen strijdkar om zijn tegenstander de voldoening te gunnen van de meest spectaculaire aankomst.

Maar de erfgenaam van Sparta was niet zo gauw tevreden. Toen hij de grote kring in liep die in het grind was getrokken, leek hij het gejuich van alle buitenlandse zeelui die gekomen waren om het spektakel te zien amper op te merken. Ook gaf hij geen krimp bij de beledigingen die hem vanaf de stadsmuren als projectielen werden toegeslingerd. Als Myrine zijn gezicht had kunnen onderscheiden, wist ze dat zij daarin geen enkele emotie zou hebben aangetroffen, en dat hij zijn tegenstander opnam met de ogen van een slager die een karkas uitbeent.

Beide mannen droegen een zwaard en een lans; geen van hen had de moeite genomen om een werpspeer mee te brengen, omdat de kring waarin ze zouden vechten amper groot genoeg was voor een aanloop. Van de twee leek Menelaos verreweg het best beschermd, want hoewel hij geen schild had, droeg hij een wapenrusting die niet alleen zijn bovenlichaam bedekte, maar ook hoog om zijn nek zat, en tot ruim onder zijn lendenen reikte. Daarbij droeg hij nog een hoge zilveren helm met een rode pluim en kappen op zijn armen en benen; behalve zijn gezicht, zijn ellebogen en zijn knieën was er bijna geen lichaamsdeel onbedekt.

Paris daarentegen droeg alleen lichte pantserplaten, omdat hij zich liever beschermde met een schild in zijn hand dan met al dat gewicht aan zijn lichaam. Daardoor was hij kwetsbaarder, maar ook, waarschijnlijk, wendbaarder. Op zijn hoofd had hij een massief bronzen helm met een halvemaanvormige kuif van paardenhaar, maar zijn bewegingen waren zo vrij en ongehinderd dat het eruitzag alsof hij nauwelijks wist dat hij hem droeg.

Pas toen de twee mannen hun speren in de grond plantten om te laten zien dat ze klaar waren, bedacht Myrine dat zij Paris nog nooit echte wapens tegen iemand had zien gebruiken. Ze wist dat hij elke ochtend trainde met verschillende mannen, en had hem op het schip vaak zien oefenen met Aeneas en Dares, maar dat was nooit meer dan spel geweest...

Myrines overpeinzingen werden onderbroken door verhitte stemmen.

Agamemnon was gearriveerd. In een vriendschappelijk gebaar had koning Priamos de Heer van Mykene een comfortabele zetel aangeboden op de Skaeïsche Toren, maar Agamemnon had beleefd geweigerd, met als reden de smart een rouwende vader. De man die zojuist was aangekomen op het strijdtoneel in zijn strijdwagen met de twee paarden, zag er echter eerder uit als een krijgsheer dan als een vader, want hij was gekleed in een fonkelende bronzen wapenrusting, alsof hij zelf naast Menelaos het duel zou aangaan.

Nu Agamemnon eindelijk aanwezig was, kon de strijd beginnen.

Iemand wierp een steen midden in de cirkel, en zodra die neerkwam – en een kleine stofwolk opwierp – begonnen de twee strijders om elkaar heen te draaien, met hun speren in de aanslag. Alsof hij wilde demonstreren wat het voordeel was van geen schild dragen, gooide Menelaos zijn speer een paar keer van zijn ene hand in de andere, kennelijk even behendig met beide.

Vanaf de toren toekijkend herinnerde Myrine zich een van de regels die Paris haar had geleerd: zorg altijd dat ze je onderschatten. Aan het gedrag van Menelaos te zien had de Spartaan zijn eerste fout al gemaakt, door zich onoverwinnelijk te achten in zijn wapenrusting. Maar zodra hij aanviel, besefte ze dat Menelaos goede redenen had om zichzelf als een kampioen te beschouwen, want bij bewoog zich zo snel en met zoveel kracht dat Paris bij zijn eerste slagen naar achteren struikelde, nauwelijks in staat om ze met zijn schild af te weren.

Een kreet smorend in haar handen keek Myrine met toenemende paniek hoe de Spartaan steeds weer op Paris afkwam, telkens opnieuw, uithalend vanuit iedere mogelijke hoek. Toch bleef Paris bewegen, lenig als altijd, bukkend en springend om de stekende speerpunt te ontwijken.

Een zware hand op haar schouder herinnerde Myrine eraan dat ze niet alleen stond in haar smart. 'Heb vertrouwen, vrouw,' zei koning Priamos met een vreemde glimlach op zijn onbewogen gezicht. 'Dat is mijn zoon. De beste krijger die Troje ooit heeft gekend.'

Ondanks al zijn kracht en vastberadenheid wist Menelaos het duel niet zo snel te beëindigen als hij ongetwijfeld had verwacht. Het duurde niet lang voordat hij moest pauzeren om het zweet uit zijn ogen te wrijven, en er klonk een collectief gejuich van de Trojanen op de muur toen Paris van de kans gebruikmaakte om de strijd te keren. Terwijl Menelaos achteruit struikelde over het grind, deelde Paris hem slag na slag toe met zijn speer... maar de wapenrusting weerstond ze allemaal.

Myrine merkte dat koning Priamos naast haar elke beweging van Paris voorvoelde. En telkens wanneer zijn speerpunt afketste op de gladde panters van de panoplie van Menelaos, hoorde ze de koning grommen van frustratie.

Na deze eerste aanvallen weken de mannen even uiteen om op adem te komen. Ze wisten nu dat hun tweekamp geen snelle afloop zou kennen, en toen ze weer om elkaar heen begonnen te draaien, hier een slag uitdelend, daar een stoot, bleek duidelijk dat ze elkaars sterke en zwakke punten beproefden.

Af en toe werd een uitval gevolgd door een briljante, snelle uitwisseling van slagen, maar meerdere keren bukte Menelaos zich om zijn geluk te beproeven op de benen van Paris – wat hem niets anders opleverde dan een afkeurend gejoel van de menigte. 'Vals spel, vals spel,' mompelde koning Priamos, zijn handen strak en wit op de borstwering geklemd. 'Gooi die speer weg.'

Het leek wel alsof de zoon het bevel van zijn vader had gehoord, want toen de speerpunt van Menelaos even doordrong in de leren rand van het schild van Paris, aarzelde die niet maar zwaaide het schild zo snel en heftig weg dat Menelaos zijn greep op de houten schacht verloor.

Zonder ook maar te pauzeren om ze van elkaar los te maken wierp Paris speer en schild buiten de kring en viel meteen op Menelaos aan met zijn eigen speer. Hij mikte hoog en wilde kennelijk toeslaan tussen de gepantserde nek en de helm, maar de noodzaak van precisie belemmerde zijn vaart, en toen hij de speer eindelijk naar voren stak, wist Menelaos het wapen over zijn gepantserde been te leggen en in tweeën te breken.

'O nee!' jammerde Myrine en ze bedekte haar ogen.

Waarop koning Priamos haar aankeek en zei: 'Kijk op, vrouw, en wees in de geest bij je echtgenoot. Het is nog lang niet voorbij.'

Inderdaad, na een kleine pauze trokken de mannen hun zwaarden en begonnen weer aan hun rondedans, deze keer iets dichter bij elkaar. Myrine kende het zwaard van Paris goed en had het altijd zwaar en onhandelbaar gevonden; het wapen van Menelaos was zelfs nog langer, en hoewel hij ook dit – duidelijk om te provoceren – een paar keer van de ene hand in de andere wierp, was het duidelijk dat hij beide handen nodig had om het te hanteren.

Als Paris de instructies had gevolgd die hij haar op het strand van Efeze had gegeven, zou hij Menelaos telkens opnieuw hebben laten aanvallen, in afwachting van het juiste moment om toe te slaan als hij uit zijn evenwicht was. Het werd Myrine echter al snel duidelijk dat Paris voor zichzelf heel andere regels had opgesteld – regels die eer boven veiligheid stelden. Steeds weer uitvallend naar Menelaos gaf Paris hem geen kans om gebruik te maken van zijn reusachtige zwaard. Al snel begon de menigte de Spartaan uit te jouwen omdat hij te traag was, en – misschien uit wanhoop – deed Menelaos wat hij al eerder had gedaan: op de dijen van Paris mikken, het minst beschermde deel van zijn lichaam.

'Genoeg!' sneerde koning Priamos hoofdschuddend. 'Maak hem af.'

En dat deed Paris.

Pauzerend, alsof hij op adem moest komen, liet hij Menelaos zijn zwaard heffen om een machtige stoot voor te bereiden... zo ver omhoog dat het slechts een trap tegen zijn gepantserde middel vergde om de man achterover te werpen en op de grond te doen belanden met een dreun die zelfs boven op de toren te horen was.

Ineens was het voorbij. Het kolossale zwaard van Menelaos stuiterde over het grind, en Paris stond boven hem, met de punt van zijn kling in de hals van de Spartaan. Maar hij doodde hem niet. Ondanks de uitzinnige kreten om hem heen, schopte Paris slechts wat zand in het gezicht van Menelaos, stak zijn zwaard in de schede, en liep naar de steen die in de cirkel was gegooid om het duel te beginnen. Met zijn helm fonkelend in de zon kuste hij de steen en stak hem triomfantelijk in de lucht, omhoogkijkend naar de top van de Skaëische Toren, alsof hij wilde dat Myrine de eerste zou zijn die het wist.

Ze rende van de trappen, ademloos van vreugde, en trof hem op de binnenplaats van het paleis, omringd door juichende medestanders die zijn helm van zijn hoofd hadden gerukt en hem met wijn besproeiden, terwijl ze hem plaagden omdat hij Menelaos niet had gedood. 'Het huwelijk heeft een doetje van je gemaakt!' riep de machtige Dares terwijl hij Paris op de schouder beukte. 'Reken maar dat hij jou niet gespaard zou hebben...'

Paris lachte en trok Myrine in zijn armen, even vrijmoedig alsof er niemand om hen heen stond. 'Je hebt het mis!' riep hij terug, zijn haren druipend van het zweet en de wijn. 'Het huwelijk heeft me hard gemaakt.' En toen kuste hij haar, tot groot genoegen van zijn vrienden, en tilde haar op zoals hij deed wanneer ze alleen waren. 'Wees niet bang,' zei hij met een grijns tegen Dares. 'Wij krijgen ons feestmaal nog wel. Ga maar, ik kom er zo aan.'

Maar toen hij in de richting van het paleis begon te lopen, struikelde Paris ineens en viel op zijn knieën, waarbij hij Myrine bijna liet vallen.

'Wat is er?' riep ze uit, terwijl ze zijn gezicht betastte, dat ineens dodelijk bleek was geworden. 'Ben je gewond?'

'Nee.' Paris worstelde om overeind te komen. 'Hij heeft me amper geraakt. Kom' – hij pakte haar arm – 'help een oude man eens overeind.' Maar weer weigerden zijn benen dienst, en met een kreun van frustratie liet hij zich weer vallen.

Het duurde niet lang voordat de anderen beseften dat er iets aan de hand was.

'Schaduw!' schreeuwde iemand. 'Hij heeft schaduw nodig. En water.'

Met gezamenlijke inspanningen brachten de mannen Paris naar de tempel van de Aardschokker, het dichtstbijzijnde gebouw. Hier legden ze hem op de koude stenen vloer en waaierden hem koelte toe. 'Er is water onderweg,' zei Aeneas. 'Blijf maar even liggen.'

'Ik heb genoeg van deze onzin,' gromde Paris, en hij probeerde overeind te gaan zitten. 'Wat zijn jullie? Een stelletje oude kinderjuffen? Laat mijn vrouw me zo niet zien...'

'Ach, alsjeblieft,' voegde Myrine haar stem bij de anderen. 'Ga rustig liggen. Zeg me waar het pijn doet.'

Paris vertrok zijn gezicht. 'Ik heb geen pijn. Maar... ik voel mijn benen niet meer.'

Binnen een paar tellen hadden ze zijn scheenkappen verwijderd en zijn sandalen uitgetrokken, in de hoop zijn kracht te herstellen. Toen raapte Aeneas plotseling iets van de grond en zei: 'Wat is dit?'

Het was een kleine, glanzende botsplinter die op de punt van een gebroken pijl leek, behalve dat hij vreemd hol was, met een kleine opening aan het uiteinde.

'Vervloekt!' riep Dares uit. 'Het is een gifpijl.'

Na een snelle zoektocht ontdekten ze een sijpelend wondje achter op zijn hiel, en Myrine schrok van de ernst op ieders gezicht – het vertelde haar dat ze al eerder mannen getroffen hadden zien worden door giftige pijlen en geleerd hadden het ergste te vrezen.

'Blijf hier,' zei Dares, met een klopje op de schouder van Paris, 'en verroer je niet. Het is alleen maar de hiel; het komt vast wel goed. En maak je geen zorgen.' Hij stond op en wenkte de anderen mee. 'Jullie krijgen je wraak. Wij rijden vooruit om die hufters hun giftige pil direct terug te bezorgen. Verdomde Grieken en hun streken. Zonder twijfel heeft Agamemnon dit bevolen.' Hij zweeg, zijn gezicht strak van emotie. 'Voeg je bij ons zodra je kunt.'

De mannen verdwenen met een gedruis van opgewonden woede, en Myrine en Paris bleven alleen achter. 'Ga liggen, liefste,' smeekte ze hem, en ze propte een shawl onder zijn hoofd als kussen. 'Voel je je al wat beter?'

Gehoorzaam ging Paris liggen. Toen haalde hij diep adem, dwong de lucht naar binnen en naar buiten. 'Een beetje.'

'Wil je dat ik de bedienden haal?' vroeg ze, terwijl ze zijn bleke wangen streelde. 'Je vader?'

'Nee.' Hij probeerde haar gezicht aan te raken, maar kon zijn hand nauwelijks beheersen. 'Die komen snel genoeg.'

'Zeg alsjeblieft dat alles goed komt,' smeekte Myrine, zijn hand kussend.

'Kom bij me liggen.' Paris kon nog net zijn arm verplaatsen zodat ze haar hoofd op zijn schouder kon leggen. Toen probeerde hij nog eens diep adem te halen, maar zijn borst was al te zwaar. 'Blijf je bij me liggen,' fluisterde hij, zijn lippen tegen haar voorhoofd drukkend, 'precies zo, tot het einde der tijden?'

Pas toen ze knikte, sloot hij zijn ogen.

33

U schijnt mij toe zowel zeer rijk te zijn
als koning van veel mensen; maar dat wat u mij vroeg
kan ik u nog niet noemen.
– HERODOTUS, *Historiën*

ISTANBOEL, TURKIJE

IK WEET NIET HOELANG ik daar op blote voeten op het plaveisel stond te staren naar de lege plek waar James de auto had geparkeerd. Waren ze echt zonder mij vertrokken? Ik kon het niet geloven. Ja, James was woedend op me geweest, en had waarschijnlijk begrepen dat zijn wraakzuchtige aanval op Nick mijn respect voor hem voorgoed had gesmoord... maar hoe had hij zich ertoe kunnen brengen om mij achter te laten? Of liever gezegd, hoe kon Rebecca dat hebben laten gebeuren?

Omdat ik het me zo slecht kon voorstellen, liep ik terug naar Rezniks huis om te kijken of Rebecca daar misschien nog op mij wachtte. Het hoge hek was nu echter afgesloten, en op een paar beveiligingsagenten na die met walkietalkies heen en weer struinden, was het stil. Terwijl ik daar stond te weifelen, hoorde ik een van de bewakers in het Frans in zijn radio zeggen: 'Nee, er is hier niemand. Ze zijn vertrokken.' En toen, kennelijk in antwoord op een vraag: 'Ja, meneer. De blauwe én de groene vrouw.'

Ademloos van angst deinsde ik achteruit in de schaduw van een ondoordringbare klimplant die over het hek woekerde... en zodra de bewakers de andere kant op keken, rende ik zo hard als ik kon de straat uit, mijn blote voeten gelukkig geluidloos op de betonnen platen van de stoep.

Als Rebecca niet meer in het huis was, moest ze wel met James zijn meegegaan. Ik begon het een beetje te begrijpen. De bewakers waren ongemakkelijke vragen gaan stellen over de diefstal van de *Historia Amazonum*, en begrijpelijkerwijs waren James en Becks op de vlucht geslagen. Het was zelfs mogelijk dat ze in de buurt rondreden in de Aston Martin op zoek naar mij.

En dus liep ik verder, mijn kostbare avondtasje tegen mijn borst geklemd. Door de achtervolging en alle spanningen was ik een tijdlang heet en bezweet geweest; nu trof de koele novemberavond mijn blote schouders met volle kracht, zodat mijn tanden klapperden. Tegen de tijd dat er eindelijk een taxi naast me kwam rijden, wist ik dat ik echt moest instappen. 'Dank u wel dat u me gered hebt,' zei ik tegen de taxichauffeur toen we door de straat snelden, terwijl er hete lucht uit elke ventilator waaide. 'Ik wist niet het 's winters zo koud werd in Istanboel.'

De man zuchtte hoofdschuddend. 'Na een feest van Reznik loopt er buiten altijd wel een vrouw te huilen. Waar wilt u heen?'

Ik stroopte de lange satijnen handschoenen af en bewoog mijn verdoofde vingers. Zodra ik een telefooncel vond, zou ik James en Rebecca moeten bellen om opheldering te geven. 'Naar het vliegveld, graag,' in de wetenschap dat er waarschijnlijk voor de ochtend geen vluchten naar Engeland zouden vertrekken. Maar als ik de nacht op het vliegveld doorbracht, zou ik in ieder geval vooraan in de rij staan.

Als Reznik werkelijk zulke goede connecties had als Nick me te verstaan had gegeven, zou het hem weinig tijd kosten om de puzzel aan te vullen en Diana Morgan ervan te verdenken een rol te hebben gespeeld in de diefstal van de *Historia Amazonum*. Als dat gebeurde, kon ik maar beter kilometers van Istanboel verwijderd zijn.

Met trillende vingers haalde ik mijn paspoort tevoorschijn en keek nog eens of het echt het mijne was. Gewapend met dit cruciale document moest ik ongehinderd een vliegticket kunnen kopen; mijn enige probleem was dat ik uit handen moest blijven van Rezniks bullebakken tot het toestel vertrok.

Terwijl ik afwezig door het paspoort bladerde, merkte ik een geel stickervelletje op, verborgen tussen de pagina's. Met hoofdletters stonden er twee woorden op gekrabbeld: GO HOME. Geen uitroepteken, alleen die twee woorden, geschreven met een zwarte ballpoint.

Ik staarde een poosje naar het plakkertje en probeerde verder te kijken dan de nogal overduidelijke boodschap. Vervolgens dacht ik er eindelijk aan om in mijn portefeuille te kijken. Toen ik hem openklapte, zette ik me schrap voor de aanblik van lege kaartgleuven, maar tot mijn verbazing zat alles er nog in. Sterker nog, het vak waarin slechts een paar verkreukelde biljetten van een pond hadden gezeten toen ik twee weken eerder uit Engeland vertrok, puilde nu uit door de toevoeging van tweeduizend euro in knisperende nieuwe biljetten.

Verbijsterd haalde ik mijn agenda uit mijn tas om te zien of die nog andere aanwijzingen bevatte over de bedoeling van de mensen die mijn spullen al die tijd in gijzeling hadden gehouden. En daar was het weer, dezelfde niet mis te verstane mededeling, in de lege ruimte van de komende week gekrabbeld: GO HOME.

Ik voelde dat mijn haren rechtovereind gingen staan bij de arrogantie van deze mensen. Ze wilden dus dat ik terugkeerde naar Engeland, en waren zelfs bereid om mijn vertrek te vereenvoudigen met geld en het teruggeven van gestolen voorwerpen... maar hadden ze me ook maar één enkele reden gegeven om hen te vertrouwen, wie ze ook mochten zijn? Ze hadden mijn laptop en mijn telefoon nog, ze waren nog steeds verantwoordelijk voor de buil op mijn hoofd, en hun agenda was mij nog steeds volkomen duister. Tenzij...

Ik liet me achteroverzakken op de koude leren achterbank en somde op wat ik allemaal wel wist.

Er stond een schat op het spel, en twee van de jagers kende ik al. Reznik zat achter de Amazoneschat aan, en Nick ook. Het feit dat mijn bedrieglijke minnaar in spe de *Historia Amazonum* van Reznik had gestolen, bevestigde zijn schuld ruimschoots. Maar wie waren de vrouwen in de zilveren Audi die mij in Nafplion hadden beroofd? Werkten zij echt, zoals Nick had gesuggereerd, voor Reznik? Of konden ze werkelijk... Amazones zijn? Ik voelde een steek van opwinding bij dat idee, hoe krankzinnig het ook was. Áls ze Amazones waren, kon het dan zijn dat hun doel steeds hetzelfde was geweest: Reznik en Nick – onder anderen – beletten om hun schat te vinden? Bleven ze mij daarom zo lastigvallen? Om te zorgen dat ik Nick niet hielp?

Een tijdlang zat ik stil en staarde in de aanstormende koplampen van onvermijdelijkheid. Het was een bizar, gekmakend gevoel – het idee dat ik heen en weer werd geschoven op een titanisch schaakbord zonder te weten of ik zwart of wit was – en in de taxi, opnieuw huiverend, voelde ik een onweerstaanbare drang om in opstand te komen tegen het spel.

De jakhals had me vele keren geprobeerd te waarschuwen, nietwaar? Maar in mijn haast om iedereen in mijn omgeving tevreden te stellen, had ik zijn zwijgende aansporingen genegeerd. Nu roerde hij zich weer, na het heroverwegen van onze positie, en fluisterde in mijn oor dat ik nog niet naar huis kon – niet voordat ik de *Historia Amazonum* in handen had. Zo, dus de Amazones wilden mij niet aan hun kant? Naar huis, zeiden ze. Nou, jammer dan. In mijn opgewonden toestand kon ik mezelf er bijna van overtuigen dat dit ene manuscript al mijn beproevingen kon goedmaken... dat het me eindelijk bij oma zou brengen... maar ik moest ook toegeven dat een deel van de aantrekkingskracht de huidige eigenaar was, wiens gegevens in hanenpoten op een dubbelgevouwen cheque in mijn handtas stonden. Zelfs al had Nick de *Historia* niet gestolen, hij had nog steeds iets wat ik erg graag terug wilde, namelijk mijn hart, en wel in één stuk. Hoe ik hem die twee dingen ging ontfutselen wist ik nog niet, maar ik moest het wel proberen.

Het safehouse van de Aqrab Foundation was niet, zoals ik me had voorgesteld, gevestigd in het hart van een middeleeuwse doolhof bij de Grote Bazaar. Het bleek een suite te zijn in het Çırağan Palace Hotel – een gebouw dat volgens mijn taxichauffeur, nadat hij zijn bestemming had gewijzigd, voorheen het zomerverblijf van Turkse sultans was geweest.

Niettegenstaande mijn ontbrekende schoenen, mijn gekapseisde kapsel en mijn pauwenschmink was het toch een geluk dat ik mijn feestjurk aanhad toen ik door een livreiknecht via de vestibule werd geëscorteerd naar een aparte ontvangstzaal van het paleis. Met plafonds die zeker zo hoog waren als dat van het Sheldonian Theatre – het toneel van mijn promotie in mei – was de vestibule opgetrokken in wit marmer, geaccentueerd door donker hout dat de galerijen boven omzoomde. Bovenin hing een reusachtige kroonluchter, schijnbaar aan de hemelboog zelf.

Net op het moment dat ik de receptie naderde, zag ik een bekende figuur uit de lift stappen. Hij had een snor laten staan sinds ik hem de laatste keer had gezien, en een gekleurde zonnebril aangeschaft, maar ik had genoeg tijd doorgebracht met de heer Ludwig om hem overal te kunnen herkennen.

Hij was niet alleen. Naast hem wandelde een atletische man met een rode honkbalpet en een fleece trui, wiens gezicht me vreemd bekend voorkwam.

Ik was nog niet achter een bloemstuk gekropen of ik wist het: die ogen onder de honkbalpet hadden me nog geen week geleden aangestaard vanaf een foto in een plakboek. Natuurlijk was het gezicht een paar decennia ouder, maar de gespannen kaaklijn en de doordringende blik van Chris Hauser uit Baltimore was onmiskenbaar – de man die Telemachos er lang geleden van had overtuigd dat de jakhalsarmband afkomstig was van de Amazones.

Het duurde even voordat ik mijn hart tot rust had gebracht. Dankzij mijn komst hier vanavond had ik kennelijk een van de verborgen spelers achter Nick ontdekt, en hoewel ik nog steeds te overstuur was om nuttige conclusies te trekken uit de aanwezigheid van Chris Hauser, wist ik dat ik nu niet meer terug kon.

Opzettelijk wachtte ik een tijdje voordat ik naar de receptie liep om

Nick te bellen en hem te laten weten dat ik er was; het gaf geen pas om hem te laten vermoeden dat mijn komst het vertrek van zijn twee handlangers had overlapt. En toch kon ik, toen hij eindelijk de grootse trap afkwam om mij te begroeten, aan zijn gezicht zien dat hij zich afvroeg hoeveel ik precies wist. Het was beslist niet het gezicht van iemand die een nacht vol zorgeloze zinnelijkheid verwachtte; integendeel, Nick zag eruit als een man die al minstens één verrassingsbezoek te veel had gehad. Ik kende hem goed genoeg om te zien dat hij gefrustreerd was, en het feit dat hij nog steeds zijn donkere pak droeg, suggereerde dat hij sinds zijn terugkeer naar het hotel nog geen moment voor zichzelf had gehad.

'Hallo, godin.' Hij kuste mijn beide wangen terwijl zijn ogen het vertrek afzochten. Toen legde hij een hand in mijn rug en voerde me mee naar de lift, met een knikje naar de receptionist onderweg. '*Sağalun*, Gökhan.'

Meer vergde het niet; Nicks nabijheid en de zachte druk van zijn hand, en ik was al bijna vergeten dat ik niet was gekomen om me aan hem over te geven, integendeel zelfs.

'Zware nacht gehad?' vroeg hij, nadat de liftdeuren dichtgeschoven waren.

'Reznik weet hoe hij een feestje moet geven,' zei ik, terwijl ik probeerde een roestige traan te verbergen in een van mijn handschoenen. 'Je had niet zo vroeg weg moeten gaan.'

Nick keek omlaag. 'Je hebt je schoenen weer verloren.'

'Is dat zo?' In een poging tot luchthartigheid tilde ik mijn rok op alsof ik zelf even moest kijken. 'Dat was me nog niet opgevallen.'

De liftdeuren gingen weer open.

'Na jou,' zei Nick met een armgebaar.

Samen liepen we over de galerij. Ook al waren we slechts één verdieping omhooggegaan, de enorme kroonluchter die ik vanuit de lobby had gezien leek nu binnen handbereik, en ik voelde een vlaag duizeligheid opkomen. Ik dwong me om mijn ogen af te wenden van de fonkelende pracht, en berispte mezelf omdat ik zo gemakkelijk te imponeren was. Hier ging ik weer, ten prooi aan verleiding – het werd hoog tijd dat ik me vermande en mijn Amazoneziel liet spreken.

Aan het einde van de galerij kwamen we bij een versterkte dubbele deur, die Nick blijkbaar niet had afgesloten. 'Ik heb niet gezegd dat ik zou blijven,' zei ik, voordat ik naar binnen liep. 'Ik wilde alleen behoorlijk afscheid nemen.'

Zodra de deur achter ons dichtgevallen was, nam Nick mijn hand, trok mijn handschoen uit en drukte zijn lippen op mijn naakte pols net onder de jakhalsarmband. 'Elk afscheid is onvoorspelbaar. Soms kan het wel de hele nacht duren.' Toen knipte hij het licht aan om een weelderige zitkamer te onthullen met drie hoge ramen die de nachtelijke hemel boven de Bosporus omlijstten. 'Je zult wel honger hebben.'

Ik zag hem vluchtig naar een halfopen deur kijken, waardoor een tafel met gebruikt servies en verfrommelde servetten nog net zichtbaar was. 'Niet echt,' zei ik, voorwendend dat ik de overblijfselen van zijn eerdere bezoekers niet had opgemerkt. 'Maar ik zou wel graag van die schmink op mijn gezicht af willen.'

Nick knikte, schijnbaar opgelucht, en bracht me naar een chique slaapkamer in Ottomaanse stijl, compleet met aangrenzende badkamer. 'Ga je gang,' zei hij. 'Als je iets nodig hebt' – hij wees naar een vergulde telefoon met draaischijf op het nachtkastje – 'bel je *housekeeping* en vertelt ze wat je wilt.'

Bij wijze van antwoord glimlachte ik en dacht: was het maar zo simpel... maar hij was al weg, de deur van de logeerkamer ferm achter zich dichttrekkend.

Na snel mijn gezicht te hebben schoongewassen ging ik even op het bed zitten en overwoog de situatie.

Het was me duidelijk dat Nick vanavond belegerd werd door een heel scala van problemen, en ik brandde van nieuwsgierigheid om te weten wat er voorafgaand aan mijn komst was gebeurd. Waren Ludwig en Chris Hauser door het kantoor in Dubai uitgezonden om de *Historia Amazonum* op te halen en terug te brengen naar al-Aqrab voordat Nick – die gewend was om zich roekeloos in gevaar te begeven – het boek riskeerde te verliezen? Als dat het geval was, dacht ik met een steek van bezorgdheid, was mijn hersteloperatie nu al mislukt.

Zo zachtjes mogelijk draaide ik de deurkruk om en gluurde naar buiten, maar Nick was nergens te bekennen. Aan de andere kant van de enorme zitkamer stond echter een majestueuze deur half open, en ik had het gevoel dat dat de plek was waar ik hem zou vinden. Op mijn tenen liep ik over het weelderige tapijt, luisterend of ik bekende geluiden hoorde, en werd beloond met geritsel van papier. Daarna... stilte.

Ondanks alles was ik verbijsterd. Was dit de man die me, slechts twee uur geleden, op het dak in vervoering had gebracht en me had uitgenodigd om naar het hotel te komen voor meer? Zelfs als Ludwig en Hauser ongeluksboden waren geweest, was ik toch van mening dat

Nick een uiterst onverwacht gebrek aan belangstelling voor mijn aanwezigheid vertoonde.

Ik tikte op de deur.

Er gingen een paar tellen voorbij voordat Nick eindelijk verscheen met een wat opgejaagde blik, en alle knoopjes van zijn overhemd open.

'Hallo, daar ben ik weer,' zei ik, een verleidelijke pose aannemend. 'Zou jij me niet een rondleiding geven?'

Hij keek verstrooid. 'Wat zou je willen zien?'

'Wat denk je van déze kamer?' Ik drong langs hem heen door de deur, mijn ogen al op zoek. Het was, zoals ik had verondersteld, de voornaamste slaapkamer van de suite – een fantastische ruimte, een stichting uit Dubai met een golfbaan op het dak waardig. Maar belangrijker nog: boven op het sultan-waardige bed lag een grote envelop waar vellen papier uitstaken.

Toen ik zag dat hij me had zien staren, zei ik zorgeloos: 'Je hebt je marsorders al ontvangen, zie ik. Ik dacht dat je zei dat je die pas morgenochtend verwachtte.'

'Dat klopt,' zei Nick uit zichzelf, en hij liep naar het bed om de grote envelop te verwijderen, ofwel om mij te verhinderen die van dichtbij te bekijken, of om ruimte te maken voor iets anders dan zaken. 'Maar de dingen verlopen niet altijd volgens plan, is het wel?' Hij stopte de papieren weg in een la, en keerde zich naar mij om met een poging tot een glimlach. '"Stukken zijn wij op het schaakbord van het leven... waar het Lot de stukken heeft gegeven. Het schuift ons, slaat ons, plaatst en werpt ons in de kist van Niet-Bestaan daarneven." Omar Khayyám.'

We stonden daar een hele tijd en ieder voor zich, dat wist ik zeker, vroegen we ons af wat de ander dacht. Ten slotte leunde ik tegen een stijl van het bed en zei: 'Misschien moeten we het gewoon opgeven. Denk eens aan de vrijheid...'

Nicks ogen verduisterden. 'Sommige dingen kun je niet opgeven.'

Ik wachtte op een verdere verklaring, maar die kwam niet. De manier waarop hij naar me keek, suggereerde dat hij het niet alleen over zichzelf had, maar over ons beiden; het leek alsof er, sinds het feestje van Reznik en nu, iets onverzettelijks tussen ons was gekomen... alsof hij al vermoedde dat ik verdomd goed op de hoogte was van zijn diefachtige schaduwzijde en zich afvroeg waarom ik zijn uitnodiging überhaupt had aangenomen.

'Wat een proporties,' zei ik, en ik keek de kamer rond om het antieke meubilair te bewonderen. 'Ik vraag me af hoeveel haremdames er in dit bed zouden passen.' Toen ik over mijn schouder naar Nick keek, zag ik hem naar mijn derrière staren.

'Wat is er met je jurk gebeurd?' vroeg hij. 'En met je schoenen?'

'Goeie vraag.' Terloops keek ik in zijn garderobekast. 'Aha, een heleboel ruimte.'

Maar geen *Historia Amazonum*. In ieder geval niet in het zicht.

'Diana.' Nick kwam naar me toe lopen. 'Wat is er aan de hand? Vertel maar. We hebben samen al zoveel meegemaakt...'

'Dat weet ik.' Met tegenzin draaide ik me om. 'En dit is het punt waar onze werelden het dichtst bij elkaar komen, is het niet?' Ik keek hem recht aan. 'Waarom ben jij dan nog steeds zo ver weg?'

Ik zag verrassing op zijn gezicht, gevolgd door spijt. Waarna hij met voorzichtige handen mijn gezicht omlijstte, zijn gezichtsuitdrukking verzachtend: 'Ik ben hier. Ik ben hier al de hele tijd.' En toen kuste hij me... een langzame, hartverscheurende kus die een kreun van verlangen diep uit mijn ziel trok.

'Goddelijke Diana.' Met een grimas van pijn liet hij me los. 'Als je eens wist hoe je me foltert...'

Ik pakte hem bij zijn openstaande overhemd. 'Laat maar eens zien.'

Nick keek me gepikeerd aan. 'Ik probeer een heer te zijn.'

'Waarom zou je daar nu ineens mee beginnen?' Ik streelde over zijn blote borst, genietend van zijn warme stevigheid. 'Ik ben hier toch niet voor een beleefd gesprekje, of wel soms?'

Bij die woorden verstrakte hij. Of misschien bracht iets in mijn blik hem aan het twijfelen. Met een lichte frons op zijn gezicht keek Nick omlaag naar mijn handen, of liever, naar mijn jakhalsarmband, alsof hij bang was dat die hem zou bijten. 'Nee,' zei hij ten slotte. 'Dat zal wel niet.'

Uit angst dat hij me zou ondervragen leunde ik voorover en kuste hem opnieuw – een kus waarvan ik hoopte dat hij verdere vragen zou smoren. 'Weet je wat jouw probleem is?' prevelde ik. 'Jij denkt te veel.'

Zijn ogen boorden zich weer in de mijne. 'Vind je?'

'O jee, ja.' Ik liet mijn hand naar zijn buik en nog lager dwalen. 'Veel en veel te veel.'

Pas toen ik hem naar adem hoorde happen, kwam het bij me op om me in te houden. Daar was het, bij mijn vingertoppen, Nicks pièce de résistance, en toen ik opkeek en de sombere, onverbiddelijke lust op zijn gezicht las, verloor ik even mijn moed. 'Neem me niet kwalijk,' zei ik, met een naar ik hoopte bekoorlijke glimlach van geruststelling, 'ik moet even weg.'

Eenmaal in de badkamer deed ik de deur op slot en leunde er met mijn rug tegenaan, bevend over mijn hele lichaam. De rol van verleidster was zo volkomen nieuw voor me dat ik mijn werkelijke gevoelens er niet meer uit kon ontwarren. Ja, ik wilde de *Historia Amazonum* van Nick stelen, maar ik wilde ook heel graag met hem vrijen; waren die twee wensen onverenigbaar?

Ik liep naar de wasbak om mijn gezicht en mijn handen met koud water af te spoelen in de hoop mijn gedachten te verhelderen. Maar de vrouw die me vanuit de grote spiegel aankeek, wilde niet naar rede luisteren, niet nu. Het is waar, leek ze te zeggen, dat je Nick na morgenochtend wellicht nooit meer zult zien, en misschien huil je de hele weg naar Oxford. Het is immers niet bepaald een man met wie je een normale relatie kunt verwachten. Maar kom op, of je nu al dan niet meer dan een enkele nacht met hem beleeft, en of de *Historia Amazonum* nu al dan niet onderhands van eigenaar verandert, je moet eropaf en hem grijpen, meid!

Op zoek naar een tandenborstel zag ik een scheermes op een kom scheerzeep liggen en een dichtgeritste toilettas boven op Nicks plunjezak op de vloer. Toen ik de toilettas openritste, vond ik een tandenborstel en een tube tandpasta... en vier paspoorten, bijeengehouden door een elastiekje.

Verbaasd stroopte ik het elastiek los en sloeg de paspoorten om beurten open. De nationaliteiten en de data waren allemaal anders, net als de foto's, maar op elk ervan stond onmiskenbaar Nicks gezicht.

'Frank Danconia uit Canada,' prevelde ik, bladerend. 'Nicholas Barrán uit Brazilië – jou ken ik. Gabriel Richardson uit Nieuw-Zeeland. Fabio Azzuro uit Italië...'

Ik ging op het deksel van de toiletpot zitten, ten prooi aan verrassing en verdriet tegelijk. Welke was zijn legitieme paspoort, vroeg ik me af? Aan de stempels te zien gebruikte hij ze allemaal geregeld. En zijn naam? Ik had altijd gevonden dat 'Nick' niet echt beschreef wie hij was – dat er iets mis was met de manier waarop hij zich aan mensen voorstelde. Misschien kwam dat omdat ik voelde dat hij loog.

En wat dan nog? vroeg de vrouw in de spiegel. Wat maakte het uit of Nick valse identiteiten had? Naar alle waarschijnlijkheid was dat een vereiste om met de Aqrab Foundation te kunnen werken. Had ik mezelf er net al niet van overtuigd dat wij geen toekomst hadden samen?

Toen ik eindelijk uit de badkamer kwam, waren de lichten gedimd en speelde er zachte muziek op de achtergrond, maar Nick was er niet. Ik bleef even staan wachten tot hij zou verschijnen; toen dat niet gebeurde, liep ik naar de deur om een blik te werpen in de salon. En jawel: daar stond hij, aan zijn telefoon gekluisterd, ijsberend voor de ramen.

Dit was mijn kans. Toen ik uit de badkamer kwam, had ik nog steeds niet helemaal zeker geweten wat mijn volgende stap moest zijn, maar nu ik alleen was, wist ik precies wat me te doen stond. Zonder tijd te verspillen rende ik naar de ladekast om de grote envelop te onderzoeken die Nick zo naarstig van mij weg had willen houden. Alleen... die lag er niet meer.

Waar kon hij hem gelaten hebben? Ik begon haastig aan een zoektocht, maar alle laden bleken leeg. In de wetenschap dat ik weinig tijd had, hurkte ik neer en keek onder het bed. Bingo. Een metalen koffertje.

Bevend van de haast trok ik het onder het bed uit en kwam tot de bemoedigende ontdekking dat het niet afgesloten was. Toen ik het openklapte, in de hoop een stapel geheime documenten te vinden... deinsde ik van schrik achteruit. Genesteld in zwart schuim lagen er drie pistolen met extra magazijnen en munitie in.

Met tollend hoofd deed ik het koffertje snel weer dicht en schoof het terug onder het bed. Wat moest dat allemaal... de paspoorten, de pistolen? Geluidloos kwam ik overeind en liep op mijn tenen naar de deur om te kijken wat Nick deed, maar ik stond abrupt stil toen hij binnenkwam.

'Waar denk je dat jij heen gaat?' vroeg hij terwijl hij de uitgang blokkeerde. De vraag was plagerig bedoeld, maar bracht me toch van mijn stuk.

'Het is een lange dag geweest,' begon ik, hopend dat hij de reden voor mijn plotseling veranderde houding niet zou vermoeden.

'En hij wordt nog langer.' Met een suggestieve glimlach trok Nick me in zijn armen. 'Ik ben blij dat we van die gentleman verlost zijn; nu eens kijken of we de Amazone ook kwijt kunnen raken.' Hij begon me weer te kussen, maar mijn stemming was zo omgeslagen dat ik niet meer mee kon spelen.

'Het spijt me,' prevelde ik terwijl ik van hem weg boog. 'Ik ben écht heel erg moe.'

Nick herstelde zich snel genoeg om het vermoeden te wekken dat hij al had verwacht dat ik niet zou doorzetten. 'Als je echt zo moe bent,' zei hij terwijl hij me losliet, 'kun je beter naar je kamer gaan. Want als je dat niet doet...' Zijn ogen maakten de zin af.

Die nacht deed ik geen oog dicht. En Nick evenmin, dat weet ik zeker. Net toen de zon begon op te komen, hoorde ik een deur dichtgaan en ik vermoedde dat hij het had opgegeven en besloten had om dan maar naar buiten te gaan.

Het was een vreemd gevoel om in mijn luxueuze bed te liggen zonder te weten hoe de dag zich zou ontvouwen. Na mijn eerste paniek bij de vondst van de pistolen had ik mezelf langzaam weten te sussen met een warme, vage fantasie waarin Nick voor het aanbreken van de dag naar mijn kamer zou komen, niet in staat om weg te blijven, om me te vertellen dat hij gek op me was en te beloven dat hij me alles zou vertellen.

We zouden de dag besteden aan een romantische cruise op de Bosporus, stelde ik me voor, waar Nick zich zou verontschuldigen voor alle geheimzinnigheid en zijn vele zonden zou opbiechten. Hij zou natuurlijk weinig zin hebben om de diefstal bij Reznik in detail te beschrijven, maar ik zou begripvol zijn, en het zou allemaal eindigen met kussen en een diner bij kaarslicht in een of ander donker, intiem restaurantje in de stad, waar we elkaars hand konden vasthouden over de tafel heen terwijl hij me zijn ware naam vertelde.

Maar de zon ging op, en hij kwam niet.

Er klonk alleen die kleine *klik* van de deur... en toen niets meer.

In mijn hotelpyjama compleet met monogram liep ik de salon in en vond een stukje papier op de koffietafel. 'Zo terug. NB.'

'NB?' zei ik hardop, met een vonkje ergernis. 'Niet zomaar N, maar *NB?*'

Toen ik om de hoek van de deur de grote slaapkamer in keek, zag ik dat Nick inderdaad weg was. Na een uitermate korte worsteling met mijn geweten – eerder een steekspel, eigenlijk, waarin mijn scrupules rücksichtslos uit het zadel gestoten werden – liep ik de kamer door en knielde naast het bed.

Het harde koffertje stond er nog, maar nu zat het op slot. Dat deed er toch niet meer toe; ik wist al wat erin zat.

Steeds luisterend of ik Nick soms terug hoorde komen zette ik een haastige zoektocht in naar de grote envelop en al snel had ik alle vanzelfsprekende bergplaatsen uitgeput – op de kast, in de kast, onder de kussens van het bed – voordat mijn oog eindelijk op een enorme rode Ottomaanse vaas met een helderwit bloemenpatroon viel. Nick was precies het soort man om iets onbetaalbaars vol in het zicht te verbergen.

En daar zat alles, compleet, zonder plichtplegingen in de vaas gepropt, bovenin: de dikke envelop, het stapeltje paspoorten, en de *Historia Amazonum*. Gebonden in een zacht leren kaft, zo versleten dat het nog slechts met een paar draadjes aan elkaar hing, bladzijden vol handgeschreven Latijn dat in de loop der tijd vervaagd was tot het wel waterverf leek. Ondanks de precaire omstandigheden was ik vervuld van duizelige opluchting bij de ontdekking dat Nick dit kostbare manuscript nog niet had overgedragen aan Ludwig en Hauser.

Wat de envelop betreft, ik was niet van plan geweest om die mee te nemen, ik wilde alleen een heimelijke blik werpen op de inhoud. Zodra ik echter de documenten tevoorschijn trok die Nick de avond tevoren aan het lezen was, wist ik dat ik ze niet kon achterlaten. Want daar, zwart op wit, stond het antwoord op mijn voornaamste vraag: waar zat meneer al-Aqrab echt achteraan? In het heldere ochtendlicht was het allemaal angstaanjagend duidelijk, en ik wist met misselijkmakende zekerheid dat ik weg moest voordat Nick terugkwam. Niet alleen uit zijn kamer, of uit de suite, maar helemaal uit zijn leven.

Het vliegveld Atatürk van Istanboel kampte met de ochtendspits toen ik er aankwam. Mannen in pakken verdrongen zich voor elke balie en elke koffiemachine, en ik stond een halfuur in de rij om vervolgens te horen te krijgen dat de eerste beschikbare stoel naar Londen zich in een vliegtuig bevond dat pas om drie uur die middag zou vertrekken.

'Maar weet u zeker dat er beslist geen snellere manier is om in Engeland te komen?' vroeg ik de grondstewardess. 'Overstappen maakt me niet uit.'

'Het spijt me,' zei ze, terwijl ze nog een keer naar het scherm keek. 'Het enige wat ik heb, is Amsterdam om halftwaalf.'

Zou dat niet het toppunt van ironie zijn, dacht ik bij mezelf terwijl ik mijn weg zocht tussen koffers en gsm-zombies, op zoek naar een café waar ik de uren tot mijn vlucht kon zoekbrengen. Uiteindelijk toch in Amsterdam terechtkomen. Vooral nu ik gekleed was voor het modeshowcircuit, compleet met breedgerande hoed en een zonnebril zo groot als Milaan... allemaal dankzij het exclusieve kledingboetiekje om de hoek van het Çirağan Palace dat binnen vijf minuten de helft van mijn fortuin had opgeslokt.

Ik ging in een besloten nis zitten met mijn gestolen voorraad papier en een dienblad met ontbijt, en haalde het document tevoorschijn waar ik zo van geschrokken was toen ik het twee uur geleden voor het eerst onder ogen kreeg in Nicks kamer. Het was een kort, getypt briefje zonder briefhoofd of handtekening, en er stond het volgende in:

```
Let op Jumbo,
We zetten jakhalzen op het menu. Een steen per kop.
Alleen vers vlees. Kijk eens naar ons assortiment. Als
de voorraad afneemt, staan we open voor alternatieven.
Een halve steen per armband, een kwart per tatoeage.
Levering via Pavel.
```

Aan dit vreemde, korte briefje waren drie vellen papier vastgeniet, allemaal vol met onduidelijke zwart-witfoto's en scheve tekst. De afbeeldingen toonden drie vrouwen die – veronderstelde ik – door bewakingscamera's betrapt waren, en er zaten korrelige close-ups bij van een jakhalsarmband en twee nauwelijks zichtbare jakhalstatoeages. De tekst identificeerde de vrouwen als 'Amazone 1', 'Amazone 2' en 'Amazone 3', en er stonden schattingen bij over hun lengte, gewicht en leeftijd.

Mijn eerste gedachte was dat de brief een gecodeerd bericht was van al-Aqrab aan een huurmoordenaar – mogelijk Nick – met de opdracht om drie vrouwen te vermoorden van wie aangenomen werd dat het Amazones waren. Maar nadat ik het een keer of tien had doorgelezen, wist ik dat niet meer zo zeker. Al was ik graag bereid om al-Aqrab te belasteren, ik had de grootste moeite om Nick te zien als een bereidwillige beul.

Ten slotte legde ik de brief opzij en begon door de rest van de documenten in de envelop te bladeren, in de hoop iets tegen te komen wat duidelijker was.

Ik hoefde niet lang te zoeken. Daar waren ze, vervaagd maar onmiskenbaar: tientallen foto's van mijn vader, mijn moeder en mij... Die ontdekking verkilde me nog meer dan de brief aan de huurmoordenaar.

Wat ik had gevonden, was een aan elkaar geniet detectiverapport van het soort waar mijn ouders opdracht toe hadden gegeven na oma's verdwijning, maar waar dat van hen niets anders dan nutteloze opvulling had bevat, leek dit vol informatie te staan. Hoewel de tekst in het Arabisch was, spraken de illustraties voor zichzelf, en ik tuurde nog eens naar de korrelige foto's van mijn vader, rustig rommelend met zijn vogelhuisje... mijn moeder die haar ledematen strekte na een rondje joggen... in gezegende onwetendheid dat ze zich in het dradenkruis van een telescoop bevonden.

Bijna alle beelden waren verborgen opnamen, en de meeste waren door ramen of struiken heen genomen. Het besef dat mijn ouders en ik bespied waren door onzichtbare ogen, zelfs in onze meest intieme momenten, was ronduit misselijkmakend. Ja, er zaten foto's van mij bij waarop ik lesgaf aan studenten en het schoolbord vulde met Egyptische hiërogliefen, maar er was er ook eentje waarop ik een liedje zong voor de guppy's van professor Larkin, na iets te veel eenzame glazen wijn.

Hoewel mijn moeder er ook in stond, concentreerde het rapport zich vooral op mijn vader en op mij, en het was niet moeilijk te raden waarom. Uiteraard was het Amazonevraagstuk het middelpunt. Want op een van de pagina's stond een bekende oude trouwfoto die ik zelf in mijn jeugd al vele malen had bestudeerd: de enige bestaande foto van oma en opa, waarop ze er allebei vreemd ongelukkig uitzagen, alsof ze wisten dat hun huwelijk tot mislukken gedoemd was.

Wat had deze nieuwsgierige detective daarover weten op te duiken? Wat ik over hun relatie wist, was beperkt tot het uiterst summiere relaas dat oma me ooit had gegeven na halsstarrig doordrammen – een relaas dat ze naar mijn overtuiging nog nooit aan iemand anders had verteld.

Als ik oma moest geloven, hadden zij en een andere Amazone – in hun rebelse jeugd – een wetenschappelijk congres bijgewoond in Kopenhagen, met als enige doel de meest intelligente mannelijke deelnemers te selecteren. 'Je kunt niet alles hebben,' had ze me uitgelegd terwijl ik met grote ogen aan haar voeten zat, 'dus koos ik ervoor een slimme man uit te zoeken. En die vond ik. Dat was je opa. Maar ik maakte een fout. Ik werd verliefd op hem.' Oma keek me vermanend aan, alsof ze me wilde waarschuwen om dat nooit te doen. 'In plaats van Kara te zijn, werd ik zijn vrouw. Ik had beter moeten weten, maar... ik verliet de zusterschap.'

'Waarom was dat zo vreselijk?' vroeg ik, overlopend van kinderlijk verlangen naar een goede afloop. 'Als u echt van hem hield?'

'Je moet me begrijpen.' Oma stond op en liep naar het kleine raam in de dakkapel waar ze zo vaak stond, starend – zo stelde ik me voor – in haar gebroken herinneringen. 'Ik ben opgegroeid als een Amazone. Dat was het enige leven dat ik kende.'

Omdat ze maar zo zelden samenhangend over haar Amazonezelf praatte, kwam ik vol nerveuze spanning overeind, vastberaden om zo veel mogelijk informatie uit haar te krijgen als ik kon voordat de deur tussen haar kindertijd en de mijne weer dichtsloeg, misschien wel voor altijd. 'Waar was dat, oma? Weet u dat nog?'

Ze aarzelde. 'Het is niet veilig voor je om dat te weten. Nog niet.'

'Wanneer dan wel? Wanneer is het wel veilig voor me?'

Eindelijk keek ze omlaag naar mij; in haar ogen streden liefde en vermaning. 'Wanneer je jezelf bewezen hebt. Wanneer ik je kan vertrouwen.'

Dat was het. Meer heeft ze me nooit verteld.

Ten slotte schoof ik het rapport van de detective opzij en dook opnieuw in Nicks envelop. In een plastic mapje zat een artikel dat een jaar of tien geleden verschenen was in een medische publicatie, en het duurde een paar tellen voordat ik begreep dat de auteur mijn vaders oude vriend dr. Trelawny was. Na vijf verschillende gevallen van schizofrene paranoia te hebben vergeleken, scheen zijn punt te zijn dat ze allemaal dezelfde kernelementen behelsden: parallelle persoonlijkheden en een ingebeelde taal.

Ook al had de trouweloze Trelawny de namen van de betrokken patiënten veranderd, het was duidelijk dat mijn grootmoeder een van de beschreven gevallen was. Het artikel beschreef niet alleen haar Amazonepersoonlijkheid tot in de details, het noemde ook haar jakhalsarmband – waar dr. Trelawny naar verwees als een 'waardeloos prul met emotionele waarde' – en sprak, tot mijn spijt, langdurig over het handgeschreven 'Amazonewoordenboek' dat ze haar kleindochter had nagelaten.

Hier was hij eindelijk, de schakel die ontbroken had sinds Ludwig me had benaderd in Oxford en me meelokte met een nog niet ontcijferd Amazone-alfabet. Kennelijk had iemand bij de Aqrab Foundation al die tijd van dit artikel geweten en was specifiek aan de slag gegaan om mij aan boord te krijgen, met het – correcte – vermoeden dat ik oma's schrift mee zou brengen naar het hele feest.

Ik was zo overstuur dat ik een tweede kop koffie moest gaan halen om mijn handen te warmen zodat ze niet langer zouden trillen. Wat een duivelse streek van al-Aqrab om mij zo te misbruiken – om me tegen mijn eigen soort op te stoken en ongewild een Amazonejager van me te maken.

Er zaten nog meer documenten in de envelop, maar ik had genoeg gezien om te weten dat ik er goed aan had gedaan om de *Historia Amazonum* – en mezelf – uit Nicks klauwen te bevrijden. Op dit moment was mijn prangendste vraag wat ik nu moest doen. Was het niet naïef van me om te denken dat ik naar Oxford kon terugkeren en nooit meer iets van al-Aqrab zou horen?

Ik schoof de envelop weer in mijn splinternieuwe, belachelijk dure handtas en liep naar de dichtstbijzijnde telefooncel om Rebecca te bellen. Ik had de afgelopen twaalf uur steeds contact met haar willen opnemen, en ik had haar ook bijna gebeld vanuit mijn logeerkamer in het Çirağan Palace, maar iets had me tegengehouden. Was het niet erg genoeg dat iedereen mij via mijn telefoon had kunnen volgen? Ik vond het niet nodig om ze dat van Rebecca ook te geven.

'Hallo?' mompelde een bescheiden stem die helemaal niet bekend klonk.

'Becks?' zei ik, twijfelend of ik soms het verkeerde nummer had ingetoetst.

Die twijfel werd weggenomen door een opgeluchte explosie aan de andere kant van de lijn. 'Diana? Waar ben je? Wat is er gebeurd?'

Ik was zo blij om haar stem te horen dat mijn knieën het bijna begaven. 'Alles is goed. Nou ja, eigenlijk niet. Maar dat geeft niet. Waar ben jíj? Ben je bij James?'

Rebecca jammerde: 'Het is zo erg...'

Ik voelde de haartjes in mijn nek onheilspellend overeind komen. 'Wat is er?'

'James.' Ze kon bijna niet praten van nervositeit. 'Hij is bij Reznik.'

Het kostte even tijd voordat ik begreep wat er precies met Rebecca gebeurd was. Tot mijn enorme opluchting had ze een nachtbus terug naar Çanakkale kunnen nemen en zat ze al de hele ochtend op de boot met Telemachos naar haar telefoon te staren, radeloos van bezorgdheid.

Het uur dat voorafgegaan was aan haar vlucht naar de bushalte, was echter niets minder dan afschuwelijk geweest. James en zij hadden ruim tien minuten op me gewacht bij de toiletten van Reznik voordat ze begrepen dat ik niet kwam. Uiteindelijk had James geconcludeerd dat ik met Nick moest zijn vertrokken, en dat was nog een hele ruzie geworden.

Aangezien ze de laatste gasten in het huis waren, hadden ze besloten om naar de auto te lopen om te kijken of ik daar misschien al die tijd al stond te wachten. Rebecca was vooruitgelopen, nog te boos op James om een woord met hem te wisselen – zei ze tussen snikken van schuldgevoel en spijt – en net toen ze het hek door liep, begon er achter haar iemand te schreeuwen. Toen ze zich omdraaide, zag ze de bewakers van Reznik op James af lopen om zijn vertrek te verhinderen. Omdat ze geen idee had waar het allemaal om ging, had Rebecca instinctief gevoeld dat ze in moeilijkheden zaten en was gaan rennen – James achterlatend om zijn eigen boontjes te doppen.

'Ik voel me zo slecht,' snikte ze toen ze het moment opnieuw beleefde. 'Ik had bij hem moeten blijven, maar... maar ik raakte gewoon in paniek. Ik rende naar de auto om te zien of jij daar op ons stond te wachten, maar de politie was er met een sleepauto. Ze zeiden iets wat ik niet kon verstaan – iets over een bewonerssticker die je nodig hebt om daar te parkeren, denk ik. Maar ik voel me zo schuldig over James.'

'Het gaat vast prima met hem,' zei ik. 'Het is begrijpelijk dat Reznik met hem wilde praten. Je hebt ze gezien – het zijn oude vrienden. En James is de zoon van Lord Moselane. Reznik zou nooit iets durven...'

'Ik heb steeds gebeld, maar zijn telefoon staat uit...'

'Hou in ieder geval op met bellen!' zei ik, een beetje ongeduldig. 'Zo volgt Reznik mensen. Hij gaat zonder enige twijfel binnenkort op zoek naar zijn *Historia Amazonum*, dus jij en ik moeten even dimmen en niet met elkaar communiceren. Het beste wat je kunt doen is wegvaren met Telemachos.'

'En jij dan?' wilde Rebecca weten. 'Waar ben je in vredesnaam?'

Ik keek om me heen naar het drukke vliegveld en vroeg me af hoeveel ik haar moest vertellen. Het was slechts een kwestie van tijd voordat iemand me op de hielen zou zitten... de enige vraag was, wie zou me het eerste vinden? Nick had mijn spoor; Reznik had James. Ik zou de *Historia Amazonum* natuurlijk kunnen teruggeven, maar aan wie? En hoe? Nee, het was te laat voor grote gebaren, besloot ik; ik zou alleen maar meer ongewenste aandacht trekken.

Het was een vreemd gevoel, daar te staan bij de telefooncel, omringd door zelfverzekerde reizigers die precies wisten waar ze heen gingen... en te beseffen dat ik op de vlucht was.

'Dat kan ik je niet vertellen,' zei ik uiteindelijk. 'Maar ik ga een manier vinden om hier een eind aan te maken, dat beloof ik je.'

Nadat ik had opgehangen, dacht ik een poosje na en belde toen naar Katherine Kent. We hadden elkaar sinds de avond voor mijn vertrek niet meer gesproken; ik had een bericht op haar voicemail ingesproken vanuit Algerije; dat was alles. En toch had die alziende mentor van mij genoeg van mijn bewegingen geweten om James naar Troje te sturen op de dag dat ik er aankwam. Hoe kon dat? Ik had het gevoel dat het antwoord op die vraag me zou kunnen helpen om mijn volgende stap te bepalen.

Ik belde haar nummer drie keer met steeds hetzelfde resultaat: een schrille pieptoon die me liet weten dat de lijn afgesloten was. Meer dan al het andere rijpte mijn toenemende angst daardoor tot paniek: al sinds de uitvinding van de telefoon was er geen nummer meer veranderd in Oxford; het feit dat Katherine Kent onbereikbaar was, was een zeker teken dat mijn wereld instortte.

Ik trok me terug op een van de toiletten en ging zitten om mijn gedachten te ordenen. Er zouden problemen komen, dat leed geen twijfel. Waar kon ik me verstoppen tot het wat rustiger werd? Zo geïrriteerd dat ik wel met mijn hoofd tegen de muur had willen dreunen, begon ik in mijn avondtasje te spitten om te zien hoeveel geld ik nog had. Daarbij kwam ik het briefje tegen van Telemachos met de naam van het Duitse museum waar – volgens hem – de laatste overgebleven jakhalsarmband bewaard werd.

Naar het papiertje turend voelde ik, in mijn overspannen toestand, mijn eigen jakhalsarmband bijna reageren op de verre roep van de naam die erop stond. En na een paar keer snel ademhalen – van die grote happen lucht, die je inneemt voordat je in koud water duikt – besloot ik dat de oplossing voor mijn benarde situatie al voor me lag.

34

TROJE

De aarde was in de rouw.

De Zon was voor altijd ondergegaan en de Maan heerste over de wereld. Niets zou ooit meer ontluiken, groeien of bloeien. Alleen de getijden van de zee bleven stromen, van eb naar vloed en terug, dreunend, zonder einde. De Aarde kon het niet meer schelen.

Opgekruld midden op de tempelvloer voelde Myrine het beven, maar veronderstelde dat zij het zelf was. Een diep gerommel in de kern van haar wezen, een zwijgende, versplinterende schreeuw van smart – het leek niet meer dan natuurlijk dat haar verdriet zou weerkaatsen door het enorme, holle bouwwerk om haar heen.

Ze lag met haar hoofd op de roerloze borst van Paris en had allang besloten om nooit meer op te staan. Ze wenste dat iemand hier ter plekke een brandstapel zou oprichten, die hen beiden tezelfdertijd zou verteren en haar zou bevrijden van de last om ooit haar ogen te moeten opslaan.

Een hand op haar schouder vroeg iets anders. 'Myrine,' zei een stem. Koning Priamos. 'We moeten sterk zijn.'

Ze deed alsof ze hem niet hoorde.

'Myrine. Ik kan niet langer wachten. Zijn moeder moet het weten.'

'Ik smeek u.' Ze kon de woorden nauwelijks uitbrengen. 'Laat me met hem meegaan.'

'Lieve,' zei koning Priamos, een beving in zijn stem, 'je moet nu sterk zijn voor mijn zoon. Hoor je me?'

Myrine opende haar ogen en knikte.

'Goed zo.' Koning Priamos greep naar zijn hoofd alsof hij zich schrap zette tegen onuitsprekelijke pijn. 'De tijd is gekomen. Troje moet met Paris sterven – zo is het altijd geweest. Onze muren zullen instorten. Er zal chaos heersen.'

'Waarom leef ik nog?' fluisterde Myrine. 'Ik, die dit alles veroorzaakt heeft...'

Medelijdend schudde koning Priamos zijn hoofd. 'Denk jij dat je sterker bent dan het lot? Wij zijn niet meer dan bekers, en daarin wordt onze lotsbeschikking uitgeschonken volgens een maat die wij niet kunnen begrijpen, niet kunnen beïnvloeden. Zelfs de Aardschokker moet tegen zijn wil opstaan en zijn huis verwoesten.' Priamos zuchtte diep. 'Dit moet ik geloven. Hoe kan een vader anders het gelaat van zijn dode kind aanschouwen en de wil om te ademen bewaren?'

De koning zweeg, worstelend met zijn eigen tranen. Toen zei hij met bruuske doeltreffendheid: 'Kom mee, dochter. De Aardschokker heeft ons kostbare tijd vergund. Die moeten we gebruiken. Jij en je zusters zullen Troje vóór het laatste uur verlaten. En jij moet iets kostbaars meenemen.'

'Waarom ik?'

Koning Priamos knielde bij haar neer. Toen pas zag ze zijn ogen, gezwollen van verdriet. 'Omdat hij jou gekozen heeft. Hij koos jou om de toekomst van Troje te dragen. En ik weet dat jij die beter zult bewaken dan ieder ander.'

Koning Priamos bracht Myrine diep in de rotsige grotten onder de citadel, om haar de schatkamer te laten zien, glanzend en fonkelend in het licht van zijn toorts. Nooit had Myrine zulke pracht gezien, zoveel gouden rijkdom, en ze keek eerbiedig om zich heen terwijl Priamos de deur naar het binnenste gewelf ontsloot.

'Hier staat het, wat ik wil dat je meeneemt,' zei hij toen hij voor haar uit het donker in liep. 'De ziel van Troje. Die mag niet in handen van de Grieken vallen.'

Na slechts een lichte aarzeling volgde Myrine hem de kluis in.

En begreep wat hij wilde.

Toen ze weer boven de grond kwam, zag Myrine dat de chaos al ingetreden was. Weeklagende vrouwen waren naar de tempel van de Aardschokker gekomen, om te rouwen om de dode prins en de godheid te smeken zijn stad te sparen.

Ze haastte zich naar het paleis en vond Pitana en Kara in de keuken, waar ze de arme Kyme verpleegden, die een klap op haar hoofd had gekregen en nu bleek en kreunend voor de haard lag, haar grijze haar met bloed besmeurd.

'Het was een grote pot,' legde Kara uit zodra ze Myrine zag binnenkomen. 'Hij viel van een plank toen de aarde beefde, en raakte haar zoals je ziet...'

'Het spijt me dat ik zo lastig ben,' hijgde Kyme. 'Maak je alsjeblieft geen zorgen over mij. Ik ben zo weer op de been.'

'Waar zijn de anderen?' vroeg Myrine. 'We moeten weg.'

'Dat weten we,' zei Pitana met een ferm knikje. 'We zijn klaar.'

'Alsjeblieft,' fluisterde Kyme tegen Myrine, 'deze keer wil ik graag blijven.'

'Nee.' Myrine pakte haar hand. 'Je gaat met ons mee.'

Kyme glimlachte. 'Ik vraag om verschoning. Alleen deze keer. Ik ben het reizen moe. Ik heb het hier naar mijn zin.'

Myrine schudde haar hoofd. 'Morgen bestaat Troje misschien niet meer.'

'Onzin!' Kyme probeerde te lachen. 'De aardbeving is voorbij, de Grieken vertrekken... Tegen zonsopgang is alles weer goed.'

Myrine boog haar hoofd, niet langer in staat om haar tranen te bedwingen. 'Alles komt niet goed. We moeten nu weg, nu er nog tijd is. Kom alsjeblieft met ons mee. Zonder jou... riskeren we de kunst van het schrijven te verliezen.'

Kyme zuchtte. 'Alleen koningen worden op schrift gesteld, weet je. Koningen en helden. Wij anderen zijn slechts vervagende echo's in het dal van de eeuwigheid.' Ze sloot haar ogen alsof ze in slaap ging vallen. 'Laat me nu alleen, kinderen. Het enige wat ik vraag, is dat jullie mijn naam onthouden en af en toe met liefde over mij praten. Zullen jullie dat niet vergeten?'

Zodra Aeneas bij de citadel aankwam, liep koning Priamos op hem toe om zijn schuimbekkende paard bij het bit te grijpen en zei: 'Stijg af. Ik heb een opdracht voor je.'

'Ik vraag verschoning, meester,' hijgde Aeneas, druipend van het zweet na zijn rit door de stad, zijn armen bezaaid met bloederige schaafwonden. 'Ik kom versterkingen halen voor onze troepen. Er is veel geweld op de vlakte van de Skamandros. We zijn uitgereden, zoals u misschien wel weet, om ons te wreken op die hufters, maar plotseling, op het hoogtepunt van de strijd, raakten de paarden in paniek.' Hij reikte omlaag om dankbaar een slok water te aanvaarden. 'De Grieken probeerden uit te varen op hun schepen, maar ze zitten allemaal vast in de heftige branding. Zij hebben de bevingen ook gevoeld en vrezen dat het de Aardschokker is die hen komt straffen.' Aeneas trok een gezicht en spuwde op de grond. 'Ze hebben de keel van elk paard dat ze te pakken konden krijgen doorgesneden – wel honderden! – en hebben de arme beesten dood laten bloeden, waarschijnlijk als offergaven aan de Aardschokker.'

'Grieken en hun offers!' gromde koning Priamos. 'Hatelijk volk. Bloed en brand is het enige wat ze kennen. Maar kom mee' – hij klopte Aeneas op zijn been – 'je hebt een vers paard nodig. Ik heb een speciale opdracht voor je.'

'Waar is Paris?' vroeg Aeneas, om zich heen kijkend. Toen pas merkte hij Myrine op. Eén blik op haar gezicht vertelde hem wat er was gebeurd, en hij bracht beide handen naar zijn ogen in woordloos verdriet.

In opdracht van de koning moest Aeneas Myrine en haar zusters de stad uit brengen. Ze vertrokken kort voor middernacht, in een storm van activiteit. Priamos had hun extra pakpaarden meegegeven om de schat te dragen die hij de vrouwen vroeg veilig te stellen, en tegen de tijd dat ze vertrokken, bestond de groep uit veertien vrouwen en twintig paarden. In een laatste eerbewijs aan Paris liet Myrine Lilli de merrie berijden die hij haar had geschonken, en die hij haar zo ijverig had leren mennen.

Aeneas leidde de vrouwen door de Skaeïsche Poort om de gevechten op de vlakte te vermijden, en bracht hen helemaal naar de rivier de Simoeis. Daar nam hij afscheid van iedereen, en tegen Myrine zei hij: 'Dit is voor ons beiden een zwarte dag geweest. Jij hebt je man verloren, en ik mijn vriend. Laat het je een troost zijn dat zijn brandstapel door de hemel zelf zal worden aangestoken, en dat hij op zijn laatste reis ruimschoots gezelschap krijgt.' Hij legde een hand op haar schouder en vervolgde: 'Mijn troost is dat jij, in een zo korte maand, Paris meer liefde hebt geschonken dan de meeste mensen in een heel leven krijgen. Hij was zo gelukkig als een man kon zijn, dat heeft hij me zelf verteld. Geen knorrige oude dag voor hem, zich afvragend waarom de genoegens des levens aan hem voorbijgegaan zijn. Al was hij jong, hij was vervuld, en dat wist hij.'

Niet in staat om meer te zeggen wendde Aeneas zijn paard en reed weg, terug naar Troje. En de vrouwen, die niet goed wisten wie hun aanvoerder moest zijn na de dood van Penthesilea, reden verder langs de rivier, Myrines verdriet respecterend door haar met rust te laten.

Bij het aanbreken van de dag bereikten ze het kamp van Vrouwe Otrera, waar iedereen al wakker was en tevergeefs probeerde de paarden te kalmeren.

Het gebeurde net toen ze op hun zusters afrenden om hen te omhelzen: de woede van de hemelgoden, botsend met de Aarde. Het voelde alsof een reusachtige hand de grond onder hun voeten wegtrok en hen allemaal door de lucht schudde – vrouwen evengoed als paarden – als graan op een dorsraam. Er klonk een duivels gebrul toen de bomen van het oude bos omvielen en braken... en daarna de vreselijke dreunen waarmee de reusachtige stammen en hun afgerukte takken neerkwamen.

Gillend van angst kropen de vrouwen bij elkaar, wachtend tot de hemel zou instorten en vallen. Want dit moest toch zeker het einde van alles zijn – het moment waarop de veelbeproefde Aarde eindelijk het kwaad van de mensheid van zich afschudde.

Myrine schoot met een kreet van hoop wakker... om met een snik van teleurstelling weer te gaan liggen. Want ze was in het bos, omringd door vochtig duister en slapende vrouwen, en degene wier nabijheid ze had gevoeld was Lilli, die zo dicht mogelijk tegen haar aan gekropen was.

'Hier.' Animone hielp Myrine met een arm achter haar rug half overeind en hield een beker water tegen haar lippen. 'Je bent de hele dag bewusteloos geweest. Heb je pijn?'

'Paris,' prevelde Myrine. 'Is hij nog steeds...'

Animone streelde haar wang. 'Er kwam weer een aardbeving. Een vreselijk zware. Pitana en Hippolyta zijn teruggereden om...' Ze aarzelde. 'Troje is niet meer. Er staat geen huis meer overeind. En overal zijn plunderaars.'

Myrine ging weer liggen. 'Ik ben zo moe. Vergeef me.'

Ze sliep weer tot de ochtend, toen Vrouwe Otrera haar zelf kwam wekken en zei: 'We moeten opbreken, Myrine. We zijn hier al te lang gebleven en de paarden zijn rusteloos. Kom.' Otrera nam haar bij de hand en liep met haar naar de rivier. 'Was je gezicht schoon en zorg dat je geest helder wordt. Onthoud dat jij Myrine bent. Je zusters rekenen op jou om moedig te zijn.'

Myrine viel op haar knieën aan de rand van het water en begroef haar gezicht in haar handen. 'Hoe kan ik moedig zijn, als mijn moed slechts tot verwoesting leidt?'

Vrouwe Otrera knielde naast haar neer. 'Zonder jouw moed zouden je zusters nu nog slaven zijn in Mykene.'

'Zonder mijn vervloekte moed' – Myrine kromp ineen, misselijk van verdriet – 'zou Paris nog leven.'

'Het was niet jouw moed die koning Priamos dwong de Griekse schepen belasting te laten betalen,' verklaarde Vrouwe Otrera, 'of die schepen ertoe bracht onze kusten aan te vallen. Noch was het jouw moed die de noordenwind liet blazen of de aardbeving veroorzaakte. Vlei jezelf niet dat je zoveel macht hebt over leven en dood. Zonder jou... wie zegt dat Paris niet in zijn bed zou zijn gestorven, onder een instortende muur?' Ze boog zich dichter naar Myrine met een blik van verstandhouding in haar ogen. 'Denk je niet dat je echtgenoot er dapperder uit zal zien in de Zalen van Eeuwigheid, nu hij rechtstreeks van het slagveld komt, doordrenkt van triomf?'

Myrine sloot haar ogen en genoot van dat zoete beeld, voordat het weer opgeslokt werd door de allesverzengende herinnering aan Paris die dood in haar armen lag, zijn lichaam nog warm op de koude tempelvloer. 'Misschien.'

'Goed zo.' Vrouwe Otrera schepte water op en plensde het in Myrines gezicht. 'Kom nu, laten we onze reis voortzetten. We zijn pas veilig voor de Grieken als we eenmaal in het land van de Kaskiërs zijn.'

Onderweg naar het oosten, langs de kust, merkte Myrine dat Lilli ongewoon stil was. Zelfs na vele betraande dagen van gedeelde smart en tedere woorden, bleef het meisje slecht op haar gemak, en toen Myrine uiteindelijk vroeg wat haar dwars zat, moest ze lang aandringen voordat Lilli het onder woorden bracht.

'We hebben zoveel verdriet en verwoesting gezien,' zei ze met tegenzin, toen ze op een nacht wakker lagen, hand in hand. 'Het staat me tegen om nog meer te voorspellen.'

'Maar dat moet!' Myrine sloeg haar arm om haar zuster heen. 'Ik heb allang geleden geleerd te vertrouwen op jouw bange voorgevoelens. Wat zie je?'

'Duister,' prevelde Lilli. 'Het land van de Kaskiërs belooft alleen maar ellende. Een tijdlang zullen we zegevieren, maar daarna... vergetelheid. Het enige licht dat ik zie, komt uit het noorden. We moeten het water over; ik weet het zeker.'

Myrine kon haar misnoegen niet verbergen. 'Je wilt dat we ons in de woestenij van de noordelijke landen wagen? Waar geen beschaafd mens ooit een voet heeft gezet?'

Lilli knikte. 'Ik zie rivieren en bergen en eindeloze bossen. En' – met trillende stem – 'ik zie jou weer lachen, en ons aansporen.'

Toen Myrine Lilli's visioen echter aan Vrouwe Otrera vertelde, wilde de oudere vrouw een verandering van de plannen niet eens overwegen. En toen Myrine bleef aandringen op het noorden, keek Otrera haar uiteindelijk aan met ogen vol verbittering en zei: 'Besef je wat dit betekent?'

Myrine knikte mismoedig. 'Het schijnt dat het lot vastbesloten is onze wegen te scheiden.'

Ze bereikten de oversteekplaats na nog drie dagen reizen. Het was een drukke plek, vol zeelui en goedgebekte verkopers, maar de vrouwen stuurden hun paarden zwijgend door de menigte, en negeerden grimmig de zedeloze opmerkingen die hen overal volgden. Want dit was de plaats waar de groep uiteen zou gaan: sommige zusters zouden met Vrouwe Otrera meegaan en oostwaarts zeilen naar de Ongastvrije Zee, en de rest zou met Myrine hier oversteken, waar de zee-engte smal was.

Voor de meesten was de keus eenvoudig. De dochters van Vrouwe Otrera's hadden niet de minste behoefte om zich los te maken uit het web van mensen die ze hun hele leven hadden gekend, en zeker niet om zich in gebieden te wagen die – zoals Otrera het had verwoord toen ze hen voor de keus stelde – bewoond werden door 'bloeddorstige heksen en jankende wolf-mannen'.

Maar voor de vrouwen die helemaal uit de tempel van de Maangodin op de oevers van het Tritonismeer kwamen – en vooral zij die gered waren uit Mykene – was het een ondraaglijke keus tussen troost en trouw. 'Hoe kun je dit van ons vragen?' had Klito geklaagd, toen Vrouwe Otrera en Myrine de situatie een dag eerder aan iedereen uitlegden. 'We zijn ontsnapt aan de grootste rampspoed die de wereld ooit heeft gezien, en nu,' zei ze met uitgestoken handen, de ene naar haar heilige zuster, en de andere naar de vrouw die zij als een moeder was gaan beschouwen, 'wil je ons uit elkaar drijven, net wanneer onze verlossing binnen bereik lijkt.'

In de groep klonk een instemmend gemompel. Tijdens een oponthoud om de paarden te drenken en even te rusten, hadden ze zich verzameld op de oever van een brede rivier, en daar waren Myrine en Vrouwe Otrera om beurten op een grote kei geklommen om de vrouwen, die op stenen om hen heen zaten, toe te spreken.

'Laten we onszelf niet wijsmaken dat er zoiets als verlossing bestaat,' zei Myrine; ze dwong zich om luid te spreken, al lag haar verdriet als een strop om haar nek. 'Ik wil niets beweren over de veiligheid van de noordelijke landen, maar ik zou niet willen dat jullie naar de Kaskiërs vluchten om als beesten te worden afgeslacht. Zelfs als je geen vertrouwen hebt in de visioenen van mijn zuster, denk dan aan de waarschuwingen van koning Priamos...'

'Moet je haar horen!' riep Egee, die woedend overeind sprong. 'Eerst verlaat ze ons voor een man... nu doet ze alsof ze bezorgd is om onze veiligheid. En kijk haar eens.' Met haar jachtmes wees Egee naar Myrine – het jachtmes dat ze ooit had gezworen nooit te zullen dragen, maar dat nu haar dierbaarste bezit was. 'Wekt zij soms vertrouwen? Ze is ziek en buiten zichzelf; ze weet nauwelijks wat ze zegt of doet. Voor mij is het duidelijk, nu neemt de Godin haar wraak. Stel dat ze doodgaat? Wat doen we dan? Nee.' Egee sloeg haar armen over elkaar, met mes en al. 'Ik zeg, laat haar haar ongeluksweg maar volgen; wij gaan onze eigen weg.'

Op Egees onverzoenlijke toespraak volgde een luidruchtige discussie, maar iedereen – zelfs de andersdenkenden – viel stil toen Kara opstond. Ze hield hun de littekens op haar polsen voor, alsof die al een argument op zichzelf waren, en zei tegen Egee: 'Jij spreekt van geluk en wraak, alsof je weet waar je het over hebt. Maar jij hebt geen idee. Jij bent nooit verkracht of meegevoerd op de zwarte schepen. Jij hebt het slijk van Mykene niet hoeven verdragen.' Met een van razernij vertrokken gezicht wees Kara naar Myrine. 'Zíj is ons komen halen. Zíj heeft ons geluk boven het hare gesteld. Denk jij dat de Godin een afkeer van haar heeft? Dat heb je mis! De Godin heeft haar lief. De Godin bewondert haar. Daarom heeft ze haar tot een voorbeeld voor ons allen gemaakt. Daarom heeft ze haar aan ons teruggegeven. Denk jij dat zij een ongeluksweg bewandelt? Misschien. Maar ik heb een prinses van Troje gezien met een kroon op haar hoofd, en ík was het die haar – in mijn waanzin – voor de leeuwen wierp.' Kara sloeg haar handen voor haar gezicht, opnieuw strijdend met haar innerlijke demonen. 'En daarom moet ik die ongeluksweg met haar bewandelen, waar die ook heen voert. Misschien ontmoeten we vliegende heksen en half-mensen, maar het kan niet erger zijn dan wat wij al hebben meegemaakt.

En wij zijn immers overlevers?' Ze keek de kring van vrouwen rond, haar handen smekend geheven. 'Myrine had al vele keren kunnen sterven, net als ik, net als jullie. Maar dat hebben we niet gedaan. We leven nog, omdat we elkaar hebben, en we hebben een plicht te vervullen.' Ze wees naar de pakpaarden die koning Priamos hun had meegegeven. 'Een man die heerste over een van de grootste steden op aarde heeft ons, met zijn laatste ademtocht, gevraagd om schatbewaarders te zijn. Ik zou die taak verkiezen boven elke troost die deze wereld te bieden heeft. Ik heb zelf grote schande weg te wassen, en ik kan geen betere plek bedenken om dat te doen dan in de wilde rivieren van het noorden, waar ik nooit meer Grieks zal horen spreken.'

Na Kara durfde niemand anders meer op te staan, en de groep was gonzend van boosheid en besluiteloosheid doorgereden naar de kust. Zelfs toen ze de haven naderden en de aankomende schepen bekeken, wist Myrine nog altijd niet of ze de oversteek met drie of met dertig vrouwen zou maken.

De schat van koning Priamos zou echter onder haar beheer blijven. Er had wat gemompel geklonken, dat het onrechtvaardig zou zijn als zij alles voor zichzelf hield, maar de jaloezie was verdwenen zodra Myrine de aard van de schat onthulde en de vrouwen zelf liet kijken.

'In alle eerlijkheid benijden we je die last niet,' had Vrouwe Otrera gezegd, namens alle anderen. 'Wij kunnen slechts bidden dat je voor je ijver beloond zult worden.'

Ze stopten bij een op het strand getrokken schip dat er veelbelovend leeg uitzag. Een lijvige beer van een man lag in de schaduw van de romp op een wortel te kauwen. Zijn enige wapen leek een houten knuppel te zijn, maar Myrine twijfelde er niet aan dat hij daar heel effectief mee zou kunnen zwaaien. Toen hij de vrouwen opmerkte, ging de man met een wantrouwig knikje overeind zitten.

'Hoeveel kan je schip dragen?' vroeg Vrouwe Otrera in de taal van Efeze. 'Ik neem aan dat je te huur bent?'

De grote man grijnsde; de wortel wipte op en neer in zijn mondhoek. 'Helemaal de jouwe, schatje, als de prijs goed is. Waar wil je heen?'

Vrouwe Otrera fronste haar voorhoofd. De man was duidelijk een bruut, gekleed in een mottig leeuwenvel en weinig meer dan dat, en toch zag hij er robuust en gewillig uit, hij sprak hun taal, en zijn schip was kennelijk beschikbaar. 'Sommigen van ons willen alleen naar de overkant,' zei ze, 'en de anderen willen naar het oosten varen, tot we bij de monding van de rivier de Thermodon komen. Ik heb begrepen dat er weinig begaanbare wegen zijn tussen hier en daar, en dat een zeereis oneindig veel sneller en veiliger is dan een reis over land. Klopt dat?'

'Als een zwerende vinger, schatje.' De man stond eindelijk op en bekeek de groep eens goed. 'Dat zijn heel wat paarden. Ik ben niet zo dol op paarden. Produceren een hoop stront. Ik heb al heel wat stront geschept, in mijn tijd.' Hij spuwde de wortel uit en veegde zijn handen schoon. 'Maar ik heb een paar kameraden en momenteel heb ik Theseus en zijn roeiers voor me werken, dus dat is vier schepen in totaal.' Hij glimlachte weer, ontblootte zijn tanden in een beminnelijke grijns. 'Laten we beginnen met de makkelijke reis. Hoeveel willen er allemaal naar de overkant?'

Dat was het moment waar ze allemaal zo tegen opzagen – het moment dat ze hadden uitgesteld tot het niet langer verdrongen kon worden. 'Welnu.' Vrouwe Otrera richtte zich tot de groep. 'Zeg het maar, dames. Hoeveel gaan er met Myrine naar het noorden?'

Lilli en Kara staken gelijk hun hand op. Toen kwam Klito, en toen Pitana, en nog een stuk of zes anderen. Maar dat was het. Animone was niet een van hen. Met gebogen hoofd zat ze op haar paard en kon Myrine niet aankijken; als ze dat wel had gedurfd, zou ze in de ogen van haar vriendin vergiffenis hebben gelezen.

'Goed.' De man pulkte even in zijn neus, bekeek zijn vangst en veegde de vinger af aan zijn tuniek van leeuwenvel. 'Als dat alles is, kan ik de eerste groep nu meteen naar de overkant varen, en dan zoeken we de rest wel uit als mijn maten terugkomen.'

'En de betaling?' vroeg Vrouwe Otrera.

'Nou.' De man krabde in zijn dikke nek. 'Waarom kijken we niet eerst wat ik aan roeiers kan vinden, en hoelang het ons kost om te komen waar de dames heen willen?' Hij liet zijn ogen over Hippolyta dwalen, bekeek haar geborduurde gordel en haar welgevormde dijen. 'Jullie hebben vast wel iets wat me bevalt.'

En toen was het tijd om afscheid te nemen. Myrine omhelsde iedereen en kwam uiteindelijk terecht in de armen van Vrouwe Otrera, niet in staat om haar emoties te verwoorden.

'Er is geen reden om te huilen,' zei Vrouwe Otrera, half lachend. 'Want ik weet zeker dat wij elkaar snel weer zullen treffen. Je zult gauw genoeg inzien dat de noordelijke landen geen plek zijn om te leven en dan kom je bij ons terug, ruim voor de baby komt.'

Myrine verstrakte, geschrokken. 'Ik begrijp niet...'

Vrouwe Otrera glimlachte en drukte een kus op haar voorhoofd. 'Ik mag de mannen dan niet kennen, de vrouwen ken ik wel. Jij draagt iets veel kostbaarders dan de schat van koning Priamos. Jij draagt zijn kleinkind.'

Met elke slag van de riemen zag Myrine vanaf de achtersteven haar wereld, en het merendeel van de mensen die ze kende, kleiner worden tot er niets anders meer van over was dan de wetenschap dat haar zusters daar nog waren, en wachtten tot de schepen terugkeerden.

En toch werd haar heimwee getemperd door haar verwarring, na de woorden die Vrouwe Otrera bij hun afscheid had gesproken. Kon het echt waar zijn? Zou een klein, onsterfelijk deel van Paris binnen in haar alles overleefd hebben? Ze durfde het nauwelijks te hopen, te bang om te ontdekken dat het niet waar was, en hem opnieuw te moeten verliezen.

De gedachte opzijzettend keek Myrine naar haar pols, waar de jakhals vroeger zat. Toen ze hem aan Helena gaf – arme, noodlottige Helena – had ze nooit gedacht dat ze hem terug zou willen, maar nu miste ze zijn troostende aanwezigheid. Na alles wat er was gebeurd, hunkerde ze naar vergiffenis – vergiffenis voor het beminnen van Paris, voor het verlaten van de zusterschap, voor het verdriet dat ze had gebracht, waar ze ook ging. Ze wist alleen niet meer tot wie ze zich moest wenden. De Maangodin? Onwaarschijnlijk. Zelfs de jakhalzen hadden vast alle loyaliteit aan hun vroegere meesteres verloren.

Nee, dacht Myrine, ze zou vergiffenis moeten vinden in zichzelf en in haar tien trouwe metgezellinnen. Ze zouden hun zusterschap opnieuw moeten bekrachtigen, onder nieuwe voorwaarden. Als ze zich eenmaal ergens veilig hadden gevestigd, zouden ze rond het vuur gaan zitten en alles doorpraten, en als ze geluk had, kwamen ze misschien een kopersmid tegen die een nieuwe armband kon smeden.

Een ruw bevel onderbrak haar overpeinzingen. De man op wiens schip ze voeren – de bruut die zo joviaal was geweest toen ze op de oever met hem spraken – liep met zijn reusachtige knuppel op en neer over het dek; hij spoorde zijn roeiers aan en zag eruit alsof hij niet zou aarzelen om de schedel van een luilak te verpletteren. 'Ik vertrouw hem voor geen cent,' prevelde Pitana, die naast Myrine kwam staan. 'Daarnet zag ik een wrede, berekenende blik in zijn ogen. Ik vraag me af of we hem moeten vragen terug te keren.'

Myrine dacht even na. 'Vrouwe Otrera is niet naïef. En ik ben ervan overtuigd dat haar dochters zich weten te verdedigen. Als jij had gezien wat ik die dag bij de Skamandros gezien heb, zou je het met me eens zijn dat zij even bereidwillig doden als mannen.'

En toch, toen ze de zee-engte veilig overgestoken waren en op de noordelijke oever waren aangeland, bleef Myrine dralen op het strand, om een laatste woord te wisselen met hun knuppel-zwaaiende kapitein. Bewondering veinzend vroeg ze hem: 'Hoe komt een man als jij in zo'n desolate omgeving terecht?'

Onverschillig haalde hij zijn schouders op; hij had er geen belang meer bij om haar te paaien. 'Ik had iemand vermoord. Dus ik vond dat ik beter de stad kon verlaten, voordat zijn vrienden erachter kwamen.'

Myrine glimlachte, haar schrik zorgvuldig verbergend. 'Wie was het?'

Met half toegeknepen ogen keek de man uit over het water. 'Een vent voor wie ik werkte. Ik maakte zijn stallen schoon. Heel veel stront. Hij wou me niet betalen. Dus sloeg ik zijn tanden uit zijn bek. Helaas zaten die aan zijn hersenen vast. Of in elk geval... daar zaten ze toen ik met hem klaar was.' De man snoof van het lachen, om zich heen kijkend om zich ervan te vergewissen dat zijn roeiers met hem meelachten.

'Dat is mooi,' zei Myrine, en verschikte de bijl aan haar riem. 'Vertel je verhaal vooral ook aan mijn vriendinnen aan de overkant. Het zal ze bevallen. En voordat we afscheid nemen', voegde ze eraan toe terwijl ze haar hand uitstak, 'zeg me je naam, dan zeg ik je de mijne.'

De man wierp haar een blik vol sarcasme toe, alsof hij vermoedde dat ze hem in de maling nam. 'Wil je mijn naam weten? Waarom? Ga je me verraden? Ik en de anderen' – hij maakte een veelomvattend gebaar naar de oever – 'wij willen geen moeilijkheden. Wij... wij blijven gewoon een poosje weg. Daar is toch niks mis mee.' Uiteindelijk beantwoordde hij haar handdruk. 'De naam is Herakles.'

Myrine knikte. 'Jij en ik, we hebben veel gemeen, Herakles. We zijn beiden moordenaars, en toch willen we beiden vrede. Laat me je een goede raad geven: kom niet aan mijn zusters. Wij zijn de Amazones, doders van mannen. Alleen zwakken van geest wagen hun kans met ons.'

'Doders van mannen?' Met een scheve grijns keek Herakles haar aan. 'Zeg dat nog eens, en we zullen je misschien wel op de proef moeten stellen.'

Myrine was zich maar al te bewust van de plotseling oplaaiende energie van de roeiers. Ze zag dat ze haar met kennelijke hebzucht bekeken en elkaar met instemmend geknik aanstootten. 'Willen jullie mij op de proef stellen?' vroeg ze hun, haar stem verheffend. 'Zie je die vogel?' Ze wees naar een meeuw op de mast van een schip, iets verder op het strand. Daarop bevrijdde ze haar boog, en zonder nog een woord te zeggen schoot ze een pijl af die zo snel en nauwkeurig zijn doel trof, dat de vogel zelfs niet kraste toen hij uit de mast viel en volledig doorboord op het strand terechtkwam.

'Wij zijn de Amazones,' zei Myrine opnieuw, fermer nu, terwijl de mannen ongelovig naar de dode vogel staarden. 'Wij zijn doders van beesten en mannen. Als wilde vrouwen bewonen wij de wilde plaatsen. Vrijheid stroomt ons door het bloed, en in de punt van onze pijlen fluistert de dood. Wij vrezen niets; vrees slaat voor óns op de vlucht. Zit je ons dwars, dan zul je onze woede voelen.' Daarmee draaide ze zich om en liep bij de mannen weg, door het hoge gras, tot ze alleen nog de punt van haar boog konden onderscheiden.

En net toen ze zich herinnerden dat ze adem moesten halen, was ze verdwenen.

DEEL V

ECLIPS

35

Het is welbekend dat de Germaanse stammen niet in steden wonen, zij kunnen zelfs niet velen dat hun huizen elkaar raken: ze wonen gescheiden en verspreid, al naargelang bron, weidegrond of gouw hen aanspreekt.
– TACITUS, *Germania*

OSNABRÜCK, DUITSLAND

De rit vanaf het vliegveld van Münster duurde nauwelijks dertig minuten – net lang genoeg voor een aanval van bij-naderinzien. 'Het is jouw schuld,' verweet ik de jakhals onderweg door een vlak, donkergroen, van vocht verzadigd landschap. 'Jij moest je zo nodig hier verschuilen. En nu?'

Het was een grijze, druilerige namiddag van het soort waar Europa in november zo goed in is. Al was ik nooit eerder in dit deel van Duitsland geweest, ik voelde me instinctief thuis in de kille treurigheid, die perfect bij mijn stemming paste. Nu mijn paniek achter me lag, bleef ik zitten met een zeurend gevoel dat het misschien verstandiger was geweest om terug te vliegen naar Oxford en simpelweg de politie te waarschuwen. En toch... wat zou ik daarmee winnen? Een tijdelijk gevoel van veiligheid? Hoewel mijn vastberadenheid nog steeds door twijfel aangetast werd, hield ik me voor dat ik de juiste keuze maakte door de hint van Telemachos over de armband in Kalkriese op te volgen. Reznik en al-Aqrab wilden allebei met alle geweld de Amazones vinden, en de enige manier waarop ik aan hen kon ontsnappen, leek te zijn door hen vóór te blijven.

Tijdens de vlucht vanuit Istanboel had ik de rest van Nicks geheime documenten doorgenomen. Wat ik vond, had mijn verwarring voor een groot deel opgehelderd, maar mijn verontrusting niet tot bedaren gebracht. Gespannen in de envelop gravend had ik weer een Arabisch detectiverapport gevonden, nog dikker dan het eerste. Maar deze keer ging het niet over mij en mijn familie; deze keer ging het over mij en Katherine Kent.

Er zaten verschillende korrelige foto's bij van ons tweeën in haar kantoor in Oxford, waarop we er onvoorstelbaar verdacht uitzagen, al was het onderwerp van ons gesprek vrijwel zeker een of andere Griekse geschiedkundige geweest die al tweeduizend jaar dood was. Maar er zaten ook andere foto's bij van Katherine, die heel wat minder onschuldig waren. Op een ervan stond ze zwetend en met vertrokken gezicht voor een boksbal, compleet met bokshandschoenen, en op een andere zat ze in een taxi, met een hoed en een grote zonnebril op waar 'geheime operatie' van afspatte. Maar op de serie foto's waardoor ik bijna stikte in mijn vliegtuigpinda's, wisselde ze een pakje met iemand op een druk treinstation.

Die iemand was, zonder enige twijfel, mijn blonde Nemesis.

Ik weet niet zeker hoelang ik daar heen en weer zat te bladeren door de foto's om de waarheid onder ogen te kunnen zien. Dit moest de verklaring zijn voor Katherines interesse in mijn bewegingen: ze stond in relatie met de mensen die verantwoordelijk waren voor de overval in het labyrint en de diefstal in de haven van Nafplion. Betekende dit dat zij een Amazone was? Ik had nog nooit een jakhalsarmband om haar pols gezien, en er stond er geen op de foto's.

In een afschuwelijk heldere flits ontrafelde zich onze hele relatie voor mijn ogen, helemaal tot aan onze eerste ontmoeting, vijf jaar geleden. Tot mijn grote, gevleide verbazing had deze gevierde professor uit Oxford me bij een studentensymposium in Londen benaderd en belangstelling uitgesproken voor mijn toekomstplannen. 'Als je besluit om voor een academische carrière te kiezen,' had ze gezegd, met de botheid die zo karakteristiek voor haar was, 'zou ik je graag adviseren bij je these. Hier.' Minzaam had ze een telefoonnummer boven mijn collegeaantekeningen geschreven, en binnen een week had ik haar opgebeld.

Het was zo'n magische opening geweest, zo'n welkom geschenk... Al was het gebaar van Katherine ingegeven door een andere impuls, ik weigerde om het in een zuiver negatief licht te zien. Ze had me geholpen, en we hadden samen aangename tijden gekend; ik vleide me dat onze relatie ook haar voldoening had gegeven. Maar toen was er iets gebeurd. Ik was tegen de wens van Katherine meegevlogen met Ludwig en ik had haar een bericht gestuurd vanuit Algerije, en nu was haar telefoonnummer – hetzelfde nummer als ze mij die dag in Londen had gegeven – ineens afgesloten.

Pas toen ik het laatste document in Nicks envelop in handen kreeg, begon ik de complexe boosaardigheid te begrijpen van wat er speelde. De aan elkaar geniete papieren vormden een compilatie van krantenartikelen, getypte tekst, en afschuwwekkende politiefoto's met beelden van mishandelde lichamen, geconfisqueerde wapens en videocamera's, en tot slot een verongelukte auto op de bodem van een ravijn.

Het duurde tot ver in het eerste artikel voordat ik een naam tegenkwam die ik herkende: Alexander Reznik, in de wereld van de snuffmovies bekend als 'de *Fistboner*'. Kennelijk keek ik naar het perverse spoor van doden achtergelaten door de dierbare zoon van Reznik, die dankzij de politieke connecties van zijn vader verscheidene aanklachten wegens moord had weten te ontduiken.

Ik bekeek de pagina's een tijdje, onpasselijk van de misdaden waarvan Alex Reznik werd verdacht; sommige omvatten ongehoord bestiale, kannibalistische handelingen. In een gedenkwaardig citaat beweerde hij: 'Het is geen misdaad als zij zelf naar jou toe komen om te vragen of je ze wilt opeten.'

Toen ik eindelijk weer uit die bodemloze put van werkelijk bestaande monsters omhoogkwam, viel mijn oog op een krantenartikeltje waarin stond dat Grigor Reznik een premie van een miljoen dollar op het hoofd van de 'vuile Amazoneteven' had gezet die zijn zoon hadden vermoord. In een citaat zei hij: 'Ik heb het allemaal op film staan, God beware me. Ze moeten weten dat ik niet zal rusten voordat ik ze op het schavot heb.'

Het gruwelijke relaas, en de ontdekking dat ook Reznik met moorddadige gedachten op de Amazones joeg, had me zo rillerig gemaakt van angst dat ik de stewardess om een deken vroeg. Uiteindelijk leek Reznik noch al-Aqrab op zoek te zijn naar de schat van de Amazones; de klopjacht waarin ik samen met de *Historia Amazonum* verzeild was geraakt, was veel dodelijker dan schatzoekerij.

Ik had het nog steeds ijskoud tegen de tijd dat ik incheckte in mijn moderne maar geruststellend comfortabele kamer in het Idingshof Hotel in Bramsche – het stadje dat het dichtste bij het Museum Kalkriese lag. Toen ik even door het gesloten gordijn spiekte, telde ik elf auto's op de parkeerplaats onder mijn raam, en terwijl ik stond te kijken arriveerde er nog eentje. Die parkeerde niet – stopte alleen en bleef een tijdje met draaiende motor staan, voordat hij langzaam weer achteruit wegreed. In het schemerlicht onderscheidde ik vaag een man achter het stuur, en uit de manier waarop hij telkens opkeek en de hand die hij bij zijn oor hield, maakte ik op dat hij aan de telefoon zat.

Snel trok ik mijn hoofd terug en voelde mijn hart jagen. Kon het een van al-Aqrabs detectives zijn? Of een beveiliger van Reznik? Zelfs zulke mensen zouden me toch niet zó snel kunnen vinden. Bovendien, kon ik er wat Reznik betrof niet vrij zeker van zijn dat James zijn best had gedaan om alles glad te strijken voordat hij naar Oxford terugkeerde? Ook al was hij nog steeds boos op mij, hij zou Reznik toch niet laten geloven dat ik samenspande met Nick? Of wel? Ik wist het nog steeds niet zeker.

Toen de auto eenmaal weggereden was, ijsbeerde ik een tijdje door de hotelkamer en probeerde tot rust te komen. Natuurlijk was de chauffeur van die auto niet op zoek geweest naar mij. Dat was gewoon mijn fantasie, die van elke schaduw een slechterik maakte. Met een nieuwe huivering bedacht ik dat achtervolgingswaan waarschijnlijk zo aanvoelde. Het enige wat ik nu nog hoefde te doen, was me er door de jakhals van te laten overtuigen dat ik in werkelijkheid een vermomde Amazone was, en dan zou ik oma echt gevonden hebben... door haar te worden.

Ik keek hoe laat het was. Oorspronkelijk was ik van plan geweest om rechtstreeks naar het Museum Kalkriese te gaan, maar het was al vijf uur. Morgen, besloot ik, zou ik er meteen heen rijden en de hele dag de tijd hebben om de vrouw te vinden die ik volgens Telemachos moest ontmoeten en haar te ondervragen.

Nadat ik me ervan had vergewist dat mijn deur veilig op slot zat, bestelde ik bij de roomservice een vroeg avondmaal en kon ik – eindelijk – gaan zitten met de *Historia Amazonum*. Ik hield me voor dat dit een groot moment was: drie weken geleden had ik me geen grotere triomf kunnen voorstellen dan dit eeuwenoude manuscript in handen te houden. Maar in mijn huidige omstandigheden had ik het misschien wel willen ruilen voor een van Nicks pistolen.

Het verwassen handschrift op de broze titelpagina verkondigde dat de *Historia* was opgedragen aan een vriend en medebanneling, de Romeinse dichter Ovidius, wat suggereerde dat het geschreven was in of bij Tomi, aan de Roemeense kust van de Zwarte Zee. Het feit dat de plaats van oorsprong zo afgelegen was, kon wel eens verklaren waarom de tekst nooit was opgenomen in het officiële corpus van Latijnse literatuur, maar door particulieren werd bewaard en doorgegeven, tot het op zeker moment was overgeschreven in de huidige vorm, vroeg in de achttiende eeuw, vermoedde ik.

De tekst – een feestelijke cocktail van geruchten en pseudowetenschappelijk giswerk – begon met het opsommen van een reeks theorieën over de opkomst en de val van het rijk der Amazones. De meeste waren me bekend, maar een paar niet, en ik was dankbaar dat ik, al was het maar even, uit mijn van spanning vergeven heden kon ontsnappen, naar de zuidoostelijke kusten van de Zwarte Zee.

'De bevolking van deze streek vertelt het volgende verhaal,' prevelde ik bij mezelf, een bijzonder interessante passage hardop vertalend, 'dat zij allen voor waar houden. Zij beweren dat de vernederde Amazones, na de vernietigende nederlaag, hun toegebracht door de machtige Herakles, grote onenigheid kregen, zoals dat bij vrouwen zo vaak gebeurt.' Ik rolde met mijn ogen en nam nog een hap van mijn roomservice-wienerschnitzel voor ik weer terugkeerde naar de tekst. 'Hoe dan ook... volgens mijn stoffige Romeinse herinneringen was dit de periode waarin de jonge natie van de Amazones zich voor het eerst in tweeën splitste. De meest gewelddadige helft, zeggen zij, vluchtte naar de Zwarte Zee en stichtte de vermaarde stad Themiskyra, terwijl de rest, vermoeid van alle verwoestingen na de tragische verliezen die ze hadden geleden in de Trojaanse Oorlog, zich in de uitgestrekte bossen van het noorden waagde en in vergetelheid raakte.'

Ik leunde achterover in mijn stoel om deze onverwachte wending van de bekende legende te verwerken. Het stuk over de Amazones die zich in twee groepen splitsten was volkomen nieuw voor mij, en ik vroeg me af waarom geen enkele schrijver dat ooit eerder had vermeld. Dat kwam vast ofwel omdat het flauwekul was, besloot ik, of omdat geen enkele andere klassieke auteur behalve P. Exulatus de moeite had genomen om de mondelinge overlevering van de streek vast te leggen.

Pas later die avond, nadat ik mijn tanden had gepoetst en in bed was gekropen, sneed de *Historia* eindelijk het onderwerp aan waarop ik al vanaf de eerste pagina bedacht was: de schat van de Amazones.

'Wat de beroemde schat van de Amazones betreft,' las ik, intussen gewend aan de pompeuze retorische stijl van de tekst, 'een paar welingelichte lieden zijn van mening dat die nooit naar Themiskyra is gebracht, en dat alleen dwazen er in die gewelddadige streek naar blijven zoeken. Zij beweren dat de Amazonekoningin aan wie koning Priamos de kostbaarste voorwerpen van Troje toevertrouwde, deel uitmaakte van degenen die naar de donkere wouden van het noorden vluchtten. Om die reden wordt algemeen aangenomen dat de schat lang geleden verloren is gegaan, aangezien die Amazones, door zichzelf van de wereldkaart te verwijderen, zich geheel aan het bestaan onttrokken. Noch hebben onze dappere Romeinse legioenen gelegerd in Sarmatia of Germania Magna ooit vermeld dat ze daar schatten hebben aangetroffen, afgezien van de primitieve' – ik pauzeerde even om de geschikte vertaling te overwegen – '*snuisterijen* waaraan de barbaren zo gehecht zijn, en die geen legercommandant met enig schaamtebesef ooit triomfantelijk naar Rome zou terugbrengen.'

De tekst ging verder met meer sarcastische opmerkingen over de barbaren van het noorden, maar het schrift was zo moeilijk te ontcijferen bij het licht van mijn nachtlampje dat ik besloot het tot de volgende dag opzij te leggen.

Toen ik eenmaal lag, dwaalden mijn gedachten af naar Nick. Ik probeerde me zijn razernij voor te stellen bij de ontdekking dat ik er met de *Historia* en zijn geheime envelop vandoor was... maar dat kon ik niet. Te gespannen om te slapen reikte ik in de lade van het nachtkastje en haalde het document tevoorschijn waar ik die ochtend op zijn hotelkamer zo van geschrokken was, en bestudeerde – opnieuw – de brief die opdracht gaf tot het vermoorden van Amazones. Was ik wellicht te haastig geweest met mijn veronderstelling dat het een bericht van al-Aqrab aan Nick was? Nu ik wist van Rezniks premie van een miljoen dollar, was het logischer dat hij, en niet al-Aqrab, de schrijver was.

Onwillig om conclusies te trekken legde ik de brief weg en ging weer liggen. Het was tijd, besloot ik, om vraagtekens te zetten bij alles wat ik dacht te weten. P. Exulatus vertelde over Amazones die naar het noorden trokken... en waarom niet? Verhaalden sommige Europese volksverhalen niet van vrouwen die zich aan de kunst van het oorlogvoeren wijdden? Tot dusver had ik gespot met figuren zoals de middeleeuwse Amazones die aan de Donau woonden en hun vrouwelijke generaal, Sharka, die naar verluidt honderden mannen onthoofdde in een enkele veldslag en na afloop verscheidene tientallen mannelijke gevangenen verkrachtte... alvorens die ook te vermoorden.

Misschien waren de Amazones werkelijk blijven leven, in de woeste wouden van het midden en noorden van Europa, maar met nieuwe namen. Zouden de Walkuren en de schildmaagden uit de Noorse mythologie de trotse afstammelingen van de klassieke Amazones kunnen zijn? Dat prikkelende idee hield me een tijdlang wakker, en leidde mijn gedachten in ieder geval af van Nick.

Het Museum Kalkriese stond midden tussen landerijen en bossen, aan alle kanten dicht omringd door torenhoge dennenbomen. Toen ik de verlaten, met grind bestrooide parkeerplaats opreed, had ik het onbehaaglijke gevoel dat de bomen me bekeken, zich afvroegen wie ik was en waarom ik van zo ver was gekomen om hun vrede te verstoren.

Het had de hele nacht geregend en hoewel de zon zich inspande om een barst in de wolken te vinden, lag de ochtendnevel nog zwaar op het landschap, vulde elke holte in de slapende landerijen en klemde zich vast aan elke groep coniferen.

Half vrezend dat het museum en het bijbehorende historische park voor de winter gesloten waren, liet ik de auto op de parkeerplaats staan en ging te voet een glibberig, modderig pad op dat naar het bezoekerscentrum leidde. Pas toen ik het gebouw naderde, zag ik de fiets tegen de muur staan en merkte op dat er binnen licht brandde. Bemoedigd door dit nederige teken van leven duwde ik de deur open en werd beloond met de warme geur van koffie.

Aangezien ik de eerste bezoeker was die dag – en misschien wel de enige – was een jonge archeoloog die Felix heette zo vriendelijk om mij een kopje in te schenken en me ditjes en datjes te vertellen over de locatie. Ik was geneigd om hem meteen naar dr. Jäger te vragen, maar vond het niet verstandig om de reden voor mijn bezoek te onthullen voordat ik wat meer informatie had verzameld.

Toen ik buiten over de zompige archeologische vindplaats wandelde, was ik me opnieuw bewust van de dennen die kraakten boven mijn hoofd en fluisterden achter mijn rug. Het terrein was in de afgelopen tweeduizend jaar natuurlijk aanzienlijk veranderd, maar het gevoel dat ik – net als de Romeinse legers voor mij – op verraderlijke grond liep, was moeilijk af te schudden.

Ik was de Slag om het Teutoburgerwoud vaak tegengekomen in Romeinse geschiedenisboeken, maar ik had nooit gedacht dat ik de locatie zelf zou bezoeken, noch dat het spoor van oma's jakhalsarmband me naar zo'n spookachtig achterland zou leiden.

Volgens de geschiedenis waren er in het jaar negen van onze jaartelling drie Romeinse legioenen plus hulptroepen – samen wel twintigduizend soldaten – omgekomen in de wouden van Noord-Duitsland, en het Romeinse Rijk was nooit met succes verder uitgebreid. Latijnse geschiedkundigen verwezen naar de gebeurtenis met *clades Variana*, de 'Varusramp', waarmee ze impliciet de Romeinse commandant Varus de schuld gaven van de schokkende vernietiging van zijn hele leger.

Wat ik nooit werkelijk had beseft, was dat de veldslag een briljant uitgevoerde hinderlaag was van plaatselijke stammen, waarbij de Romeinse legioenen naar terrein waren gelokt waar hun superieure wapens nutteloos waren, en gevechtsformaties onmogelijk bleken. Marcherend over een smal bospad had het leger zich uitgerekt tot een punt waar de macht van het getal niet langer gold, en de soldaten – ongetwijfeld nerveus door de immensiteit van de Duitse wildernis – moesten zich al voordat de aanval begon ongewoon klein en kwetsbaar hebben gevoeld.

Niet alleen waren de Romeinse legionairs bekneld geraakt tussen een verraderlijk moeras en een dicht beboste heuvelrug, ze werden ook geteisterd door een regenstorm en verblind door mist. Drijfnat en gedesoriënteerd waren ze een gemakkelijk doelwit voor de Germaanse stammen, die hen vanuit de hoger gelegen bossen aanvielen om ze in het grote moeras eronder te drijven.

Nadat ik door het park was gelopen ging ik eindelijk het museum binnen – een langwerpig, roestkleurig gebouw met een hoge toren aan één kant. Ik had er wel de hele dag kunnen doorbrengen, maar ik wilde zo graag de Amazone-armband vinden en zien wat de plaatselijke archeologen erover te zeggen hadden, dat ik me in twintig minuten door de hele expositie haastte. Daarna liep ik er nog eens twintig minuten door vanaf de andere kant, om ten slotte mijn deprimerende conclusie te bevestigen.

De armband was er niet.

Teruglopend over de archeologische vindplaats merkte ik dat het weer een sinistere wending had genomen. De hemel was loodgrijs en de bomen zwaaiden hevig heen en weer in de aanwakkerende wind. In mijn toch al gespannen toestand kreeg ik bijna de indruk dat ze de aanwezigheid van iemand voelden die bedreigender was dan ik, en dat ze mij nu – op hun spookachtige, woordeloze manier – probeerden te waarschuwen.

Na een wedloop met de eerste regendruppels rende ik door de deur van het bezoekerscentrum en zag tot mijn blijdschap dat Felix nog steeds dienst had, en nog steeds niet te druk was voor een praatje. 'Dit klinkt misschien een beetje vreemd,' zei ik terwijl ik discreet mijn mouw opstroopte, 'maar iemand heeft me verteld dat jullie een armband zoals deze tentoonstelden in het museum.'

'Echt?' Zonder een spoor van herkenning bestudeerde Felix mijn jakhals. 'Ik weet zeker dat ik zoiets nog nooit heb gezien. Interessant.'

Met een hoopvolle blik zei ik: 'Ik heb begrepen dat er hier een dame werkt die dr. Jäger heet?'

Felix klaarde op. 'Kyme? Die heeft hier vroeger gewerkt. Ze komt ook nog wel eens.' In zichzelf mompelend bekeek hij een gelamineerde lijst telefoonnummers die bij de kassa lag. 'Jäger... Jäger.'

Een snel telefoongesprek later, geheel in het Duits, legde Felix de hoorn neer en keek me stralend aan. 'Ze nodigt u uit voor de koffie, vanmiddag om drie uur, en ze kijkt ernaar uit om u alles over de armband te vertellen.'

Nadat ik het museum had verlaten bracht ik een paar regenachtige uren door in het centrum van Bramsche, waar ik kleren en andere essentiële benodigdheden aanschafte. Toen ik ten slotte terugkeerde naar het hotel ging ik opzettelijk door een zijdeur naar binnen, voor het geval iemand een oogje hield op het komen en gaan van de gasten.

In mijn afwezigheid was mijn kamer schoongemaakt, en ik controleerde snel of mijn schaarse spullen nog lagen waar ik ze had achtergelaten. Oma's schrift en de *Historia Amazonum* droeg ik nu natuurlijk altijd bij me, maar de envelop die ik van Nick had gestolen had ik in een lade van het nachtkastje achtergelaten, en ja, die lag er nog. Alleen... ik wist zeker dat ik er een toeristenfolder op had gelegd, om hem enigszins te verbergen. De folder was er nog wel, maar lag nu onder de envelop.

Bevend van spanning bladerde ik snel door de documenten, maar er ontbrak niets. Kon het zijn dat het kamermeisje dingen had verplaatst? Of vergiste ik me, had ik de envelop zelf zo achtergelaten?

Ik liep naar de badkamer en keek of alles er nog stond, en behalve dat het kamermeisje mijn tandpasta ondersteboven in het glas had gezet, zag ik niets wat een inbraak suggereerde.

Boos op mezelf omdat ik me van alles in mijn hoofd haalde, besloot ik om niets overhaast te doen. Mijn afspraak met dr. Jäger was al over een uur; als ik me nog steeds onzeker voelde over de kamer wanneer ik terugkwam, kon ik altijd nog vertrekken.

Toen ik in mijn huurauto van het hotel wegreed, keek ik voortdurend in mijn achteruitkijkspiegel om te zien of ik gevolgd werd. In het vieze, donkere weer van deze regenachtige novembermiddag leken alle voertuigen echter op elkaar, en de Mercedes waar ik me het ene moment zorgen over maakte, was het volgende moment verdwenen.

Dr. Jäger woonde min of meer tegenover de archeologische vindplaats die ik die ochtend had bezocht. Kennelijk had ze haar hele leven in hetzelfde kleine huisje in het bos gewoond en was het een grote, ongebruikelijke eer om bij haar thuis te worden uitgenodigd. 'U moet uitkijken naar een lange oprijlaan die bij een verlaten boerderij hoort,' had Felix me uitgelegd. 'Die rijdt u helemaal af, en aan het einde moet u parkeren. Daar begint het pad. Ik heb het nooit gezien, maar dat heeft ze me verteld.'

Ik parkeerde mijn auto zoals me was opgedragen en ging te voet verder, het bos in. Op het steile zandpad, mijn ogen half toegeknepen tegen de spuwende regen terwijl ik over de kleine beekjes stapte die door de oneffen kiezelstenen naar beneden stroomden, bedacht ik dat deze beboste heuvelrug een belangrijk onderdeel moest zijn geweest van de bosgrond waar de Germaanse stammen de Romeinse legionairs hadden aangevallen, in hun hinderlaag aan de rand van het grote moeras beneden.

Sommige historische bronnen beweerden dat de Romeinen een paar jaar na hun rampzalige nederlaag opnieuw een leger naar het gebied hadden gestuurd om de heilige veldtekens op te halen, de adelaarsstandaard van de verloren legioenen, en, indien mogelijk, een realistisch verslag bijeen te rapen van wat er feitelijk was gebeurd. Volgens de Romeinse geschiedkundige Tacitus waren zelfs de geharde soldaten van de reddingstroepen geschokt door wat ze vonden, want het woud rond het oude slagveld was een gruwelijk monument van dood en vernietiging geworden. Stapels menselijke botten waren open en bloot blijven liggen, en afgehakte schedels waren aan bomen gespijkerd, wellicht als onderdeel van religieuze rituelen, of misschien als een waarschuwing voor toekomstige indringers.

Nu ik zelf door het bos wandelde, nog steeds niet in staat om de indruk af te schudden dat ik bekeken werd, kon ik gemakkelijk meevoelen met de angstige verontrusting die de Romeinse soldaten al die tijd geleden moest hebben bevangen. Beneden bij het museum hadden de bomen dicht en torenhoog geleken, maar hierboven in de bossen waren ze volwassen en majestueus – en op een heel andere manier intimiderend. Kolossale, eeuwenoude dennenbomen stonden slechts meters van elkaar, omhuld door de mist; ondanks het akelige weer hadden ze een stille ernst die me het gevoel gaf dat ze in hun tijd van veel geweld getuige waren geweest, en lang geleden hadden geleerd om hun stilzwijgen te bewaren. Zelfs om drie uur 's middags hing er op deze plek een buitenaardse sfeer, ijzingwekkender dan de regen.

Toen ik het huis van dr. Jäger eindelijk vond – een bescheiden veldstenen huisje op een kleine open plek, omringd door een haag van hoog onkruid – was het kwart over drie. Wat een wandelingetje van vijf minuten door het bos had moeten zijn, had mij meer dan twintig minuten gekost, en voordat ik op de ruwe houten deur klopte, besloot ik om ruim voor zonsondergang weer te vertrekken, om niet in het aardedonker mijn weg terug naar de auto te hoeven zoeken.

'Welkom, welkom!' Een tengere oudere vrouw begroette me met glimlachend enthousiasme, al voordat de deur helemaal open was. 'Kom binnen! Ik ben *pfefferküchen* aan het bakken!' Haar handen afvegend aan haar bruine corduroy broek sloot ze de deur achter me en ging op een drafje terug naar de keuken, alsof er iets in brand stond.

'Hou je schoenen aan. De vloer is ijskoud.'

Tot op dat moment had ik de verklaring van Telemachos in gedachten gehad, dat de vrouw die ik op het punt stond te ontmoeten 'meer wist dan ze losliet'. Daarom had ik me dr. Jäger half voorgesteld als een verkapte Amazone, en ik had mezelf bang gemaakt met visioenen van een twee meter lange virago, vastbesloten om me eindelijk tegen te houden. Nu moest ik bijna lachen om mijn eigen angsten. Hoewel ze er fit en energiek uitzag, leek dr. Jäger me niet iemand die in haar vrije tijd figuren zoals Alex Reznik te lijf zou gaan.

Nadat ik mijn doorweekte jack op een kapstok van hertengeweien had gehangen, liep ik de woonkamer in en keek om me heen. Het was echt een heel oud huis, met ongelijke stenen muren en een verzakkend witgekalkt plafond, omhooggehouden door houten balken. Elk beschikbaar oppervlak werd bezet door een of ander deel van een dier: de muren hingen vol jachttrofeeën – koppen van edelherten, wilde zwijnen en zelfs beren staarden me oplettend aan met hun glazen ogen – en elke stoel was bekleed met huiden en vachten. Over een van de armstoelen bij de open haard lag een donkerbruin berenvel gedrapeerd, met de poten en klauwen er nog aan.

'Wie is de jager?' vroeg ik, toen dr. Jäger terugkwam met een dienblad met koffie.

Ze lachte verrukt en zette het dienblad op de stenen rand van de haard. 'Jagen zit in de familie. Dat wil zeggen, vroeger. Er zijn hier geen beren meer.' Ze ging rechtop staan en keek naar de muur. 'Sommige ervan zijn echt heel oud. Ik zou ze waarschijnlijk weg moeten doen. Maar ach' – ze haalde haar schouders op en schonk koffie in – 'ze houden me gezelschap.'

Dankbaar voor het open vuur volgde ik haar voorbeeld en ging zitten in een van de armstoelen tegenover de brandende houtblokken, met mijn voeten op de stenen van de haard.

'Probeer een van mijn peperkoekjes,' drong dr. Jäger aan, terwijl ze me een schaal koekjes voorhield. 'Het is een traditioneel kerstkoekje, en ik bak ze nu zodat ze kunnen rijpen tot ze perfect zijn voor de feestdagen.' Ze glimlachte samenzweerderig, waarbij een paar meisjesachtige kuiltjes in haar wangen te zien waren. 'Om je de waarheid te vertellen, ik bak ze het hele jaar door. Maar dat mag je aan niemand vertellen.'

We praatten nog even door over de peperkoekjes, voordat mijn gastvrouw haar handen samenvouwde en zei: 'Dus, jij komt naar het Kalkriese vanwege de armband. Vertel eens, waar heb je erover gehoord?'

Ik worstelde even met de waarheid, waar Telemachos bij ter sprake zou moeten komen, die – volgens hemzelf – persona non grata was in de Duitse museumwereld... en zei uiteindelijk alleen: 'Dat weet ik niet meer. Naar verluidt zijn er in Turkije twee vergelijkbare armbanden gevonden. En toevallig heb ik er zelf ook eentje.' Ik toonde haar de jakhals om mijn pols.

Duidelijk geïntrigeerd boog dr. Jäger zich voorover. 'Dat lijkt wel brons. Wat interessant. De armband die wij hier hadden, was van ijzer.' Bij het zien van mijn verbazing knikte ze cryptisch en leunde achterover in haar stoel, een plaid over haar benen schikkend. 'Hij werd gedragen door een vrouw die tweeduizend jaar geleden in het grote moeras viel. Toen we haar op de vindplaats aantroffen, vermoedden we dat ze in de Slag om het Teutoburgerwoud had gevochten, maar niemand geloofde ons. Vrouwen vochten niet mee in oorlogen, zeiden mijn wetenschappelijke collega's. Vrouwen waren slachtoffers, geen krijgers. Maar voor mij was het duidelijk dat haar schedel gebroken was door een scherp lemmet. Bovendien vertoonden haar gecomprimeerde ruggengraat en gebogen staartbeen tekenen van een leven te paard, en er lagen zeven pijlpunten onder haar onderrug' – met een handgebaar liet dr. Jäger zien waar precies – 'waaruit ik opmaakte dat ze een koker met pijlen had gedragen. Daarnaast had ze stressfracturen in haar botten, die genezen waren toen ze nog leefde – fracturen van gevechten en zware lichamelijke oefening. Natuurlijk was iedereen het op elk punt met ons eens, tot het moment waarop we hun vertelden dat het geen man was, maar een vrouw. Archeologen gaan er altijd van uit – of gingen er in ieder geval altijd van uit – dat skeletten die met wapens werden gevonden, mannen waren. Het zou zelfs nooit bij ze opkomen om de vraag te stellen, en inderdaad kan het verschil soms moeilijk te zien zijn.'

'Hoe weet u dan dat het inderdaad een vrouw was?' vroeg ik.

Dr. Jäger boog zich voorover om met een lange pook het vuur op te stoken. 'Haar pelvis. Ze had duidelijk tekenen van wat wij *diastasis symphysis pubis* noemen, ofwel bekkeninstabiliteit. Ze moet veel pijn hebben gehad. Het was een unieke vondst. Het enige probleem was dat ze verdween. We stuurden haar voor verdere analyse naar een forensisch laboratorium, maar daar is ze nooit aangekomen. Het was indertijd een heel schandaal. Het enige wat wij nog hadden, was de armband. En twee weken nadat we die in het museum tentoon hadden gesteld, is die ook verdwenen.'

Dr. Jäger stond op en liep naar een koperen ketel in de hoek om meer hout voor het vuur te halen. 'Dus zoals je ziet,' vervolgde ze, reikend om de blokken neer te leggen waar zij ze hebben wilde, 'ik weet er bijna net zo weinig over als jij. Daarom' – zei ze met een verontschuldigende glimlach – 'hoopte ik ook dat jij me meer zou kunnen vertellen.'

We bleven een poosje zwijgend zitten luisteren naar het knetteren van de hars op de nieuwe houtblokken. Toen zei ik: 'Het enige wat ik weet, is dat er mensen zijn die beweren een heel aantal van de armbanden te hebben gezien – de bronzen versie – verspreid over de klassieke wereld. Ik heb zelfs een theorie gehoord dat ze gedragen werden door' – ik schraapte mijn keel en probeerde terloops te klinken – 'de Amazones uit de oudheid.'

Ik kon het dr. Jäger niet echt kwalijk nemen dat ze hardop lachte. 'Het spijt me,' zei ze, 'maar dat is al te wonderlijk! Nu begrijp ik het. Je hebt die oude *spinner* in Griekenland gesproken, Yanni Telemachos.'

Een beetje beteuterd omdat ze me had doorzien, zocht ik naarstig naar een verklaring, maar die werd weggewuifd. 'Maak je geen zorgen,' zei ze, nog steeds grinnikend. 'Ik weet dat niet alleen gekken over Amazones dromen, maar ook mensen die dol zijn op raadsels en avontuur.' Met een schrandere glimlach bestudeerde ze mijn gezicht. 'Ben jij een van die mensen, Diana?'

Misschien kwam het door het knusse haardvuur, of misschien was het haar vriendelijkheid... hoe dan ook, ik voelde ineens een overweldigende aandrang om dr. Jäger alles te vertellen. Vanaf de verdwijning van mijn oma achttien jaar geleden tot mijn aankomst in Duitsland de dag tevoren. Zelfs als ze geen Amazone was, en zelfs als ze niet meer wist dan ze liet blijken, had ik nog steeds het gevoel dat het de moeite waard zou zijn om haar te vertellen over mijn beproevingen en mijn ontdekkingen.

Nadat ik zeker een uur onophoudelijk had gepraat, leunde ik ten slotte achterover en schudde mijn hoofd. 'Neem me niet kwalijk dat ik zo door raas...'

'Nee, nee, nee,' zei mijn gastvrouw, haar gezicht vol medeleven. 'Je hebt een hoop meegemaakt. Belangrijke ontdekkingen gedaan. En nu vraag je je af of je grootmoeder uiteindelijk toch gelijk had. Of ze echt een Amazone was.' Mijn halfhartige protesten negerend vervolgde dr. Jäger, in het vuur starend: 'Je denkt bij jezelf: als ik het Amazonespoor tot het einde toe volg, zal ik haar dan vinden? Het is alleen maar natuurlijk dat je zo denkt, Diana, omdat je zo heel veel van haar hield. Maar weet je, het kan gevaarlijk zijn om je leven te leiden in afwachting van een roep uit een andere wereld. Je begint dingen te zien, dingen te horen... van niets iets heel veelzeggends te maken.' Afwezig stak ze haar hand uit om nog een peperkoekje te pakken, maar de schaal was leeg. 'Vertel eens, dat schrift van haar... staan daar namen in? Plaatsnamen? Iets wat zou kunnen verklaren waarom al die verschillende mensen er zoveel belangstelling voor hebben?'

'Dat is het nu juist,' zei ik. 'Ik weet niet eens zeker óf ze er wel belangstelling voor hebben, of waarom dan wel. Er staat geen boodschap in – geen schatkaart, zeg maar. Het is duidelijk dat Reznik uit is op wraak. Wat al-Aqrab met de Amazones wil, weet ik echt niet, maar ik weet wel zeker dat hij mij heeft gebruikt om ze te proberen te vinden. Wat de Amazones betreft' – ik keek even naar mijn gastvrouw, met het vermoeden dat zij nog steeds niet geloofde dat die mythische vrouwen zich onder ons bewogen – 'zij doen wat ze kunnen om me tegen te houden.'

Ineens glimlachte dr. Jäger breeduit. 'Maar toch ben je hier.'

Overal om me heen keken de dieren me vanaf de muren doordringend aan, alsof ze zich afvroegen wat ik nu zou gaan doen. 'Ja,' zei ik, evenzeer tegen hen als tegen mijn gastvrouw. 'Maar hier loopt het spoor dood: rechtstreeks dat moeras in. Volgens de *Historia Amazonum* trok een kleine groep Amazones naar het noorden, en misschien is dat wel waar. Misschien leefden ze hier in Duitsland nog duizend jaar, smeedden nieuwe armbanden van ijzer en streden tegen de Romeinen zoals ze tegen de Grieken hadden gedaan. Maar hoe zullen we dat ooit weten?'

Dr. Jäger stak haar hand uit en kneep even in de mijne. 'Keer terug naar Oxford en probeer al die vreselijke dingen uit je hoofd te zetten. Ik ben blij dat je hier vandaag gekomen bent. Je hebt meer gedaan dan een grootmoeder ooit zou kunnen wensen. Ik heb er alle vertrouwen in dat je haar eindelijk vrede hebt geschonken, net zoals jijzelf nu in vrede verder kunt. Ga naar huis, lieve meid, ga naar huis.'

Het absurde van haar advies bracht me onthutst tot zwijgen. Het leek wel alsof ze niet had begrepen wat ik haar had verteld... alsof ze dacht dat mijn angst om opgespoord te worden volkomen ongegrond was. Maar het werd al laat, en ik had geen zin om mijn bedenkingen over Reznik en al-Aqrab te herhalen tegen iemand die het kennelijk toch niet kon schelen.

Voordat ik wegging, vroeg ik dr. Jäger of ik van haar toilet gebruik mocht maken, en terwijl ik mijn handen waste, kon ik het niet laten om stiekem even in haar medicijnkastje te kijken. Op de planken bespeurde ik alle gewone zalfjes en pillen... en daarachter een rij met fenol, di-ethylether, en morfine... plus twee bekers vol chirurgische instrumenten.

Het was zo onwerkelijk dat ik bijna begon te lachen. Wat moest een lief, bejaard vrouwtje in vredesnaam met al die doktersspullen? Gewonde huisdieren? Jachtongelukken? Illegale medische praktijken? Mijn lachbui sloeg al snel om in onbehagen. Di-ethylether was een ouderwets verdovend middel, gebruikt om bewusteloosheid teweeg te brengen. Maar bij wie? Nieuwsgierige gasten? Toen ik de badkamer verliet, bonsde mijn hart luid in mijn oren.

In mijn haast om terug te keren naar de woonkamer vergiste ik me in de deuren in het kleine gangetje en liep per ongeluk een schemerig klein kantoortje binnen. Een enkele lamp stond wankel op de rand van een klein bureau, dat vol lag met scheve stapels papier, en de groene lampenkap wierp een vreemde, bovennatuurlijke glans op de volgepakte boekenkasten langs de muren.

Maar het meest verwarrende aan het vertrek was niet het spookachtige licht, of het feit dat het geen ramen had – nee, het was de aanblik van de boekenkasten. Want er stonden geen boeken in, alleen maar brochures. Volkomen identieke witte brochures, zo dicht mogelijk op elkaar gestapeld... er staken er zelfs een paar uit openstaande kartonnen dozen op de grond.

Ik kon er niets aan doen. Dit moest ik van dichterbij bekijken.

Ik liep naar een openstaande doos en boog me eroverheen om de voorkant van de brochure die bovenop lag te bekijken. Het was een veilingcatalogus met een Griekse vaas op het omslag, vers van de drukker. De lay-out was meer dan saai, en toch roerde zich een herinnering. Had ik niet, nog maar pas geleden, precies zo'n soort catalogus zien liggen op het bureau van Katherine Kent? De enige reden waarom ik het me zo goed herinnerde, was dat ze hem met onverklaarbare haast in een la had geschoven.

In een flits stond ik weer in de kelder van Telemachos en hoorde hem bezield en uitdagend zeggen: 'Er wordt beweerd dat ze geen telefoon of e-mail gebruiken om met elkaar te communiceren... dat ze een medium gebruiken dat niet op te sporen is – misschien een soort gedrukt pamflet.'

Niet in staat om de verleiding te weerstaan pakte ik de catalogus op en begon erdoorheen te bladeren, haastig de pagina's scannend op zoek naar Amazoneschrift. Maar het enige wat ik vond, waren smalle kolommen met genummerde opsommingen en hier en daar zwart-witfoto's van antieke vazen, schilderijen, en andere te koop aangeboden voorwerpen. Behalve...

Ik ging dichter bij de bureaulamp staan om de afbeelding van een oosters kleed nauwkeurig te bekijken, op zoek naar enig spoor van schrift of code. Was het mijn verbeelding, of was er een bijna microscopische alinea tekst in oma's Amazone-alfabet op de foto gedrukt, zodat die volmaakt opging in het patroon van het kleed? Een tekst die zo piepklein was dat je een vergrootglas nodig had om hem te lezen?

In mijn opwinding vergat ik bijna dat ik me op verboden terrein bevond. Pas toen ik een plank van de vloer hoorde kraken legde ik snel de catalogus neer en draaide om mijn as om de kamer te verlaten.

En trof dr. Jäger vlak achter me, haar vriendelijke gezicht vertrokken van woede en wantrouwen.

'Neemt u me niet kwalijk!' riep ik uit. 'Ik heb een vreselijk slecht richtingsgevoel. Maar wat een schitterende collectie catalogi hebt u hier.' Ik perste er een naar ik hoopte ontwapenende glimlach uit. 'Germaanse archeologie, neem ik aan. Bent u redactrice?'

'Ja,' zei ze ten slotte, haar uitdrukking iets verzachtend. 'Ik ben de hoofdredacteur. Een ondankbare taak, maar iemand moet het doen.' Met een zachte hand op mijn elleboog begeleidde ze me weer naar de woonkamer. 'Wil je nog een kopje koffie? Of thee misschien?'

'Het wordt al laat. Ik kan echt beter...'

'Nee, nee, ik sta erop!' Ze duwde me vrijwel terug in de stoel waar ik eerder had gezeten. 'Het is een koude avond, je hebt iets warms nodig.' Met een glimlach die bijna even vriendelijk was als eerst verdween dr. Jäger in de keuken, en ik hoorde haar water opzetten.

Toen ik omlaag keek, zag ik mijn blitse nieuwe handtas op de vloer vlak naast de stoel. Precies waar ik hem had gelaten, maar in mijn door angstige spanning waakzame bewustzijn kwam het me nu voor dat hij rechter stond dan eerst. Had mijn gastvrouw de inhoud soms snel doorzocht, vroeg ik me af, en hem daarna weer in vorm geschud?

Met trillende vingers controleerde ik de tas en bevestigde dat alles er nog in zat: oma's schrift, de *Historia Amazonum*, en al mijn resterende geld, opgerold in een strak elastiekje.

Ik wist niet wat ik moest doen. Een deel van mij wilde wanhopig graag opstaan en vertrekken, maar zoals altijd was mijn nieuwsgierigheid zo overweldigend dat ze mijn gezonde verstand tijdelijk uitschakelde. Had ik per ongeluk een van die geheime Amazonepamfletten onder ogen gekregen waar Telemachos het over had gehad?

Een geluid uit de keuken bracht me weer bij de werkelijkheid. Of misschien moet ik zeggen dat het de plotselinge afwezigheid van geluid was die mijn aandacht vestigde op een bedekt, onderbroken gemurmel dat een geheim telefoongesprek verried.

Deze keer dacht ik er niet eens bij na: mijn lichaam stond uit zichzelf op van de stoel. Omzwermd door verontrustende beelden – de woedende gelaatsuitdrukking van dr. Jäger, de chirurgische instrumenten, de honderden, zo niet duizenden veilingcatalogi – zo stil als ik kon, vloog ik door de kamer, mijn paniek groeiend met iedere stap. Mijn gastvrouw was duidelijk vastbesloten om mij nog een poosje langer bij haar thuis te houden... maar waarom? En waarom dat stiekeme telefoontje? Wat er ook achter haar vreemde gedrag schuilging, het voorspelde weinig goeds voor mij, daar was ik van overtuigd.

Mijn natte jack onderweg mee grijpend vloog ik de deur uit; ik nam niet eens de moeite om hem achter me dicht te doen. En toen rende ik, zo hard als ik kon, het pad weer af naar mijn auto.

Inmiddels was het bos bijna helemaal donker en nog mistiger dan toen ik aankwam, en toen ik dr. Jäger vanuit het huis naar me hoorde roepen, wist ik dat ze me onmogelijk nog kon zien. 'Diana!' schreeuwde ze, haar stem schril van woede. 'Kom terug! Dat is een bevel!'

Maar natuurlijk bleef ik rennen. Ook al kon ik nauwelijks anderhalve meter voor me uit zien, ik wist dat ik alleen het pad maar hoefde te volgen, de heuvel af. En dus rende ik omlaag, steeds verder, in het mistige donker, dwars door modder en ijskoude plassen spetterend terwijl ik mijn best deed om alle laaghangende takken te ontwijken.

Ik was er zo zeker van dat ik me de weg herinnerde, dat het een schok voor me was toen het pad zich ineens in tweeën splitste. Onthutst rende ik een paar keer heen en weer, om vast te stellen welke van de twee nieuwe paden het minst verkeerd was. Ze leken allebei omhoog te voeren, terug het bos in, al was het in twee volkomen verschillende richtingen. Het enige wat ik er in de verte van kon onderscheiden was een gaasachtige laag grijs op pikzwart niets, en geen van beide paden leek me de juiste keus.

En op het moment dat ik daar stond te weifelen, hoorde ik een geluid dat een golf van doodsangst door mijn hele lichaam joeg. Het was een langgerekt gejank, gevolgd door geblaf – misschien niet helemaal het geluid dat een wolf zou maken, maar wel bijna. En in de stilte die volgde op de laatste blaf, hoorde ik nog iets – een bekend geluid dat, gezien de omstandigheden, extreem verontrustend was.

Het was het zware, ritmische dreunen van galopperende paarden.

36

Terwijl de Romeinen met de elementen streden, werden ze plotseling aan alle kanten omsingeld door de barbaren, die steels door het dichtste kreupelhout kwamen, omdat zij de paden al kenden.

– CASSIUS DIO, *Romeinse Geschiedenis*

HET WOUD ZAT VOL DEMONEN: brullende, sissende, onzichtbare demonen met de benen van paarden en een angstaanjagend vermogen om door het weefsel van de werkelijkheid te breken. Het klonk alsof ze nu eens hier, dan weer daar waren... en dan een paar verwarrende minuten lang helemaal nergens.

Maar in die korte stilte hoorde ik zware menselijke stemmen, in verwarring verwikkeld, heen en weer kaatsend tussen de bomen in een taal die ik op dat moment niet kon verstaan – een taal die in de mist leek op te lossen en mij slechts in flarden bereikte. Toen klonken er geweerschoten, minstens tien, snel achtereen... gevolgd door de meest aangrijpende gil die ik ooit had gehoord.

Misschien omdat ik zo doodsbang was, duurde het even voordat de geluiden betekenis kregen. Als ik mijn oren moest geloven, hoorde ik mannen, honden, paarden en de ijzingwekkende doodskreten van een wild dier dat ik niet kon benoemen. De enige logische verklaring, besloot ik, verscholen achter een enorme boomstam net naast het pad, moest zijn dat het jachtseizoen geopend was, en dat al het duivelse gekrijs en gesis de natuurgeluiden van vluchtende prooidieren waren.

Radeloos om het bos uit te komen voordat ik onder de voet werd gelopen door angstige dieren, of erger nog, door hun jagers, dook ik het struikgewas in en baande me op handen en voeten een weg door het kreupelhout, in de richting van mijn auto – hoopte ik. Misschien was het logischer geweest om de andere kant op te gaan, om de jagers te laten weten dat ik er was en misschien zelfs naar de weg te vragen, maar de hoorbare ruwheid van deze mannen, met hun grommende stemmen en hun gewelddadige manier van rijden, deed me besluiten dat het beter was als ze niet beseften dat ik me daar bevond.

Kruipend door de braamstruiken was ik al snel drijfnat door het van regen kletsnatte gebladerte. Klappertandend van de kou smeekte ik het woud om me mijn inbreuk te vergeven en me te laten gaan... maar het bleef me vastgrijpen met kleverige grassen en gemene doornen, en deed zijn best om mijn ontsnapping te verhinderen.

Omdat het struikgewas zo dicht was en ik zo opging in het ontwijken van de wraakzuchtige bramen, merkte ik de naderende paarden niet eens op tot ik vlak achter me een luid gebries hoorde.

Ik schrok zo van het geluid dat ik me instinctief op de grond liet vallen en me dwong om niet te bewegen. En toen kwamen de stemmen – niet de zware mannenstemmen die ik eerder had gehoord, maar een afgemeten woordenwisseling tussen twee vrouwen.

'Waar is ze?' zei de ene.

'Ik dacht dat ik haar zag,' antwoordde de andere, 'maar nu weet ik het niet zeker.'

Er klonk opnieuw gebries, en een smalende zin die ik niet kon verstaan... en weg waren de vrouwen weer; ze galoppeerden het bos in, hun paarden aansporend met bevelen vol keelklanken.

Zo geschrokken dat mijn ledematen nauwelijks wilden samenwerken krabbelde ik zo snel mogelijk overeind, eerst op handen en knieën, toen even rechtop, om sneller weg te kunnen komen... om vervolgens rechtstreeks in het niets te stappen en verscheidene meters van een helling af te tuimelen, voordat ik halsoverkop in een struik belandde die uit een modderpoel stak.

Naar adem happend van de schok maakte ik me los uit de slijmerige struik en veegde de modder van mijn gezicht. Verbazend genoeg hing mijn nieuwe handtas nog dwars over mijn schouders, en al was hij net zo doorweekt als ik, hij was in ieder geval niet weg.

Op mijn hurken zittend probeerde ik te bepalen waar ik was. Toen mijn ogen eenmaal aan het donker gewend waren, zag ik in de verte een zwak licht. Het bleek het verlichte naambord te zijn bij de ingang van de museumparkeerplaats, aan de overkant van de grote weg. Vanuit het bos was ik letterlijk in een braakliggende akker gevallen, slechts een paar honderd meter verwijderd van de oprijlaan van de verlaten boerderij.

Tegen de tijd dat ik mijn huurauto eindelijk had gestart, met de verwarming op volle kracht, was ik zo verzwakt van kou en uitputting dat ik amper rechtop kon zitten. Ik reed achteruit de oprijlaan af en het vergde al mijn concentratie om het voertuig om een andere auto heen te sturen die daar na mijn aankomst was neergezet.

Een donkerblauwe Mercedes. Dezelfde Mercedes die ik in de binnenstad van Bramsche had gezien, toen ik eerder die middag uit het hotel was vertrokken. Nu zag ik dat hij Geneefse nummerplaten had.

Binnen een paar hartslagen had mijn razernij mijn angst ingehaald.

Wie die mensen ook waren, mij kwamen ze niet meer achterna. Bijna dronken van woede zette ik de auto stil en stortte me op de eerstehulpdoos op de achterbank, op zoek naar iets nuttigs. Er zaten natuurlijk geen messen in, en ook niets anders waarmee ik de banden lek zou kunnen steken. Maar er zat wel verband in, en plakpleisters... genoeg om twee strakke ballen van te vormen die precies in de uitlaatpijpen van de Mercedes pasten.

'Als het een oude auto is, hoef je je tijd niet te verspillen,' was oma's advies geweest toen ze me vertelde hoe ik het moest doen. 'Het werkt alleen als er geen lek in het systeem zit.'

Toen ik uiteindelijk wegreed, had ik de grootste moeite om mijn koude vingers om de versnellingspook te krommen en met mijn ijzige tenen het gaspedaal in te drukken. Maar van binnenuit werd ik verwarmd door een gevoel van opstandige voldoening. Er had iets boosaardigs plaatsgevonden in dat woud, maar ík had het overleefd. Er waren mannen en vrouwen met paarden en geweren geweest, maar geen van allen was in staat geweest om mij te vangen. En nu had ik een beetje extra tijd gewonnen – dat hoopte ik tenminste.

Terug in het hotel dook ik meteen met al mijn kleren aan onder een hete douche. Terwijl ik de modderige lagen een voor een afstroopte, overwoog ik mijn opties. Dat kostte weinig tijd, want er stond me maar één ding te doen: onmiddellijk vertrekken.

Als iets in mij had gedroomd van een vreugdevolle hereniging met oma aan het einde van al mijn beproevingen, of in ieder geval een vriendelijke samenkomst met mensen die haar hadden gekend, hadden de gebeurtenissen van die middag me daar grondig van genezen. Aannemend dat dr. Jäger de vrouwen had gemobiliseerd die in het bos op mij hadden gejaagd, moest ik concluderen dat deze hedendaagse Amazones – want het was moeilijk om ze anders te noemen – even bedreigend waren als Reznik.

In een handdoek gewikkeld stoof ik een paar minuten lang door de kamer om mijn spullen te pakken. Er was geen tijd om te controleren of oma's schrift of de *Historia Amazonum* het modderbad ongeschonden had overleefd – ik moest mijn kaart van Duitsland vinden. Waar was die in vredesnaam?

Mijn verwoede zoektocht werd onderbroken door drie korte klopjes.

Verstijfd keek ik naar de deur, half in de verwachting dat die open zou springen. Maar in plaats daarvan zag ik er iets onderdoor schuiven en realiseerde me dat het een stukje papier was.

Behoedzaam strekte ik me om het bericht te lezen dat erop gekrabbeld stond: *Je bent in gevaar. Ik kan je helpen. Nick.*

Een snelle blik door het kijkgaatje bevestigde dat hij het echt was, voor mijn deur, ongeschoren en met een ongeduldige frons op zijn gezicht.

Een paar ademloze seconden lang werden mijn gedachten overspoeld door besluiteloosheid. Ik had een topgeheime envelop van deze man gestolen, samen met een onbetaalbaar manuscript, en ik wist dat ik bang voor hem moest zijn – wist dat hij razend moest zijn. En toch veroorzaakte zijn aanblik een volslagen onverwacht gevoel van opluchting, en, lafhartig verscholen achter die opluchting, een overweldigende, stralende blijdschap die het me onmogelijk maakte om hem weg te sturen.

Met wild kloppend hard vanwege deze plotselinge wending stak ik mijn hand uit om de deur open te doen. Pas toen hij mijn kamer binnenliep, bedacht ik me dat ik alleen maar een handdoek droeg, en dat het misschien verstandig van me zou zijn als ik iets vond om me mee te verdedigen, voor het geval dat.

Argwanend scande Nick de kamer voordat hij mij aankeek. Zijn ogen werden donkerder toen hij mijn schaars omwikkelde vorm zag en, ongetwijfeld, de emoties die nog streden op mijn gezicht. Alsof hij besefte dat ik wachtte tot hij iets zou zeggen, zei hij, een beetje stompzinnig: 'Ik kom je redden.'

'Nou, eigenlijk,' antwoordde ik terwijl ik de deur achter hem sloot, 'zorg je vooral voor vertraging.'

Ik weet niet zeker wie er begon. Nick was het beslist niet van plan, en ik evenmin... maar plotseling lagen we in elkaars armen en sloten de martelende, zielsvernietigende kloof tussen Istanboel en Bramsche.

Het was angstaanjagend hoe snel al het andere – zelfs al mijn twijfels en listen – in het niets verdwenen zodra zijn mond zich op de mijne drukte. Schijnbaar kreunend om zijn eigen zwakte kuste Nick me met uitzinnige overgave, alsof ik de enige andere mens was in een wereld vol bruten, en hij zijn hele leven naar mij op zoek was geweest.

'Welkom in Duitsland,' fluisterde ik na een poosje, in een vergeefse poging om op adem te komen. Zelfs door zijn trui heen voelde ik de warmte en de energie van zijn lichaam stralen, en het idee om hem los te laten was bijzonder onaantrekkelijk. 'Je mag gerust blijven, maar ik vrees dat ik weg moet.'

'Niet zo haastig, godin,' mompelde Nick tegen mijn oor. 'Deze keer vertrekken we samen.' Maar de manier waarop hij me gevangen hield tussen zichzelf en de muur suggereerde dat hij geen haast had om op weg te gaan.

'Je bent een slecht mens.' Ik haalde mijn vingers door zijn haar, nog steeds niet in staat om te geloven dat hij het werkelijk was – dat hij zo ver had gereisd om mij terug te vinden. 'Ik had uren geleden al weg moeten gaan... en me nooit door jou moeten laten vinden.'

'O, ik zou je overal gevonden hebben.'

Ik probeerde hem in de ogen te kijken. 'Wat wil al-Aqrab van mij?'

Nick boog zich voorover om me weer te kussen. 'Hij weet niet dat ik hier ben.'

Ik hapte naar adem toen ik zijn hand onder de handdoek voelde, genietend van mijn naaktheid. Het was een schok om te ontdekken dat er weliswaar nog steeds een duidelijke jakhalsstem in mijn hoofd klonk die me waarschuwde om me te beheersen en een verklaring te eisen, maar er was ook een wild, fatalistisch deel van mij dat niets liever wilde dan Nick in zich opnemen, alle zeventien versies van hem. 'Ben je dan niet bang,' fluisterde ik, 'om door mijn Amazonezusters aan het spit te worden geregen?'

'Jawel.' Hij begon mijn naakte schouder te zoenen, helemaal tot waar mijn hals begon, waarmee hij me zonder dat ik het wilde een achtergrondmelodie van verraderlijke zuchtjes ontlokte. 'Maar dat ben je wel waard.'

Op dat moment rinkelde de hoteltelefoon.

'Shit!' Ik duwde hem weg. 'Kijk eens wie er buiten staat.'

Terwijl Nick tussen de dichtgetrokken gordijnen door keek, nam ik de telefoon op met een kortaangebonden: 'Hallo?'

Er kwam geen antwoord en de verbinding werd verbroken.

'Wat zie je?' vroeg ik Nick. 'Een blauwe Mercedes?'

'Ik weet het niet zeker,' zei hij, nog steeds turend. 'Er komt net een donkere Audi aan.'

'Wat denk je hiervan,' zei ik, terwijl ik door de kamer rende en willekeurige kledingstukken aantrok. Hoe pijnlijk het ook was om het zelfs maar te overwegen, ik zag een strategie voor de aftocht. 'Wat vind je ervan als we de *Historia Amazonum* hier laten liggen, op het bed?'

Nick schudde zijn hoofd en kwam me helpen om mijn spullen bij elkaar te rapen. 'Reznik geeft geen barst om dat manuscript. Dat was alleen maar lokaas, om de Amazones te pakken te krijgen die zijn zoon hebben gedood. Nu denkt hij dat jij een van hen bent.'

'Hoe kan hij in vredesnaam,' riep ik vanuit de badkamer, waar ik mijn pas gekochte – en nogal prijzige – toiletspullen bij elkaar raapte, 'denken dat ik een Amazone ben?'

'Omdat Reznik een idioot met achtervolgingswaan is,' riep Nick terug, 'die röntgenfoto's maakt van zijn gasten zonder dat ze dat weten. Hij zoekt natuurlijk naar verborgen wapens, maar toevallig komen jakhalsarmbanden ook in beeld.'

Een paar tellen later raceten we door het stille hotel, op weg naar de nooduitgang. Maar net toe Nick zijn hand uitstak naar de witmetalen deur, werd die vanaf de andere kant opengerukt en er kwamen twee vrouwen uit.

Omdat ze joggingpakken en handdoeken over hun schouders droegen, was mijn eerste gedachte dat het hotelgasten waren die terugkwamen van de sportzaal. Maar ik had ze nog niet vriendelijk toegeknikt of een van hen stompte Nick recht in zijn maag en ramde zijn gezicht hard tegen haar knie.

Ik was zo onthutst over deze geweldsexplosie dat het even duurde voor ik begreep wat er gebeurde. Ondanks een bloedneus weerde Nick zich bewonderenswaardig en hij raakte zijn aanvallers met een paar stevige vuistslagen waar ze duidelijk niet op bedacht waren – maar toen verscheen er een derde vrouw.

Net toen het me was gelukt om een zwaar schilderij van de muur te tillen met de bedoeling het als wapen te gebruiken, zag ik aan het andere eind van de gang mensen komen.

Toen pas dacht ik eraan om hulp te roepen, maar het was al te laat. De twee mannen die naar ons toe kwamen reikten in hun jas, en aan hun gezicht zag ik dat wij precies waren wat ze zochten.

Met een kreet van angst wist ik de drie vrouwen voor het gevaar te waarschuwen, en onmiddellijk lieten ze Nick gaan om de gang in te rennen en de mannen tegen te houden voordat de kogels in het rond vlogen.

'Kom mee!' riep ik tegen Nick met een dringende ruk aan zijn arm. 'Dit is onze kans.'

Ik pakte wat er aan bagage binnen bereik stond en rende voor hem uit de brandtrap af. Enkele seconden later stoven we door een achterdeur naar buiten en kwamen in de tuin van het hotel terecht.

'Deze kant op,' zei Nick, en in het donker kon ik alleen zijn silhouet zien toen hij voor me uit door het bedauwde gras holde. We doken onder een hek met schrikdraad door en strompelden in volle vaart over een hobbelig, zompig veld vol zwijgende schapen, tot we bij een grindpad kwamen waar een auto geparkeerd stond achter een schuurtje.

'Nee!' zei ik toen hij het portier aan de passagierskant voor me opentrok. 'Ik rij. Doe jij iets aan je neus.'

We wisselden geen woord meer tot we op de *Autobahn* waren. Ik had het te druk met in de gaten houden of we niet gevolgd werden, en Nick had zijn stoel zo ver mogelijk achterovergezet in een poging om zijn bloedneus te stelpen.

'Is hij gebroken?' vroeg ik na een tijdje.

Nick kreunde. 'Het vergt wel even wat meer om deze gok te breken. Wat gebeurde er nou in vredesnaam?'

'Dat heb ik me vandaag al twee keer afgevraagd,' zei ik. 'Ik denk dat we tussen twee vuren geraakt zijn. Een stel bullebakken van Reznik uit Genève zitten achter mij aan in een dikke Mercedes, en ik weet heel zeker dat die drie lieflijke dames Amazones waren. Wat denk jij?'

Nick maakte een gepijnigd geluid dat wellicht bedoeld was als gegrinnik. 'Tja, je had me gewaarschuwd dat ik Amazonezusters niet overstuur moest maken. Hier.' Hij trok de klep tussen onze stoelen open en haalde er iets uit dat hij me overhandigde. 'Dit is je nieuwe paspoort. We zullen ons een tijdje gedeisd moeten houden. Jij heet Artemis Panagopoulos. Ik vond dat we Grieks moesten zijn. Jij moet maar praten, ik ben gewoon je liefhebbende echtgenoot. Wat denk je van een strandhut op een lekker afgelegen eiland, op kosten van de baas?'

Het kostte me de grootste moeite om me op de weg te blijven concentreren, terwijl ik Nick eigenlijk bij zijn kraag had willen grijpen om hem door elkaar te schudden. 'Ik dacht dat je ontslag genomen had! Je zei dat al-Aqrab niet weet waar je bent...'

'Dat weet hij ook niet. Maar ik werk nog wel voor hem.' Onzeker keek Nick me aan. 'Als het een troost is, ik ben bijna ontslagen voor het stelen van de *Historia Amazonum*.'

'Echt?' Ik voelde mijn humeur verbeteren bij die onverwachte ontwikkeling. 'Maar als al-Aqrab je niet had opgedragen om het te stelen, waarom deed je het dan?'

Nick zuchtte. 'Kennelijk had Reznik dat manuscript laten stelen uit een klein archief in Roemenië. Ze hebben de conciërge voor de diefstal laten opdraaien.'

'Maar dat was niet de reden waarom je het meenam.'

'Goed dan.' Hij zette zijn stoel wat rechter. 'Het ging zo: ik had strikte orders om absoluut niet naar Rezniks feestje te gaan, maar ik kon de verleiding om jou te zien niet weerstaan. Maar voordat ik contact met je kon maken, werd ik afgeleid door een vrouw in een kattenpak die naar me staarde alsof ze me kende, voordat ze wegrende met een vriendin in een muizenpak...'

'Wacht eens even.' Ik probeerde me de vijandige kattenvrouw te herinneren die ik in de toiletten bij Reznik had ontmoet. 'Die heb ik ook gezien. Die muizenvrouw had mijn telefoon gestolen in Nafplion. En ik wed dat zij het was die me overvallen heeft in het labyrint.'

'Dat denk ik niet.' Nick verschoof op zijn stoel en verkrampte van de pijn. 'Degene die jou in het labyrint overviel, heeft je laptop gestolen, en jouw laptop was ruim voor aanvang van het feest al bij Reznik in huis. Ik ben er vrijwel zeker van dat die twee vrouwen juist kwamen om jouw laptop van hém te stelen. En nu ligt het ding op de bodem van de Zwarte Zee, met zijn voetjes in een blok beton, samen met je mobiel. Maar hoe dan ook – en het spijt me als dit mijn imago van geharde misdadiger verpest – op het feest zag ik die twee schatjes naar Rezniks kleine antiekverzameling sluipen. Ik besloot ze achterna te gaan en kon horen dat ze helemaal naar de bovenste verdieping gingen. Dat bood mij de gelegenheid om de bibliotheek te bekijken. En daar lag het, voor het grijpen: de academische toekomst van Diana Morgan. Ik had het je die nacht willen geven, als cadeautje, maar toen werd alles een beetje... raar.'

Ik wierp even een blik opzij, vertederd door zijn eerlijke bekentenis. 'Reuzeleuk gebaar, alleen hebben we nu een bende bullebakken van Reznik en een paar beresterke Amazones op onze hielen.'

Nick maakte een ongelukkig gromgeluid. 'Oké, ik heb een fout gemaakt. Ik was ervan overtuigd dat zij de beveiligingscamera's hadden uitgeschakeld, tegelijk met het alarm. Maar als ik de *Historia* niet had gestolen, had je nobele vriendje me nooit verraden, en dan had Reznik mijn mensen in Dubai nooit gebeld over de diefstal, en dan had ik nooit iets geweten van die röntgenfoto die van jou een Amazone heeft gemaakt. Zo, en noem jij nou maar eens een Griekse tragedie die daar tegenop kan.'

We reden een tijdlang zwijgend verder. Hier, ver van het Teutoburgerwoud, was de nacht rustig en helder, met fonkelende sterren om ons heen en de glanzende zeis van de maan net boven de horizon. De helderheid van buiten drong echter niet door in mijn binnenste. De verwarring stapelde zich laag na laag op, tot diep in mijn bewustzijn, en het frustreerde me dat ik zelfs nu, met Nick naast me, nog steeds niet wist wat de reden was voor al-Aqrabs belangstelling voor de Amazones. Maar ik wist genoeg om het Nick niet te vragen terwijl we honderddertig reden. Dus volstond ik met: 'Hoe heb je me gevonden?'

'Laat eens kijken...' Nick klonk geamuseerd. 'Je ticket stond op je eigen naam, je hebt een auto gehuurd op je eigen naam, en je hebt je onder je eigen naam ingeschreven in Hotel Idingshof.' Ik voelde dat hij naar me lachte. 'Sorry hoor, dr. Livingstone, maar als je echt niet wilde dat ik zou komen, had je geen spoor moeten achterlaten dat zo breed was als de Nijl... of moet ik de Amazone zeggen?' Toen ik niet reageerde, zuchtte hij en vervolgde: 'Ik heb Rebecca gebeld. Ze was maar al te blij om te kunnen helpen en ze zei dat Telemachos je naar Kalkriese had gestuurd. Daarna hoefde ik alleen de hotels in de buurt af te bellen...'

Ik voelde een steek van woede. 'Becks vertrouwde je?'

'Waarom zou ze dat niet doen?'

Er kwamen duizend redenen bij me op, maar die leken allemaal nogal zielig naast het feit dat Nick de machtige al-Aqrab had getrotseerd en helemaal naar Duitsland was gekomen om mijn leven te redden en zijn neus te laten verpletteren.

Het vergde de rest van de rit om het relaas van mijn rampzalige avonturen in Kalkriese te vertellen, inclusief mijn vermoedens over de veilingcatalogi en dr. Jäger als nieuwsbriefredacteur van de Amazones. 'Dat zou toch heel goed kunnen?' zei ik toen we de snelweg eindelijk verlieten. 'Natuurlijk kunnen de Amazones niet riskeren dat iemand hun geheime communicatiemethode ontdekt – vooral niet met die premie van een miljoen die Reznik op hun hoofd heeft gezet.'

Ik ging zo op in ons gesprek dat ik het donker om ons heen nauwelijks opmerkte tot ik het onmiskenbare geknars van een zandpad hoorde. Nick had me gezegd hoe ik moest rijden, en ik had gedaan wat hij zei, maar...

'Dit is het vliegveld van Frankfurt niet,' was het enige commentaar dat ik kon verzinnen toen we voor een donker huisje stilstonden.

'Een filoloog neem je niet in de maling,' zei Nick en hij stapte uit de auto. 'Ik vond dat we een beetje pais en vree nodig hadden.'

Ik hoorde hem met een ouderwetse sleutel de deur van het huisje openmaken.

'Waar zijn we precies?' vroeg ik, terwijl ik achter het stuur vandaan kwam en tevergeefs probeerde om het landschap om ons heen te onderscheiden. Het rook naar bos en het enige geluid was het verre roepen van een uil, maar ik kon me niet herinneren dat ik veel bomen langs de ongeplaveide weg had gezien. 'Het safehouse van Aqrab in Frankfurt?'

'Integendeel,' antwoordde Nick, die binnen een paar lampen aanknipte. 'Welkom in míjn Duitsland. Dit is de Taunus, niet al te ver van het vliegveld. Je kunt het nu niet zien, maar hierboven heb je een geweldig uitzicht op het dal van de Main.' Hij wierp me over zijn schouder een glimlach toe. 'In dit huis heb ik heel wat keren mijn jetlag uitgeslapen. Het is trouwens het enige onroerend goed dat ik bezit.'

Achter hem aan liep ik het huisje in. Behalve een groot bed stonden er weinig meubels. Voor een raam stonden een klein bureau en een gammele stoel, en de enige andere plek om te zitten was een groot kussen voor de haard.

'Wat is er?' zei Nick, gehurkt bezig met het verfrommelen van een oude krant. 'Niet chic genoeg voor dr. Livingstone?'

Ik keek om me heen naar de ruwe steen en het houten plafond. De rustieke eenvoud en de vage geur van verkoold hout die in de lucht hing, hadden iets heel verleidelijks. Het was niet het Çirağan Palace, maar als ik mocht kiezen, was ik net zo lief hier.

Toen ik uit de piepkleine badkamer kwam, stond Nick tegen de schoorsteenmantel geleund te wachten tot het vuur oplaaide.

'Hier.' Ik overhandigde hem een natte washand. 'Jouw beurt.'

Hij wierp me een scheve grijns toe. 'Ik weet dat ik er niet uitzie...'

'Niet erger dan anders.' Ik hielp hem zijn met bloed bespatte trui uittrekken en zag dat hij in elkaar kromp van de pijn en voorzichtig was met zijn schouder. 'Heb je erge pijn?'

'Ik heb al erge pijn sinds de dag dat ik jou tegenkwam.' De manier waarop Nick naar me keek maakte overvloedig duidelijk wat hij bedoelde.

'Had je me maar moeten ontslaan toen je de kans had,' fluisterde ik terwijl ik mijn handen onder zijn T-shirt liet dwalen. 'Of me laten sterven in die tempel.'

Met een kus bracht hij me tot zwijgen. En nog een. Toen zei hij, met een getergd hoofdschudden: 'Ik heb er alles aan gedaan om niet verliefd op je te worden.'

Zijn woorden maakten me belachelijk gelukkig. 'En het resultaat?'

Nick nam mijn hand, legde zijn handpalm tegen de mijne, en na een paar tellen wist ik niet meer wiens polsslag ik voelde. 'Wat zeg je ervan, godin?' Hij keek me recht aan. 'Wil je je door deze sterfelijke man laten beminnen?'

Ik leunde tegen hem aan. 'Het is gevaarlijk. Maar jij houdt wel van gevaar, is het niet?'

Zonder aarzelen trok Nick me in zijn armen en uitgehongerd vielen we op elkaar aan. Ik had nog steeds vragen, maar kon me ze niet meer herinneren. Hij was het enige waar ik alles van wilde weten – hoe zijn huid aanvoelde op de mijne, of hij even onbesuisd en ongeduldig was als ik... Kleren werden uitgetrokken, handen vonden eindelijk hun weg... Ons verlangen om samen te zijn was zo groot dat we vergaten voorzichtig te zijn. Ik hoorde Nick kreunen toen ik me aan zijn schouders vastklemde, maar wist niet zeker of het van pijn of genot was. Ik liet me er niet door tegenhouden. Ik verlangde meer naar hem dan ik ooit ergens naar had verlangd, en ik eiste zijn lichaam met hunkerende gulzigheid op. Nog niet eens helemaal uitgekleed stond ik tegen de muur met een aanzienlijk deel van hem in mij, zo extatisch dat ik bijna flauwviel.

'O, mijn god,' kreunde hij toen we eindelijk samen op het grote kussen op de vloer zakten; zijn neus bloedde weer. 'Wat doe je me aan?'

'Ik geloof dat je "godin" bedoelt,' prevelde ik terwijl ik voorzichtig het bloed van zijn lip veegde, nog steeds overspoeld van ontzaglijke vervulling. 'Sinds wanneer ben jij zo godsdienstig?'

Nick streelde met zijn vingers over mijn zwetende huid, zijn ogen vol aanbidding. 'Alleen onsterfelijken kunnen aan een man trekken zoals jij aan mij.'

'In het begin was je anders niet zo weg van me.'

Hij glimlachte, omdat hij wist dat ik naar complimenten viste. 'Ik denk niet dat je naar mijn tent sleuren en mijn gulp openritsen de beste manier was geweest om je in Algerije te verwelkomen. Jij wel?'

'Misschien als je dat miezerige plukbaardje van je eerst afgeschoren had.'

Nick lachte. 'Pas maar op. Als je je niet gedraagt, groeit hij misschien wel weer aan.'

Later, toen we het ons in bed gemakkelijk hadden gemaakt, stelde ik eindelijk de vraag die al dagen door mijn hoofd spookte. 'Wat bedoelde je die dag in Istanboel,' zei ik terwijl ik mijn vingers over Nicks borst liet wandelen, 'toen je zei dat je al eens een kogel had opgevangen voor James?'

Nick glimlachte en kuste me. 'Je weet best wat ik bedoelde. Als hij er niet was geweest, had ik je al veel eerder gegrepen.'

Ik schaterde het uit. 'Heeft je baas je nooit verteld dat je werknemers niet mag lastigvallen?'

Nick kreunde. 'Lastigvallen zit in het pakket.'

'Vertel eens... werk je graag voor meneer al-Aqrab?'

Hij dacht even na. 'Nee.'

'Waarom hou je er dan niet mee op?'

'Dat is nog niet zo eenvoudig.' Nick keek ongemakkelijk, om niet te zeggen schaapachtig. 'Het is waarschijnlijk tijd om het je te vertellen: Al-Aqrab is mijn vader.'

'Wát?' Ik zou uit bed gesprongen zijn als hij me niet had tegengehouden.

'Kom nou.' Hij kuste me in mijn nek. 'Je ligt toch zeker niet met de duivel in bed.'

'Dat weet ik zo net nog niet.' Ik wist niet of ik moest lachen of huilen. Het was moeilijk om boos op hem te zijn omdat hij me eindelijk de waarheid had verteld, en toch maakte het beeld van Nick omringd door het onvermijdelijke playboy-gevolg van snelle auto's en bikinimeisjes me verdrietig. 'Dat ligt eraan wat je met "duivel" bedoelt.'

'Ik heb toch wel een paar kwaliteiten om dat te compenseren?' Nick nam mijn hand en stopte die onder de dekens. 'Zo heb ik bijvoorbeeld een hele grote...'

'Wat denk je van een hele grote verklaring?' vroeg ik verontwaardigd, me herinnerend om welke uitstekende redenen ik in Istanboel bij hem weggelopen was. 'Jouw mensen hebben mijn familie bespied! Jullie hebben zelfs een of andere mottige detective door heggen en struiken laten kruipen om foto's te maken van mijn ouders, in hun eigen huis! En hoe zit het met die pistolen onder je bed? Ik neem aan dat je die gebruikt om op mensen te schieten.' Ik keek hem aan om te zien of mijn woorden effect hadden en zag met enige voldoening dat zijn glimlach verdween. 'Neem me dus niet kwalijk dat ik ietwat misnoegd ben, om het zacht uit te drukken. Vanaf de eerste dag heb je tegen me gelogen, me geïntimideerd, me gemanipuleerd... Ik weet niet eens hoe je echt heet!'

Nick leunde achterover en sloeg zijn armen over elkaar; het vuur van de haard wierp onheilspellende schaduwen over zijn gezicht. 'Mijn naam is Nick. Dat heb ik je verteld. Mijn vader gaf me de naam Kamal, maar mijn moeder noemde me Niccolò.'

'Je Braziliaanse moeder?' stelde ik voor, in mijn haast om hem verder te helpen. Ik herinnerde me ons gesprek in Mykene, aan de schoolbordtafel bij Telemachos, waar Nick ons had getrakteerd op verhalen – allemaal verzonnen, besefte ik nu – uit zijn armoedige jeugd.

'Nee.' Nick zuchtte en sloot zijn ogen. 'Mijn biologische moeder.'

Terwijl hij in stilte verzonk, groeide mijn aanhoudende verwarring tot complete verbijstering. Ik was er zo van overtuigd geweest dat we de inhoud van de envelop die ik hem had afgepakt zouden bespreken, te beginnen met het detectiverapport over mij en mijn familie. Het besef dat ik misschien maar een secundaire speler was in de grote verklaring van Nick, was vreemd ontnuchterend.

'Mijn vader werd geboren in Iran, in een oude, rijke familie,' begon hij ten slotte, nog steeds met gesloten ogen.

'De familie al-Aqrab, neem ik aan?'

'Nee, nee, nee.' Met een vermoeid gebaar schoof hij mijn suggestie ter zijde. 'Al-Aqrab is een Arabische naam, die schorpioen betekent. Mijn vader heeft zijn naam veranderd toen hij uit de familie werd gezet, op zijn tweeëntwintigste.'

Wellicht omdat hij mijn verrassing aanvoelde, sloeg Nick zijn ogen op. Hij keek zo ongelukkig dat ik een steek van medelijden voelde. Toen pas kwam het bij me op dat de onderliggende reden voor zijn langdurige geheimzinnigheid over zijn ware identiteit niet zozeer voortkwam uit een verlangen om míj in de maling te nemen, als wel uit een behoefte om een mentale buffer tussen zijn vader en hemzelf te houden. Al die verschillende vermommingen en stemmingen, al die verschillende paspoorten – kon het zijn dat hij niet alleen op de vlucht was voor plunderaars en smokkelaars, maar ook voor zichzelf? Ik leunde naar hem toe en kuste hem op zijn wang, wat hem een glimlach ontlokte.

'Vierendertig jaar geleden schopte mijn vader het tot lid van het roeiteam van Oxford,' vervolgde Nick. 'Zijn vrienden en hij gingen naar Londen om het te vieren. Daar ontmoette hij een vrouw en uiteindelijk brachten ze de nacht samen door. De volgende ochtend was ze voor zonsopgang verdwenen, en hij heeft haar nooit teruggezien.' Daarmee stapte Nick uit bed en verdween in het kleine keukentje, poedelnaakt – en liet mij achter met de vraag hoe ik mijn handen zo lang van deze prachtige man had kunnen afhouden, en, iets relevanter, of zijn verhaal hiermee afgelopen was.

Enkele minuten later keerde hij terug met een fles rode wijn, twee glazen en een doos crackers. Pas toen we allebei een vol glas in handen hadden, proostte hij met zijn glas tegen het mijne en zei: 'Een jaar later kreeg mijn vader een baby met de post. Dat was ik. Met een briefje erbij. Op het briefje stond: "Beste Hassan, dit is je zoon. Zijn naam is Niccolò. Vergeef hem alsjeblieft. Hij kan niet helpen wat zijn moeder is.' Er stond nog meer, maar niets wat er nu toe doet. Het briefje was getekend, "Myrine".'

Sprakeloos staarde ik hem aan.

'Je kunt je voorstellen' – Nick nam een slok van zijn wijn – 'dat mijn vader al drieëndertig jaar op zoek is naar die Myrine. Hij is ervan overtuigd dat ze een Amazone was. Ze was zo mooi en zo sterk, en de omstandigheden waarin ze elkaar ontmoetten waren heel vreemd. Mijn vader kwam met zijn vrienden een nachtclub uit, toen een prachtige Zuid-Amerikaanse vrouw zich bij hen voegde en zijn arm pakte. Pas later, toen hij erover nadacht, realiseerde hij zich dat er op dat moment verschillende politieauto's in de straat hadden gestaan, met loeiende sirenes. Hoe dan ook, de vrouw liep met hen mee het hotel in en volgde mijn vader helemaal naar zijn kamer. Hij was zo door haar geboeid, dat hij geen bezwaar maakte. Zodra ze alleen waren, verontschuldigde ze zich en ging naar de badkamer. Toen ze daar een poosje was geweest, klopte mijn vader op de deur en vroeg of alles in orde was. Geen antwoord. Toen hij de deur probeerde en merkte dat die op slot was, trapte hij hem open, met het idee dat ze misschien drugs aan het nemen was, of zelfmoord wilde plegen... Er ging van alles door zijn hoofd. Hij trof haar zittend in de douche aan, hysterisch huilend. Eerst dacht hij dat ze gewond was, omdat er bloed op de handdoek zat en in de wasbak, maar hij kon geen wonden ontdekken. Toen zag hij het jachtmes dat op haar stapeltje kleren lag.' Nick grijnsde naar me. 'Dat intrigeerde mijn vader, vanzelfsprekend. Wie is deze vrouw? Wat heeft ze gedaan? Hij probeert met haar te praten, maar ze duwt hem weg en sneert: "Weet je wat de straf is voor het onteren van een Amazone?" Uiteindelijk staat ze op en droogt zich af, en mijn vader haalt haar over om de nacht op zijn kamer door te brengen. Ik ken de details niet, maar aangezien ik die nacht verwekt ben, zal mijn vader wel niet op de stoel hebben geslapen. En ja' – met een knikje naar mijn arm – 'ze droeg net zo'n armband als jij. Daarom ging mijn vader dertig jaar geleden naar Mykene om met Telemachos te praten.'

En daarmee begon eindelijk de lange rij dominostenen in mijn hoofd om te vallen. 'Natuurlijk!' riep ik uit. 'Dat was jouw vader! Meneer al-Aqrab! Hij was Chris Hauser uit Baltimore, is het niet? Daarom deed je zo vreemd die dag.'

'Deed ik vreemd?' Nick keek een beetje beteuterd. 'Nou, kun je het me kwalijk nemen? Ik had geen idee dat mijn vader daar al eerder was geweest, onder een valse naam. Zelfs nu begrijp ik nog niet hoe Telemachos het verband heeft gelegd. Ik lijk helemaal niet op mijn vader. Toch?'

'Hij wordt niet voor niets het Orakel genoemd,' zei ik, zijn vraag diplomatiek ontwijkend. 'Hij zei dat mijn handtas terecht zou komen, en dat gebeurde ook.'

Nick keek me even aan alsof hij niet zeker wist in hoeverre ik hem al had vergeven. Toen fluisterde hij, met een hoopvolle hand op mijn wang: 'Hij zei tegen mij dat jij mijn zielsverwant was. Maar dat wist ik al.'

Ik kuste de palm van zijn hand. 'Ik wou dat we dit gesprek hadden gehad voordat we naar Istanboel gingen. Of in ieder geval voordat we Istanboel verlieten.'

Nick schudde zijn hoofd. 'Diana. Ik wist dit zelf helemaal niet, tot gisteravond. Nadat jij verdwenen was, ben ik naar Dubai gevlogen om zelf een woordje met mijn vader te wisselen, wat altijd een uitdaging is...'

'Ben jij naar Dubai gevlogen? Maar ik zag je vader net daarvoor bij het Çirağan Palace, met John Ludwig...'

'Hij is een gladde,' zei Nick terwijl hij onze glazen bijvulde. 'Ik had hem gevraagd om me alles uit te leggen – wat we in godsnaam aan het doen waren, wat jouw rol was, waarom Reznik achter het schrift van je oma aan zat – en daarom gaf hij me die envelop, die jij vervolgens zo toepasselijk van me hebt gestolen.' Nick keek me zijdelings aan. 'Hij gaf me trouwens ook die pistolen, voor het geval Reznik voor mijn deur zou staan. Dat is zijn manier om zijn liefde te tonen.'

In een opwelling van medeleven legde ik mijn hoofd op zijn schouder. 'Het spijt me zo...'

'Dat hoeft niet. Als jij niet zo weggelopen was, had ik de waarheid nooit van hem losgekregen. Ik heb altijd geweten dat mijn moeder niet de vrouw was die mij het leven schonk, maar zoals je zelf al zei, kon ik het woord "Amazone" amper spellen voordat ik jou ontmoette. Pas die nacht op de boot, toen je over je grootmoeder vertelde en iets zei over Amazones die hun jongensbaby's wegdeden, begon ik te vermoeden dat onze reis iets met mij te maken had. Mijn vader had me die vreemde missie opgedragen – voornamelijk dicht bij jou in de buurt blijven en kijken wie er op zou duiken – maar hij had niet gezegd wat hij precies wilde.'

'Waarom niet?' vroeg ik. 'Vanwaar al die geheimzinnigheid?'

Nick zuchtte diep. 'Zo is mijn vader nu eenmaal. Hij zegt vaak dat wie het heden beheerst, het verleden kan herschrijven. Ik heb alleen nooit beseft dat hij zichzelf bedoelde. Als je eenmaal tegen mensen begint te liegen en een andere werkelijkheid opbouwt, kun je die niet ineens weer uit elkaar dwingen, vermoed ik.' Hij schudde opnieuw zijn hoofd, en zag er even sip uit als ik me herinnerde uit Algerije. 'Ik weet dat het lijkt alsof ik van het begin af aan al tegen je lieg, maar ik gaf echt alleen de leugens door die mijn vader mij wijsmaakte. Ik had geen idee dat hij al drieëndertig jaar op zoek is naar de Amazones, en dat zijn interesse in archeologie alleen maar een excuus was om elke mediterrane mierenhoop op te graven...?

'Misschien dacht hij dat jij jou beschermde?' opperde ik, met mijn eigen ouders in gedachten. 'Maar dan... waarom wilde hij dat juist jij de Amazones opspoorde? Ik neem aan hij hoopte dat ik je daarbij zou helpen.'

'Hij beweert dat hij mijn biologische moeder de kans wilde geven om me te ontmoeten.' Nick fronste zijn voorhoofd. 'Persoonlijk denk ik dat het een machtsspelletje is. Hij wil bewijzen dat hij toch gelijk had, en dat de Amazones wél bestaan. Hij zei dat ik je in het oog moest houden... je volgen, kijken waar je heen wilde.'

Ik voelde een steek van wantrouwen. 'Maar jij hebt me ontslagen. Op de eerste dag al. Waarom zou je me ontslaan als je geacht werd me in het oog te houden, zoals jij het noemt?'

Met een knikje erkende Nick dat ik een punt had. 'Toen jij en ik kennismaakten, was mijn prioriteit de tempel. Ik dacht dat jij een blok aan mijn been zou zijn, vanwege je connecties met Oxford en de Moselanes.' Hij glimlachte, misschien omdat hij inzag hoe dramatisch alles sindsdien was veranderd. 'Ik geef het toe: ik kon niet wachten om van je af te zijn. Maar toen ik mijn vader sprak, maakte hij me duidelijk dat jij belangrijker was dan de tempel.' Nick legde een arm om me heen en drukte een kus op mijn voorhoofd. 'Hij wist niet half hoe waar dat was.'

'Ook al ben ik een blok aan je been?'

'Een blok met een Amazone-armband.' Nick tikte met zijn vinger op de jakhals. 'Dat dreef de zaak echt op de spits. Mijn vader was ervan overtuigd dat jij me vroeg of laat naar het moederschip zou leiden. En toen dat maar niet gebeurde, bedacht hij dat we de Amazones op de een of andere manier konden provoceren om in actie te komen. Daarom wilde hij dat ik je die avond in Algerije je telefoon teruggaf – hij wilde weten wie je zou bellen, en wat er zou gebeuren. Hij vermoedde al dat jouw connectie in Oxford, Katherine Kent, bij de Amazones betrokken was; hij wist alleen niet welke rol ze speelde.'

'Leuk hoor,' zei ik. 'Wetenschappelijke experimenten doen met zijn eigen zoon. Boem! Hij heeft in elk geval waar voor zijn geld gekregen. Ik neem aan dat hij daarom ook wilde dat jij de schat van de Amazones hier en daar te berde zou brengen? Om de Amazones onder druk te zetten?'

Nick boog zijn hoofd, en zag er ongeveer zo berouwvol uit als ik nodig vond, namens zijn vader. 'En dan te bedenken dat ik hem steeds in de kaart speelde, en jou in moeilijkheden bracht. Ik wist gewoon niet wie we tegenover ons hadden. En hij evenmin. Kennelijk was hij ervan overtuigd dat mijn moeder, op zeker moment, zou begrijpen wie ik was en zich aan mij bekend zou maken. En zo niet... dan was er nog geen man overboord, omdat ik toch niet wist van haar bestaan. Hij had zeker nooit verwacht dat wij in een oorlog tussen de Amazones en Reznik verzeild zouden raken.'

We zwegen een poosje. Het was vreemd om naar de dansende vlammen in de haard te kijken in de wetenschap dat mijn hele universum een slag om zijn as maakte, terwijl die houtblokken verbrandden. Ten slotte kroop ik dicht tegen Nick aan en zei: 'Eerst zei je dat je vader straatmuzikant was. Dat beviel me wel.'

Nick zuchtte. 'Tja, dat was hij ook. En ik was ook echt het aapje dat met de pet rondging. Toen zijn familie in Iran van de baby hoorde – dat wil zeggen, van mij – waren ze woedend. Ze wilden dat hij me zou afstaan en zijn studies in Oxford voortzette alsof er niets gebeurd was; toen hij dat weigerde, ontnamen ze hem alle steun. En toen hij met zijn universiteit ging praten en aanbood om te werken voor onderwijs en verblijf, zeiden ze nee, hij kon daar niet blijven met een baby – dat "hoort niet in Oxford". Hij had geen geld, hij kon niet terug naar huis... en dus stopte hij mij in een rugzak en sloot zich aan bij een groep muzikanten. Zo belandde hij in Rio, waar hij zijn eerste bedrijf opzette en de vrouw ontmoette die mijn adoptiemoeder werd. Hij heeft zichzelf echt van de grond af opgebouwd. Doodvermoeiend. Moet voortdurend alles in de hand hebben.'

'Zelfs jou?'

'Vooral mij.'

Ik probeerde te glimlachen. 'Hij is niet erg populair in Oxford. Ik krijg de indruk dat hij nogal... meedogenloos is?'

Nick kneep even in mijn bovenbeen. 'Hij is niet zo erg als mensen graag denken, alleen heel erg doelgericht. Heb je ooit een succesvolle kapitalist gezien die niet meedogenloos werd genoemd? Het is het favoriete vooroordeel van de onnadenkende massa.'

'Toch denk ik dat hij niet al te blij zal zijn als hij hoort dat je vrijt met een academica uit Oxford.'

Nick keerde me zijn gezicht toe om me met een scheve glimlach aan te kijken. 'Hij zal vast wel begrijpen dat ik de ijsprinses moest veroveren die me niet eens de hand wilde schudden.' Zijn glimlach verdween en hij liet zijn vingers over mijn hele lichaam glijden, alsof hij wilde demonstreren met welke vrijheid die ooit afgewezen hand nu reizen kon.

'Heb je dat dan gedaan?' vroeg ik, toen hij zich naar me toe boog voor een kus. 'Mijn soevereine ijzigheid overwonnen?'

'Heb ik dat dan niet?' Nick rolde boven op me. 'Hoor ik daar een opstandig geluid?' Hij glimlachte toen ik onder hem ontspande. 'Zo voelt het niet.'

'Voorzichtig,' waarschuwde ik. 'Het zou een hinderlaag kunnen zijn. Mijn Amazonezusters kunnen elk moment de deur intrappen...'

'Je hebt gelijk.' Hij drukte mijn armen tegen het bed. 'Ik mag wel opschieten.'

37

Tot hier en niet verder reikt de wereld, zoveel is wel zeker.
– TACITUS, *Germania*

IK SCHROK INEENS WAKKER, met bonzend hart, bang dat het allemaal een droom was geweest. Maar toen ik Nick naast me zag liggen, diep in slaap, voelde ik me zo opgelucht alsof ik uit een nachtmerrie ontwaakte. Ik nestelde me in zijn kruidige warmte en keek hoe hij baadde in het zachte licht van de aanbrekende dag. Hoe was het mogelijk dat deze heerlijke man, die mij nog geen maand kende, kanten van mij – zo niet een heel continent – had ontdekt waarvan ik het bestaan niet eens vermoedde? 'Geef me een paar tellen, godin,' prevelde hij. 'Ik ben maar een gewone sterveling, weet je nog?'

Ondanks zijn gehavende neus zag Nick er zelfs in zijn slaap statig uit, en ik bedacht dat zijn lichaam, ondanks al zijn geheimen, geen sporen droeg van zijn ongewone verleden. Geen littekens, geen sieraden, geen tatoeages die iets zeiden over zijn afkomst of door wiens handen hij gegaan was voordat hij in de mijne viel. Kamal al-Aqrab leefde met een vervalste oorsprong en had naar eigen zeggen zijn hele volwassen leven moeten vluchten voor vleiende aasgieren, die de man achter de luxueuze opdruk niet konden zien.

Daarin leken we meer op elkaar dan ik eerst had gedacht. Ja, we waren rond heel andere kampvuren opgegroeid – als het niet in heel andere grotten was – maar we hadden ook veel gemeen, vooral het rond rennen en het zoeken. Waar Nick naar de verste uiteinden van de aarde was gereisd om te ontsnappen aan de veroveringslust van zijn vader, was ik naar het verleden gegaloppeerd om te strijden met degenen die beweerden dat de Amazones slechts vervagende namen op broos perkament waren. Wat was het vreemd – en wonderbaarlijk – dat onze levenspaden toch bijeengekomen waren.

Te opgewonden om weer in slaap te vallen kroop ik uit bed en liep naar de haard om te zien of ik de sintels tot leven kon wekken. Toen keerde ik me eindelijk naar mijn smoezelige handtas en zette me schrap voor de verwoesting die ik er wellicht in zou aantreffen. Het was mijn derde handtas in twee weken; ik hoopte dat de boze tassenfee binnenkort genoeg van me zou krijgen.

Gelukkig had de *Historia Amazonum* slechts minimale schade geleden; het voorwerp dat het meest geleden had van mijn modderglijbaan was het schrift van oma. Dat was slap en doorweekt en had zo ongeveer de samenstelling van een natte dweil, en ik kon wel huilen toen ik de voorpagina los pelde en zag dat het blauwe schrift zo volledig weggewassen was, dat ik het niet eens meer kon lezen.

Ik ging aan het bureautje bij het raam zitten en maakte heel voorzichtig de middelste pagina's los, in de hoop dat het vocht niet helemaal in het boekje was doorgedrongen – maar dat was helaas wel het geval. Van de honderden woorden die oma zo minutieus voor mij had vertaald, was er niet eentje over.

Zwaar van verdriet bladerde ik willekeurig door het schrift om te zien of er nog ergens een spoor van de woorden was achtergebleven, en of ik die op de een of andere manier zou kunnen reconstrueren. En toen zag ik het...

Onzichtbaar schrift.

Een enkel woord, dwars over ongeveer elke derde pagina, maar meer had ik niet nodig om overeind te vliegen en in stilte uitgelaten rond te stuiteren.

Wat had oma gebruikt? Wit vetkrijt? Wat het ook was, het was onnaspeurbaar geweest zolang er op elke pagina blauw schrift stond. Maar nu er alleen nog vegen over waren kwam het tevoorschijn, omdat het waterige blauw van het vette krijt was afgespoeld. Zo simpel...

En al die tijd, dacht ik beschaamd, had ik rondgelopen met oma's geheime boodschap – als mijn beproeving in het natte Teutobergerwoud de vorige dag niet had plaatsgevonden, had ik de waarheid misschien nooit ontdekt.

Ik ging weer zitten en begon het doorweekte schrift vanaf het begin door te werken, waarbij ik elke pagina tegen het licht van de zon hield die boven het weiland buiten opkwam, om de verborgen krabbels te kunnen onderscheiden.

Dat was alleen niet zo eenvoudig als het leek; op het eerste gezicht betekende geen van de woorden iets. Geïntrigeerd zocht ik in de la van het bureautje naar een blocnote en een pen en begon de woorden over te schrijven in precies dezelfde volgorde waarin ik ze aantrof:

PHIN XPO LEMS AHI PP LA PAD OB REMS
APA NTA RIT ETH ERMO DO AMR PE SI AACI
BI EINY THYI AMO LP AD AV AB URUS I

Na mijn eerste verwarring viel ik op de lijst aan met alle standaard ontcijferingsmethoden die ik kende: letters rondschuiven, lettergrepen rondschuiven, elke eerste letter nemen, of elke tweede... maar geen van mijn pogingen leidde tot iets wat ook maar enigszins begrijpelijk was.

Het was vooral frustrerend omdat de woorden me vaag bekend voorkwamen zoals ze daar stonden, ook al zeiden ze me niets; ik had het gevoel dat alles met een minuscule ingreep of een iets ander perspectief helemaal helder zou worden. En toch, tegelijkertijd maakte de lijst ook zowel een Griekse als een Latijnse indruk, en ik betwijfelde of oma die talen meester was. Zelfs als ze inderdaad voor archeologe had gestudeerd, zou ze die talen dan echt, na zoveel jaren, nog voldoende hebben beheerst om een bericht te schrijven? En als het inderdaad geschreven was in een mengeling van oude talen, hoe kon ze er dan zeker van zijn dat ík het ooit zou kunnen lezen?

Hoe dan ook, ze had klaarblijkelijk willen zorgen dat het bericht niet in verkeerde handen viel. De vraag was, wat vereiste het om de juiste handen te hebben? Welke kennis had oma gewild dat ik verwierf, voordat ze mij haar vertrouwen waardig achtte?

Maar natuurlijk.

Daar waren ze, zo helder als de sterrenbeelden in een wolkeloze nacht.

Ik ging zo op in mijn ontdekking dat ik opschrok van verrassing toen Nick zijn armen van achteren om mij heen sloeg. 'Als jij niet nu meteen terugkomt naar bed,' mompelde hij in mijn haar, 'geef ik je aan bij Amnesty International.'

'Maar ik sta op het punt een enorme doorbraak te maken,' protesteerde ik. 'Geef me een paar tellen...'

'Sorry.' Hij tilde me uit de stoel en droeg me mee, aantekeningen, pennen en al. 'Ik ben de god van de enorme doorbraken, en dit is waar die gebeuren.'

Later pas, nadat ik mijn papieren uit de warboel van lakens had gevist, kon ik Nick verleiden tot een echt gesprek over oma's geheime boodschap.

'Ik heb het gevonden!' vertelde ik hem, zwaaiend met mijn aantekeningen. 'Het is eigenlijk een lijst van gebroken Amazonenamen waar telkens een letter aan ontbreekt.'

Aan zijn ongeschoren wang krabbend pakte Nick de lijst aan, die er nu zo uitzag:

PHINX POLEMSA HIPP LAPADO BREMSA
PANTARITE THERMODOA MRPESIA ACIBIE
INYTHYIA MOLPADA VABURUSI?

Nadat hij de namen had doorgelezen overhandigde Nick mij de blocnote weer. 'Dat verklaart alles.'

'Alleen iemand die de Amazonelegenden kent zou dat eruit kunnen halen,' legde ik uit. 'De namen zijn niet overduidelijk. Kijk maar.' Ik gaf hem het laatste vel papier, dat er zo uitzag:

SPHINX POLEMUSA HIPPO LAMPADO BREMUSA
PANTARISTE THERMODOSA MARPESIA ALCIBIE
MINYTHYIA MOLPADIA VABURUSI?

'*Sphinx*?' zei Nick. 'Is dat geen dier?'

'Ja.' Ik pakte de lijst weer van hem aan. 'Ik vermoed dat het een waarschuwing is: pas op voor raadsels. Verder is het simpelweg een lijst Amazonenamen. Als ik het me goed herinner, vochten Polemusa en Bremusa met Penthesilea, Molpadia nam deel aan de plundering van Athene, enzovoort. De enige naam die ik niet herken, is de laatste: Vaburusi. Maar dat maakt niet uit. Kijk eens naar de ontbrekende letters. Samen spellen ze "Suomussalmi".'

'Wat nog steeds ontcijfering behoeft,' zei Nick, die het spel doorkreeg.

'Nee joh!' Ik prikte hem met de pen. 'Waar heb jij op school gezeten? Dat is een stadje in Finland, net ten zuiden van de poolcirkel.'

Nicks ogen versmalden. 'Vertel me alsjeblieft niet dat je daarheen wilt.'

Ik ging rechtop zitten, nog steeds opgetogen. 'Waarom niet? Is dit niet fantastisch? Oma zegt dat we naar Suomussalmi moeten. Ik kan haar horen.'

'Dat is vreemd.' Nick hield zijn hoofd scheef alsof hij naar een verre roep luisterde. 'Volgens mij hoor ik haar zeggen dat we hier moeten blijven... in dit bed. Trouwens...' Hij reikte naar me, pakte mijn armen.

Hoewel ik een beetje boos was dat hij zo weinig belangstelling had voor mijn ontdekking, moest ik toch lachen toen hij me boven op zich trok.

'Wat is er met dat afgelegen eiland gebeurd?'

'Waarom begin je niet met dít eiland?'

Op dat moment rinkelde zijn telefoon. Hij negeerde het geluid.

Een minuut later klonk het gerinkel opnieuw. Toen Nick toch maar op het scherm keek, trok hij een gezicht en gaf de telefoon meteen aan mij. Het waren mijn ouders.

'O, gelukkig, je bent veilig!' zei mijn vader, die ongewoon nerveus klonk. 'We wisten niet of we je wel konden terugbellen op dit nummer. Waar ben je? Wiens telefoon is dit?'

Ik aarzelde, omdat ik geen van beide vragen echt wilde beantwoorden.

'Doet er niet toe!' kwam mijn moeder tussenbeide. 'Lieverd, we zijn vannacht om vier uur gebeld, en we weten niet wat we ervan moeten denken.'

'Het was een uiterst onaangename man,' zei mijn vader, 'die ons opdroeg om jou te vertellen dat' – hij zweeg even om zich de precieze bewoordingen voor de geest te halen – 'dat "je drie dagen hebt om het schrift af te geven" en iets over een specifieke bank in een park in Parijs. Als je dat niet doet' – mijn vader schraapte zijn keel en probeerde zakelijk te klinken – 'zullen mensen die je dierbaar zijn daaronder lijden.'

Ik schrok zo dat ik niet eens probeerde te doen alsof de situatie niet ernstig was. 'Ik weet dat het eng klinkt,' gaf ik toe, 'maar we werken aan een oplossing.'

'Wie zijn "we"?' wilde mijn vader weten. 'Gaat dit allemaal om Becks?'

'Nee,' zei ik. 'Het gaat allemaal om oma.' Ik onderdrukte de kinderachtige neiging om eraan toe te voegen: 'En als we gewoon over dingen hadden gepráát zaten we nu niet zo in de penarie,' want dat zou niet eerlijk zijn. In plaats daarvan zei ik: 'Maak je geen zorgen, het is niet zo erg als het klinkt. Ik leg het wel uit als ik jullie weer zie. Maar intussen, wordt het niet eens tijd dat jullie dat weekendje aan zee doorbrengen? Ik weet dat het november is, maar waarom rijden jullie niet naar een leuk pensionnetje in Cornwall om daar een poosje te logeren? Onder een andere naam. Alsjeblieft.'

'Reznik,' zei Nick zodra ik opgehangen had. 'Altijd een bank. Altijd een menigte. En echt iets voor Moselane om hem te vertellen waar je ouders wonen.'

Ik voelde een belachelijke steek van ergernis. 'Waarom niet de Amazones?'

Nick stapte uit bed en ging op jacht naar onze kleren. 'De Amazones zijn niet in oorlog met ons, ze zijn in oorlog met hem. Als zij dat schrift echt in bezit hadden willen krijgen, kun je ervan op aan dat ze het een hele tijd geleden al zouden hebben gestolen.'

'Misschien wisten ze niet dat het bestond.'

Met een van pijn vertrokken gezicht trok Nick zijn T-shirt over zijn hoofd. 'Goed punt. Hoe weet Reznik er eigenlijk van? Via James?'

'James weet niets van het schrift,' zei ik. Toen herinnerde ik me iets, en ik kreunde. 'De envelop! Die ik van jou afgepakt heb. Die knuppels uit Genève moeten hem bekeken hebben in mijn hotelkamer in Bramsche. Weet je nog dat er een medisch artikel in zat, geschreven door ene dr. Trelawny...'

'Zover ben ik nooit gekomen,' zei Nick verbolgen. 'Het enige wat ik heb gezien was het detectiverapport over jou en de brief van Reznik aan zijn informantennetwerk...'

'Bedoel je die brief aan Jumbo? Ik dacht dat het een boodschap was voor een huurmoordenaar. Ik dacht eigenlijk dat die voor jou was.'

'Jumbo. Grote oren.' Nick wapperde met zijn handen naast zijn hoofd. 'Reznik probeerde informatie te verzamelen. Die premie van een miljoen kwam later pas. Omdat hij zo paranoïde is, heeft hij overal camera's hangen, en die arme klootzak heeft de moord op zijn eigen zoon op video staan. Ik zal je de details besparen. Laten we zeggen dat Alex Reznik weet wie hem vermoordde, en waarom. Dat is de reden voor Rezniks obsessie met de Amazones. Ik weet niet hoe dicht hij ze al genaderd is met zijn speurwerk, maar gezien zijn belangstelling voor het schrift van je oma zit hij ze behoorlijk dicht op de hielen.'

'Niet zo dicht als wij,' zei ik.

Nick keek me met half toegeknepen ogen aan. 'Want?'

'Denk eens na.' Ik ging op mijn knieën zitten om het beter te kunnen uitleggen. 'Als we Reznik het schrift geven, ziet hij de geheime boodschap meteen. En vanwege zijn obsessie met de Amazones zou hij oma's raadsel ook nog wel eens kunnen oplossen. Wie weet, misschien is "Suomussalmi Vaburusi" wel het enige wat hij nodig heeft om het grote moederschip van de Amazones te vinden, zoals jij het noemt, en' – bij de gedachte huiverde ik – 'op te blazen.'

Nick kwam naar me toe, ernstiger dan ooit. Hij legde zijn hand op mijn wang en zei: 'En weet je zeker dat dat zo verkeerd zou zijn?'

Toen we door de wolken braken, zagen we Finland onder de sneeuw liggen. Onderweg naar onze huurauto bleven er maar vederlichte vlokken uit de lucht vallen, als confetti, bij wijze van donzig welkom. 'Niet echt het zandstrand waar jij zo naar uitkeek,' zei ik tegen Nick.

Nadat we de parkeerplaats eenmaal af waren, viel de sneeuw zo dicht op de voorruit dat ik de ruitenwissers op volle kracht moest zetten. Ik deed mijn best om opgewekt te blijven: 'Maar is het niet beeldschoon? Ik kan het gejuich van de Finse kindertjes bijna horen.'

'Jij hoort een hoop vandaag.' Nick knipte het binnenlampje aan om onze plattegrond beter te kunnen zien. 'Vertelt een van die stemmen je misschien of we links of rechts moeten als we bij de Oulun Lääni komen – wat dat dan ook wezen moge?'

Ik trapte een paar keer op de rem om te bepalen hoe glad de weg was. 'Ik zei toch dat we de gps mee hadden moeten nemen.'

'Echte mannen gebruiken geen gps,' hielp hij me herinneren.

'En daarom,' stelde ik, 'zijn er ook bijna geen echte mannen meer. Ze kruipen steeds uit de genenpoel en verdwalen op de terugweg.'

We zwegen een poosje. Ik wist dat Nick nog steeds geïrriteerd was over mijn besluit om naar Suomussalmi te gaan, maar hij had ook geen werkbaar alternatief kunnen voorstellen. Het enige positieve was dat hij me niet in mijn eentje had laten gaan, en daarvoor was ik hem immens dankbaar.

Voordat we die ochtend het huisje verlieten, had ik het Museum Kalkriese gebeld om het telefoonnummer van dr. Jäger te vragen. Tot dusver was ik immers bij haar het dichtst in de buurt van een menselijke Amazone geweest. Felix vertelde me echter dat ze onverwacht was gaan logeren bij een zus van wie niemand het bestaan had geweten. Het verbaasde me niet dat ze geen adres had achtergelaten.

Na de manier waarop ze ons hadden behandeld, waren Nick en ik inmiddels niet meer zo bijster gesteld op de Amazones. In tegenstelling tot Nick voelde ik me echter verplicht om aan hun kant te staan, al was het maar uit liefde voor mijn oma. Ik kon het schrift onmogelijk aan Reznik geven, of aan iemand anders. Maar als ik dat niet deed, zou ik me altijd zorgen blijven maken over mijn ouders.

Ten slotte had zelfs Nick met tegenzin erkend dat we naar Finland moesten. Al was het maar vanwege het morbide principe dat de vijand van je vijand jouw vriend is, leek het ons het beste om de Amazones te vinden voordat Reznik dat deed. Misschien waren ze in Suomussalmi, misschien niet... maar het was het enige spoor dat we hadden. En, zoals ik telkens tegen Nick zei, mezelf tegelijkertijd overtuigend: ik wist zeker dat mijn oma me daar niet zomaar heen zou sturen. Ja, haar bericht in wit vetkrijt was meer dan twintig jaar oud, maar ze had het vast niet in een opwelling geschreven. Sterker nog, hoe meer ik erover nadacht, hoe sterker ik ervan overtuigd raakte dat oma mij de toversleutel had toevertrouwd tot een onneembare Amazoneburcht, en dat onze problemen voorbij zouden zijn als we daar eenmaal waren.

'Kop op!' zei ik tegen Nick terwijl we door de smeltende sneeuw reden. 'Nog even en je zit met een wodka-martini in een jacuzzi, omringd door weelderig bedeelde supervrouwen in belachelijk blote bikini's.'

Naargelang we het binnenland in reden vanaf de luchthaven Oulu voelde ik de grimmigheid van onze situatie echter van alle kanten op ons wegen. In het stille, besneeuwde duister van de Finse winter was het onmogelijk te zien of we door landerijen of toendra's reden, want alles was bevroren – elke paal, elke struik, al het onkruid. Boven dit landschap in zijn winterslaap hing een oude zon, te uitgeput om de schemer te verlichten, al was het pas halverwege de middag.

'Ik heb een idee,' zei ik ten slotte, en ik zette de auto aan de kant midden in het dichte bos van Kainuu. 'Jij rijdt en ik lees een verhaaltje voor.'

Dat opperde ik niet alleen om ons op te vrolijken. In werkelijkheid wilde ik ontzettend graag doorlezen in de *Historia Amazonum* om te zien hoe het afliep. Zelfs al had P. Exulatus het tweeduizend jaar geleden geschreven, onwillekeurig dacht ik toch dat zijn kennis ons misschien, via een omweg, kon helpen als, of wanneer, we de Amazones echt wisten te vinden. En dus las ik de rest van het manuscript voor, hardop vertalend vanuit het oorspronkelijke Latijn. Het ging ongeveer zo:

'Over de barbaren in Sarmatia en Germania Magna is nog veel te vertellen, maar ik zal me beperken tot de verhalen die de Amazones betreffen. Velen beweren vrouwen te paard te hebben zien vechten in die streken, maar of die met recht Amazones kunnen worden genoemd, is een andere kwestie. Vrouwen die dagelijks met mannen omgaan beschouw ik niet als Amazones, noch zouden deze barbaarse vrouwen, die wapens dragen om hun familie en de vruchten van hun arbeid te beschermen, zich Amazones noemen. Zij handelen slechts volgens' – ik zweeg even om de gepaste vertaling te overwegen – 'hun gezonde verstand, en bij dit brave volk is het nog mogelijk om deugdzaamheid aan te treffen, in zowel mannen als vrouwen. Zij streven er niet naar zich te verschuilen achter geschreven verdragen, bekrachtigd door verre legers, maar ontwaken elke dag bereid om hun eigen rechten te verdedigen.'

'Ik mag die vent wel,' zei Nick, toen ik even zweeg om een onduidelijk stukje te ontcijferen. 'Jammer dat hij zo weinig gelezen wordt.'

'Tja,' zei ik, 'laten we hopen dat we daar iets aan kunnen doen.' Nadat ik de volgende paar bladzijden had bekeken, waar voorbeelden stonden van beroemde Sarmatische en Scythische krijgsvrouwen, sloeg ik een stuk over tot waar de actie weer begon. 'Oké, daar gaan we weer: "Tot dusver de karakteristieke verhalen over dit ruitervolk. We naderen nu het einde van onze geschiedenis, want van alle legenden over Germania Magna betreft slechts een er de Amazones. Dit verhaal werd mij verteld door een soldaat die er gelegerd was tijdens de Varusramp, en slechts ternauwernood aan de slachting ontsnapte."'

Ik hapte naar adem en las de laatste zin nog eens haastig door. 'De Varusramp! Dat was de Romeinse naam voor de slag om het Teutoburgerwoud – die grote hinderlaag waar ik je over vertelde, waar de moerasvrouw van dr. Jäger bij omkwam. Nu komen we ergens! Luister: "De soldaat verklaarde onder ede dat hij adjudant was geweest van de commandant van het Negentiende Legioen."' Ik was zo opgetogen dat ik Nick bij zijn arm greep. 'Een overlevende! Iedereen dacht dat die drie legioenen tot op de laatste man uitgeroeid waren. Maar dit is een ooggetuige!' Ik keerde terug naar de tekst, nauwelijks in staat om stil te blijven zitten. 'Op de vooravond van de rampzalige slag verscheen er 's avonds een vrouw verkleed in mannenkleren om een gunst te vragen aan de commandant. Ze stond erop hem alleen en onder vier ogen te spreken. Geïntrigeerd stuurde hij iedereen weg, behalve zijn adjudant.'

'Ik voel nattigheid,' zei Nick.

'Toen haar werd gevraagd wat haar boodschap was,' ging ik geestdriftig verder, 'vroeg de vrouw de bevelhebber of hij bekend was met de legende van Alexander de Grote en Thalestris, de Amazonekoningin. Toen hij erkende het verhaal te hebben gehoord, vertelde ze dat zij een vergelijkbare missie had. Het was haar wens, zei ze, om de nacht met hem door te brengen; bij dageraad zou ze voor altijd vertrokken zijn.'

Nick floot. 'Ik wist niet eens dat je dat kón zeggen in het Latijn.'

'Natuurlijk was de commandant verbijsterd door het verzoek,' ging ik verder, na Nick even flink in zijn ribben te hebben gepord. 'Als Romein was hij zulk vrijmoedig vrouwvolk niet gewend. Uiteindelijk besloot hij echter dat ze hem gestuurd moest zijn als een grappig geschenk van zijn officieren, en aangezien hij een trotse man was, besloot hij er het beste van te maken. Tot zijn verbazing stapte de vrouw uit zijn bed toen de dag aanbrak, en maakte zich zoals beloofd op om te vertrekken. En toen de commandant, die van haar... gezelschap had genoten, haar uitnodigde om te blijven, antwoordde ze aldus: "Romein, onze paden hebben elkaar kortstondig gekruist, zoals de Zon en de Maan dat soms doen; nu moeten wij weer scheiden. Dat zijn de regels waar wij beiden bij leven. Maar vandaag, als het donker wordt, kun jij je troosten met de wetenschap dat je kracht zal voortleven."

De commandant was niet tevreden met haar raadselachtige antwoord en drong erop aan dat de vrouw zou blijven; hij deed haar allerlei beloften waar vrouwen meestal voor bezwijken. Nu toonde ze hem echter de armband om haar pols en zei: "Jij bent een man van vele deugden, een sterk en onberispelijk mens, daarom heb ik jou gekozen. Maar deze heilige jakhals dicteert mijn lot en herinnert mij eraan dat de Maan mijn meesteres is. Ik kan mijn oren niet sluiten voor haar bevelen. Zij verbiedt mij het daglicht met jou te delen."

Waarop de commandant zei: "Je spreekt met zoveel vertrouwen dat ik je wel moet geloven. Ben je een Germaanse edelvrouw? Misschien zal ik je weerzien, tijdens de vredesonderhandelingen."

"Misschien zul je me weerzien," antwoordde ze. "Maar het zal geen vreugdevolle hereniging worden. Wij weten allebei dat er geen vrede kan zijn zonder bloed." Op de drempel keek ze nog een laatste keer om en zei: "Omdat je aanblik mij nog lief is, zou ik je vragen je eigen leven te redden, maar ik weet dat dat tegen je aard ingaat. Je dapperheid is de reden waarom ik jou uit duizenden gekozen heb als vader van mijn kind. Daarom zeg ik je alleen maar dit, voor ik vertrek: Romein, jij leeft om te doden, en jouw eer voedt zich met het vlees van anderen. Zolang deze gouden band om mijn arm zit, en om de armen van mijn zusters, zullen wij je kracht stelen, maar je macht verachten, en de macht van anderen zoals jij. Want er zullen anderen komen: elke eeuw kweekt hongerige meesters, maar zij zullen allen tot stof vergaan, terwijl wij, de Amazones, voor eeuwig blijven leven."'

Ik liet het manuscript zakken, bijna buiten adem van opwinding. 'De jakhalsarmband wordt erin genoemd. Dit verhaal moet wel iets van waarheid bevatten. Wat denk jij?'

Nicks voorhoofd werd doorploegd door diepe gedachten en even dacht ik dat hij niet echt geluisterd had naar het laatste deel van mijn vertaling. Toen vroeg hij: 'Zou je dat stuk nog eens willen lezen? Waar ze hem vertelt waarom ze niet kan blijven?'

Dat deed ik, waarna hij opnieuw in zwijgen verviel en met zijn vingers op het dashboard trommelde.

'Wat is er?' vroeg ik. 'Je maakt me wel heel erg nieuwsgierig.'

'Ik weet bijna zeker,' zei hij na een poosje, 'dat mijn Amazonemoeder mijn vader ook iets van die strekking heeft verteld. Dichterlijke flauwekul over de jakhals en de maan en het daglicht niet mogen delen.'

Ik legde een hand op zijn been en kneep er even in. Het bos om ons heen was dicht en alomvattend, gehuld in ijzige stilte, en allesbehalve gastvrij. En toch stond de scheve zeis van de maan die ons de vorige avond op weg naar Frankfurt al had vergezeld, nu recht voor ons aan de hemel. De onbetwiste vorst van de poolwinter leek ons te wenken.

'Nou,' zei ik terwijl ik door de laatste bladzijden van de *Historia Amazonum* bladerde, 'de rest is allemaal kruiperige onzin, bedoeld om een of andere keizer – waarschijnlijk Tiberius – te overreden om de schrijver naar Rome te laten terugkeren. Maar die arme P. Exulatus zal wel in ballingschap gestorven zijn, zoals zoveel anderen, en thuis heeft niemand ooit geweten van dit manuscript.'

'Jammer hoor,' zei Nick. 'Dat laatste verhaal vond ik leuk.'

'Ook al verklaart het niets?'

'Maar dat doet het wel.' Hij keek me aan. '"Alleen wij, de Amazones, zullen voor eeuwig blijven leven." Wat wil je nog meer weten dan?'

Het stadje Suomussalmi was weinig meer dan een kleine verzameling winkels en gebouwen, samengeschoold tegen de onpeilbare woestenij die er van alle kanten op neerdrukte.

Toen we bij een benzinestation stopten om de weg te vragen naar het dichtstbijzijnde hotel, viel het me op dat de plaatselijke bewoners geworteld leken te zijn in hetzelfde mystieke element als het stille woud van Kainuu. Ze keken naar ons alsof ze precies wisten wie we waren en zich alleen hadden afgevraagd wanneer we eindelijk zouden komen – maar toch verrieden hun ogen geen emotie. Misschien waren we vrienden, misschien waren we vijanden. Het zou meer dan de stamelende uitwisseling van een paar aardigheden met een kassa ertussen vergen om daarachter te komen.

Ook de hotelkamer begroette ons niet bijzonder enthousiast, hoewel je ervoor kon kiezen om de esthetiek van een lege kostschoolslaapzaal als een voorbeeld van moderne noordse elegantie te beschouwen.

'Om het maar even gezegd te hebben,' zei Nick, terwijl hij onze reistassen op de berkenhouten vloer zette, 'voor het geval het in de toekomst ooit ter sprake komt, en ik weet nu al dat dat gaat gebeuren' – met een zwaai tilde hij me op en gromde rechtstreeks in mijn oor – 'jij bent zelf weggelopen uit mijn decadente suite in het Çirağan Palace.' Hij liep naar het bed en legde me boven op het Spartaanse dekbed, waarna hij over me heen geleund bleef staan. 'Wat is dat toch met jullie Britten? Waarom zijn jullie zo bang voor een beetje comfort?'

'Comfortabele mensen verliezen hun waakzaamheid.'

'Weet je...' Nick begon me in mijn hals te zoenen. 'Het is maar goed dat ik je nooit zelfverdedigingstechnieken heb geleerd. En ik zie je duelleerzwaard ook nog nergens. Nu kan ik met je doen wat ik wil.'

'Je schijnt te vergeten dat ik je net heb meegesleept naar de poolcirkel.'

'O, maar dat weet ik wel.' Nick ging op zijn rug op het bed liggen, zijn armen achter zijn hoofd, en grijnsde uitdagend naar me. 'En nu krijg ik mijn beloning. Toch?'

Ik lachte. 'Je bent zo'n ontiegelijke neanderthaler.'

'En daar zou je dankbaar voor moeten zijn,' merkte hij op. 'Het waren niet de neanderthalers die de misogyne metafysica verzonnen. Het vergt een beetje beschaving om zoiets gemeens te bedenken.'

Later die avond, na een paar verrukkelijk onbeschaafde uren in bed en een lange, genietende douche, werd ik weer herinnerd aan de kwetsbaarheid van ons huidige geluk.

'Wat is dat?' vroeg Nick toen ik mijn tanden ging poetsen; zijn gezicht betrok. 'Hoe kom je aan die tandpasta?'

Ik keek naar de nietszeggende tube die naast de wasbak lag en werd bekropen door paniek. Voordat we die ochtend naar het vliegveld gingen, had hij me opgedragen om alles te lozen wat er in mijn hotelkamer in Kalkriese was blijven liggen tijdens mijn afwezigheid. Op de een of andere manier was de tandpasta aan mijn aandacht ontsnapt.

'Wat doe je?' vroeg ik toen hij de witte pasta boven de wasbak uit de tube kneep.

'Hier... voel je dat?' Hij liet me het onderste deel van de tube voelen, waar een kleine, harde knoop leek te zitten.

We keken elkaar aan. Was dat een zender?

'Weten ze waar we zijn?' vroeg ik, ijzig koud bij het idee dat we misschien weer zouden moeten vluchten voor de gorilla's van Reznik, zo laat op de avond.

'Niet noodzakelijkerwijs,' zei Nick, terwijl hij zijn kleren aanschoot. 'Maar ik wil geen risico nemen. Hou het bed warm. Ik ga een eindje rijden met dit fluorhoudende vriendje.'

38

Laten wij eensgezind besluiten
Elkaar geen schade te berokkenen
Zolang wij leven
Zolang de maan goudglanzend schijnt.

– DE KALEVALA

SUOMUSSALMI, FINLAND

HET MONUMENT VOOR DE WINTEROORLOG in Suomussalmi was zo ongewoon dat we er verschillende keren voorbijreden voordat we beseften wat het was. Profiterend van de zon rond het middaguur waren we op zoek geweest naar een leger van in marsorde opgestelde identieke grafstenen, maar wat wij vonden was verbijsterend anders.

Het was de kruidenier aan de overkant van het hotel die een bezoek had geopperd aan het Raatteen Portti, zoals het oorlogsmonument en museum werden genoemd, aangezien dat kennelijk de poort tot het verleden van Suomussalmi was. Eerder die ochtend hadden we een praatje gemaakt met de receptionist van het hotel, die ons had verteld dat 'Vaburusi' in feite niet één naam was, maar twee: 'Vabu' was een Finse meisjesnaam, en 'Rusi' was een achternaam. Helaas stond er geen enkele Rusi in het regionale telefoonboek. Zo waren we uiteindelijk bij de kruidenier terechtgekomen, die verklaarde dat hij ook niemand kende met die naam.

'Maar probeer het eens bij Raatteen Portti,' had hij voorgesteld, terwijl hij een schets maakte van de route. 'Marko, die daar werkt, herinnert zich alles over iedereen. Zelfs de dingen' – de man had zijn blik afgewend, en de lijnen rond zijn ogen hadden zich verstrakt – 'die wij liever vergeten.'

En zo reden we rond het middaguur naar het Winteroorlogsmonument, toen de zon het sterkst was, en we realiseerden ons algauw dat hier niets voorspelbaar was. Ondanks de bescheiden omvang – of misschien juist daardoor – voelde ik dat Suomussalmi een diepe, donkere ziel bezat, vol goed bewaarde geheimen.

Bij de ingang van de begraafplaats werden we begroet door een ijzige oostenwind die ervoor zorgde dat we allebei klappertandend onze capuchons over ons hoofd trokken en de thermische handschoenen aantrokken die we die ochtend hadden gekocht, voordat we aan onze excursie begonnen. De jassen die we op het vliegveld van Frankfurt hadden aangeschaft waren simpelweg niet warm genoeg in dit land waar de novemberzon nauwelijks boven de horizon reikte, voordat het vanaf drie uur 's middags door de poolnacht opgeslokt werd.

'Laten we naar binnen gaan,' zei Nick, wiens stem gedempt klonk door zijn capuchon.

'Niet voordat we het park hebben gezien. Ik warm je later wel op.'

Om ons heen lagen duizenden ruwe keistenen, elk met zijn eigen, individuele vorm, op een grote open plek in het bos, en herinnerde ons eraan dat elke gevallen soldaat die hier werd herdacht een onafhankelijk menselijk wezen was geweest – iemand wiens laatste gedachten waarschijnlijk niet aan internationale politiek gewijd waren, maar aan zijn dierbaren en zijn kameraden om hem heen. Dat was mijn interpretatie tenminste, uitgesproken vanachter mijn shawl op onze behoedzame weg door de sneeuw.

Toen we in de richting van een kleine klokkentoren liepen die midden in het park stond, zagen we vanuit een nabijgelegen museumgebouw een man met een ladder naar ons toe komen. Toen hij zag dat wij dezelfde kant op gingen, zette hij de ladder neer, verschoof zijn bril en kwam naar ons toe. Ook al droeg hij alleen een leren jas en helemaal niets wolligs, zijn handdruk was even warm als zijn glimlach.

'Ik ben Marko,' zei hij, terwijl hij de kraag van zijn jack opsloeg. 'Ik ging net de klokken schoonmaken. Het zijn er honderdvijf, in allemaal verschillende maten.' Hij wees naar de top van de klokkentoren, die niet echt een toren was, maar bestond uit vier tegen elkaar geleunde, gebogen houten balken die samen een gigantisch Y-vormig klokkenspel vormden. 'Eén klok voor elke dag van de Winteroorlog. Je kunt ze horen als de wind waait. Maar kom binnen, neem een kop koffie. Deze week hebben we *karjalanpiirakat*.' Toen hij zag dat we hem niet verstonden, stak Marko zijn handen op en glimlachte. 'Lastige naam, maar het is een Karelische specialiteit.'

Er waren die dag maar weinig mensen in het Raatteen Portti Museum. Een paar praatgrage vrouwen werkten in het café, en aan een tafel bij het raam zat een oudere man in een rolstoel rustig foto's te sorteren.

Hoewel Marko duidelijk nieuwsgierig was, vroeg hij niet waar we vandaan kwamen maar leidde ons vlot door de tentoonstelling, in de veronderstelling – zoals hij waarschijnlijk bij iedereen deed, en niet zonder reden – dat wij niet het vaagste benul hadden van de data of de omstandigheden van de Winteroorlog, die zijn passie was.

'Het was Stalins poging om Finland in te nemen in de winter van 1939-40,' legde hij uit, wijzend naar oude geplastificeerde foto's van het Rode Leger aan de muur. 'We waren met tien tegen één in de minderheid, en Stalin dacht dat hij het kleine weerloze Finland met al zijn moderne machinerie binnen twee weken zou kunnen innemen. Hij nam niet eens de moeite om zijn soldaten van winteruniforms te voorzien.'

We liepen zwijgend door de tentoonstelling, bekeken tableaus met figuren van Finse skipatrouilles in sneeuwcamouflage en ijzingwekkende foto's van dode, ter plekke bevroren Russische soldaten, hun bloedeloze handen voor eeuwig geheven in verbaasde verdediging.

Bij het zien van ons afgrijzen hield Marko even stil voor een uitleg. 'Het was dat jaar een erge koude winter. Bij min veertig moet je niet zweten, zelfs niet van angst, omdat het vocht in ijs verandert en je bevriest. Maar tegelijkertijd moet je je hartslag op peil houden. Op het moment dat je bloed vertraagt,' zei hij met een knikje naar de foto's om ons heen, 'als je bijvoorbeeld wordt geraakt door een kogel, of als iemand je keel doorsnijdt met een mes dat aan een skistok bevestigd is, bevriest je lichaam ter plekke... zittend, staand, maakt niet uit. Als je ons nationale epos leest, de *Kalevala*, zul je zien dat wij Finnen hebben geleerd om de vorst te respecteren, en dat we een pact hebben gesloten om ermee te leven. Stalin had geen respect voor de Finse winter. Hij stuurde zijn soldaten hierheen voor moord, en die hebben ze gevonden.'

We stonden stil om een paar van de persoonlijke eigendommen die de dode Russische soldaten bij zich hadden te bekijken, en ik begreep dat Marko evenveel medelijden met hen had als met de Finnen. Net als de Romeinen in het Teutoburgerwoud waren ze naar vijandig, onbekend grondgebied gestuurd door arrogante leiders, om in stukken te worden gescheurd door underdogs die zich verzetten tegen de heerschappij van de grootmacht.

'Wat is er hier in Suomussalmi precies gebeurd?' vroeg Nick. 'Je zou denken dat Stalin eerst voor Helsinki zou gaan.'

'Dat deed hij ook,' zei Marko. 'Hij ging voor het hele land. Hij bombardeerde Helsinki zonder ons zelfs maar de oorlog te verklaren, en daarna viel hij de grens aan met vliegtuigen en tanks en richtte een vreselijk bloedbad aan. En wat hadden wij? Dappere mannen die recht op de tanks afliepen en molotovcocktails in hun luchtkoker smeten.' Trots rechtte hij zijn rug. 'Die hebben wij uitgevonden, weet u. Tijdens de Winteroorlog. Daarom hebben we ze naar de Russische minister van Buitenlandse Zaken genoemd.' Misschien vond hij dat hij zich te veel had laten gaan, want Marko perste beide handen in de zakken van zijn leren jas, zijn ellebogen opzij, voordat hij verderging: 'Hier in Suomussalmi waren het vooral guerrillagevechten. Veel van de oude veteranen weigeren er zelfs nu nog over te praten. Ze zeggen alleen dat ze vreselijke dingen hebben gedaan.' Met zijn schoen wreef Marko een imaginaire peuk in de grond. 'Hier, ten oosten van Suomussalmi, over de Raateweg, kwamen twee Russische divisies over de grens. Ze hadden veel pantservoertuigen, dus ze moesten op de weg door het bos blijven, in een lange stoet, met ijskoud weer. De Finnen waren op ski's en droegen sneeuwcamouflage. De Russen hadden geen schijn van kans. Drieëntwintigduizend lichamen, tot standbeelden bevroren, een kilometerslange rij op de Raateweg.'

Nadat we eindelijk bij het gezellige café waren en hij ons had voorzien van koffie en cake, vertelde Marko verder dat er zelfs nu nog weinig mensen in de buurt van de Raateweg wilden wonen. Er leefden wolven en beren in het bos, maar verontrustender was dat er duizenden Russische soldaten begraven lagen, in massagraven langs die massamoordweg. Zoals gewoonlijk had Stalin de nederlaag volledig ontkend: door te weigeren de lichamen van de soldaten terug te nemen, liet hij het aan de Finnen over om de mannen te begraven die gestuurd waren om hen te vernietigen. Sommige graven waren gemarkeerd; de meeste niet. Volgens Marko was elk bosje gezonde berkenbomen tussen de verweerde dennen een zekere aanwijzing voor een massagraf eronder; de natuur had haar eigen gedenktekens neergezet voor de levens die in dit spookachtige bos beknot waren.

Na een poosje te hebben gezwegen vroeg ik: 'Ik neem niet aan dat u ooit gehoord hebt van een vrouw die Vabu Rusi heette?'

Marko dacht even na. 'Nee. Maar Aarne misschien wel.' Hij stond op en liep naar de man in de rolstoel om met hem te praten.

Ik realiseerde me niet echt hoe gespannen ik was geweest tot ik zag dat de oude man opleefde en geanimeerd op de vraag reageerde. Daarna wenkte Marko ons en bracht ons naar een vertrek vol metalen archiefkasten en een diaprojector gericht op een wit uitrolscherm.

Zachtjes overleggend in het Fins begonnen de mannen laden vol dia's te doorzoeken, tot Aarne ten slotte een smalle doos omhooghield, de geschreven aantekeningen op de zijkant controleerde en met een ernstig gezicht bevestigend knikte.

Tijdens het opwarmen van de projector legde Marko uit dat Vabu Rusi in oorlogstijd een Lotta was geweest – een van de vele vrouwelijke vrijwilligers die de Finse soldaten achter de frontlinies bijstonden. 'Aarne zegt dat Vabu een uitstekende verpleegster was, en dat ze altijd hielp bij de amputaties. De jongemannen keken graag naar' – Marko fronste – 'naar haar mooie gezicht in plaats van naar de dokter... u begrijpt het wel.' Verdrietig schudde hij zijn hoofd. 'Maar haar verhaal is tragisch. Vabu's echtgenoot viel in de Winteroorlog, en zij en haar dochtertje werden gegijzeld door Russische partizanen – dat denkt Aarne althans. Net als zoveel andere Finse moeders en kinderen werden ze nooit meer teruggezien. Maar kijk.' Marko schoof de eerste dia in de projector, en we zagen een oude zwart-witfoto van een groep vrouwen die voor een gebouw stonden, in verpleegstersuniform.

Aarne boog zich voorover om elk gezicht te bekijken, en schudde toen zijn hoofd. Pas toen Marko de vierde dia in de projector schoof – nog een groepsfoto van glimlachende verpleegsters – knikte Aarne eindelijk en wees geestdriftig naar een jonge vrouw die in de voorste rij op een lange bank zat.

'Daar!' zei Marko. 'Dat is Vabu Rusi. Ze was enig kind, zei Aarne. Dat was jammer, want alle jongemannen waren graag met haar zusters getrouwd.'

Ik ging zo dicht mogelijk bij de korrelige projectie staan en bestudeerde het lieve, glimlachende gezichtje. Het was onmogelijk om geen band te voelen met Vabu Rusi na het verhaal van haar droevige leven, maar ik wist niet zeker of de knoop van tranen in mijn keel van meer dan gewoon medeleven getuigde. Vertoonde deze vrouw enige gelijkenis met mijn grootmoeder? Het was moeilijk te zeggen. Ik kon me niet herinneren dat ik oma ooit had zien glimlachen.

'En de dochter?' vroeg ik de mannen, mijn hand opgestoken tegen de lichtstraal van de projector. 'Van haar hebben jullie zeker geen foto?'

Spijtig schudde Marko van nee. 'Ze was zo jong toen ze meegenomen werden. Aarne weet haar naam niet eens meer.' Ik kon zien dat hij graag wilde weten waarom dit zo belangrijk was, maar beleefdheid belette hem om zijn nieuwsgierigheid uit te spreken. Misschien had Marko's leven te midden van veteranen uit de Winteroorlog hem allang geleerd wanneer hij geen vragen meer moest stellen.

Toen we het museum verlieten, was de zon allang onder de horizon verdwenen, en de lucht had een zweem van de nacht in zich die mij tot op het bot verkilde. Naast Nick onderweg naar de auto vroeg ik me af of ik ooit weer warm zou worden. Het was niet alleen de teleurstellende ontdekking dat die arme Vabu Rusi niet in staat zou zijn om ons te helpen het raadsel van mijn grootmoeder te ontwarren; de waarheid was dat deze plek me diepbedroefd maakte. Ik kon niet wachten om deze bevroren woestenij en zijn duizenden dakloze spoken achter me te laten. 'Tot zover het gesprek met Vabu,' zei ik, mijn handen in mijn zakken begravend op zoek naar de autosleutels. 'En nu? Het gemeentearchief?'

Maar Nick reageerde vreemd genoeg nauwelijks; hij keek af en toe naar de overkant, waar een motorfiets stond, stationair draaiend onder zijn berijder in de schaduw tussen twee straatlantaarns. 'Dat,' zei hij na een poosje, 'is een KTM-motor. Heeft net de rally van Dakar gewonnen.' Wellicht omdat hij zich realiseerde dat ik op de clou wachtte, vervolgde hij: 'Vanmorgen zag ik er ook al eentje, toen we in de kledingzaak waren. Ik wed dat dit dezelfde is. Er zijn niet zoveel mensen die in dit weer op een motor willen rijden.'

Hij had het nog niet gezegd of de motorfiets snelde weg in het duister, in de richting van de Russische grens.

'Reznik?' vroeg ik, opnieuw huiverend, deze keer van angst.

'Dat denk ik niet.' Nick tuurde nog steeds in de zwarte leegte van de Raateweg; in zijn kaak speelde een klein spierkwartet. 'Maar ik denk wel dat we in de gaten gehouden worden.'

Terug in het hotel trok ik Nick weer mee de douche in, wanhopig om hem nog één keer voor mezelf te hebben. Hoewel we geen plannen hadden gemaakt om te blijven of te vertrekken, wist ik dat Kamal al-Aqrab al snel weer door de sirenen geroepen zou worden – om niet te spreken van de onverzoenlijke vaderlijke cycloop die zijn leven beheerste.

'Exquise, zeldzame godin,' zei hij toen hij in de douchebak stapte.

'We weten allebei wat er gebeurt met stervelingen die Diana zien baden.'

'Ja.' Ik trok hem onder de sissende stroom warm water, vol verlangen om van zijn volmaaktheden te genieten en de onvolmaakte wereld om ons heen te vergeten. 'Maar ik beloof dat ik het de moeite waard zal maken.'

'Ik had me nooit kunnen voorstellen,' prevelde hij terwijl hij me dicht tegen zich aan trok, 'dat ik me aan HIEROS GAMOS zou overgeven in Finland in november...'

Ik lachte verbaasd, omdat ik me ons ondeugende tafelgesprek met Rebecca op Kreta maar al te goed herinnerde. 'Ik dacht dat jij geen Grieks kende.'

'Ik moest het wel opzoeken, toch? Hoewel jouw rode hoofd die avond boekdelen sprak.' Nick streelde mijn wang, zijn ogen vol oprechtheid. 'Ik heb van mijn leven nog niet zoveel woorden opgezocht... Je bent goed voor mijn vocabulaire.'

Ik fronste zogenaamd verstoord mijn wenkbrauwen. 'Alleen daarvoor?'

Hij liet zijn handen langs mijn glibberige lichaam glijden. 'Laat me eens denken. Waar ben je nog meer goed voor?'

'Ik zou je kunnen afranselen met een berkentak?' stelde ik voor, met een plagerige klap op zijn *gluteus maximus*. 'Dat doen de Finnen als ze naar de sauna gaan. Kennelijk is het heel verfrissend. En daarna rennen ze naar buiten om in de sneeuw te rollen. Hoe klinkt dat?'

Nick glimlachte verdorven. 'We zouden alle sneeuw in Finland laten smelten.' Toen draaide hij me om, trok me met zoekende, genietende handen tegen zich aan en prevelde tegen mijn schouder: 'Ik heb een veel beter idee. En we hebben er niet eens een berkentak bij nodig.'

Pas toen we klaar waren om te gaan eten zag ik de envelop die onder onze deur was geschoven. Hij was geadresseerd aan de heer en mevrouw Panogopoulos en bevatte een dubbelgevouwen vel zwaar papier, voorzien van een met de hand getekende plattegrond en een korte boodschap bovenaan:

Kom alstublieft meteen naar mij toe.
Yabu Rusi

Nick herstelde zich als eerste van deze plotselinge doorbraak. 'Gefeliciteerd,' zei hij terwijl hij me in mijn nek zoende. 'Je hebt de Amazones gevonden.'

Argwanend bekeek ik de routebeschrijving. 'Zouden die het echt zo gemakkelijk maken? Stel dat het Reznik is? Zijn mannen hebben me in Kalkriese ook gevonden... Ik neem tenminste aan dat hij ze had gestuurd. Met hun Geneefse kenteken.'

We bespraken het een poosje en besloten dat Reznik me in Duitsland had weten te vinden om dezelfde reden als waarom Nick hetzelfde had kunnen doen, namelijk omdat Rebecca mijn belangstelling voor het Museum Kalkriese eruit had geflapt aan de telefoon. Reznik had haar telefoongesprekken ongetwijfeld al afgeluisterd sinds de avond van het feest. Het feit dat hij nu zijn toevlucht had gezocht tot het bedreigen van mijn ouders – als hij dat inderdaad was, en niet de Amazones – was een concrete aanwijzing dat hij op het moment geen idee had waar we waren.

Aangenomen dat dit bericht werkelijk van de Amazones afkomstig was, was de grote vraag nu of ze echt een vriendelijk bezoek wilden, of ons in een hinderlaag lokten. Volgens hun plattegrond moesten we over de Raateweg langs het Winteroorlogsmonument rijden, dezelfde zwarte leegte in als die waarin de motorrijder verdwenen was. Ik wist dat ik moest gaan.

'Maar jij hoeft het niet te doen,' zei ik tegen Nick toen we samen naar de auto liepen. 'Het is mijn oma, dus mijn probleem.'

Hij deed de achterbak open en gooide onze bagage erin. We hadden besloten om al onze spullen in te pakken, voor het geval alles misliep en we snel uit Suomussalmi moesten vertrekken. 'Je snapt het niet hè?' zei hij terwijl hij de kofferbak dichtgooide. 'Ik heb al gevonden wat ik zocht. Dit is mijn gelukkige afloop, en ik ga ervan genieten, al wordt het mijn dood.'

Ik boog me naar hem toe om hem een kus te geven. 'Zeg dat niet.'

Toen we het slaperige stadje uit reden in de richting van de desolate Russische grens, sloot het bos zich met sinistere vastberadenheid om ons heen. Verdwenen was de achtergrond van gebaande paden die we zo goed kenden – voor ons lag het duistere niemandsland aan het einde van de wereld. Eindelijk gingen we het ware grondgebied van de Amazones binnen.

'Je hebt niet toevallig zo'n pistool uit Istanboel meegenomen, is het wel?' vroeg ik aan Nick, voornamelijk om de stilte te verbreken.

Maar hij was met iets anders bezig in de achteruitkijkspiegel, en toen ik me omdraaide zag ik vier vage koplampen op de verder lege weg achter ons. 'Volgen ze ons?'

'Dat denk ik,' zei hij en hij trok een gezicht. 'Laten we eens kijken of we van ze af kunnen komen.'

We reden nog een kilometer of wat door, tot we bij een kruising kwamen. Volgens de aanwijzingen van Vabu Rusi moesten we rechtdoor, maar meteen toen we dat hadden gedaan, schakelde Nick ineens de koplampen uit en reed een smal karrenspoor op dat rechtstreeks het bos in leidde. Zodra we verscholen waren tussen de bomen, trok hij aan de handrem en zette de motor uit.

We stonden zo plotseling stil dat ik geen tijd had om me schrap te zetten voordat ik naar voren vloog en gegrepen werd door een ruk van de autogordel. 'Gaat het?' vroeg hij terwijl hij me in het donker aanraakte. 'Sorry voor de hobbelige rit.'

Slechts enkele tellen later reden er op de weg achter ons twee auto's voorbij. 'Eens even kijken.' Nick draaide zich om op zijn stoel. 'We geven ze drie minuten.'

Maar minder dan een minuut later kwamen de auto's al vanaf de andere kant terugrijden, aanzienlijk langzamer nu. 'Blijf zitten!' zei Nick en hij duwde zijn portier open.

Ik stapte ook uit de auto en liep achter hem aan over het karrenspoor tot we de twee auto's in het zicht kregen. Ze stonden met draaiende motoren op het kruispunt, waar de bestuurders kennelijk bespraken waar ze nu heen moesten.

Toen ze eindelijk wegreden en de weg naar het westen kozen, sloeg Nick zijn armen om me heen en zo bleven we een poos staan, alleen maar ademend. Zonder een woord te zeggen keerden we terug naar ons voertuig en reden verder, bedrukt door de nipte ontsnapping. We hoefden ons niet af te vragen wie de twee auto's had gestuurd; we wisten allebei dat het Reznik moest zijn geweest. De vorige avond had Nick een vrachtwagenchauffeur op weg naar het noorden overgehaald om de tube tandpasta mee te nemen, helemaal naar Lapland... maar blijkbaar was het al te laat geweest.

Ik concentreerde me op de instructies van Vabu Rusi en stuurde Nick eerst de ene zijweg in, toen de volgende, me voortdurend verwonderend over het feit dat iemand de moeite had genomen om leesbare straatnaambordjes neer te zetten in dit verlaten gebied. Pas toen we stilstonden om een omgevallen bord te bekijken, besefte ik dat het tijdelijke borden waren, gemaakt van hout.

Ik weet niet zeker hoelang we al hadden gereden, toen we eindelijk een lange, besneeuwde oprijlaan afrolden. De maanverlichte schaduwen en de verlaten boswegen deden me op de een of andere manier elk besef van tijd verliezen. En de knoestige, verwrongen takken die aan de auto klauwden toen we tussen een spookachtige erewacht van hoge bomen door reden, hielpen ook al niet om het gevoel te verdrijven dat we naar een plek gingen die op het verste punt van de fysieke wereld wankelde.

Het landhuis van twee verdiepingen aan het einde van het meanderende spoor zag er even verlaten uit als de verwaarloosde oprijlaan ons te verwachten had gegeven. In de stuiterende straal van onze koplampen zag ik een voorname maar bladderende houten gevel met dichtgetimmerde ramen; pas toen we iets dichterbij kwamen, zag ik het zestal paar ski's tegen de muur staan. Hoewel het kennelijk niet helemaal verlaten was, leek het gebouw beslist niet op het onneembare fort dat wij beiden hadden verwacht.

'Is dat het?' Nick leunde voorover op zijn stoel met een grimas van ongelovige vermoeidheid. 'Waar is het prikkeldraad, waar is de piranha-gracht? Mag ik die plattegrond even zien?'

Maar er was geen vergissing mogelijk, volgens de plattegrond van Vabu Rusi moesten we hier echt zijn.

'Het is duidelijk zomaar een ontmoetingsplek,' zei ik, hopend dat mijn teleurstelling niet merkbaar was. 'De locatie van hun echte hoofdkwartier zouden ze nooit prijsgeven.'

Ik stapte uit de auto en liep naar het huis. De stoeptreden naar de voordeur waren gebroken na decennia van meedogenloze winters, en de koperen klopper in de vorm van een hoefijzer had zich allang neergelegd bij een groen uitgeslagen oude dag. Wat gebeurde er eigenlijk in dit vervallen gebouw, vroeg ik me af? Was het een plek om mensen te ontvangen... of om afscheid van ze te nemen? Zodra Nick zich bij me had gevoegd op de stoep, schudde ik mijn twijfels van me af en klopte ferm op de deur, waarmee ik duidelijk maakte dat ik, wat er ook gebeurde, verantwoordelijk was.

We moesten een poosje wachten. Toen de deur eindelijk openging, verdwenen mijn zorgen alsof ze nooit hadden bestaan, want het licht dat uit het huis kwam, was warm en overvloedig, en de vrouw die ons begroette straalde niets dan de vriendelijkste bedoelingen uit. Ze was lang en slank, en ze droeg een spijkerbroek en een dikke trui met een patroon van witte rendieren; haar grijze haar was bijeengebonden in een strakke paardenstaart. Op het eerste gezicht suggereerde haar open, levendige gezicht een vrouw van in de zestig, maar het magere, pezige van haar handdruk deed me vermoeden dat ze ouder was dan ze eruitzag. 'Eindelijk!' zei ze, met wat naar ik inmiddels wist een Fins accent was. 'Kom binnen. En let niet op de staat van het huis. De winters zijn hier zijn dodelijk.'

Ze ging ons voor naar een indrukwekkende hal van waaruit een halfronde trap naar de tweede verdieping leidde. Een paar antieke meubelstukken en een groot schilderij van grazende koeien suggereerden dat we het huis van een gecultiveerde familie betraden. En toch wist ik ergens dat het allemaal voor de sier was.

'Bent u Vabu Rusi?' vroeg Nick, terwijl hij zijn parka openritste.

De vrouw glimlachte. 'Mijn naam is Otrera.' Ze nam onze jassen aan en hing ze aan koperen haken aan de muur, vlak naast een gewerenrek waarin zes jachtgeweren stonden. 'Beren, wolven, veelvraten,' zei ze als reactie op onze zwijgende blikken. 'Ik neem een geweer mee als ik het vuilnis naar buiten breng. Of dit.' Onze gastvrouw trok een roestige degen uit de paraplubak. 'Maar kom mee.' Ze zette de degen terug waar hij hoorde en liep voor ons uit naar een zitkamer met een hoog plafond, waar aan de ene kant een driedelige antieke houtkachel stond. 'Laten we even opwarmen.'

Toen we het grote vertrek binnenkwamen, stond een handvol tienermeisjes meteen op om geruisloos door een andere deur te verdwijnen. Gekleed in joggingbroeken en T-shirts met lange mouwen, sleetse schoolboeken en etuis onder hun arm, zagen ze eruit als een gewone studiegroep die bij iemand thuis samenkwam. Een paar tellen later konden we ze op hun weg door het huis luid tegen elkaar horen praten. Op een stoel onthulde een achtergebleven boek het onderwerp van hun bijeenkomst: Russisch voor gevorderden.

Ondanks de statige afmetingen bood de zitkamer een praktische aanblik: alle ramen waren bedekt door luiken, en het enige meubilair was een bij elkaar geraapte verzameling stoelen. Sommige waren met pluche bekleed, andere hadden een rechte rug, weer andere waren slechts krukken; ze stonden echter allemaal gericht naar een grote wereldkaart die aan een van de muren hing, met een whiteboard ernaast.

'Ga zitten!' noodde Otrera, terwijl ze snel de veelkleurige krabbels op het bord wegveegde. Vervolgens greep ze zelf een stoel, zette hem achterstevoren en ging er schrijlings op zitten, haar armen geleund op de rugleuning. Onwillekeurig bewonderde ik haar fysieke zelfvertrouwen en voelde een kleine opwelling van hoop. Ik vroeg me af of oma even goed oud was geworden als Otrera? En als ze inderdaad nog leefde, kon ze dan hier zijn, in dit huis, in afwachting van het juiste moment om mij te komen begroeten?

Op dat moment hoorde ik een langdurig gebrom het huis naderen en toen brullend tot zwijgen komen. Ik keek naar Nick en zag dat hij het ook had gehoord. De motorfiets.

Met mijn blik gericht op de deur naar de hal wachtte ik nerveus af wat voor iemand er binnen zou komen. Maar er kwam niemand. Het enige wat we hoorden, waren zware stappen die de trap beklommen, lawaai van opgewonden stemmen en een deur die dichtsloeg.

Hoeveel mensen waren er in het huis? En wie waren ze precies? Tot dusver had ik niemand gezien die voldeed aan mijn beeld van een Amazone, noch maakte het huis de indruk een ontmoetingsplaats te zijn – laat staan een commandocentrum – die een machtige, internationale organisatie waardig was. Toen ik naar Otrera keek, zag ik dat ze met een speculatieve frons naar Nick staarde, voordat ze ten slotte zei: 'Jullie hebben mij iets te vragen.'

'Ik heb heel veel vragen.' Nick leunde voorover met zijn ellebogen op zijn knieën. 'Ik neem aan dat u het was die ons hier ontboden heeft.'

Fijne lijntjes van amusement – of wellicht nervositeit – trokken aan Otrera's lippen. 'Laat ik beginnen met het verhaal van de vrouw uit wier naam jullie hier vanavond zijn uitgenodigd,' zei ze. 'Zoals jullie in Raatteen Portti hebben gehoord, bevonden Vabu Rusi en haar dochtertje, Enki, zich onder de burgers die door de Russische partizanen gegijzeld werden als wraak voor Stalins nederlaag tijdens de Winteroorlog, hier in Suomussalmi. Meestal doodden de partizanen de burgers simpelweg – vrouwen, kinderen, baby's – maar Vabu en Enki werden per vrachtauto afgevoerd naar Rusland en daar in een gevangenenkamp gezet dat Kintismäki heette. Daar was ik ook, met mijn zusje, Tyyne. Onze vader was omgekomen in de oorlog, en onze moeder werd gedood toen ze ons meenamen.' Otrera plukte een pluisje van de mouw van haar trui en liet het op de vloer vallen, voordat ze met een zachtere stem vervolgde: 'Vabu's kleine Enki stierf in het kamp. Ze had al wekenlang geen echte maaltijd gegeten – wij geen van allen – en haar moeder kon haar niet langer warm houden. Toen er twee bewakers kwamen om het lijkje weg te halen, stak Vabu ze allebei dood met een keukenmes.'

Ik was zo geschokt over Otrera's kortaangebonden, prozaïsche verteltrant, dat ik nauwelijks kon geloven dat ze er echt bij was geweest. Weer herinnerde iets in haar houding me aan oma, die ook zo buitengewoon afstandelijk over de meest gruwelijke dingen kon praten, alsof de woorden slechts bestek in een lade waren.

'Dat veroorzaakte een grote opstand in het kamp,' vervolgde Otrera. 'Tijdens de onlusten verzamelde Vabu een paar van ons, meisjes die geen ouders meer hadden, en in de verwarring wist ze ons door een gat in het hek naar buiten te krijgen. We liepen de hele dag en de hele nacht, en tegen de ochtend hadden we geen kracht meer. Wij wilden alleen maar slapen en Vabu kon ons niet meer vooruitdwingen. Maar we hadden geluk. Een Russische houthakker zag ons in een sneeuwhoop langs de weg liggen, en hij raapte ons op en nam ons mee naar huis. Zijn familie en hij gaven ons warme kleren en eten, en toen we sterk genoeg waren, smokkelden ze ons terug de grens over.'

Op dat punt haalde Otrera diep adem, en nu pas kon ik uit die geforceerde, trillende inademing opmaken hoe groot haar zelfbeheersing moest zijn. 'Ik was pas acht jaar oud,' legde ze uit, met hernieuwde kalmte, 'maar ik weet het nog zo goed. Ik herinner me dat Vabu niet terug wilde naar haar oude huis, omdat ze al wist dat de partizanen het hadden afgebrand. Er heerste zoveel angst hier in Suomussalmi, dat er veel mensen vertrokken waren. Telkens wanneer we bij een huis aankwamen, troffen we een ruïne, of er woonden vreemden. Het voelde alsof de wereld vergaan was. Mijn zusje Tyyne had het er erg moeilijk mee. 'Waarom kunnen we niet naar huis?' bleef ze maar zeggen. 'Wat hebben die mannen met mama gedaan?'

Otrera zweeg een poosje met haar ogen dicht, alsof het vertellen haar vermoeide. Net toen ik me geroepen voelde om voor te stellen de rest van het verhaal voor later te bewaren, keek ze echter weer op, een vonk van nieuwe energie in haar blik. 'Wat ik niet besefte,' ging ze verder, 'was dat Vabu al die tijd naar iemand op zoek was: een vrouw die ze tijdens de Winteroorlog in het ziekenhuis had ontmoet, net nadat haar man was gestorven. Die vrouw – violiste van beroep – had Vabu verteld dat ze zich, als ze een nieuwe start wilde, met haar kleine Enki kon aansluiten bij haar reizende circus, dat dat jaar net buiten Ämmänsaari overwinterde.' Alsof ze ons scepticisme aanvoelde, voegde Otrera er haastig aan toe: 'Ik weet dat het ongebruikelijk klinkt, maar Vabu kon nergens anders heen. Nadat ze al haar dierbaren had verloren, was ze nu verantwoordelijk voor zeven weesmeisjes – Tyyne en ik, en nog vijf anderen. En die violiste had haar verteld dat het circus jonge vrouwen opnam die nergens anders heen konden en hun meer leerde dan alleen maar acrobatiek – ze leerden hoe ze zich moesten redden in de wereld, zonder van iemand afhankelijk te hoeven zijn. O, en echt, toen we het vonden, was het de hemel!' Otrera glimlachte eindelijk, genietend van dit kleine, verteerbare deel van het verleden. 'De paarden, de muziek, de kostuums... het was zo'n andere manier van leven, zo exotisch voor een klein meisje als ik. De slangenmensen en de trapezeartiesten konden ongelooflijke dingen; ik weet nog dat ik naar ze keek en dacht, hoe is het mogelijk om je lichaam dat te laten doen? En natuurlijk' – ze schonk ons een blik vol verstandhouding – 'waren het allemaal vrouwen.'

Otrera stelde het duidelijk op prijs dat we zo opgingen in haar verhaal. Ze kwam van haar stoel en liep naar de houtkachel om er meer blokken in te stoppen. Haar tred was weer levendig; van achteren gezien, in haar jeans en hooggehakte laarzen, zag ze er in mijn ogen zeker niet uit als een vrouw van in de tachtig.

Achter haar rug keek ik naar Nick, maar ik zag dat hij zich concentreerde op de geluiden in het huis. Er klonken verre stemmen... het rammelen van potten en pannen... zelfs pianospel... en toch staarde hij naar de deur naar de gang alsof hij een verrassingsaanval verwachtte.

Toen ze bij ons terugkwam, keerde Otrera de stoel om en ging er normaal op zitten. Ze keek strenger nu, haar emoties opnieuw verbannen naar het verre verleden. 'Jullie weten natuurlijk waar ik heen wil met dit alles,' zei ze. 'Het reizende circus was de Baltische afdeling van de Amazones.'

Ik was zo opgewonden dat ik me niet kon inhouden: 'Dus jullie zijn echt de Amazones?'

Otrera glimlachte raadselachtig. 'Wij zijn er een aantal van, ja. Generaties lang heeft de Baltische afdeling als zigeuners geleefd; ze bleven nooit op één plek en hadden zelden contact met hun Amazonezusters elders in de wereld. Natuurlijk maakte de oorlog hun leven zoveel onzekerder...'

We werden even onderbroken toen een jonge vrouw in een sportbeha haar hoofd om de deur stak om iets aan te kondigen in het Fins. 'O ja,' zei Otrera, en ze wuifde het meisje weer weg. 'Er is iemand die jullie vóór het eten wil spreken. Maar laat mij eerst mijn verhaal afmaken. Zie je, het was Vabu Rusi die de Baltische Amazones – onze afdeling – ervan overtuigde dat het tijd was om ons te vestigen en strategisch te gaan nadenken over onze mogelijke bijdrage aan de moderne wereld. Wij, de nieuwe generatie, wilden niet alleen maar voor geld optreden en af en toe betrokken raken bij een willekeurige vechtpartij. In plaats daarvan wilden we onze krachten bundelen met andere Amazones, om wereldwijd te strijden voor de vrijheid en veiligheid van vrouwen. Dus begonnen we ons na de Tweede Wereldoorlog te organiseren en het contact met onze zusters in andere landen te versterken. We waren zo succesvol in het stroomlijnen van de missie van onze organisatie en in het faciliteren van communicatie tussen de verschillende afdelingen, dat het internationale hoofdkwartier van de Amazones vijfentwintig jaar geleden hierheen verhuisde.'

'Hoeveel afdelingen hebben jullie in totaal?' vroeg Nick.

Otrera schudde even haar hoofd. 'Natuurlijk kan ik geen details onthullen, maar wees gerust, we hebben mensen van Alaska tot Fiji. Elk van onze afdelingen heeft haar eigen organisatie en haar eigen koningin. Wij geloven niet in centralisatie, maar we moeten wel samenwerken – het is een lastig evenwicht. Mensensmokkel, verkrachting en andere gruwelijkheden houden zich niet aan grenzen en rechtsgebieden, en wij net zomin. Maar wij hopen dat vrouwen die in open, tolerante gemeenschappen wonen, zoals jijzelf, Diana, ons in de toekomst minder hard nodig zullen hebben – dat jullie zelf Amazones zullen worden. Jullie hebben de vrijheid om te leren, de vrijheid om te trainen.' Ze glimlachte droog. 'Jullie moeten alleen afleren om op de staat te leunen, met zijn valse beloften om je te beschermen. Wijs hun lokaas af – de haak zal je ingewanden uit je lijf rukken. Maar kom.' Ze stond op en liep voor ons uit naar de deur.

Nick en ik wisselden vragende blikken terwijl we achter onze gastvrouw door de hal naar een ruime bibliotheek liepen met een vleugel in het midden. Er stonden verscheidende zitbanken in het vertrek, omringd door volgepakte boekenkasten, maar de enige aanwezige was een vrouw met kortgeknipt haar, die met gesloten ogen een melancholieke sonate speelde op de piano.

Het was Katherine Kent.

39

Wij zouden niet kunnen wonen met uw vrouwen, zij en wij hebben immers niet dezelfde zeden. Want wij kunnen schieten en speerwerpen en paardrijden, doch de werken der vrouwen leerden wij niet.

– HERODOTUS, *Historiën*

HOE VERBAASD IK OOK WAS om mijn mentor uit Oxford op deze afgelegen en ongewone plek tegen te komen, ik wachtte in stilte tot ze haar stuk had uitgespeeld. Wat mij het meest schokte, besefte ik, was niet zozeer Katherines aanwezigheid hier tussen de Amazones, als wel haar intieme manier van pianospelen. Ze raakte de toetsen aan alsof ze de gevoelige delen van een levend wezen waren; ik had haar nooit in staat geacht tot zulke fijngevoeligheid.

Toen ze haar handen eindelijk liet rusten, bleef ze nog een paar tellen met gebogen hoofd zitten, en daarna keek ze met een melancholieke glimlach naar me op. 'Ik heb mijn best gedaan om dit moment te vermijden. Maar ik heb je onderschat.'

Ergens diep vanbinnen voelde ik het ruisen van toenemende boosheid. 'Als iemand die zelden ongelijk heeft over wat dan ook, weet u het moment wel te kiezen.'

Langzaam kwam Katherine overeind. 'Ik dacht dat het beter voor je was om niets te weten. Kennis kan gevaarlijk zijn...'

'Niet zo gevaarlijk als onwetendheid.'

Otrera posteerde zich tussen ons in. 'Diana, je moet begrijpen dat dit voor ons een moeilijke situatie is geweest. Wij hebben strenge regels die ons verbieden om openlijk te spreken over wie we zijn, vooral via de telefoon. Onder de gegeven omstandigheden heeft Katherine gedaan wat haar juist leek: ze heeft de ontwikkelingen van nabij in het oog gehouden, zonder iets te onthullen. Vergeet niet dat wij niets wisten van je oma's schrift tot je dr. Jäger ontmoette in Kalkriese. Je hebt Katherine nooit verteld op welke manier je binnen vijf dagen de tempelinscriptie in Algerije wist te ontcijferen. Ze was onthutst dat onze geheimtaal zo eenvoudig in het Engels kon worden vertaald.'

Nick legde zijn hand op mijn schouder, alsof hij zijn recht op inspraak wilde laten gelden. 'En dus besloten jullie om de tempel op te blazen,' zei hij op verbitterde toon, 'en je op die manier meteen ook van ons te ontdoen.'

'Nee!' galmde Otrera, met een verwijtende blik. 'Die opdracht werd uitgevoerd door onze Noord-Afrikaanse afdeling. Zij wisten duidelijk niet dat jullie daarbeneden waren. Ze hadden de bommelding juist gedaan om er zeker van te zijn dat de locatie eerst ontruimd zou worden.'

Katherine kwam om de piano heen lopen. Ze zag er kleiner uit dan ik me haar herinnerde – minder formidabel, menselijker. 'We hebben altijd geweten dat de tempel daar was,' zei ze, 'en al sinds al-Aqrab hem ontdekte, zijn wij in staat van hoge paraatheid. Maar pas toen jij dat bericht op mijn telefoon achterliet over het ontcijferen van de inscriptie, realiseerden we ons werkelijk wat een risico het gebouw voor ons was.' Ze zocht in mijn gezicht naar begrip, misschien zelfs naar vergeving. 'Als het een troost is, de tempel is er nog steeds. Hij zit alleen vol zand.' Ze liep naar me toe en even dacht ik dat ze een hand uit zou steken om me aan te raken. 'Het is nooit onze bedoeling geweest om je te verwonden, maar je moest tegengehouden worden. Ongewild was je Reznik aan het helpen. Later, toen zijn mensen je laptop stalen op Kreta, moesten we die terugvinden, voor het geval die de sleutel bevatte tot het ontcijferen van onze taal... net zoals we je ervan moesten weerhouden je telefoon te gebruiken, aangezien hij je daarmee opspoorde. Ik was ervan overtuigd dat je het na Nafplion zou opgeven en naar huis zou gaan. Maar, zoals ik al zei' – ze glimlachte, en ik onderscheidde een zeldzame glimp van bewondering in haar blik – 'ik heb je onderschat.'

'Neem me niet kwalijk dat ik een open deur intrap,' zei Nick, 'maar waarom veranderen jullie je manier van communiceren niet? Eeuwenoude tekens, papieren pamfletten, geen mobiele telefoons... het lijkt allemaal zo amateuristisch. Is het geen tijd om over te stappen op digitaal?'

Geïrriteerd rechtte Otrera haar rug. Op haar hoge hakken was ze even lang als ik, en haar leeftijd had haar gezag duidelijk niet aangetast. 'Wij corresponderen al op deze manier sinds de tijd van Gutenberg. Het gevaar van het gebruik van telefoons hebben jullie zelf al gezien. Als je wilt overleven – zeker in deze tijd waarin iedereen van wieg tot graf onder toezicht wordt gehouden – moet je analoog werken. Jullie zijn je er toch zeker wel van bewust dat jullie overheid alle digitale communicatie ongestraft bespiedt?' Otrera brieste en spreidde toen haar armen alsof ze ons wilde wijzen op het vertrek met zijn antieke lampen en veelgelezen boeken. 'Het is juist het gedrukte boek,' vervolgde ze, 'dat voor altijd zal blijven bestaan, om niet te spreken van de auto of het antieke zakhorloge van voor het computertijdperk. Telkens opnieuw heeft ondoordachte haast om te moderniseren betere methoden vervangen. En dan heb ik het nog niet over de mogelijkheid om door een elektromagnetische impuls alle elektronische circuits te laten doorslaan, zodat iedereen onder de vijfentwintig raaskallend en kwijlend in een isolatiecel belandt, compleet afgesloten van de wereld zoals zij die kennen.' Vol weerzin nam Otrera Nick van top tot teen op, alsof ze op hem persoonlijk doelde. 'Nee, laat de aanstaande Apocalyps, waar de meeste mensen nooit een gedachte aan wijden, even voor wat het is, maar vraag je nu eens af: wie is er amateuristischer, kwetsbaarder – iemand die vertrouwt op apparaten die moeten worden ingeplugd, of ingelogd, of op een andere manier verbonden, om meer te zijn dan een nutteloze kwak plastic... of iemand die geleerd heeft om zonder dat alles te kunnen leven?'

Otrera zweeg even om ons veelbetekenend aan te kijken. Ondanks alles was ze duidelijk blij met de kans om haar wereldbeeld te delen en ze vervolgde in een bijna opgetogen crescendo: 'Jullie kwamen hier op zoek naar een moderne burcht, met knipperende machines en retinascanners op elke deur, is het niet? Een soort vijfhoekige schuilplaats, waar in oranje uniforms geklede mensen rondreden in golfwagentjes?' Haar lippen krulden in een duivelse glimlach. 'Nou, het spijt me, maar wij runnen hier geen standaard geheim genootschap zoals mannen zich dat graag voorstellen. Hier hakken we hout om warm te blijven. Als jullie dat amateuristisch vinden, kan ik je alleen dit zeggen: jullie zijn kwetsbaarder dan je denkt.'

Op dat punt bewoog Katherine ongeduldig en zei tegen Nick en mij: 'Natuurlijk streven we er voortdurend naar om ons systeem te verbeteren, en binnenkort zullen de catalogi verleden tijd zijn. Ons communicatieteam is al een tijd bezig met het ontwikkelen van een nieuw systeem...'

'Postduiven?' opperde Nick.

Otrera's ogen vernauwden zich. 'Het gelach van de onbenul. We gebruiken inderdaad postduiven om te communiceren, maar alleen intern, binnen de regio.'

'Maar het punt is,' vervolgde Katherine, haar lippen strak van ergernis, 'dat deze afgelopen paar weken catastrofaal voor ons zijn geweest. Als mensen zoals Reznik onze geheime memo's in handen krijgen én de manier om ze te ontcijferen, kunnen ze onze activiteiten in het verleden documenteren en wellicht onze toekomstige bewegingen voorspellen. Toen ons eliteteam inbrak in Rezniks huis om jouw laptop terug te stelen, Diana, troffen we op zijn bureau een aantal van onze interne publicaties. Dat bevestigde voor ons dat hij er inderdaad in was geslaagd om onze communicatielijnen af te tappen.' Katherine keek me grimmig aan. 'Het enige wat hij nodig heeft, is jouw schrift, dan heeft hij alles in handen om onze communicatie te decoderen.'

'Die nacht na het feest van Reznik,' zei ik, 'toen jullie blonde wonderkind me lokte met mijn portemonnee en mijn paspoort, wat zou er toen gebeurd zijn als ik doorgegaan was? Was het een valstrik?'

Otrera en Katherine wisselden een blik. Toen zei Otrera, ontwijkend: 'Ons doel was om jou zo snel mogelijk veilig terug te krijgen in Oxford.'

'En dr. Jäger in Kalkriese?' ging ik verder. 'Waarom heeft zij al die dingen niet gewoon uitgelegd? Of hoopte ze dat ik vermoord zou worden?'

Ik kende Katherine goed genoeg om te zien dat ze even schrok.

'Kyme heeft haar hele leven in dat huis gewoond. Ze zal alles doen om het niet in gevaar te brengen. Ze hoopte dat jij gewoon terug naar huis zou gaan, naar Oxford, zodat ze de verklaring aan mij kon overlaten...'

'En misschien had ik dat ook wel gedaan,' merkte ik op, 'als ik je had kunnen bereiken. Maar je telefoon...'

'Is afgesloten. Ja.' Katherine rolde ongeduldig met haar ogen. 'Ik kon natuurlijk niet riskeren dat je mij zou bellen met vragen. Dat zou mijn dekmantel in gevaar brengen.'

Ik schudde mijn hoofd. 'Kyme had ten minste een hint kunnen geven dat ze aan mijn kant stond.'

'Geloof me,' zei Katherine, 'ze was bijzonder ongelukkig toen we haar belden om te zeggen dat je gevolgd werd door de huurlingen van Reznik, en haar opdracht te geven om je niet te laten vertrekken totdat die onschadelijk waren gemaakt. Als je niet weggelopen was, was alles in orde gekomen, en dan had onze Duitse afdeling...' Haar ogen dwaalden naar Nicks gezicht.

'Mijn neus niet hoeven breken?' suggereerde hij.

'Ja, ach.' Katherine zette een stap achteruit. 'Onze Duitse afdeling was niet op de hoogte van jouw aanwezigheid. Ze waren er om Diana te redden, en ze realiseerden zich niet dat...' Ze keek even naar Otrera, ineens nerveus.

Het plotselinge geklingel van een ouderwetse bel bekortte het ongemakkelijke moment.

'Eten!' zei Otrera, zichtbaar opgelucht.

Nick verroerde zich niet. 'Waarom hebben jullie ons hier vanavond uitgenodigd?' vroeg hij de beide vrouwen. 'Ik hoor niet echt een verontschuldiging.'

Otrera wierp hem een blik toe die mindere mannen de stuipen op het lijf zou hebben gejaagd. 'Jij bent de eerste man die ooit in dit huis is uitgenodigd. Onthoud dat alsjeblieft goed, Niccolò.'

Nick schrok even op bij het horen van zijn echte naam, maar Otrera wendde zich tot mij en zei, met de superieure welwillendheid van een almachtig despoot: 'Het schrift van je oma. Je zult begrijpen dat wij graag willen dat je dat hier bij ons laat.'

Ik voelde een steek van teleurstelling. Al sinds ik hier was, wachtte ik op het moment dat mijn oma ter sprake zou komen. Omdat ik niets wilde forceren had ik Otrera me in haar eigen tempo door het verleden laten leiden. Helaas leek het er nu op dat ze zich alleen nog zorgen maakte over het schrift. Het was tijd om te erkennen dat mijn kinderlijke hoop om met oma herenigd te worden niets meer was dan dat: kinderlijk.

'Dat begrijp ik,' zei ik. 'Maar Reznik heeft me een ultimatum gesteld. Als ik hem het schrift niet geef, gaat hij achter mijn dierbaren aan. Nu is het toevallig zo' – ik haalde het schrift met de waterschade uit mijn tas en overhandigde het aan Otrera – 'dat het schrift geen woordenboek van jullie taal meer is. De enige boodschap die er nog in staat is "Suomussalmi Vabu Rusi", en aangezien Reznik al weet dat we hier zijn, heeft het eigenlijk geen zin meer om het voor hem te verbergen. Maar omdat het nu volkomen nutteloos is, zal hij toch wel boos op me zijn, of ik het hem nou geef of niet.'

Met gefronst voorhoofd bladerde Otrera door het schrift. 'Dit is verontrustend nieuws. Ik wist niet dat hij je een ultimatum had gesteld of weet waar je bent.' Ze keek op naar ons. 'Hoe kun je daar zo zeker van zijn?'

'Omdat we vanavond door twee auto's werden gevolgd,' zei Nick. 'We hebben ze kunnen afschudden, maar ze rijden nog rond, op zoek naar ons.'

'Dat is duidelijk.' Otrera overhandigde het schrift aan Katherine. 'Dit verandert de zaak. Het spijt me. We hebben geen tijd meer om te eten.'

De eetkamer bevond zich aan de achterkant van het huis, en in tegenstelling tot de zitkamer en de verlaten bibliotheek was het er warm en rumoerig van activiteit. Het belangrijkste meubelstuk was een tafel die even lang was als die in de eetzalen van Oxford, met aan weerszijden houten banken waar ten minste vijftig mensen op konden zitten. Aan het uiteinde van de tafel stond een troonachtige stoel met overdadig siersnijwerk op de houten rugleuning.

'Normaal gesproken zit het huis vol mensen,' legde Otrera uit terwijl ze de deur achter ons sloot, 'maar met twee aparte noodgevallen aan de Russische kant en vertragingen op het vliegveld Arlanda is er vanavond maar een handjevol van ons aanwezig. Dit zijn onze rekruten.' Otrera liep voor ons uit door het vertrek en gebaarde naar het komen en gaan van jonge vrouwen met dampende schotels en armen vol houtblokken vanuit een naastgelegen keuken. 'Elk jaar redden we duizenden meisjes en sommige kiezen ervoor om bij ons te blijven. Momenteel hebben we over de hele wereld vierhonderd rekruten, verdeeld over de aparte afdelingen.'

Ze wees naar een lange, lenige jonge vrouw gekleed in een denim overall, en knikte trots. 'Dat is Lilli. Op haar zevende werd ze uit een weeshuis in Estland gestolen en verkocht als prostituee. Maar wij hebben haar gered, net als zoveel anderen. Ik hoop dat je haar wilt vergeven.' Otrera keek betekenisvol over haar schouder naar Nick en mij. 'Lilli is erg sterk, maar ze bedoelt het goed. Ze wordt getraind om onze volgende koningin te worden, en daarom sturen we haar af en toe op missies buiten de regio.' Wellicht beseffend dat ze meer had onthuld dan ze had moeten doen, fronste Otrera haar voorhoofd en vervolgde: 'De koningin is ons meest zichtbare lid – de vrouw die de grootste risico's neemt. Vooraan op het slagveld, de laatste om zich terug te trekken. Als alle naties hun gekozen gezagsdragers dat basisprincipe van leiderschap oplegden, garandeer ik dat er aanzienlijk minder oorlogen zouden worden gevoerd op de wereld. Kijk maar naar Lilli.' Opnieuw knikte Otrera naar de jonge vrouw. 'We trainen haar niet om zich te verschuilen in een verwarmde bunker en haar troepen aan te voeren door op knoppen te drukken. Zij zal nooit een oorlog verklaren om haar eigen stomme fouten te verbergen. Noch zal ze ooit haar zusters ten strijde sturen met onvoldoende uitrusting, want als het misgaat, is zij de eerste die sterft.'

Verward door de lange, vurige introductie nam ik Lilli beter op. Ze droeg een rode bandana waar twee blonde vlechten uit hingen. Pas toen ze me dwars door de kamer een steelse blik toewierp, voelde ik een vonk van herkenning. 'Zij is het!' fluisterde ik tegen Nick. 'De muis die me lokte in Istanboel! De skeelerdief uit Nafplion!'

'Pitana! Penthesilea!' Ongeduldig beende Otrera naar vier vrouwen die aan het hoofd van de tafel stonden te praten bij een schaal noten. 'We moeten aan het werk. Reznik komt eraan.'

Met argwanend toegeknepen ogen draaiden de vrouwen zich om naar ons. Ze waren niet groter dan ik, maar iets in hun bouw en hun houding verried hun ongewone kracht. Een van hen droeg kniehoge laarzen met een bijpassend suède jasje. Een litteken boven haar linkeroog stak bleek af tegen haar gebruinde huid. Een andere vrouw was geheel in het zwart gekleed, haar slanke lichaam als gegoten in een welgevormde leren broek en een strakke pullover. Haar donkere, jeugdige lichaam en de trotse strengen grijs bij haar slapen boden een opvallend contrast; ze had moeiteloos haar haar kunnen verven om door te gaan voor een vrouw van mijn leeftijd, maar kunstmatigheid was duidelijk niet aan de Amazones besteed.

Alle vier de vrouwen waren zichtbaar in uitstekende conditie en hun aanblik vervulde me van emoties die ik niet meer had gekend sinds oma en ik door de wereld van de Amazones reisden in onze fantasievolle tekeningen en spannende verhalen. Die emoties waren inmiddels zo versmolten met mijn echte jeugdherinneringen, dat ik me de geuren en geluiden van dat gouden rijk vol dreunende hoeven en razende strijdkarren bijna kon herinneren.

Zonder ons voor te stellen vatte Otrera de situatie samen en besloot met: 'We nemen aan dat het Reznik is, maar we hebben geen bewijs.'

De vrouwen keken elkaar aan. Ze waren duidelijk geschrokken van het nieuws, maar hun zwijgen omvatte meer dan dat. Ik zag in hun ogen dat ze boos waren, niet alleen op ons, maar ook op Otrera. Zij hadden ons hier nooit willen hebben, besefte ik; naar alle waarschijnlijkheid hadden ze Otrera afgeraden om ons uit te nodigen, en nu bewees de werkelijkheid hun gelijk.

'Het verbaast me dat jullie niet wisten dat Reznik hier was,' zei Nick, zonder zich iets aan te trekken van de koele ontvangst. 'Jullie hebben ons de hele dag in de gaten gehouden.' Hij keek de vrouwen beurtelings aan. 'Wie rijdt er op die KTM? Trekt dat ding 's winters niet een beetje te veel aandacht hier?'

Het enige effect van zijn voortvarende houding was dat de Amazones nog geïrriteerder raakten. Ten slotte zei de vrouw in de zwarte coltrui met donkere, Slavische bedaardheid: 'Finse mannen zijn niet bang voor sterke vrouwen. Alleen zwakke mannen willen dat vrouwen zwak zijn. Hoe zit dat met jou?' Ze liet haar donkere ogen over Nicks lichaam gaan, pauzerend bij de voornaamste spiergroepen. 'Ben jij bang voor een vrouw die je een pak slaag kan geven?'

'Ik heb liever dat je daar een ander voor zoekt,' antwoordde hij. 'Zijn er daarbuiten geen mensen die dat meer verdienen?' Hij wierp me een veelbetekenende blik toe, alsof hij wilde zeggen: deze dames kunnen we beter niet verder provoceren.

'Jullie zien ons misschien als bandieten,' zei de vrouw met het litteken over haar wenkbrauw. Haar toon was uitdagend, met een melodieus Zweeds accent. 'De waarheid is dat wij de wet zijn. Niet de jengelende, contraproductieve, impotente wet die in dikke boeken op namaakmahoniehouten planken staat, maar de levende wet in het menselijk hart. De wet die zegt dat slechte mensen gestraft moeten worden. De wet die zegt dat macht niet boven recht gaat, en dat moordenaars en verkrachters niet vrijuit zullen gaan.'

'Er zijn politieagenten,' voegde de vrouw in het zwart eraan toe, 'die bidden dat wij de griezels vinden voordat zij het doen.' Haar ogen vernauwden zich boven een dreigende glimlach. 'Wij geven geen voorwaardelijke straffen. En we worden niet gehinderd door een immense, vraatzuchtige bureaucratie.'

'Ik ben er helemaal voor om de macht van de staat te beperken,' zei Nick, 'maar zijn jullie niet bezorgd dat jullie eigenrichting een paar onschuldige slachtoffers zal maken?'

Hier kwam Otrera ten slotte tussenbeide, met onwankelbare zekerheid: 'Wij kunnen fouten maken, maar niet daarin. Wie de rechten van anderen schendt, verbeurt zijn eigen rechten. Maar dit is geen moment voor politieke filosofie. Pitana...' Ze keek scherp naar de vrouw met het litteken. 'We hebben een plan nodig.'

'Het is jammer,' zei Nick, Otrera's ongeduld negerend, 'dat er vandaag zoveel mensen ontbreken.' Hij knikte naar de troonachtige stoel die aan het hoofd van de lange eettafel stond. 'Wie zit daar? Jullie koningin? Hoe heet ze, vraag ik me af?' Hij keek de aanwezige Amazones doordringend aan. 'Myrine?'

Zijn woorden ontmoetten een stilte zo diep, dat je boven een lade kon horen dichtgaan.

'Kom!' Otrera pakte Nick en mij stevig bij de arm. 'Ik moet jullie iets laten zien. Katherine, blijf hier.'

Toen we bij de anderen wegliepen, schudde Otrera haar hoofd en zei: 'Het is niet gemakkelijk voor ons om vreemden in ons huis toe te laten.'

Ik zag Nick zijn voorhoofd fronsen. 'Zijn we dat dan? Vreemden?'

Otrera keek hem lang aan. 'Je vader heeft zijn naam veranderd bij zijn vertrek uit Oxford. We hadden geen idee wie je was.' Ze onderbrak zichzelf om een achterdeur met een ouderwetse grendel open te maken. 'Pas tijdens het gemaskerde bal van Reznik begonnen we de waarheid te vermoeden. Iemand zag je in de menigte en vond dat je op...'

In de korte stilte na Otrera's onafgemaakte zin herinnerde ik me de kattenvrouw die me met zoveel onverklaarbare haat had aangekeken in de toiletruimte bij Reznik, en die later – volgens Nick – had meegedaan met de inbraak. Zelfs toen, in de stroom van alles wat er om me heen gebeurde, had ik haar donkere, doordringende ogen vreemd vertrouwd gevonden. Nu begon me eindelijk te dagen waar ik ze eerder had gezien. Het waren de ogen van de man die hier naast me liep.

'Maar dat weerhield jullie mensen er niet van mij in het Idingshof Hotel een pak slaag te geven,' merkte Nick op terwijl we Otrera volgden door een donkere, muf ruikende gang met overjassen en schoeisel langs de wanden.

Otrera knipte het licht aan. 'Onze Duitse afdeling is bijzonder efficiënt. Ze deden wat zij nodig achtten. En in ieder geval wisten we daarna wie je was.'

'Hoezo? Omdat ik net zo vecht als mijn vader?'

Otrera begon een smalle keldertrap af te lopen en zei over haar schouder: 'Wat denk je? We hebben een laboratorium. Het enige wat ze daar nodig hebben is een druppel bloed...'

'Die hebben ze zeker gekregen.' Nick drong langs me heen en volgde haar op de voet de trap af; kennelijk deelde hij mijn weerzin tegen onze ondergrondse bestemming niet. 'En dan? Jullie hebben mijn DNA, jullie weten wie mijn ouders zijn. Wat komt er nu? Gaan jullie me een doos laten zien met mijn oude teddyberen erin? Is dat wat we hierbeneden gaan doen?'

Zonder antwoord te geven liep Otrera voor ons uit door een smalle kelderopslag waar speren, bogen, bijlen en sneeuwschoenen aan de muur hingen of ertegenaan stonden. Toen we langs een deur kwamen die op een kier stond, hielden Nick en ik allebei halt om een blik te werpen in een vertrek waar een hele muur bedekt was met televisieschermen waarop verschillende nieuwszenders te zien waren. Vreemd genoeg was het enige geluid dat uit het vertrek met zijn maalstroom van flikkerende beelden kwam het ritmische draven van een forse vrouw op een loopband met een koptelefoon op, die intensief naar de veranderende schermen tuurde.

Toen ze besefte dat ze haar gevolg kwijt was, kwam Otrera met een gespannen glimlach terug. 'Natuurlijk moeten we weten wat er gebeurt,' snauwde ze, voornamelijk tegen Nick. 'Maar we hebben in dit huis geen online computers. Ons onderzoeksteam is honderd procent mobiel en opereert uitsluitend vanuit willekeurige internetcafés. Maar kom alsjeblieft mee. We hebben weinig tijd.'

Weer voor ons uit lopend haalde Otrera een grote sleutel uit haar broekzak en stopte aan het einde van de wapenkamer om een massieve deur open te maken. 'Zo,' zei ze, terwijl ze met haar schouder de deur openduwde en binnen een lichtknopje aanknipte. 'Dit is ons heiligdom.'

Achter haar aan liepen we een enorme, schaars verlichte ruimte binnen, waar de temperatuur en de sfeer van een crypte heersten. Het enige licht kwam van verlichte planken aan de muur, en het donker in de rest van het heiligdom was zo allesomvattend dat het even duurde voordat ik de aanwezigheid van een enorme, met ijzer beklede brandkast opmerkte midden op de stenen vloer. De kluis was ten minste tweeënhalve meter breed en een meter diep, en verzegeld met een middeleeuws ogend hangslot, en ondanks het ongeduldige wenken van Otrera hadden Nick en ik moeite om onze ogen ervan los te maken.

'Wat zit daarin?' vroeg Nick. 'De schat van de Amazones?'

Toen ze zag dat ze ons niet kon weglokken van het mysterieuze geval, kwam Otrera weer naar ons toe, haar armen over elkaar geslagen tegen de kou. 'Het is niet wat je denkt.' Ze keek ons indringend aan, bijna nerveus. 'Het is geen goud.'

Mijn polsslag versnelde. 'Maar het is wel de schat van koning Priamos?'

Otrera aarzelde. 'Dat denken we.' Ze legde een hand op het deksel van de brandkast, alsof ze wilde zorgen dat hij dicht zou blijven. 'Alleen de koningin heeft de sleutel.'

Al wist ik dat het onderwerp haar ongemakkelijk maakte, ik kon niet weglopen. Hier stond ik, als trouwe Amazonegelover, binnen handbereik van een schat die zelfs ík tot nog toe als een legende had afgedaan... Het was te wonderbaarlijk. En dus knikte ik en zei tegen Otrera: 'Ik begrijp het. Maar tegelijkertijd moet ik bezwaar maken tegen het op deze manier bewaren van het verleden. Aangenomen dat koning Priamos inderdaad de kostbaarste artefacten van de Trojaanse beschaving aan de Amazones toevertrouwde... waarom deed hij dat dan? Stellig omdat hij er zeker van wilde zijn dat ze niet vernietigd zouden worden. En dat was wijs. De Grieken verwoestten de Trojanen zo volledig dat we niet eens zeker weten welke taal ze spraken. Tot op de dag van vandaag is de aard van de Trojaanse beschaving een van de grootste raadsels van de oudheid. Honderden jaren lang hebben wetenschappers zelfs geloofd dat Troje en de Trojaanse Oorlog niets meer waren dan een grootse, verzonnen mythe. Was dat wat koning Priamos in gedachten had, toen hij de Amazones vroeg om zijn schat te behoeden? Dat zijn rijk drieduizend jaar lang uit de menselijke geschiedenis zou worden gewist? Nee!' Ik sloeg met de palm van mijn hand op de brandkast en zag Otrera schrikken van het geluid. 'Ik weet zeker dat het zijn grootste wens zou zijn dat deze dingen bekend waren in de wereld. Want als ze alleen maar staan te beschimmelen in een ijskoude kelder aan de rand van niemandsland, hadden de Grieken ze net zo goed kunnen vernietigen.'

Otrera verstrakte bij mijn uitroep, en zei toen stijfjes: 'Ik heb jullie niet mee naar beneden genomen voor een discussie over mythologie. Zoals je ziet, is dit een plek voor herinnering en overpeinzing.' Ze gebaarde naar de verlichte planken om ons heen, en toen pas zag ik dat de tentoongestelde voorwerpen bronzen urnen in verschillende vormen en maten waren. 'Vabu Rusi en al haar meisjes rusten hier. Ik ben de laatste. Kom.' Ze pakte me bij mijn elleboog en voerde me mee naar een van de planken, waar zeven urnen op stonden. Op de muur erachter hing een ingelijste zwart-witfoto van een donkere vrouw in een leunstoel met zeven jonge vrouwen om zich heen gegroepeerd. 'Daar!' Otrera wees naar een meisje op de foto. 'Herken je dat kleine engeltje?'

Ik boog me voorover, in de verwachting dat het meisje Otrera zelf zou blijken te zijn. In plaats daarvan zag ik echter een gezicht met twee serene ogen die ik instinctief herkende.

'Mijn zuster, Tyyne,' zei Otrera. 'Zij was jouw grootmoeder.'

De onthulling was zo'n schok voor me dat ik mijn tranen niet kon bedwingen. Het was niet alleen de foto en het plotselinge besef dat dít de reden was dat Otrera ons had uitgenodigd... Het was vooral de onverwachte last van onontkoombaarheid. Oma was dood. Dat vermoedde ik al sinds ik haar armband in mijn postvakje had gevonden, maar nu wist ik het zeker. Hier stond de urn met haar as. Ik raakte hem aan met een diep gevoel van verlies.

Ontroerd wilde ik Otrera omhelzen en haar bedanken dat ze dit moment mogelijk had gemaakt. Ze was me voor, schoof een hand in haar broekzak en haalde er een kleine, verzegelde envelop uit, die ze me toestak alsof ze wilde verhinderen dat ik dichterbij zou komen. 'Pak aan!' zei ze, duidelijk gehaast om de transactie te versnellen. 'Volgens onze regels is het streng verboden om buitenstaanders te schrijven. Maar Tyyne – of Kara, zoals ze hier werd genoemd – hield zich niet aan regels. Ze heeft me laten beloven dat ik jou, mocht je haar ooit in Suomussalmi komen zoeken, als familie zou ontvangen en je deze brief zou geven.'

Nick sloeg een troostende arm om me heen, wellicht aanvoelend hoe overweldigd ik was. 'Jullie noemen ons buitenstaanders,' zei hij, 'maar we zijn familie, ook al zien jullie ons niet zo. Er moeten anderen zijn zoals wij – vooral mannelijke nazaten zoals ik – die jullie hebben geprobeerd te vinden.'

Otrera schudde haar hoofd. 'Het komt uiterst zelden voor dat wij met mannen omgaan. Niemand wil het gevaar lopen om een jongetje te krijgen en de vreselijke keus te moeten maken tussen het kind en de zusterschap. Maar soms neemt de Natuur de overhand.' Ze glimlachte naar ons beiden, alsof ze wilde zeggen dat ze de kracht van romantische liefde wel begreep, al had zij die nooit in haar leven toegelaten. Toen veranderde haar gezichtsuitdrukking. 'O, nu ik eraan denk...' Ze stak haar hand naar me uit. 'De jakhalsarmband. Tyyne heeft hem aan jou gegeven, en daarom is hij van jou. Maar zij heeft niet bedoeld dat je hem als sieraad zou dragen. De armband vertegenwoordigt een pact, Diana, en daar zitten regels en verantwoordelijkheden aan vast. Jouw armband is een van de oorspronkelijke bronzen jakhalzen; daar hebben we er nog maar een paar van. Sommigen van ons dragen een ijzeren of een zilveren jakhalsarmband, en sommigen dragen bronzen replica's, maar we kiezen steeds minder vaak voor metaal. Het wordt te gemakkelijk gedetecteerd. Tegenwoordig kiezen de meeste jongere leden voor een brandmerk of een tatoeage. De koningin draagt nog steeds een bronzen jakhals, maar die doet ze af als ze op een missie gaat.' Otrera keek Nick met een veelbetekenende blik aan. 'Dat doet ze nu althans. Toen jouw vader haar ontmoette, was ze nog in opleiding en droeg ze haar armband overal waar ze heen ging. Ik neem aan dat ze zich daardoor heeft laten kennen.'

Nicks arm verstrakte om me heen. 'Correctie: zij heeft míj niet willen kennen. Is dat onderdeel van de test voor een koningin, de zusterschap verkiezen boven het moederschap? Dan is Myrine dus met vlag en wimpel geslaagd.'

Otrera's geduld was uitgeput en met een frons op haar gezicht keek ze naar mij. 'Hier.' Ze pakte mijn arm, stroopte mijn mouw op en haalde de bronzen jakhals met een vakkundige beweging van mijn pols. Met een ernstige knik overhandigde ze hem vervolgens aan mij. 'Als je hem ooit weer wilt dragen, is Katherine Kent je contactpersoon.'

Ik wist niet goed wat ik met de armband moest doen. 'Denkt u dat mijn grootmoeder dat gewild zou hebben?' vroeg ik. 'Dat ik een van jullie zou worden?'

Otrera schonk me een zijwaartse blik voordat ze weer naar de deur liep. 'Dat weet ik niet. Zoals ik al vertelde, hield Tyyne zich niet aan de regels. En toen ze na al die jaren bij ons terugkwam, was ze beschadigd. Maar ze was nog altijd de beste mentor die onze meisjes ooit hebben gehad. Onvoorspelbaar, dat wel.' Over haar schouder glimlachte Otrera naar me. 'Ik weet zeker dat ik dat jou niet hoef te vertellen, Diana. Ze was een briljant docent, en ik wil dat je weet dat haar laatste jaren hier bij ons erg druk waren, en haar veel voldoening gaven.'

'Hoe is ze gestorven?' vroeg ik.

Otrera stond even stil om me met een vertederd lachje aan te kijken. 'Ze stierf zoals ze altijd had gewild: te paard.'

'Praatte ze wel eens over mij?'

Otrera liep weer door. 'Constant. Maar lees je brief. En vernietig hem alsjeblieft wanneer je hem uit hebt.'

'Wacht!' zei Nick. 'En ik dan? Krijg ik geen brief?'

Otrera hield halt om de zware deur open te trekken. 'Het menselijk hart is een complex en onvoorspelbaar mechaniek.'

'Ze is hier, nietwaar?' Hij keek omhoog naar het huis boven ons. 'Waarom wil ze me niet ontmoeten? Schaamt de nobele koningin Myrine zich voor haar verleden?'

Tegen de openstaande deur geleund keek Otrera hem even aan, met een gezicht waarop medeleven en strengheid met elkaar streden. 'Wat zij je vader aandeed, was niet erger dan wat mannen vrouwen al sinds het begin der tijden aandoen. Wees blij dat ze je in leven heeft gelaten.' Daarmee knipte ze het licht uit en wachtte tot we haar naar boven zouden volgen. 'Zet je gedachten opzij en maak je hoofd leeg. We moeten ons voorbereiden op de strijd.'

De anderen waren nog steeds bijeen in de eetzaal. Zodra we binnenkwamen, kwam Pitana op ons af; ze leek wel een piratenkapitein, met haar hoge laarzen en het litteken dat haar wenkbrauw doorsneed.

'Nog nieuws?' vroeg Otrera.

Pitana antwoordde met een kort knikje. 'Averij en vertragingen. Geen van de teams kan hier voor de ochtend zijn. Als Reznik vannacht komt, kunnen we hem niet direct aanvallen, voor we weten wat hij in handen heeft.'

'En dat net vannacht.' Otrera haalde diep adem. 'Dus, wat is het plan?'

Pitana keerde zich om naar de Slavische vrouw in het zwart die Nick eerder die avond op zijn nummer had gezet. 'Pen?'

Penthesilea zette een stap naar voren met een uitdagende blik in haar ogen. 'Dat hangt van jullie tweeën af,' zei ze, met behoedzame verwachting van mij naar Nick kijkend, 'en in hoeverre jullie bereid zijn om met ons mee te vechten.'

40

Is er dan geen hemel om u te straffen?
– EURIPIDES, *Andromache*

IN VERBIJSTERD ZWIJGEN reden we weg van het huis. Het was allemaal zo nieuw, zo verwarrend, en er stonden maar twee dingen vast: oma had gehoopt dat ik haar uiteindelijk zou vinden, en dat had ik gedaan. Ik kon niet wachten om de brief te openen die ze me had nagelaten, en toch vreesde een deel van mij de emoties die dat zou kunnen ontketenen.

'Wees niet verdrietig,' zei Nick, en hij legde onder het rijden een arm om me heen. 'Wees blij voor haar. Ze heeft de weg naar huis gevonden, dankzij jouw spaarvarken.'

Ik wreef mijn ogen droog. 'Ik wou alleen dat ik het geweten had... in plaats van altijd maar zo boos op haar te zijn. Wanneer ze over mannen in groene pakken sprak, dacht ze niet aan dokters, maar aan moordzuchtige Russische partizanen. Wat moet ze afschuwelijke herinneringen gehad hebben...'

'Maar wat een geluk dat ze jou had,' zei Nick. 'Jij gaf haar een gelukkige haven, waar ze zich daar een poos voor kon verschuilen.'

Buiten de auto viel nieuwe sneeuw op het stille bos, tuimelend in de bleke weerschijn van de koplampen. Het voelde allemaal even onheilspellend en onwerkelijk. We hadden de Amazones gevonden, en ik had eindelijk de waarheid gehoord over oma, maar tegen welke prijs?

'Hoe is het met jou?' Ik keek even naar Nicks profiel in de blauwe gloed van het dashboard. 'Gaat het?'

'Jawel,' antwoordde hij zonder veel overtuiging. 'Straks wel, als dit alles eenmaal voorbij is.'

Op dat moment zagen we beiden een roerloze donkere vorm, die de weg blokkeerde. Een bestelbusje. Remmend zette Nick groot licht op om beter te kunnen zien, maar de sneeuw viel zo dicht dat het licht alleen maar terugkaatste. 'Daar gaan we,' zei hij grimmig, terwijl hij de auto slippend tot stilstand bracht op de ijzige weg. 'Ben je er klaar voor?'

Van de ene tel op de andere was ik vervuld van felle, misselijkmakende angst. En toen baadden we ineens in het licht – de verblindend heldere stralen van twee andere auto's die vlak achter de onze kwamen aan rijden, en ons beletten om te keren.

'En alsjeblieft...' Nick keerde me zijn gezicht toe, zijn gelaatstrekken vervormd door het meedogenloze licht. 'Daag ze niet uit. Speel gewoon mee.'

Zodra we uit de auto stapten, rolden er ten minste een tiental mannen in zwarte gevechtskleding uit de andere voertuigen die ons snel omsingelden. De helft hield geweren op ons gericht. De anderen hadden net zo goed hetzelfde kunnen doen, want hun gezichten waren even koud en hard als wapens.

'Ach, wat schattig,' zei Reznik, achteloos uit de schaduwen tevoorschijn komend.

De gepensioneerde communist, net als zijn mannen in gevechtskleding, leek volkomen op zijn gemak in de ijzige wildernis, waar sneeuwvlokken op zijn grijze borstelhaar vielen. 'Jullie vormen een leuk stel. Ik heb zulke aardige foto's van jullie.' Hij stond vlak voor ons stil met die afgemeten, geforceerde glimlach op zijn gezicht die me al van mijn stuk had gebracht toen ik hem voor het eerst ontmoette in Istanboel – de grijns van een berekenende moordenaar. 'De prins van Aqrab en zijn Amazoneprinses. *Complimenti*. Jullie hadden me te pakken, allebei. Ik had me niet gerealiseerd dat Amazones zo' – hij bekeek me van top tot teen met geamuseerde minachting – 'vleesloos konden zijn. Afijn.' Reznik keek achterom. 'Zie je wel? Ik zei toch dat we ze samen zouden vinden.'

Toen merkte ik pas wie er achter hem stond.

James Moselane.

Met opgetrokken schouders tegen de kou en toegeknepen ogen tegen de vliedende sneeuw zag mijn oude vriend er zo onwillig en ongelukkig uit dat ik eerst aannam dat hij de gevangene van Reznik was. Maar toen zag ik dat ook James een pistool had.

'Wat is dat nou?' riep ik uit, zo onthutst dat ik bijna vergat om bang te zijn. 'Dit is belachelijk! Jij weet best dat ik geen Amazone ben.'

James trok een vermoeid gezicht en zei, voornamelijk tegen Nick: 'Kom op, geef hier. Laten we ons als volwassenen gedragen.'

Ik keek naar Nick, aanvoelend dat hij zich moest inhouden om James niet aan te vliegen. 'Hier.' Voorzichtig haalde ik de *Historia Amazonum* uit mijn handtas. 'We waren al van plan om het terug te geven...'

Reznik greep het boek en gooide het met een honende sneer opzij: 'Niet dat nutteloze rotding. Het schrift!'

'Dat heb ik niet,' stamelde ik. 'We hebben het achtergelaten bij professor Seppänen...'

'Wie is professor Seppänen, verdomme?'

Weer keek ik naar Nick. We hadden het verhaal geoefend met Pitana, en zij had volgehouden dat het overtuigender klonk als ik het zei. 'Hij is een deskundige in oude talen,' legde ik uit, mijn tanden klapperend van angst en kou en de noodzaak om oprecht te klinken. 'We hebben net bij hem gegeten...'

'Waar?'

Ik gebaarde naar het zwart achter ons. 'Een eindje verderop.'

Reznik keek me met half toegeknepen ogen aan. Toen richtte hij zich tot James. 'Wat denk jij?'

Ik durfde mijn ogen niet van Reznik af te wenden. Kende James me goed genoeg om te zien dat ik loog? Als dat zo was, liet hij niets merken.

'Goed!' Reznik wenkte zijn mannen. 'We gaan...'

'Wacht!' James liep naar hem toe en de mannen voerden een kort, dringend gesprek. Ik wist zeker dat ik James hoorde zeggen: 'We hadden een afspraak!' waarop Reznik met mompelende tegenzin reageerde, tot hij ten slotte geërgerd gromde en zich afwendde om vier van zijn huurlingen een bevel te geven.

Zonder aarzelen kwamen de mannen naar voren om Nick bij zijn schouders te grijpen en bij mij weg te sleuren. Ik rukte aan hun armen en schreeuwde dat ze hem moesten loslaten, maar Reznik hield me in bedwang met een verpletterende houdgreep. Toen ik bleef kronkelen en trekken, gaf hij me met de rug van zijn hand een klap in mijn gezicht.

Het was een verdovende klap, en even werd mijn wereld zwart. Ik registreerde vaag dat Nick mijn naam riep, maar had niet genoeg adem om antwoord te geven.

'Ik heb twee van mijn beste mannen verloren in Kalkriese,' sneerde Reznik, recht in mijn gezicht. 'Dit is geen goede week geweest. Jullie Amazoneteven zijn allemaal hetzelfde...'

'Alstublieft!' kraste ik, mijn evenwicht zoekend. 'Doe hem geen pijn!'

Reznik lachte snuivend. 'Is dat niet aandoenlijk? De Amazone is verliefd. Ach, dat maakt het allemaal zoveel leuker.' Met een knip van zijn vingers beval hij de mannen om Nicks ski-jack uit te trekken, en toen ook zijn trui, zodat hij alleen nog een broek en een T-shirt droeg. 'Wat vind je daarvan?' vroeg hij aan mij, met uitpuilende ogen van machtsdrift. 'Die hete vent van je gaat het heel snel heel koud krijgen. Eens even kijken... negentig kilo, één meter zesentachtig, vijfendertig jaar oud, min tien op de thermometer.' Hij wiegde met zijn hoofd alsof hij iets uitrekende en knipte toen nog eens met zijn vingers.

'Hou op!' gilde ik toen de mannen aan Nicks T-shirt begonnen te trekken. 'Jullie vermoorden hem!'

'Fout.' Reznik greep mijn kaak, een sardonische grijns op zijn gezicht. 'Jij vermoordt hem, als je niet...'

Nick stortte zich op een van zijn bewakers – de man die een machinepistool tegen zijn ribben hield. De man viel met een gesis van pijn en greep naar zijn keel terwijl zijn pistool van hand wisselde. Het gebeurde zo snel dat ik de bewegingen nauwelijks kon volgen. Binnen een hartslag deinsden de drie andere bewakers achteruit, naar hun wapens tastend.

'Niet doen!' schreeuwde Nick terwijl hij ze beurtelings onder schot hield. 'Geen bloed. Oké? Geen bloed. Laten we het netjes houden. Jullie willen mijn vader toch niet kwaad maken?'

Een paar gespannen tellen lang was het bos zo stil dat in de verte het gehuil van een wolf te horen was. Toen liet Reznik me los en gebaarde iedereen om te kalmeren. 'Geintje. We houden het verder zakelijk. Al-Aqrab opfokken is nergens voor nodig.' Ongeduldig wenkte hij de man die Nicks kleren vasthad. 'Geef die man zijn jas terug.'

Reznik had het te druk met bevelen uitdelen om te merken dat James, bleek van woede, zijn eigen pistool hief en op Nick mikte.

Ik schoot naar voren en ramde zijn arm omlaag, maar het pistool ging af met een helse, oorverdovende klap, die Reznik naar voren deed springen om James met een stortvloed van vloeken het rokende wapen uit de hand te slaan.

Vol afgrijzen rende ik naar Nick, die met een kreun van pijn op zijn knieën was gevallen en naar zijn heup greep, waar zich een rode vlek verspreidde. Misselijk bij de aanblik van zijn bloed wierp ik mezelf op de grond naast hem, rukte mijn jas uit en legde hem over zijn schouders om hem tegen de kou te beschermen. 'Hij moet naar het ziekenhuis!' gilde ik. 'Alsjeblieft!'

Ik hoorde Reznik grommen. 'Willen jullie naar het ziekenhuis? Tuurlijk! Ik ben een oude romanticus. Jullie kunnen gezellig samen de nacht doorbrengen in het mortuarium. Misschien ritsen ze jullie zelfs wel in dezelfde lijkzak.'

'Doe niet zo achterlijk,' zei Nick door zijn opeengeperste tanden heen, nog steeds met zijn hand tegen zijn heup. 'Je wilt dat schrift immers hebben? Diana heeft het al gezegd: het ligt hier verderop. Maar jullie hebben haar nodig om de weg te wijzen.'

'Nee!' Ik wierp mijn armen om hem heen. 'Ik laat je hier niet zo achter!'

Smekend keek Nick me aan. 'Je moet. Ik reken op je.'

'Genoeg!' Reznik rukte mijn jas van Nicks schouders en veroorzaakte een schokgolf van pijn in mijn schedel toen hij me aan mijn haar meesleurde. Daarop schreeuwde hij een bevel naar een van de mannen, die naar onze huurauto liep, achter het stuur ging zitten en het voertuig van de weg af reed, een greppel in.

Reznik wendde zich tot James. 'Jij bent een stomme idioot. Nu zitten we met een gigantische puinhoop die opgeruimd moet worden. Begin maar te bidden dat al-Aqrab niet ontdekt wie dit heeft gedaan. Jij kunt maar beter een enkeltje Mars bestellen, kleine Lord Moselane.'

Woedend keek ik naar James, vol walging voor die slijmerige slang van een man. Hoewel Reznik zijn pistool allang had afgepakt, stond James nog steeds met zijn arm half omhoog, als bevroren. 'Ik wilde niet op hem schieten,' zei hij nauwelijks hoorbaar. 'Ik wilde alleen maar...'

'Te laat!' Reznik gaf James nog een klap op zijn achterhoofd toen hij langsliep. 'Laten we dat schrift gaan halen. Het lijk ruimen we later wel op.'

Zo lieten we Nick achter: op zijn knieën in de met bloed besmeurde sneeuw. Het volgende wat ik zag, was de vuile achterbank van een auto waar de mannen me halsoverkop in duwden.

'Dit is allemaal jouw schuld,' zei Reznik, die ook instapte. 'Als jij me dat schrift meteen had gegeven' – met één hand greep hij mijn gezicht vast en keek me met een spottende glimlach aan – 'waren we allemaal nog vriendjes geweest.'

Ik zei niets. Ik had de grootste moeite om niet over te geven toen we wegsnelden en Nick achterlieten in de ijskoude duisternis.

De rit ging in een waas voorbij. Ik vertelde de chauffeur zonder haperen waar hij heen moest, terwijl de enige gedachte die door mijn hoofd ging Nicks bloed was, dat tegelijk met zijn lichaamswarmte weglekte uit zijn lichaam, weerloos tegen de poolnacht. Hij rilde al toen we hem achterlieten, en in zijn strijd tegen onderkoeling zou zijn lichaam nog een tijdje blijven rillen. Daarna zou het rillen ophouden. En dan moest ik daar terug zijn om hem te redden. Als ik dat niet haalde, zou elk orgaan in zijn lichaam zich afsluiten, tot er geen leven meer overbleef.

Toen we eindelijk over het hobbelige pad naar de schuilplaats van de Amazones reden, was ik zo gespannen van ongeduld dat ik me vooroverboog om de bestuurder aan te sporen. 'Schiet op! Sneller!' Intussen kwamen in korte flitsen de bladderende gevel en de dichtgetimmerde ramen in zicht, en het spookachtige effect werd nog versterkt door het grillige flakkeren van onze koplampen en die van de twee auto's achter ons.

'Is dat het?' Reznik boog zich voorover, turend naar het vervallen gebouw. 'Dat is een leeg huis.' Hij keek me aan; boze spiertjes trokken aan zijn ogen. 'Jij kleine slet...'

Ik was te overstuur om mijn woede te beheersen. 'Nick ligt daar dood te vriezen!' riep ik uit. 'Waarom zou ik liegen!'

Reznik stapte uit, verzamelde zijn mannen en beval de drie bestuurders om achter te blijven en de motoren draaiende te houden. Toen duwde hij de loop van zijn pistool in mijn rug en dwong me om voor hem uit de stenen stoeptreden naar de voordeur te beklimmen.

Ik had geen idee wat ons binnen te wachten stond. Dat deel van het plan had Pitana niet met Nick en mij besproken. Hoe zou het een handjevol Amazones – die merendeels amper volwassen waren, de tachtigplus van Otrera daargelaten – vergaan tegen een bende zwaarbewapende bruten?

Nadat ik meermaals tevergeefs had aangeklopt, schoof Reznik me hardhandig opzij en dreunde met zijn vuist op de deur. Toen er nog steeds geen reactie kwam, probeerde hij de deurknop... en merkte dat de deur niet op slot zat. James kwam bij ons staan en Reznik greep mijn schouder. 'Schiet maar op!' siste hij, en duwde me naar voren om als eerste het huis te betreden.

Met een voorzichtig 'Hallo? Professor Seppänen...?' stapte ik over de drempel het donkere huis in. Omdat de auto's buiten stationair draaiden met hun koplampen aan, werd ik toen de deur openzwaaide slechts begroet door mijn schaduw, die zich uitstrekte over de planken van de houten vloer. De gang was vrijwel leeg. Alle meubels waren weg, met inbegrip van het wapenrek. Het enige wat er nog stond, was de paraplubak.

Overstuur als ik was, slaakte ik bijna een kreet van frustratie. De Amazones waren verdwenen. Hun hoofdkwartier was ontdekt, en de geplande hinderlaag was alleen maar een manier geweest om van ons af te komen. Ik voelde mijn borst verkrampen – nooit had ik me zo verlaten gevoeld. Zelfs het verraad van James zonk hierbij in het niet.

Weer porde Reznik me in mijn rug met de loop van zijn pistool. 'Nou, waar is het?'

'Ik weet het niet.' Ik keek om me heen en probeerde te bedenken wat ik nu moest doen. 'Het is al zo laat. Professor Seppänen is vast naar bed gegaan.'

Reznik wendde zich tot zijn mannen en beval hun om het huis te doorzoeken. Er werden er twee naar het studievertrek gestuurd en twee naar de bibliotheek; de rest ging naar boven. Toen knikte hij naar de deur van de eetzaal recht voor ons, die op een kier stond. 'Wat is dat daar?'

'Weet ik niet,' zei ik. We waren nu nog maar met ons drieën – Reznik, James en ik. Mogelijke manieren om aan die twee te ontsnappen en het huis te verlaten vlogen in een wedloop door mijn hoofd.

'Dames gaan voor.' Reznik greep me stevig bij mijn arm en duwde zijn pistool tegen mijn ribben terwijl we samen over de vloer liepen.

De eetzaal was bijna donker. De koplampen die de hal zo helder hadden gemaakt, waren niet bij machte om veel meer dan een meter van de lange eettafel te verlichten, die zich in het schemerdonker eindeloos in de breedte leek uit te strekken.

Op dat moment hoorden we een geluid van boven, recht boven ons hoofd. Het was het geluid van een gejaagde schermutseling... toen een gedempte kreet... toen stilte.

Reznik verstrakte en haalde een walkietalkie tevoorschijn waar hij een vraag in blafte. Er kwam geen antwoord.

'Doe het licht aan!' zei hij met een por van het pistool. Aan zijn stem hoorde ik dat hij het huis begon te wantrouwen, en het feit dat het licht niet aanging toen ik de schakelaar omzette, verbeterde daar niets aan. 'Nog eens!' snauwde hij.

'Sst!' zei een zwaargebouwde schurk van een man in een bivakmuts met getrokken pistool – een van de vier die beneden de kamers hadden doorzocht en zich nu weer bij ons hadden aangesloten.

Iedereen luisterde met gespitste oren.

Het huis was volkomen stil. Het enige geluid dat de indruk van verlatenheid doorsneed, was een vaag gehinnik buiten. Het geluid ontlokte Reznik een grimmige vloek. 'Naar buiten!' blafte hij, iedereen wegduwend. 'Eruit, eruit!'

Maar net toen de mannen achteruitweken, sloeg de voordeur beneden dicht, en het donker sloot zich om ons heen. Te geschokt om anders dan instinctief te reageren dook ik weg uit Rezniks greep en verwijderde me van de mannen. Tegen de muur gedrukt, nauwelijks de pijn bemerkend toen ik mijn hoofd stootte tegen een van de kapstokhaken, hoorde ik vloeken en het stampen van zware soldatenlaarzen toen de knokploeg van Reznik de deur probeerde te vinden, en toen ineens...

Een verblindende lichtflits van boven, en vervolgens een angstaanjagend, razend en zwiepend geluid dat ons secondelang overspoelde, een geluid dat niets bekends had.

Ik beschutte mijn ogen tegen de harde, felle lichtstralen en het duurde even voordat ik de lichamen kon onderscheiden die bij de deur op de grond lagen, vastgepind door tientallen pijlen. Het was een groteske, misselijkmakende aanblik. De meeste pijlen waren op de hoofden en gezichten boven de kogelwerende kleding gericht. Het bloed dat uit de gruwelijke wonden stroomde, vormde al een plas op de vloer.

De enige twee mannen die niet gewond waren geraakt, waren Reznik en James; beide mannen stonden tegen de muur van de eetzaal gedrukt, net als ik verborgen voor de ogen van de boogschutters op de galerij recht boven ons.

Het duurde even voordat Reznik besefte dat al zijn mannen dood waren, zowel boven als beneden, en dat wij de enige drie overlevenden waren. Toen zijn blik de mijne ontmoette, vertrok zijn gezicht zo van woede dat hij niet meer op een menselijk wezen leek. 'Jij hebt me in de val gelokt!' gromde hij en hij stoof langs de muur op me af, buiten het bereik van de boogschutters.

Ik had niet eens de tijd om me af te vragen wat zijn bedoeling was. Meer dan het pistool in zijn hand en de razernij op zijn gezicht had ik niet nodig om naar de paraplubak te reiken. Gelukkig stond de roestige oude degen er nog.

Reznik was er niet op voorbereid om mij een wapen te zien trekken en hij bleef op me afkomen zonder het gevaar te registreren. 'Kom op!' blafte hij tegen James, die nog steeds verstijfd was van schrik. 'We gebruiken haar als gijzelaar!' Nog steeds met het pistool op mij gericht greep Reznik met zijn vrije hand naar mijn arm, maar ik wist de degen tussen ons in te manoeuvreren.

'Waag het niet!' zei ik; de kalmte van mijn stem verbaasde zelfs mij. Op de een of andere manier kon ik met een wapen in mijn hand dat ik zo goed kende weer helder denken. 'Ik ga terug naar Nick...'

'Geen schijn van kans!' Reznik dwong het lemmet opzij met zijn arm en richtte het pistool op mijn gezicht. 'Jij gaat met mij mee.'

Op dat moment verscheen er een vrouw met een machete in de deuropening naar de eetzaal, vlak achter hem. Pitana. Ze viel Reznik niet aan, maar zette geruisloos een stap achteruit toen ze zag in welk gevaar ik verkeerde.

Dat volstond. Reznik keek achterom om te zien wat mijn blik had getrokken, en ik haalde uit en ontwapende hem met een stoot tegen zijn pols. Met een kreet van verrassing en pijn greep hij met zijn andere hand naar de wond. Het pistool kletterde op de grond, precies tussen ons in.

Brullend van woede bukte Reznik om het op te rapen, maar ik schopte het opzij. Omdat ik zo geconcentreerd bezig was Reznik op afstand te houden, merkte ik niet wat James van plan was tot hij naar voren sprong en het pistool opraapte.

'Waar ben jij verdomme mee bezig?' riep ik toen hij het pistool op mij richtte en achteruitdeinzend over de lijken heen stapte, naar de deur.

'Kom mee!' Gehaast wenkte James Reznik mee. 'We moeten hier we...'

De zin eindigde in een kreet van pijn. Voor de tweede keer kletterde het pistool op de vloer. Een pijl van boven had James midden in zijn hand getroffen en zijn handpalm doorboord, en met een gepijnigd gekreun sloeg hij dubbel.

'Heren!' brulde een autoritaire stem.

Opkijkend zag ik Otrera – mijn angstaanjagende, prachtige oudtante Otrera – met geheven boog op de galerij staan, de pees nog natrillend van het volmaakte schot. Om haar heen stond een groep jonge Amazones, onder wie Lilli.

Otrera spreidde haar armen, met boog en al, en zei tegen Reznik: 'Je zocht ons. Hier zijn we.'

Ik wachtte Rezniks reactie niet af. Zonder nog een seconde te aarzelen vloog ik door de hal, greep onderweg het pistool van de grond en holde James voorbij. Vrijwel zonder halt te houden rukte ik de voordeur open; in mijn haast om naar buiten te komen struikelde ik en kwam op handen en voeten op de grindstenen treden terecht.

Ik kwam overeind, het pistool nog steeds vastgeklemd, maar voelde een hand naar mijn paardenstaart grijpen en realiseerde me dat Reznik vlak achter me stond. Ik kronkelde rond, sloeg hem met het pistool in zijn gezicht en wist mijn haar uit zijn greep te rukken. Bloed spoot uit zijn wenkbrauw toen ik me omkeerde en begon te rennen.

Ondanks zijn verwondingen kwam Reznik de treden af en strompelde achter me aan door de sneeuw. 'Het pistool!' gromde hij, zijn stem nog even krachtig als altijd. 'Geef hier!'

Een herhaald woest gesnuif en snel hoefgedreun maakte ons allebei aan het schrikken. Een paard met een ruiter, versmolten tot een enkele, zwarte, magnifieke vorm, kwam uit het bos galopperen en stampte tussen ons door – zo dichtbij dat de lange leren jas van de ruiter in mijn gezicht zwiepte. Ik zag haar gezicht maar een halve seconde in het voorbijgaan, maar dat was voldoende om Penthesilea te herkennen, de Slavische vrouw die de hinderlaag had opgezet.

Juichend van triomf boog Reznik zich voorover om iets op te rapen wat ze in de sneeuw vlak naast hem had gegooid toen ze voorbijreed. Een revolver.

Gretig sloten zijn vingers zich om het wapen, en toch was ik niet bang. Sukkel, dacht ik terwijl ik wegdook. Ken je de vierde regel van de Amazones dan niet? Dood nooit een ongewapend man, tenzij het niet anders kan.

Voordat Reznik ook maar een schot kon afvuren, draaide Penthesilea zich om in het zadel, richtte een lang geweer dat in haar jas verborgen had gezeten... en een oorverdovend knal wierp Reznik en zijn revolver achteruit, een sneeuwbank in. Het enige wat ik nog van hem zag, waren zijn handen en voeten, maar ik wist dat die zich nooit meer zouden verroeren, net zomin als de man zelf.

'Morg!' Een angstige kreet wekte me uit mijn schok. James stond wild te zwaaien op de drempel van het huis. 'Kom terug! Alsjeblieft!'

Ik draaide me om en holde verder.

Met mijn beide handen geklemd rond mijn pistool rende ik de oprijlaan af, in de verwachting dat de brute chauffeurs van Reznik zich gewapend en wanhopig in hun voertuigen zouden hebben gebarricadeerd. Tot mijn opluchting was dat niet het geval. De beide auto's en het busje waren leeg, hun voorportieren stonden open en de enige tekenen van Rezniks drie resterende mannen waren de bloederige sporen waar ze weggesleurd waren door de witte sneeuw.

Ik stapte in de laatste auto – een splinternieuwe SUV met leren stoelen – en tastte rond naar de sleutel, die ik uiteindelijk op de vloer aantrof, besmeurd met bloed en smeltende sneeuw. Ik was zo nerveus dat ik mijn handen en voeten nauwelijks in bedwang had, maar wist de auto te starten en in zijn achteruit te zetten om zo hard mogelijk achterwaarts de bochtige oprijlaan af te rijden.

Toen ik eenmaal op de hoofdweg was, begon ik met ademloze haast de weg terug te zoeken. Het enige wat ik in gedachten had was Nick, die minuut na kwellende minuut moest aftellen.

Mijn laatste beeld van hem, gehurkt in de sneeuw, zijn gezicht verbeten van pijn, was zo sterk dat ik het al die tijd voor ogen had gehad. En toen ik eindelijk bij de plek kwam waar we hem hadden achtergelaten, verwachtte ik hem aan de kant van de weg te zien knielen, ineengedoken tegen de kou.

Maar hij was er niet.

Ik stapte uit en draaide een paar keer om mijn as, uit volle borst zijn naam schreeuwend, terwijl de ijzige bal paniek in mijn maag steeds groter werd. Het sneeuwde niet langer en het bos was doodstil – meer dan stil genoeg om mij ervan te overtuigen dat niemand mijn kreten beantwoordde.

Ik rende naar onze huurauto in de greppel en trok de deur open om te zien of Nick erin gekropen was op zoek naar beschutting. Daar was hij ook niet.

Toen pas kwam het bij me op om in de verse sneeuw naar sporen te zoeken... sporen van iemand die liep, of kroop... maar in de straal van de koplampen, die mijn enige lichtbron vormden, zag alles er zo helder uit dat het even duurde voordat ik merkte dat er inderdaad een vers spoor liep – een enkel bandenspoor – over de weg naar Suomussalmi.

Ik voelde hoop opwellen. Was Nick door een motorfiets opgepikt?

Terug in de auto reed ik zo snel als ik kon achter het bandenspoor aan. Pas toen ik de stadsgrens bereikte, vlochten zich andere sporen door en over het mijne heen, maar dankzij het late uur en het schaarse verkeer kon ik het toch helemaal door de stad naar zijn logische bestemming volgen.

41

En eenieder die jou wenen ziet, zal zeggen:
'Daar is de vrouw van Hektor, die in het gevecht
uitblonk onder de paardentemmende Trojanen
toen zij rond Troje streden.'
– HOMERUS, *De Ilias*

HET ZIEKENHUIS WAS EEN SLAPERIG GEBOUW, waar slechts een handvol mensen in de nachtdienst werkte. Toen ik de eerstehulpafdeling binnenliep, keken alle medewerkers op. Uit hun opengesperde ogen maakte ik op dat ik eruitzag als een schrikbeeld.

Zodra me was bevestigd dat Nick hier echt was, liep een aardige zuster met me mee naar een kleine wachtkamer waar een tiental lege stoelen stond. 'Er zit heet water voor thee in de thermoskan,' zei ze. 'Ik zal dr. Huusko laten weten dat u er bent.'

'Hoe is het met hem?' vroeg ik, in haar gezicht zoekend naar het minste beetje informatie. 'Is alles in orde?'

Ze wendde haar blik af. 'Dr. Huusko komt zo bij u.'

Ik heb geen idee hoelang ik daar gespannen op nieuws zat te wachten. Er stond een radiator vlak achter me die heet aanvoelde, maar ik kon niet ophouden met beven. De gebeurtenissen van die nacht hadden me tot op het bot verkild, en ik was bijna catatonisch van shock en uitputting. Ik had niet eens het benul om op te staan en mijn handen te wassen, al waren die nog kleverig van Nicks bloed.

Toen de dokter eindelijk verscheen, liep hij niet meteen naar me toe, maar hield even halt om me vanuit de deuropening aan te staren. En toen hij sprak, bleek zijn stem zo zwaar dat het geluid een gerommel uit de aarde zelf leek. 'U mag wel een heel goed verhaal voor me hebben.'

Op stijve benen kwam ik overeind, vergeefs op zoek naar iets zachtaardigs op het gezicht van de arts. Hij was een van die lange, knoestige mannen die de indruk wekken dat ze al heel wat ijsstormen en blikseminslagen hebben doorstaan, en voor wie gewone mensenwezens zoals ik weinig meer dan een voorbijgaande ergernis vormden. 'Vertel me alstublieft dat alles weer goed komt met hem,' zei ik; de woorden stokten bijna in mijn keel.

Dr. Huusko wees naar zijn stethoscoop. 'Dit is geen kristallen bol. Dit is wetenschap. Maar de wetenschap is met ons.' Eindelijk kwam hij naar me toe. 'Als ik geen rationeel mens was, zou ik zeggen dat uw vriend een beschermengel heeft.' Hij liet me zien wat hij in zijn hand had.

Het was oma's armband. Of liever gezegd, dat veronderstelde ik, want het hoofd van de jakhals was zo vervormd dat hij niet meer op een dier leek.

'Dit zat in zijn broekzak,' verklaarde de dokter. 'Het heeft de kogel tegengehouden. Ik heb nog nooit zoiets gezien. Waarschijnlijk heeft dat zijn leven gered.'

'Maar hij bloedde,' fluisterde ik, tranen van verwarring en opluchting bedwingend.

Dr. Huusko keek me onthutst aan. 'Natuurlijk bloedde hij. Hoe denkt u dat het voelt om dit in je lichaam geramd te krijgen met een kracht van honderden kilo's?'

Ik keek de arts aan en wachtte gespannen tot hij zou bevestigen dat Nick buiten levensgevaar was. 'Komt het wel goed?'

Maar het gezicht van de arts had zich weer verhard. 'Hij ligt in coma. We zullen zien. Hij was ernstig onderkoeld. Zijn hart heeft stilgestaan; ik weet niet hoelang. Er zou cellulaire schade kunnen zijn.' De borstelige wenkbrauwen van de arts naderden elkaar nog dichter. 'Als er geen zuurstof naar de hersenen stroomt...'

Ik viel niet flauw, maar even werd alles vaag. 'Mag ik hem zien?'

'Als hij stabiel is.' Dr. Huusko viste nog iets uit de zak van zijn witte jas: Nicks telefoon. 'Dit zat in zijn andere zak. Misschien wilt u iemand bellen. De vrouw die hem binnenbracht, zei dat ze zijn moeder was, maar verder heeft ze ons niets verteld. We hebben geprobeerd haar hier te houden, maar' – dr. Huusko trok een gezicht – 'ze wilde niet.'

Ik ijsbeerde door de gangen, bijna te verdrietig en te ongerust om te huilen. Uiteindelijk ging ik in de lege cafetaria zitten met Nicks telefoon en de verwrongen jakhalsarmband voor me op tafel. Boven een lege vitrine vlakbij gonsde een eenzame neonbuis, af en toe knipperend alsof hij bijna opgebrand was. Om de een of andere reden voerde dat me terug naar mijn trailer in Algerije, en even werd ik bevangen door zinloze gedachten over het terugdraaien van de tijd tot een moment waarop Nick en ik nog niet verzoend waren, en ik me in mijn wildste dromen niet had kunnen voorstellen dat ik in een ziekenhuis om hem zou huilen.

Na een paar keer diep ademhalen wist ik die nutteloze gedachten opzij te zetten en me op de telefoon te concentreren. Hoewel een gesprek met vreemden het laatste was waar ik op dat moment behoefte aan had, was de situatie ernstig genoeg om bellen te rechtvaardigen.

Nadat ik door Nicks eindeloze contactenlijst had gescrold zonder iemand te herkennen, kwam het eindelijk bij me op om de sneltoetsen te bekijken om te zien wie hij als zijn naasten beschouwde. Verrassend genoeg stond een nummer dat hij 'Kantoor voor Ruzie' noemde bovenaan. Daarna kwamen 'Boy Wonder' en 'Goldfinger'. Na een poosje gaf ik het raden op en belde het eerste nummer.

De telefoon rinkelde een poosje voordat er iemand opnam, en ik had me al schrap gezet voor een antwoordapparaat in Dubai toen een slaperige mannenstem zei: 'Het zal eens tijd worden.'

'U spreekt met Diana Morgan,' zei ik snel. 'Ik bel namens Kamal al-Aqrab. Ik neem aan dat u hem kent.'

Er klonk luidruchtig gedruis aan het andere eind. Toen zei de man, met een stem ergens tussen bezorgdheid en boosheid: 'Wat is er aan de hand? Waar belt u vandaan?'

Ik keek om me heen naar de verlaten cafetaria. 'Finland. Het ziekenhuis van Suomussalmi.' Ik zweeg even omdat mijn stem wankelde. 'Ik ben bang dat er...'

'Leeft mijn zoon nog?'

De vraag trof me recht in mijn hart. 'O! U bent...'

'Geef antwoord.'

Bij de vijandige toon van al-Aqrab verloor ik iets van mijn moed. 'Ja, maar we weten niet of...' Weer brak mijn stem. 'Hij is ernstig onderkoeld geraakt...'

'Blijf waar je bent. Ik kom eraan.' Al-Aqrab verbrak de verbinding.

En zo vond dr. Huusko me ten slotte – in de lege cafetaria over de tafel hangend, naast Nicks telefoon, te bedroefd om me te verroeren. 'Hier.' Hij hield een grijze afdruk van een foto voor mijn gezicht. Er stond een vrouw op die haar motorhelm afzette terwijl ze door de glazen deuren van het ziekenhuis beende. 'Dit is de vrouw die uw vriend heeft binnengebracht. Kent u haar?'

Ik boog me voorover om de foto te bestuderen. Hij was van bovenaf genomen, maar ik herkende het korte zilverkleurige kapsel meteen. Nicks beschermengel was de boze kattenvrouw uit Istanboel. Ze had geprobeerd ons te mijden door de hele avond boven te blijven, maar het noodlot had haar toch gevonden, om haar op de proef te stellen. Was ze deze keer eervol geslaagd? Dat was een kwestie van perspectief. De koningin van de Baltische Amazones had de regel geschonden dat zij voorop moest gaan in de strijd, en haar zusters alleen gelaten met de knechten van Reznik om haar zoon te redden.

'Nou?' vroeg Huusko.

Ik schudde mijn hoofd, zijn blik ontwijkend. 'Nee, het spijt me.'

'Kom mee.' De dokter gebaarde dat ik op moest staan. 'Ik laat u bij hem. Hij ligt nog in coma, maar hersenen zijn rare dingen.'

Languit op een ziekenhuisbed, op een kamer alleen, leek Nick te zijn verbonden met elk medisch apparaat in het gebouw. En hij was zo doodsbleek dat ik hem niet herkend zou hebben als ik niet had geweten dat hij het was.

Ik liep naar zijn bed en legde mijn hand zachtjes op de zijne, voorzichtig, om het infuus niet te raken. Geen reactie. Ook toen ik me vooroverboog en zijn wang kuste, bewoog hij niet zichtbaar.

Dr. Huusko nam Nicks polsslag op de ouderwetse manier op, tussen zijn vingers, zonder acht te slaan op alle dure machines. 'Hij is een sterke man met een sterk hart,' zei hij terwijl hij iets aantekende op een kaart. Toen keek hij me weer aan, zijn ogen wat minder streng dit keer.

'Ik weet niet wat er met jullie is gebeurd, en misschien wil ik dat ook wel niet weten. Maar de politie zal vragen hebben. U kunt maar beter over de antwoorden gaan nadenken.'

Eindelijk met Nick alleen ging ik naast hem op het smalle bed liggen, zo dicht bij hem als ik kon. Ondanks alles rook hij nog steeds naar zichzelf. Ik probeerde in gedachten terug te gaan naar die ochtend, toen ik naast hem wakker geworden was in onze warme cocon van hoteldekbedden. Toen had ik het sterke gevoel gehad dat niets buiten ons bed er veel toe deed – ik had eindelijk het middelpunt van mijn universum gevonden.

'Ik hou zoveel van je,' fluisterde ik in zijn oor, in de hoop dat mijn woorden hem zouden bereiken, waar hij ook was. 'Kom alsjeblieft terug. Het spijt me zo.'

Ik had zo nodig naar Finland gewild, ik had zo nodig oma's spoor tot het einde moeten volgen. En toen alles verkeerd ging, aarzelde ik en verloor mijn zelfbeheersing toen Nick Rezniks mannen aanviel.

'Hoe kun je nou niet willen leren om je dierbaren te verdedigen?' had hij me gevraagd in de ruïnes van Mykene. 'Ik kan je een paar simpele kunstjes laten zien...'

Ik was te boos geweest om te luisteren. En nu smeet de grote machinerie in de hemel mijn arrogantie terug in mijn gezicht, met verblindende nauwkeurigheid.

Al-Aqrab arriveerde bij het aanbreken van de dag. Toen ik de kortaangebonden vragen en de verontwaardigde kreten op de gang hoorde, veronderstelde ik dat het de politie was, die me kwam ondervragen. Maar vervolgens werd de deur van de kamer opengeduwd en kwamen er vier mannen naar binnen, met dr. Huusko en twee opgewonden verpleegsters vlak op hun hielen.

Met zijn strenge, zakelijke houding leek al-Aqrab zo weinig op de man die ik een week eerder met een honkbalpetje door de hal van het Çirağan Palace had zien slenteren, dat ik helemaal terug moest reiken naar het intense gezicht in het plakboek van Telemachos om er zeker van te zijn dat hij het echt was. In een pak en een das die bijna identiek waren aan die van zijn drie reisgenoten, stond hij midden in de kamer stil zonder mijn aanwezigheid zelfs maar te erkennen, en liep toen naar Nicks bed met een van machteloze woede vertrokken gezicht.

'Wie heeft dit gedaan?' was zijn eerste vraag, aan niemand in het bijzonder.

'Reznik en James Moselane,' antwoordde ik met een blik op de dokter. 'Ze zijn ons hierheen gevolgd.'

Al-Aqrab mompelde een vloek.

Ik wachtte even, in de verwachting dat hij tegen Nick zou proberen te praten, of hem in ieder geval zou aanraken. Toen hij dat niet deed, zei ik: 'Maar dat zou ons toch niet moeten verbazen? Was dat niet steeds het plan – om ons als lokaas te gebruiken?'

Langzaam keerde al-Aqrab zich naar me toe, alsof hij mijn brutaliteit nauwelijks kon geloven. 'En jij bent?'

'Diana Morgan.' Ik stak mijn hand uit. Toen hij die niet aannam, ontplofte er een luchtbel van machteloze woede in mijn hoofd. 'U herinnert zich mij vast wel uit het detectiverapport. Ik denk dat u en uw' – ik knikte naar de andere mannen, die om ons heen stonden met een frons van latente agressie – 'spionnen meer van mij weten dan mijn eigen ouders.'

'Juist.' Al-Aqrab stak zijn hand in zijn binnenzak. 'Wat ben ik je schuldig?'

Ik zette een stap achteruit. 'Waarvoor precies?'

Hij haalde zijn chequeboek tevoorschijn. 'Om nu meteen die deur uit te lopen' – met een gouden vulpen en een knikje wees hij over zijn schouder – 'en het hele verhaal uit je hoofd te zetten.'

Hoewel de toon van ons gesprek nauwelijks beschaafd was geweest, was ik zo onthutst over zijn botheid dat de kamer om me heen even leek te verdwijnen. 'Ik zou nog geen cent van u aannemen,' zei ik, de woorden met moeite uit mijn keel persend, 'al was ik een bedelaar. U hebt Nick dit aangedaan. En als zijn moeder er niet was geweest om hem uit een sneeuwbank te trekken en hierheen te brengen, was hij nu al dood geweest.'

Ik spuwde mijn woorden met woedende hartstocht uit, en al-Aqrab wankelde even voordat hij zijn schouders rechtte en zijn das verschoof. 'Dit is niet de tijd of de plaats...' Hij wenkte naar iemand anders, en toen pas zag ik het medische team achter dr. Huusko de kamer binnenkomen.

'Wat doet u?' vroeg ik, terwijl ik dichter bij Nick ging staan.

Wat ze deden was echter maar al te duidelijk.

Ik probeerde ze tegen te houden. 'Neem hem niet mee! Alstublieft! Dr. Huusko heeft alles...' Omdat ik merkte dat er niemand naar me luisterde, keerde ik me naar al-Aqrab en riep: 'Hebt u nog niet genoeg gedaan? Het is ijskoud buiten.' Toen hij me bleef negeren, versperde ik hem de weg en dwong hem om aandacht aan me te besteden. 'Goed.

Neem hem dan maar mee terug naar Dubai.' Ik was zo overstuur dat ik mijn stem niet eens kon dempen. 'Maar ik ga mee.'

Al-Aqrab had niet afkeriger kunnen kijken. 'Jij? Waarom?'

Ik wierp een blik op Nick, met moeite mijn tranen bedwingend. 'Omdat hij naar me zal vragen zodra hij bijkomt.'

Met opnieuw een misprijzende blik van top tot teen werd ik op mijn plaats gezet. 'Dat betwijfel ik ten zeerste. En als je ons nu zou willen verontschuldigen...'

Zonder aarzelen koppelde het medische team Nick los van alle apparaten en verbond elke slang met hun eigen draagbare apparatuur. Toen ze het bed de kamer uit reden, holde ik door de gang achter hen aan. 'Ik meen het,' zei ik tegen al-Aqrab. 'Waag het niet om...' Ik stak mijn hand uit en probeerde de rand van het bed te grijpen. 'Stop! U begrijpt niet dat...'

Met een soepele, moeiteloze beweging wist al-Aqrab me de pas af te snijden terwijl het medische team verder de gang door liep en om een hoek verdween. 'O, maar ik begrijp het helemaal,' zei hij, met een neerbuigende hand op mijn schouder. 'Nick is mijn zoon. Hij heeft nu eenmaal dit effect op vrouwen.' Hij reikte in zijn binnenzak, haalde er een stapel biljetten uit en drukte die in mijn hand. 'Koop maar iets moois voor jezelf. Dat zou hij leuk vinden.'

In de ochtendzon reed ik in Rezniks SUV terug naar de Raateweg, om te ontdekken dat de huurauto niet langer in de greppel lag en dat alle sporen van geweld door nieuwe sneeuw waren bedekt. Verdwenen waren onze bagage, mijn jas, de *Historia Amazonum*, oma's brief... er was zelfs geen voetafdruk meer over.

Doorrijdend slaagde ik erin mijn weg terug naar de schuilplaats van de Amazones te vinden, ondanks het feit dat alles er anders uitzag bij daglicht en de handgemaakte straatbordjes verdwenen waren.

Toen ik de kronkelige oprijlaan af reed, zag ik al dat mijn tocht vergeefs was geweest. Niet alleen waren er geen voertuigen meer te zien, alleen nog een wirwar van half weggeveegde bandensporen, maar het huis zelf was weg. Waar het vervallen oude landhuis had gestaan, lag nu alleen nog een hoop verkoold puin.

Ik stapte uit en liep een poosje rond in de kniehoge sneeuw, op zoek naar tekenen van leven. Er stegen nog dunne rookzuilen op uit de verbrande resten van het gebouw, maar tussen de rommel lag niets herkenbaars meer.

Ik voelde me vreemd verdoofd terwijl ik daar naar de ruïne stond te staren. Wat had ik dan verwacht? Dat de Amazones hier nog zouden zijn, ijverig de bloedvlekken wegschrobbend?

Toen ik om de funderingen van het huis heen liep, zag ik een oude grijze schuur staan, verborgen in het bos. Het was een lang, hoog gebouw – misschien nog wel groter dan het huis was geweest. Door de sneeuw ploegde ik erheen en ik trok met behoedzame nieuwsgierigheid de hoge schuurdeuren open.

In het gebouw zag ik tientallen paardenboxen en stapels vuil stro op de vloer. Meer dan wat ook suggereerden een omgevallen kruiwagen en een gescheurde zak voer een haastige aftocht.

Achter in de stal stond nog een deur open. Aan de andere kant ervan bevond zich een enorme lege ruimte met een betonnen vloer. Mijn eerste indruk was dat er iets essentieels werd bewaard in deze grootse ruimte met zijn kathedraalachtige plafond – iets wat nu verdwenen was. Maar toen zag ik de drie touwen van de dakspanten hangen en... de trapezes.

Ineens hoorde ik Otrera het reizende circus weer beschrijven dat de Baltische afdeling van de Amazones ooit was geweest, en ik begreep dat er inderdaad iets heel bijzonders was bewaard in deze ruimte – trainende vrouwen. De strengheid ervan werd door geen spiegel of vloermat verzacht; dit was geen showroom geweest, maar een plek vol concentratie, inspanning en pijn.

De graffiti op de muren bekrachtigde mijn vermoeden. De meeste teksten stonden er in talen die ik niet verstond, maar twee ervan waren in het Engels. De ene tekst zei: 'Wie bereid is essentiële vrijheden op te geven voor tijdelijke veiligheid, verdient vrijheid noch veiligheid.' De ander was eenvoudig: 'Een land vol schapen verwekt een heerschappij van wolven.'

Ik liep naar een optrekbalk aan de muur, greep het koude metaal en probeerde mezelf omhoog te hijsen. Het lukte niet. Als kind had ik het gekund, als Rebecca en ik voor Amazone speelden in de tuin, maar later... als volwassene had ik graag gehoorzaamd aan de stemmen die beweerden dat zulke dingen niet verwacht werden van vrouwen.

Teruglopend door de stal keek ik overal rond of er iets vergeten was – een klein souvenir, om me de kracht te geven om door te gaan. Maar alles was verdwenen. Uiteindelijk raapte ik een handvol graan uit de lekkende voederzak en stopte die in mijn zak.

Waar was de Baltische afdeling van de zusterschap nu, vroeg ik me af? En wat was er met James gebeurd? Was hij in rook opgegaan, net als de andere Amazonegeheimen in het huis?

Verkild door de herinnering aan het bloederige einde van Rezniks oorlog met de Amazones draaide ik me om en liep weer naar buiten. Daarbij zag ik iets aan een spijker naast de deur hangen. Mijn jas! Verbijsterd haalde ik hem eraf en bekeek hem. En ja, alles zat weer in mijn zakken, alles waarvan ik dacht dat ik het kwijt was: mijn geld, mijn paspoort, alweer... en oma's brief.

Ik ging op de omgekeerde kruiwagen zitten en maakte de envelop meteen open. De brief was niet lang, en het beverige handschrift suggereerde dat oma verzwakt was toen ze hem schreef.

Diana,
Hoe oud ben je nu? Ik probeer je voor me te zien, maar ik kan niet raden hoelang het je heeft gekost om mij te vinden. Ik had nog zo graag nog eens met je willen praten en alles uitleggen, en horen hoe het met je gaat, maar het is te laat. Katherine Kent zegt dat je gelukkig bent. Dat doet me deugd.
Ik ga je mijn jakhalsarmband geven, maar veronderstel niet dat ik wil dat je een Amazone wordt. Ik wil alleen dat je de keus hebt. Te veel vrouwen groeien op zonder keuzes. Mijn grootste wens voor jou is een leven in vrijheid. Zorg dat je keuzes in leven blijven; laat ze niet verzwakken. En laat je door niemand wijsmaken dat je er geen hebt. Vergeet niet: moed kent geen leeftijd.
Ik weet niet waar ik zal zijn als jij dit leest, maar als ik kan, zal ik je vinden en in je oor fluisteren. Het eerste wat ik zal fluisteren is dit: Geef nooit op. Uiteindelijk wint het goede het altijd van het kwaad.

Met al mijn liefde,
Kara

DEEL VI

EQUINOX

42

Daarop nam de zwaarbeproefde Odysseus de boog ter hand,
spande moeiteloos de pees en schoot de pijl door de bijlen.
Op de drempel schudde hij met een vervaarlijk dreigende blik
de schichtsnelle pijlen uit op de grond en schoot toen
Vorst Antinoös neer. Daarna schoot hij zijn dodelijke pijlen
recht voor zich uit op de andere vrijers; allen vielen, een voor een.
– HOMERUS, *Odysseus*

OXFORD, ENGELAND

De dromerige torens ontvingen me met verregende onverschilligheid, alsof ik nooit weggeweest was. De novemberlucht was wat koeler dan toen ik drie weken geleden vertrok, en iedereen zag er iets ellendiger uit terwijl ze van gebouw naar gebouw scharrelden, hun boeken tegen zich aan geklemd. Verder leek alles vrijwel hetzelfde. De portier keek nauwelijks op van zijn sportkrant toen ik bij de loge stopte om mijn post te halen.

'Hallo, Frank,' zei ik terwijl ik mijn postvakje leegschepte, verbaasd over de weinige brieven na wat voor mij aanvoelde als een lange afwezigheid. 'Nog nieuws te melden?'

Met geveinsd medeleven schudde hij zijn hoofd. 'Ik kan zo gauw niks bedenken. Het zou zonnig worden, vandaag. Maar dat moeten we nog zien. O – bijna vergeten.' Frank rekte zich uit om een briefje van een prikbord te halen. 'James Moselane heeft gisteravond gebeld. Zei dat het dringend was. Hij heeft een nummer achtergelaten.'

We keken samen naar de cijfers, die met potlood neergekrabbeld waren. 'Zwitserland?' zei ik, verbaasd over het landnummer.

Frank haalde zijn schouders op. 'Hij zei alleen maar dat het dringend was. Hier.' Met een grimas overhandigde hij me het stukje papier, blij om zich van de verantwoordelijkheid te ontdoen. 'Bel hem maar meteen.'

De ontvangst in het kantoor van professor Larkin was al niet hartelijker dan in de loge. Er hing een waas van stoffige verlatenheid in de lucht, en de arme guppy's dreven ondersteboven in hun aquarium. Nadat ik mijn post op het bureau had laten vallen, beende ik eerst naar het toilet en spoelde samen met de guppy's het telefoonnummer van James door. Enigszins gekalmeerd kwam ik terug, knipte alle werklampen aan en vulde de waterketel ter voorbereiding op een lange middag waarin ik mijn verdriet de baas zou blijven en mijn leven weer op de rails zou zetten.

Ik had het hele weekend naar mijn ouders gezocht in alle pensions van Cornwall, en ze eindelijk gevonden in een tearoom in Falmouth. Gisteravond waren we samen teruggereden naar de Cotswolds, en we hadden de hele weg over oma gepraat. Na achttien jaar, waarin ze alles hadden ingedijkt achter een muur van nerveus zwijgen, werd de wereld van mijn ouders nu zo overspoeld met herinneringen dat ze amper wisten aan welke ze zich moesten vastgrijpen. Samen stelden we vast wat we al wisten en combineerden dat met wat ik in Finland had geleerd. Het beeld van oma dat daaruit ontstond, was dat van een vrouw die beschadigd was door verlies en ontberingen, maar veel sterker en heel wat gezonder van geest was dan zij tot dusver hadden gedacht.

Neerslachtig en uitgeput als ik was, zou ik graag een tijdje thuis bij mijn ouders zijn gebleven, verscholen in die wereld van herstelde herinneringen. Maar ik kon niet eeuwig wegblijven. Ik moest studenten onder ogen komen, collega's tot bedaren brengen: een strijd die ik niet langer kon uitstellen.

En dus had ik de maandagochtendtrein genomen die ik zo goed kende, in de hoop in Oxford meteen weer te kunnen terugvallen in mijn vroegere routine. Maar nu ik in mijn vertrouwde vensterbank zat, leek het alsof alles om me heen op de een of andere manier veranderd was – de kleuren waren donkerder, de lucht vreemd bewegingloos. Zelfs de geluiden van andere mensen waren van majeur tot mineur vervallen.

Voordat ik Finland verliet, had ik geprobeerd om Nicks tweede sneltoets te bellen... om tot de ontdekking te komen dat zijn nummer afgesloten was. Wat ik ook deed, ik kreeg alleen maar steeds hetzelfde automatische bericht in het Arabisch. De woorden begreep ik niet, maar de bedoeling was duidelijk: ik was afgesneden.

Kriskras onderweg door Cornwall op zoek naar mijn ouders had ik elke internetverbinding die ik vinden kon opgeëist, op zoek naar een rechtstreeks nummer van het kantoor van de Aqrab Foundation in Dubai. Toen ik het eindelijk vond, had ik het op een stukje papier geschreven om het te kunnen bellen zodra ik terug was in Oxford.

Nu tuurde ik naar het nummer, klaar om mijn belangrijke telefoontje te plegen op de antieke telefoon van professor Larkin, en voelde opnieuw afkeer bij de herinnering aan mijn botsing met al-Aqrab. Maar daar kon ik me niet meer door laten weerhouden; mijn bezorgdheid om Nick was zo groot dat ik niet kon eten, niet kon slapen – ik had het gevoel dat mijn ziel in oorlog was met mijn lichaam en het een verrader noemde omdat ik terug was gekropen naar Oxford en niet vastberaden door de straten van Dubai beende.

De telefoon rinkelde maar één keer voordat een receptionist opnam en me doorverbond met een Fransman die me – waarschijnlijk vanuit zijn hoekkantoor met uitzicht op de Perzische Golf – overvloedig duidelijk maakte dat de Aqrab Foundation en de familie al-Aqrab twee verschillende eenheden waren. 'Ik heb geen informatie voor u,' zei hij herhaaldelijk, klaarblijkelijk het kantoorprotocol volgend, 'maar ik kan u doorverbinden met onze afdeling voorlichting als u meer wilt weten over onze stichting.'

Zodra ik ophing, ging de telefoon. 'Hallo?' zei ik hoopvol, mijn gedachten nog steeds in Dubai.

'Morg!' De blijdschap in de stem van James toen hij mij aan de lijn kreeg was uitbundig. 'Zeg, het spijt me zo! Echt waar! Je haat me, hè? Dat kan ik je niet kwalijk nemen. Maar luister – ter wille van onze lange vriendschap.' Hij wist zijn stem te bedwingen en zei zachter: 'Ik zit in moeilijkheden. Die lesbi's van jou hebben me er lelijk in geluisd. Kunnen we praten? Luister je?'

Toen ik niet reageerde, lachte James nerveus. 'Goed dan. Wat denk je hiervan: geld. Ik weet dat je krap zit. Noem je prijs. Het enige wat je hoeft te doen is naar Genève komen' – hij dempte zijn stem nog meer – 'en deze eikels vertellen dat ik Reznik niet heb vermoord. Oké? Ik zit op het hoofdkantoor van de politie – ik zit goddomme in de boeien, Morg!'

Ik hing op.

Toen de telefoon weer ging, trok ik de stekker eruit.

Kennelijk hadden de Amazones precies geweten wat ze met James en het lijk van Reznik aan moesten, en eerlijk gezegd had ik geen enkele behoefte om me met hun gerechtigheid te bemoeien.

Mijn onderwijsverplichtingen bleken te zijn overgenomen door een of andere overijverige doctorandus, en wie ik ook sprak, niemand leek ook maar even de moeite te willen nemen om alles weer in de oude staat te herstellen. Kennelijk had professor Vandenbosch – het afdelingshoofd dat zich lang geleden al had voorgenomen om mij onderuit te halen – de papieren hoogstpersoonlijk ondertekend. Er werd zelfs gesuggereerd dat die bedrijvige vervanger van mij nu de rechtmatige huurder van de vertrekken van professor Larkin was, en dat ik maar beter elders naar huisvesting kon gaan zoeken. Ik had er wel begrip voor, natuurlijk, ik had mijn verplichtingen drie weken lang verzaakt, maar ik was bepaald niet van zins om mijn zuurverdiende plek zonder slag of stoot op te geven.

Het feit dat Katherine Kent nog niet terug was uit Finland verbeterde de situatie ook niet. Ik was meteen langs haar kantoor gegaan, maar op mijn herhaalde geklop kwam geen reactie, en de portier had geen idee wanneer ze terug zou zijn. 'Met professor Kent weet je het nooit,' zei hij met een samenzweerderige glimlach. 'Volgens mij werkt ze voor MI5. Maar niemand gelooft me.'

Op dinsdagmiddag keerde ik na een louterende schermtraining terug naar de universiteit en zag dat de deur naar mijn appartement openstond. Mijn eerste gedachte was dat de schoonmaakster gekomen moest zijn, maar toen ik geen stofzuiger of gerammel van prullenbakken hoorde, alleen maar stilte, voelde ik een bekende ijzige rilling over mijn ruggengraat trekken.

Zo geruisloos mogelijk maakte ik mijn sporttas open en haalde mijn floret tevoorschijn. Hij was ontworpen voor de sport, met een flexibel lemmet en een botte punt, maar dat was beter dan niets. In de juiste handen kon zelfs een sportfloret dodelijk zijn.

Na een diepe ademhaling duwde ik ten slotte de deur open... en stond oog in oog met Rebecca.

'Mijn god!' gilde ze toen ze me zag staan en ze greep naar haar hart. 'Wil je me soms vermoorden?'

Ik liet mijn floret zakken en we vielen in elkaars armen. 'Wat doe jij hier?' vroeg ik na een paar tellen. 'Had ik je niet gezegd dat je met Telemachos moest gaan zeilen?'

Rebecca zette een stap achteruit en wreef haar tranen weg. 'Als je zo'n soort vriendin zoekt, zet je maar een advertentie in de krant. Jij hebt hulp nodig, en hier ben ik. Ik kreeg per koerier een envelop met jouw sleutels erin, dus ik vond dat ik die maar moest gebruiken.'

Bij een single malt whisky in het grand café wisselden we onze avonturen uit. Rebecca en ik waren geen whiskydrinkers, maar kennelijk vonden we allebei dat het tijd was voor verandering. Op hoge krukken aan de bar ontrafelden we samen de wirwar van mensen en gebeurtenissen die ons uit elkaar hadden gedreven... en nu weer bijeen. Natuurlijk domineerde James Moselane die bonte mengelmoes van vrienden en vijanden.

'Ik kan het nog steeds niet geloven,' zei Rebecca telkens. 'En dan te bedenken dat we die minkukel zo aanbaden. Wat denk je dat ze met hem gaan doen? Hem in de gevangenis laten wegrotten? Zijn hoofd afhakken met een zwaard? Deden ze dat vroeger niet altijd in Zwitserland?'

Ik haalde mijn schouders op en liet de whisky ronddraaien in mijn glas. 'Ik heb geen idee hoe ze hem de dood van Reznik in de schoenen hebben geschoven, maar weet je wat? Hij verdient niet beter. Als ik hem ooit terugzie, kan hij zijn golfbal terugkrijgen.'

Toen we eindelijk arm in arm naar huis liepen, wist Rebecca alles wat er te weten viel over mijn beproevingen in Duitsland en Finland. En hoewel ze mijn berouwvolle verhaal gul bestrooide met bemoedigende woorden als 'ik weet zeker dat hij erbovenop komt' en 'natuurlijk houdt hij van je!' kende ik haar goed genoeg om aan te voelen dat ze mijn angst om Nick nooit meer te zien deelde.

'Waarom kom je niet met mij mee naar Ikiztepe?' vroeg ze terwijl ze haar stappen op de ongelijke keistenen naar de mijne richtte. 'Het is een ontzettend spannende plek, en volgens dr. Özlem zijn ze wanhopig op zoek naar medewerkers.' Rebecca keek me even aan om te zien of ik in een ontvankelijke bui was. 'Echt, ontslagen worden in Knossos is het beste wat me ooit is overkomen. En jij? Is het geen tijd om dat Oxford van je achter je te laten?'

Ik schudde mijn hoofd. 'Niet voordat ik een cursus zelfverdediging heb gedaan.'

En toen zag ik het. Voor de ingang van het universiteitsgebouw stond een bestelbus met draaiende motor, met iemand ernaast die ik maar al te goed kende. Met haar hoge laarzen en strakke kleren stak mijn Amazonevriendin Lilli in de middeleeuwse straat even fel af als een moedige zaadplant tegen een rotswand.

Toen ze ons in het zicht kreeg, knikte ze me toe alsof we een geheime afspraak hadden en liep om het busje heen om aan de passagierskant in te stappen.

'Wacht!' riep ik en ik rende op haar af, maar het was al te laat. Het busje reed de straat uit en verdween om de hoek naar Oriel Square. Bij de poort van de universiteit bleven Rebecca en ik het onthutst staan nakijken.

'Nou ja!' Ik liep de poort door en haastte me langs de loge, opeenvolgende beelden van de collectie Romeinse munten en oude potscherven voor mijn geestesoog. 'Wat hebben ze nou weer meegenomen?'

In mijn haast om bij mijn appartement te komen merkte ik niet dat Frank, de portier, me riep, tot hij in hemdsmouwen en bretels het binnenplein opliep. 'Er is iets voor u bezorgd,' riep hij, zichtbaar geërgerd dat hij uit zijn mannenhol was weggerukt. 'U kunt het maar beter meteen meenemen. Ik kan hier geen vin meer verroeren.'

Hij overdreef niet. Op de vloer van de loge stonden drie houten kratten zo groot als wasmachines, en zo zwaar dat het verscheidene mensen zou vergen om ze te verplaatsen. 'Net aangekomen,' vertelde Frank. 'Voor u persoonlijk. Ze wilden niet weggaan tot u terug was.'

'Wie zijn "ze"?' vroeg ik, nieuwsgierig naar wat Lilli hem precies had verteld. Maar Frank was al aan de telefoon, op zoek naar sterke armen om ons te helpen.

Een halfuur later stonden de drie kratten op de vloer van professor Larkins kantoor. 'Ik weet niet of ik ze wel open zou maken,' zei Rebecca, op haar lip kauwend. 'Weet je nog, de doos van Pandora? Ellende uitstorten over de mensheid, en zo?'

Ik rommelde in de laden van het bureau op zoek naar iets wat als breekijzer kon dienen. 'Misschien ben ik een optimist, maar ik kan me niet voorstellen dat er nog veel ellende over is om uit te storten.'

Pas toen ik een hamer en een beitel was gaan lenen van de hoofdschuddende Frank konden we eindelijk het deksel loswrikken van de kist waar '1' op stond. Een paar knerpende spijkers later tuurden Rebecca en ik in het zaagsel, gefascineerd door de leren dossiermap die bovenop lag. 'Laat eens kijken.' Ik pakte de map, waar een vrij lange, getypte tekst in bleek te zitten, gelukkig in praktisch Engels.

'Dit is het verhaal van Myrine,' las Rebecca over mijn schouder voor. 'De eerste der Amazones, oprichtster van onze zusterschap. O! Wat zal meneer Telemachos dat heerlijk vinden!'

Ik bladerde door de pagina's om te zien of er ergens een verklarende brief verstopt zat. Maar die was er natuurlijk niet. De Amazones werkten in stilte.

Nadat ik de leren map opzij had gelegd, stak ik mijn handen in het zaagsel en tastte rond terwijl Rebecca met grote ogen toekeek. Wat er verder ook in de kist zat, het was uitermate goed ingebed, en ik moest diep graven voordat mijn vingertoppen iets hards raakten.

'Ho, wacht even!' Rebecca duwde me opzij zodra ze zag dat ik me inspande om het voorwerp omhoog te halen. 'Laten we dit voorzichtig aanpakken.'

Al snel nadat Rebecca aan haar opgraving was begonnen lag de vloer van professor Larkins kantoor bezaaid met hopen zaagsel. En toen het voorwerp eindelijk blootgelegd was, haalde ze het er niet uit, maar boog zich slechts over de rand van de kist om het te bestuderen. 'Dat,' merkte ze op, 'is eeuwenoud. Dat moet wel.'

Even stonden we zwijgend naar het kleitablet te staren. Toen pakte ik er een lamp bij en hield hem boven de kist om beter te kunnen zien.

'Het is niet het Amazone-alfabet, hè?' vroeg Rebecca na een poosje.

'Nee, dat is het niet.' Ik trok de lamp zo dicht bij de kist als ik kon, tot de elektriciteitskabel strak stond. 'Volgens mij is het Luwisch.' Ik had het nog niet gezegd of de stekker schoot uit het stopcontact, zodat wij plotseling in het donker zaten. Maar het beeld dat in mijn hoofd was blijven hangen was zo helder als daglicht. 'O, Becks!' fluisterde ik, de lang vergeten prikkel van wetenschappelijke opwinding hoorbaar in mijn stem. 'Kan dit hem echt zijn?'

Op dat moment rinkelde de telefoon.

'Ik heb een journalist aan de lijn,' zei Frank, met gepast wantrouwen, 'die graag wil spreken met degene die verantwoordelijk is voor de vondst van de Trojaanse tabletten. Bent u dat soms?'

43

DE ISTROS

TALLA WERD BIJ VOLLEMAAN GEBOREN.

Ze was gezond en gulzig, en ze had haar vaders ogen. Dagenlang deed Myrine niets anders dan haar in haar armen houden en in die kleine ogen staren wanneer ze open waren. 'Heb je hem gezien?' fluisterde ze dan, haar vingertop in Talla's greep. 'Kijkt je vader naar ons? Ik denk van wel.'

In de herfst waren ze langs de rivier de Istros gereisd. Deze noordelijke landen waren een wereld zonder grandeur, zonder enige verfijning. De mensen die ze ontmoetten, waren eenvoudig en gemakkelijk te begrijpen. Soms waren ze vriendelijk, soms niet; hun manieren hadden niets verrassends.

Tot dusver waren Myrine en haar zusters nog geen heksen of wolvenmannen tegengekomen; integendeel, als zij in een nieuw dorp aankwamen, was het duidelijk dat zijzelf onnatuurlijk gevonden werden: vrouwen met andere gezichten, ander haar, andere kleren, maar belangrijker nog, vrouwen met andere gewoonten...

Vrouwen zonder mannen.

Ze besloten de winter in een vallei door te brengen, een plek zonder al te veel andere jagers om rekening mee te houden. Daar bouwden ze hutten voor zichzelf en voor de paarden, en begroeven koning Priamos' kostbare kleitabletten in nesten van stro onder de grond.

Er ging geen dag voorbij waarop ze niet over de toekomst praatten. Ze hadden een droom gemeen, de droom van een vruchtbaar en gul land, waar ze in vrede zouden kunnen jagen en boeren, zonder de voortdurende angst dat wat ze hadden hun weer afgenomen kon worden. 'Als we daar eenmaal zijn...' zeiden ze, tegen zichzelf en tegen elkaar, en niemand betwijfelde dat het ooit zover zou komen.

'Het ligt daar op ons te wachten,' hield Lilli altijd vol, glimlachend naar een horizon die ze niet kon zien. 'We krijgen ons dorp, nee, onze stad. Een stad van vrouwen.'

Gedurende de lange winter brachten ze de avonden door rond het vuur, gewikkeld in huiden en vachten, en vormden die stad in woorden. Het onderwerp mannen kwam af en toe ter sprake, maar aangezien niemand zich kon voorstellen ooit naar intimiteit te verlangen met de ongeletterde mannen die deze noordelijke streken bevolkten, werd dat meestal met gelach begroet.

'Ik zal jullie nooit vragen,' zei Myrine eens tegen haar zusters, terwijl ze het vuur opstookte, 'om zonder zulke genoegens te leven. Maar ik geloof wel dat mannen en vrouwen zo verschillend zijn dat we niet in elkaars wereld moeten willen leven. Als het moet, ga dan met een herder rollebollen onder een sterrenhemel, maar probeer niet om zijn daglicht te delen. Want de zon werkt op mannen als een elixer – het vertroebelt hun ogen voor de waarde van vrouwen en laat ze denken dat zij ons moeten overheersen. Zelfs de vriendelijkste van alle mannen' – ze boog haar hoofd toen de herinneringen zich roerden – 'zullen denken dat ze ons een gunst verlenen door ons op te sluiten.'

'Niet alle mannen zijn toch zeker tirannieke meesters,' protesteerde Pitana, die ijverig houten speelgoed voor Talla sneed. 'Ik kan me zelf nog goed herinneren hoe jij vroeger glimlachte.' Ze keek even op om Myrine aan te kijken en haar humeur te peilen. 'Ik zou graag willen weten hoe het voelt om zo te glimlachen. Het komt mij voor dat mannen dingen bij ons opwekken die zouden verdorren als wij ons leven zonder hen leefden.'

'Als de Trojanen er niet waren geweest,' zei Klito instemmend, 'zouden Kara en ik nog altijd slaven zijn geweest in Mykene. Sómmige mannen verdienen het toch om als bevrijders te worden geprezen.'

'Dat ontken ik ook niet,' zei Myrine. 'Vele goede mannen, daar ben ik van overtuigd, hebben hun leven – of in ieder geval hun geluk – verloren vanwege een vrouw. Daarom zeg ik dat het vriendelijkste wat we voor hen kunnen doen, is ze met rust te laten. Ook wij zullen baat hebben bij dergelijke voorzorgen. Want het primitieve antwoord van mannen op onze complexe kracht is ons een juk op te leggen, en ons te doen geloven dat wij dat juk nodig hebben. Hij noemt het een daad van liefde en bescherming – zo spreekt de sluwe tiran. En als wij hem geloven en onszelf en onze zusters gewillig aan banden leggen,' zei ze hoofdschuddend, met een diepe zucht, 'dan wordt onze tragedie zíjn ultieme overwinning.'

'Inderdaad,' zei Kara, die hun nieuwe leven gretiger had omarmd dan de anderen. 'Liefde is verraderlijk. Wij geven mannen kracht, maar zij verlenen ons die gunst niet. Zelfs degenen onder ons die zichzelf als superieur van geest beschouwen, raken de weg kwijt als een man zijn veren spreidt. Het is giftige tovenarij die ze over ons uitspreken, is het niet?' Ze keek met een vragende blik om zich heen, op zoek naar bevestiging.

'Dan heb ik alweer geluk,' zei Lilli, glimlachend terwijl ze baby Talla in haar armen wiegde. 'Ik kan die giftige veren die jullie verleiden niet zien. Wees maar blij, zusters, dat jullie in ieder geval iemand in je midden hebben die een vaste koers kan varen.'

'Dan stel ik voor,' zei Myrine, toen de discussie stokte en ze Talla aan de borst legde, 'dat onze stad geen mannen toelaat, voor het geval een gepluimde haan ons probeert te onderwerpen. Wij zullen natuurlijk vrij zijn om te komen en te gaan, en onze nachten door te brengen zoals wij dat willen; geen jaloerse Maangodin zal ons die keus ontnemen.' Ze wees naar het verdikte litteken op haar borst – de blijvende herinnering aan haar inwijding in de tempel van de Maangodin. 'Van nu af aan zullen deze littekens vrijheid betekenen, geen slavernij. Onze dagen zullen van ons alleen zijn, gewijd aan bedrijvigheid en verbetering; zolang de Zon aan de hemel staat, zal geen man en geen stenen godheid het recht hebben om ons vast te leggen.'

Met het voorbijgaan van de tijd nam hun aantal toe. Zelfs de wereld van wouden en bergen had geen tekort aan vrouwen die bereid waren om een echtgenoot in te ruilen voor een paard en een halster. Altijd in beweging, weigerden Myrine en haar groeiende verbond van zusters om zich te vestigen voordat ze de volmaakte plek hadden gevonden voor hun stad.

Uiteindelijk was het Talla die haar moeders nomadische aard ter discussie stelde. 'We kunnen niet eeuwig jagers zijn,' zei ze op een dag, toen ze allemaal bijeen zaten rond een roosterende hertenbok aan een spit. 'Tante Lilli heeft gelijk, sommige handen hebben behoefte om te zaaien en te oogsten. Ik weet dat het ons tegenstaat om onze stad te stichten en die wellicht weer te moeten verplaatsen, maar gaat het niet altijd zo in deze wereld? Het getij komt op, het getij neemt af, en ineens zijn we ergens anders.' Ze keek hen ieder beurtelings aan. 'Laten we geen slaven worden van een onbuigzaam idee...'

Myrine bracht haar dochter met een vermoeid gebaar tot zwijgen. 'De tijden die komen, zullen geen tekort aan vijanden kennen, daar ben ik van overtuigd. Om te overleven moeten we altijd bereid zijn, altijd lichtvoetig...'

'En dat zullen we ook zijn!' riep Talla uit, haar armen opstekend. 'Maar zelfs de sterkste hardloper moet rusten. Laten we niet zijn zoals die dieren die sterven van uitputting. We mogen dan Amazones zijn, zelfs wij kunnen niet tot in de eeuwigheid blijven galopperen.'

En dus vestigden ze zich een poos, en verhuisden weer, en vestigden zich opnieuw, nooit werkelijk ergens wortelend, altijd op doorreis. En waar ze ook gingen, altijd dienden de kleitabletten van Troje – die niemand van hen kon lezen – als een symbool van hun belofte aan koning Priamos en aan zichzelf: nooit vergeten.

Door de jaren heen werkten ze hard om het schrift te bewaren dat Kyme hun had geleerd, maar het belangrijkste was dat ze nooit ophielden met het vertellen van hun verhalen. Zelfs toen de tijd verstreek en hun groep zich in vele groepen opdeelde, hield elke afdeling koppig vast aan het verleden dat hun gemeenschappelijke oorsprong vormde. Want in dat verleden, wisten ze, lag de wijsheid die het zaad tegen de hongerige vraatkever zou beschermen – de belofte van een nieuwe, betere wereld.

44

Er kan opnieuw een Troje verrijzen.
– EURIPIDES, *Trojaanse Vrouwen*

OXFORD, ENGELAND

HET SHELDONIAN THEATRE gonsde van alle gissingen. Het gebeurde zelden dat het nederige veld van de klassieke filologie wereldwijd de aandacht van de media trok, maar deze persconferentie bleek een van die gelegenheden te zijn. Minder dan een maand eerder had Ludwig me beloofd dat ik op het punt stond om geschiedenis te schrijven. In zijn leugen had hij uiteindelijk volkomen gelijk gekregen, dacht ik bij mezelf op weg naar het spreekgestoelte.

'Hartelijk dank, professor Vandenbosch.' Ik glimlachte naar de arme oude kwaadspreker, die minder dan vierentwintig uur de tijd had gekregen om een lovende speech te schrijven over mijn prestaties, persoonlijke deugden en onschatbare waarde voor de wetenschappelijke gemeenschap van Oxford... en in feite, vanaf vandaag, voor de wetenschap in het algemeen. Ondanks een klein spierkrampje in zijn ooghoek tijdens zijn toespraak voor de dames en heren van de pers, was het eerwaarde afdelingshoofd aangenaam overtuigend in zijn rol van toegewijde vriend en collega.

In de afgelopen drie dagen, sinds de kisten bezorgd waren, hadden professor Vandenbosch en alle anderen met een belang in de klassieke wereld me begrijpelijkerwijs onderworpen aan een spervuur van vragen, beschuldigingen en beledigingen, en vooral hij was verschrikkelijk teleurgesteld geweest dat ik dat uiteindelijk had overleefd. Van zelfbenoemd leidsman in de hele affaire was hij algauw afgezet door journalisten en autoriteiten die geen geduld hadden met zijn neerbuigende tussenkomst. Uiteindelijk had de vicekanselier zich ermee bemoeid, en binnen vierentwintig uur was er een persconferentie georganiseerd.

'Zoals u al weet,' ging ik verder, uitkijkend over de deinende zee van gezichten, 'heeft een anonieme Zwitserse verzamelaar mij twaalf in het Luwisch beschreven kleitabletten toevertrouwd – een taal die in het tweede en eerste millennium vóór onze jaartelling overal in de Hittitische wereld werd gesproken. Mijn werktheorie is dat deze tabletten historische gegevens bevatten uit het klassieke Troje – gegevens die uit de stad werden verwijderd voordat hij werd vernietigd, meer dan drieduizend jaar geleden. Het historische belang van zulke gegevens is enorm. Zoals u allen weet, blijft het legendarische Troje niet alleen wetenschappers boeien, maar iedereen die belangstelling heeft voor vroegere beschavingen. Ik hoop dat deze tabletten een fundament zullen leggen voor het herschrijven van wat wij weten over de stad van koning Priamos.'

Ik was van plan geweest om meer te zeggen, maar zodra ik even zweeg, vloog er een wildernis van armen omhoog, wedijverend om mijn aandacht. Geconcentreerd op de kerngroep van zwaargewichten uit de media in het publiek – die de vicekanselier me nauwkeurig had aangewezen – nam ik snel achtereen een paar vragen aan, zonder ruimte te laten voor vervolgopmerkingen.

'U zegt dat de schenker een anonieme Zwitserse verzamelaar is,' vroeg een journalist uit Londen met een gruizige stem en achterovergeplakt grijs haar. 'Kunt u ons wat meer details geven?'

'Ik vrees van niet. Ik heb beloofd om de identiteit van de schenker geheim te houden.'

'Dr. Morgan.' Een journaliste die ik van televisie herkende, was de volgende. 'Als ik uw artikelen en onderzoek bekijk, zie ik een heleboel' – ze trok een gezicht – 'Amazones, en weinig over Troje. Is er enige discussie geweest of u wel voldoende gekwalificeerd bent voor deze nieuwe uitdaging?'

Ik dwong me tot een glimlach. 'Aangezien u al een blik op mijn werk hebt geworpen, weet u dat ik niet onbekend bent met de Luwische taal.'

'Wat staat er precies op de tabletten?' vroeg een Amerikaan in een gekreukt bruin pak – de enige van het stel die ook maar een beetje vriendelijk keek.

'Ik heb ze pas drie dagen geleden ontvangen,' antwoordde ik. 'Maar voor zover ik het kan bekijken, hebben we te maken met historische gegevens die specifieke gebeurtenissen en namen opsommen.'

Ik wilde verdergaan, maar werd tegengehouden door een verwilderd kijkende pitbull van een Fransman die onmogelijk op zijn beurt kon wachten. 'De afgelopen week,' blafte hij, niet alleen tegen mij maar tegen iedereen, 'hebben er andere zogenaamde incidenten plaatsgevonden in de kringen waarin artefacten verhandeld worden. Een bekende verzamelaar met de naam Grigor Reznik werd vermoord in een opslagplaats in de vrijhaven van Genève. Kennelijk werd hij doodgeschoten door de zoon van een concurrerende verzamelaar tijdens een illegale uitwisseling van kunstvoorwerpen. Er wordt gespeculeerd dat Reznik de voormalige eigenaar was van de Trojaanse tabletten. Ook werd er drie dagen geleden een eeuwenoud manuscript, de *Historia Amazonum*, anoniem terugbezorgd aan het Roemeense archief waaruit het gestolen was – naar verluidt ook al door Reznik.' De Fransman richtte zijn beschuldigende blik op mij. 'Wat is uw rol in deze gebeurtenissen?'

Bij die vraag verslikte ik me bijna. 'Dit is allemaal nieuw voor mij,' zei ik, zo rustig mogelijk. 'Maar ik betwijfel sterk dat de Trojaanse tabletten al die jaren in een opslagplaats in Genève hebben gelegen. Volgende vraag, alstublieft!'

Tegen de tijd dat de meest agressieve journalisten genoeg van me hadden, beefden mijn handen zo erg dat ik mijn armen over elkaar moest slaan. Tot op de laatste minuut had ik gehoopt dat Katherine Kent uit het niets zou opduiken voor de persconferentie. Maar kennelijk was dit een veldslag die ik alleen moest leveren.

Ik vermoedde dat mijn korte toespraak tegen Otrera in Suomussalmi een rol had gespeeld in het overtuigen van de Amazones dat het tijd was dat zij hun schat recht deden. En toch was hun vertrouwen in mij zo ontroerend dat ik amper wist hoe ik erop moest reageren, behalve door te zorgen dat de tabletten veilig waren en hun teksten vertaald en gepubliceerd werden. Dat het anonieme persbericht was uitgegeven op dezelfde dag als die waarop de kratten bij mij waren bezorgd, bevestigde mijn overtuiging dat ik niet zomaar een nieuwe tablettenbewaker was: ik moest de verloren stad van koning Priamos opnieuw tot leven wekken.

'Laatste vraag?' Ik keek weer uit over de menigte en probeerde te kiezen uit tientallen gretige armen. Tussen de mensen langs de muren stond een contingent mannen in grijze pakken – zo discreet van uiterlijk dat ik ze tot op dat moment niet had opgemerkt.

Geheime dienst? Bij de gedachte alleen al verstijfde ik van angst. Kwamen ze me ondervragen over Reznik? Of James?

Ik wierp nog een blik op de mannen en vroeg me af of ze van plan waren me meteen na de persconferentie te arresteren en of ik soms moest proberen te ontsnappen... Maar toen zag ik hém, midden tussen alle anderen, zijn gezicht even onverzoenlijk als de week ervoor, toen hij de ziekenhuiskamer van zijn zoon kwam binnenstuiven en mij opzijschoof alsof ik een hondenspeeltje was. Hij wilde me ook een vraag stellen.

'Meneer al-Aqrab?' hoorde ik mezelf in de microfoon zeggen.

De naam veroorzaakte een aardbeving in het publiek, omdat iedereen probeerde om de beul van Babylon te zien, die zo onverwacht in hun midden opdook.

'Dr. Morgan,' zei al-Aqrab, zich welbewust van de flitsende camera's om hem heen. 'Ik wil u graag feliciteren met het redden en doen herleven van deze vergeten resten van het verleden. Zonder twijfel zal dit een keerpunt vormen in de relatie tussen uw universiteit en mijn stichting, die in het verleden helaas onenigheid hebben gehad.' Hij zweeg even om de betekenis van zijn woorden te laten bezinken, en vervolgde toen: 'Ik weet dat u al in contact bent geweest met de Turkse autoriteiten, en ik acht het lovenswaardig dat u het initiatief daartoe hebt genomen. Met dat feit in gedachten, wie beschouwt u als de wettige eigenaar van deze tabletten? Worden zij nu, zoals zoveel kostbaarheden uit de oudheid, het eigendom' – hij stak zijn armen uit alsof hij een aanklacht deed – 'van het Verenigd Koninkrijk?'

Die vraag veroorzaakte een hele reeks naschokken, en fotografen wedijverden om het beeld van de dag vast te leggen. Ik merkte de commotie nauwelijks op; ik kon alleen aan Nick denken. Al-Aqrab zou toch niet hier zijn als de toestand van zijn zoon nog steeds kritiek was?

'De tabletten zijn aan mij persoonlijk toevertrouwd,' antwoordde ik ten slotte, toen ik me eindelijk realiseerde dat iedereen op mijn reactie wachtte, 'en ik beschouw het als mijn plicht om te zorgen dat ze veilig zijn. Maar niemand kan het verleden van anderen bezitten, zelfs als die anderen al lang dood zijn. Trojaanse artefacten van welke aard dan ook hier in Groot-Brittannië bewaren, zo ver van hun oorsprong, zou een terugval betekenen naar achterhaalde praktijken.' Ik rechtte mijn rug en deed mijn best om boven het crescendo van wetenschappelijke onvrede uit te stijgen dat mij dreigde te overstemmen. 'De schenker heeft mij belast met de keuze van een toekomstige verblijfplaats voor de tabletten, en het is mijn bedoeling om ze zo snel mogelijk terug te brengen naar de plaats waar ze vandaan komen.'

In de vloedgolf van woede die op mijn stelling volgde, wist ik zeker dat ik professor Vandenbosch 'belachelijk!' hoorde roepen.

Al-Aqrab keek rond, zichtbaar genietend van het oproer. 'Als ik eens aanbood om een museum voor ze te bouwen?'

De zaal viel meteen stil en alle gezichten keerden zich weer naar mij, alsof het Sheldonian vol zat met schapen, wachtend op het uitladen van een voederwagen die daarna misschien, of misschien niet, naar het slachthuis zou gaan.

'Er zijn al musea in Troje...' begon ik.

'Een véílig museum, dr. Morgan. Onder toezicht van een man die u al kent, meen ik: dr. Murat Özlem. Wat zegt u ervan?' Al-Aqrab glimlachte, en dat veranderde zijn gezicht volledig. 'Is het geen tijd voor een joint venture?'

'Dat moeten we natuurlijk met de Turkse autoriteiten overleggen,' zei ik. 'Maar... dat is bijzonder vrijgevig van u. Misschien moeten we een vergadering plannen.'

Tussen de wrakstukken van onze woordenwisseling schoot een jungle van armen de lucht in. Professor Vandenbosch was half opgestaan van zijn stoel, op het punt om tussenbeide te komen en het podium en de microfoon over te nemen.

Onzeker of ik nog een vraag moest aannemen keek ik op en zag al-Aqrab en zijn cohort naar de deur benen, hun missie volbracht.

In een plotselinge aanval van tunnelvisie vervaagde alles om me heen tot een grijze mist. Het kon me niet schelen wat er zou gebeuren; die man zou niet nog eens van mij weglopen.

'Hartelijk dank,' zei ik in de microfoon. 'Professor Vandenbosch zal met alle plezier de rest van uw vragen beantwoorden.' Daarmee stapte ik van het podium af en haastte me over het middenpad, mijn blik strak op de deur gericht. Ik rende niet, maar wel bijna.

Toen ik de deur uit stoof, bracht een onverwachte stortbui van ijzige regen me net lang genoeg in verwarring om al-Aqrab de kans te geven mij een schalks vaarwel toe te knikken, in een zwarte limousine te stappen en weg te rijden; mij liet hij doorweekt achter, vanbinnen en vanbuiten.

Als verlamd stond ik naar de vage omtrek van Broad Street te turen. Mijn voeten wilden simpelweg niet van hun plaats komen.

'Je moet het mijn vader maar vergeven,' zei een stem achter me. 'Verontschuldigingen zijn nooit zijn sterkste punt geweest.'

Ik draaide om mijn as en zag Nick staan, even doorweekt als ik, maar desondanks met een glimlach. Die vervaagde echter zodra hij mijn gezicht zag. 'Hallo, godin,' zei hij, en hij strekte een hand uit om mijn wang te strelen. 'Ben je niet blij om me te zien?'

En toen voelde ik eindelijk zijn armen om me heen; ik klemde me vast aan zijn warmte met elke bevende vezel van mijn lichaam, zo wanhopig om me ervan te verzekeren dat hij helemaal heel was, dat het niet eens bij me opkwam om hem te zoenen tot zijn mond de mijne vond en al mijn angsten verdreef.

'Maak je geen zorgen,' fluisterde hij na een poosje. 'Ik ben weer helemaal in orde. En ik zal niet meer verdwijnen, dat beloof ik je. Tenzij jij dat wilt.'

Ik was nog niet klaar om te lachen. 'Ik ben zo ongelukkig geweest,' prevelde ik, met mijn gezicht in de holte van zijn hals. 'Waarom heb je me niet gebeld?'

Nick nam mijn gezicht in zijn handen. 'Omdat ik je ogen moest zien...'

Op dat moment barstte de deur van het Sheldonian open en ontketende een veelheid van vervolgvragen.

'O nee,' zei ik. 'Ik wil niet meer terug.'

Nick lachte. 'Ach, waarom niet? Natuurlijk wil je dat wel.' Hij draaide me om naar de menigte. 'Span je boog, Diana. Ik sta vlak achter je.'

Nick had een kamer gereserveerd in het Claridge's in Londen, maar zo ver kwamen we niet eens. Te voet ontsnapten we aan de dringende post-persconferentiemenigte en vluchtten via New College Lane onder de Bridge of Sighs door, waarna we het dichtstbijzijnde steegje in doken. Nick aan zijn hand meetrekkend voerde ik ons door een beschaduwd labyrint van door de tijd aangeslagen muren tot we het heimelijkste toevluchtsoord van Oxford bereikten: het Bath Place Hotel. Een beleefd verzoek en een sleutel later tuimelden we onze kamer in en rukten elkaar in corybantische opwinding de natte kleren van het lijf. Pas toen ik de hechtingen op zijn bovenbeen zag, werd ik herinnerd aan Nicks recente aanvaring met zijn sterfelijkheid.

'Wacht!' hijgde ik. 'Gaat het wel? Misschien moeten we...'

'Wat?' Hij trok me dicht tegen zich aan, zijn blik in de mijne. 'Wachten tot de zon ondergaat? Ik wil de regels wel verbreken, als jij meedoet.'

Ik duwde hem op het bed en ging met een kus schrijlings op hem zitten. 'De enige regel hier,' fluisterde ik, genietend van zijn voelbare aanwezigheid, 'is dat jij van nu af aan in leven blijft.'

Later, toen we in een staat van zweterige bevrediging naast elkaar lagen, keek Nick me met een vragende frons aan en zei: 'Wacht eens even. Heb jij niet een appartement hier in Oxford?'

'Ja,' verzuchtte ik, 'maar daar is Becks. En mijn ouders komen langs. Trouwens' – met een blik op zijn horloge en een kreun – 'over een uur moeten we samen eten.'

'Ben ik uitgenodigd?'

Ik lachte en kroop tegen hem aan. 'Op eigen risico. Vergeet niet dat mijn vader schoolhoofd is geweest. Hij weet hoe hij vragen moet stellen.'

Nick kuste me op mijn voorhoofd. 'Ik wil best in de houding staan. Ik weet dat ik de belichaming ben van de grootste angst van je ouders. Met een koppige zakenman uit Dubai en een motorpoes van de Amazones in de genenpoel... God weet hoe hun kleinkinderen eruit zullen zien.'

Ik wist niet zeker wat ik van zijn woorden moest denken en legde mijn hand zachtjes op zijn wond. 'Mijn jakhals heeft een kogel voor je opgevangen. Dat zullen mijn ouders ook doen.'

Nick bleef even stil. Toen zei hij, ongewoon plechtig: 'Misschien zou dit een goed moment voor je zijn om mij ten huwelijk te vragen.'

Ik was zo verbijsterd, zo opgetogen, dat ik begon te lachen. Toen hij niet meelachte, ging ik rechtop zitten om hem aan te kijken. 'Jij bent zo geweldig. Maar weet je, academici vragen geen miljardairs ten huwelijk.'

'Maak je geen zorgen.' Nick ging ook rechtop zitten en schonk me een halve glimlach. 'Mijn vader vindt – en ik ben het met hem eens – dat een man betalen om niets te doen de zekerste manier is om hem kapot te maken. Ik moet werken en mijn rekeningen betalen, net als iedereen.' Zijn glimlach verbreedde zich. 'Maar ik maak me niet druk. Ik ben van plan om een team te vormen met een wereldberoemde filoloog. En als ze me niet ten huwelijk vraagt, word ik gewoon haar toyboy.' Toen ik niets zei, trok hij me op schoot en zei, op ernstigere toon: 'Kom op, help me eens een beetje. Hoe kan ik je vragen om voor de rest van ons leven mijn dagen en nachten te delen... zonder oma boos te maken? Ik weet dat ze daarboven in de Amazonehemel met haar vuist in mijn richting zit te schudden.' Hij reikte naar zijn colbertje, dat over het nachtkastje lag, en haalde er een klein, vierkant sieradendoosje uit. 'Maar ik hoop haar hiermee misschien tot bedaren te kunnen brengen.'

'O, Nick,' zei ik, met een steek van ongemak. 'Je moet me niets geven. Alsjeblieft.'

'Ik weet het, ik weet het.' Verdedigend stak hij zijn handen op. 'Geen ringen, geen diamanten, geen patriarchale aanbetalingen. Ik snap het al. Maar' – hij duwde me het doosje in handen – 'je kunt toch wel even kijken.'

'Goed dan, maar je had niet...' Ik maakte het doosje open.

Het was leeg.

Verward tilde ik de blauw-satijnen voering op om te zien of er iets onder verstopt zat. Maar er lag niets in.

Toen ik opkeek, zag ik Nick genieten van mijn perplexe gezicht. 'Het is voor de jakhals,' zei hij uiteindelijk. 'Een hondenhokje voor onze beste vriend.'

Te gelukkig om een woord uit te brengen boog ik me naar hem toe en gaf hem een kus. 'Ho, ho!' zei hij lachend. 'Dit gevrij overdag is nieuw voor oma. Ik wil niet weer een tik op mijn neus krijgen.'

Ik glipte uit bed om mijn meest recente handtas te vinden met de vervormde jakhals erin, die ik nog steeds bij me droeg. Onder Nicks toekijkende blik kwam ik terug naar het bed en legde de armband in zijn nieuwe blauw-satijnen bedje. Zodra ik het deksel had dichtgedaan, trok hij me met een duivels gekakel in het bed. 'Aha! Nu ben je van mij!'

'Pas maar op.' Ik stak het sieradendoosje waarschuwend omhoog. 'Dit is geen bejaardentehuis. Mijn jakhals mag dan verblind zijn door de kogel, hij kan nog steeds bijten.'

'Dat mag ik hopen.' Opnieuw trok Nick me op schoot. 'Wat wil je het komende halfuur doen? Ik heb je nog niet verteld over mijn dodenrit naar het ziekenhuis van Suomussalmi met mijn armen vastgevroren om mijn moeders kevlar-middel... maar misschien is dat meer iets voor aan de eettafel.'

'En ik heb jou nog niet verteld over je moeders naamgenote, de oorspronkelijke Myrine.' Ik keek even naar mijn handtas en vroeg me af of dit het moment was om Nick de leren dossiermap te laten zien met de nauwkeurig vastgelegde memoires van de kleine groep zusters die – drieduizend jaar geleden – vóór ons van Algerije via Troje naar de vrijheid van de noordse wildernis waren gereisd. 'Als je geluk hebt, lees ik het je misschien ná het eten voor.'

'Ik heb een idee,' zei Nick. 'Waarom lok je me niet weer eens in de douche?'

Ik keek hem lang aan. 'Je weet wat er vorige keer gebeurde.'

'Jaaaa.' Hij trok me naar zich toe voor een kus. 'Maar het was het toch waard.'

Pas twee weken later kwamen we er eindelijk aan toe om het verhaal in de leren map te lezen, toen we weer in Turkije waren om de locatie van het nieuwe museum voor de Trojaanse tabletten te bekijken met een juichende dr. Özlem en een uitermate zelfvoldane Telemachos. Toch wist ik dat Nick het onderwerp van de Amazones even serieus opvatte als ik, en dat die gedeelde prehistorie van ons in de komende jaren onze liefde zou versterken.

Want ons pad – ja, zelfs dat van ons – zou geen gebrek kennen aan vijanden of noodlottige wendingen, maar vanuit zijn koninklijke behuizing verzekerde de jakhals ons dat we, zolang we alle drie bij elkaar bleven, nooit ver zouden afdwalen van het geluk dat oma's grootste geschenk aan mij was geweest.

NOOT VAN DE AUTEUR

Hebben de Amazones werkelijk bestaan? Natuurlijk. Waren ze precies zoals wij ze afgebeeld zien in de klassieke kunst en literatuur? Waarschijnlijk niet. Net als vele andere mythische figuren en gebeurtenissen zijn de Amazones een droom, een angst, een verleidelijke constellatie van ideeën en emoties rond de plaats van de vrouw in de vroege mediterrane maatschappij. Zouden vrouwen de wapens hebben opgenomen om hun woning en hun dierbaren te verdedigen? Het tegendeel lijkt onmogelijk. Zouden ze hele legers bijeengebracht hebben om slag te leveren met prehistorische Griekse strijdmachten? Dat lijkt onwaarschijnlijk. Maar al sinds het begin der tijden hebben verhalenvertellers (en -vertelsters) hun publiek willen bekoren met abnormale slechteriken en afgehakte ledematen. En voor de oude Grieken waren de Amazones bestsellermateriaal. Bestaan deze opmerkelijke vrouwen nog steeds? Jazeker, in elk van ons. Soms verwerkelijken we onze innerlijke Amazone pas wanneer het leven ons een verdovende slag toebrengt... maar ze is er wel, wachtend om ons haar kracht te lenen, daar ben ik van overtuigd.

Ik heb dit boek opgedragen aan mijn lieve schoonmoeder, Shirley Fortier, die in de maand dat ik de definitieve versie van dit boek afrondde, ten prooi viel aan kanker. Ondanks het feit dat ze bij de start al uit het zadel werd geworpen en tegen een grote overmacht streed, heeft ze zich tegen de dood verzet met een verbijsterende moed, waarvan wij niet wisten dat ze die bezat. We missen haar verschrikkelijk en zullen haar nooit, nooit vergeten.

Wat de oorspronkelijke Amazones uit de Griekse mythen betreft, de legenden die hun daden beschrijven zijn zo overvloedig en zo mistig – en zo vaak tegenstrijdig – dat niemand ooit kan hopen alle draden in een enkel, overkoepelend verhaal te verbinden. Dat heb ik dan ook zeker niet geprobeerd, en ik hoop dat de lezers zich ervan bewust zijn dat ik de traditie op een speelse manier heb gebruikt, en dat dit boek op geen enkele wijze gezaghebbende non-fictiewerken over dit onderwerp kan vervangen. Daarom spoor ik de lezer aan om zelf de Amazonejacht voort te zetten: galoppeer naar de plaatselijke bibliotheek, speur dapper in de plaatselijke boekwinkels en duik in de klassieke mythen die ons nu nog, millennia later, ter beschikking staan, in zoveel verschillende, intrigerende interpretaties.

Hoewel de evenementen en karakters die ik in het boek beschrijf waarschijnlijk in grote mate fictief zijn, heb ik mijn best gedaan om het historische kader zo stevig te maken als het kan zijn. Verscheidene eminente deskundigen zijn zo vriendelijk geweest om het manuscript in wording door te lezen en hebben me waardevolle feedback gegeven; bovenal ben ik veel dank verschuldigd aan mijn lieve vriend, dr. Thomas R. Martin, houder van de Jeremiah O'Connor-leerstoel in klassieke oudheid aan het College of the Holy Cross, en ik kan zijn bekende werken *Ancient Greece* en *Ancient Rome* van harte aanbevelen aan iedereen die zin heeft in een spannende leunstoelreis naar ons verbijsterende verleden.

Ik ben ook veel dank verschuldigd aan mijn oude vriend dr. Timothy J. Moore, de John and Penelope Biggs Distinguished professor klassieke oudheid aan Washington University in St. Louis, wiens briljante, grootmoedige energie ervoor zorgde dat ik excellente filologen in een heldhaftig licht ging zien, en wiens vlammende, rücksichtsloze aanpak van het mentoraat meer heeft gedaan om mij stevig in mijn schoenen te zetten dan alle zoetgevooisde steun ooit had kunnen doen.

Mijn naaste vrienden, Mette Korsgaard, senior editor bij Gyldendal Business, en dr. Peter Pentz, curator van het Nationaal Museum van Denemarken, waren zo vriendelijk om het boek te bekijken vanuit het oogpunt van de archeoloog. Met hun raad in gedachten moet ik benadrukken dat de meningen vaak verdeeld zijn bij het interpreteren van vondsten uit de oudheid. Sommige wetenschappers zullen het beslist niet eens zijn met mijn keuzes bij het beschrijven van het verleden – sceptisch zijn is immers een voorwaarde voor ware wetenschap – maar dat wil niet noodzakelijkerwijs zeggen dat de dingen niet kunnen zijn gebeurd zoals ik ze heb beschreven. Ik hoop natuurlijk dat nieuwsgierige lezers mijn boek zullen gebruiken als een springplank voor een duik in de vele onopgeloste raadsels van het verleden en zich en masse op het veld van geschiedenis, filologie en archeologie zullen storten, om onze kennis van de klassieke wereld geestdriftig te helpen uitbreiden.

Ik moet ook opmerken dat het dr. Pentz was die mij als eerste bewust maakte van de grote inspanningen die het Nationaal Museum van Denemarken zich heeft getroost om een duurzame positie in te nemen in de grote – en groeiende – strijd om de teruggave van historische artefacten. Iedereen die graag meer wil lezen over dit boeiende onderwerp raad ik van harte aan om het uitstekende boek *Loot* van Sharon Waxman te lezen, alsook *The Medici Conspiracy* door Peter Watson en Cecilia Todescini. Beide studies zijn zeer gedetailleerd en gegrondvest op zorgvuldig onderzoek, maar lezen als goed opgebouwde thrillers.

Tevens ben ik dankbaar voor de assistentie van mijn goede vriendin Heather Epps uit Storrington in West Sussex, die speciaal met het oog op Brits-Engels taalgebruik het hele manuscript voor me heeft doorgelezen en mijn amerikanismen en ondeugende grapjes ten koste van de excentriciteit van de Britse adel en wetenschap zo lijdzaam heeft verdragen. Ik heb het geluk gehad om als Visiting Graduate Member het Corpus Christi College in Oxford te bezoeken toen ik tien jaar geleden mijn PhD. in Romeinse historici afmaakte, en ik vertrouw erop dat de lezer – ondanks Diana Morgans beproevingen – mijn immense bewondering zal herkennen voor die fantastische plek en zijn uniek begaafde bevolking.

Mijn dank gaat verder uit naar de directeur van het Raatteen Portti Museum, Marko Seppänen, en naar auteur Tyyne Martikainen in Finland. Dankzij hun levenslange inspanningen en deskundigheid ben ik de tragedie van de Winteroorlog gaan begrijpen, die de levens van zoveel duizenden Finnen en Russen verwoestte. Sinds mijn coproductie van de documentaire *Fire and Ice: The Winter War of Finland and Russia*, ben ik vastbesloten om de bekendheid te vergroten van het grootse werk dat Tyyne Martikainen en haar Finse en Russische collega's verrichten om het verhaal van alle Finse burgers op te sporen die al die tijd geleden gevangen werden genomen en naar kampen werden gestuurd.

Ik vertel mijn studenten altijd dat het meer dan één hoofd vergt om van een goed verhaal een goed boek te maken. Dat geldt zeker voor mij. Ik weet niet hoe de avonturen van Diana en Myrine eruitgezien zouden hebben zonder het gedegen advies van de fantastische redacteuren die me geholpen hebben om twee wilde verhalen in een beheersbare vorm te gieten. Wat had ik moeten doen zonder de speelse wijsheid van dr. Cordelia Borchardt bij Fischer/Krüger, het geruststellende gezonde verstand van Iris Tupholme en Lorissa Sengara bij HarperCollins Canada, of de meedogenloze deskundigheid van Dana Isaacson bij Ballantine/Random House? Ik moet er niet aan denken. En ik zou zeker zijn gestrand op heel wat onbewoonbare ideeën zonder mijn bewonderenswaardig geduldige redacteur bij Ballantine, Susanna Porter, die mij met haar adelaarsoog en expertise opnieuw veilig thuis heeft gebracht.

Vanzelfsprekend hebben veel meer mensen een rol gespeeld bij de geboorte van dit boek dan ik hier kan bedanken. Het geweldige team bij Ballantine heeft van het hele gebeuren een feest gemaakt en staat altijd voor me klaar. Naast Susanna Porter en Dana Isaacson wil ik graag Libby McGuire, Jennifer Hershey, Kim Hovey, Vincent La Scala, Priyanka Krishnan, Susan Turner, Kristin Fassler, Ashley Woodfolk, Toby Ernst, Susan Corcoran en Lisa Barnes bedanken voor hun blijvende steun en optimisme. Met een extra dosis dankbaarheid voor Paolo Pepe, die zo'n schitterend omslag heeft verzorgd.

Ook ben ik bijzondere dank verschuldigd aan mijn vrienden bij Gyldendal in Kopenhagen. Merete Borre en Vivi Vestergaard hebben hun oor geleend aan heel wat onhandelbare ideeën, en hadden steeds een bemoedigend 'ik zeg doen'. Dank ook voor de fantastische Deense vertaalster Ulla Oxvig, en voor Anne Hjermitslev en Line Miller bij Gyldendal, die zo onvermoeibaar hebben doorgewerkt tot de goede afloop. En natuurlijk enorm veel dank aan Harvey Macaulay bij Imperiet, die – zoals gewoonlijk – het Deense omslag in één keer goed had.

Sinds de geboorte van mijn boek *Julia* in 2008 ben ik Maja Nikolic, Maria Aughavin, Victoria Doherty-Munro, Chelsey Heller, Angharad Kowal en Stephen Barr bij Writers House als familieleden gaan beschouwen, en ik kan me geen schrijvend leven voorstellen zonder mijn fantastische agent, Dan Lazar, met zijn onvergelijkbare integriteit en kennis van zaken. De dankbaarheid die ik dit magnifieke team verschuldigd ben, is niet in een eenvoudig bedankje te vatten.

De hand van mijn moeder in dit boek heb ik nog niet vermeld, daar heb ik simpelweg niet genoeg ruimte voor. Maar wees ervan overtuigd dat ze bij me was, op kamelen in de Sahara en in de modder in Kalkriese, elke volgende stap voorvoelend en me voortdurend aansporend. Zonder haar levenslange steun en onvoorstelbare opofferingen had ik mijn droom om schrijver te worden nooit kunnen verwerkelijken, sterker nog, ik zou die droom nooit hebben durven koesteren.

Maar zelfs met dat leger van geweldige mensen achter me, zou ik niet zijn wie ik was, noch de moed hebben om te doen wat ik doe, zonder de kostbare liefde van mijn dochtertje en mijn dierbare echtgenoot, Jonathan. Misschien vinden mijn geheime zusters het minder leuk om te horen, maar tussen ons gezegd, als je het geluk hebt om een perfect mannelijk exemplaar te vangen, is het niet zo heel erg om de maliënkolders af te leggen en een parttime Amazone te worden...